La Musique classique POUR LES NULS

La Musique classique

POUR LES NULS

David Pogue
Scott Speck

Claire Delamarche
pour l'adaptation française

FIRST Editions

La Musique classique pour les Nuls
Titre de l'édition américaine : *Classical Music for Dummies*

Publié par
Wiley Publishing, Inc.
111 River Street
Hoboken, NJ 07030 – 5774
USA

ISBN 2-75400-151-4
Dépôt légal : 1er trimestre 2006
Nous nous efforçons de publier des ouvrages qui correspondent à vos attentes et votre satisfaction est pour nous une priorité. Alors, n'hésitez pas à nous faire part de vos commentaires :

Éditions Générales First
27, rue Cassette
75006 Paris – France
e-mail : firstinfo@efirst.com
Site internet : www.efirst.com

Traduction : Michel Dreyfus
Production : Emmanuelle Clément
Mise en page : Marie Housseau
Maquette couverture : KN Conception
Imprimé en France

En avant-première, nos prochaines parutions, des résumés de tous les ouvrages du catalogue. Dialoguez en toute liberté avec nos auteurs et nos éditeurs. Tout cela et bien plus sur Internet à www.efirst.com

Préface

· ·

Au cours d'une semaine, j'assiste en moyenne à cinq concerts de musique classique. Mais cela fait partie de mon travail avec la présentation de ces concerts et la découverte de nouveaux talents. Chaque semaine, on me pose au moins une fois cette question : « Comment puis-je apprendre la musique classique ? » Jusqu'alors, je n'avais pas de réponse satisfaisante à cette question.

En effet, c'est une question difficile. Mon apprentissage personnel de la musique classique a été plutôt facile car je suis né dans une famille de musiciens. Mon père était violoniste et c'est lui qui a fait découvrir la musique de l'Europe de l'Ouest aux habitants de l'Inde. Mon frère, Zubin, est devenu un chef d'orchestre reconnu.

Ce n'est pas en écoutant des enregistrements mais en assistant à des répétitions qui avaient lieu chez nous que j'ai découvert bien des chefs-d'œuvre de la musique. La plupart des amateurs potentiels de musique classique n'ont pas cette chance, car ils ne disposent pas d'un ensemble de musique de chambre à domicile et un quatuor à cordes ne s'installe pas dans leur salon pour y répéter. Jusqu'à la publication de ce livre, le conseil que je donnais habituellement à ceux qui voulaient savoir comment s'initier était : « Assistez au plus grand nombre de concerts que vous pouvez. »

La musique classique est un vaste océan qui s'étend des berges du prébaroque jusqu'au promontoire du XXIe siècle émergeant. Bien qu'elle soit vivante et riche de passions, pour le novice, elle peut apparaître comme une mer inconnue, à la fois confondante et intimidante. Dire : « Assistez au plus grand nombre de concerts que vous pouvez », c'est comme dire à un habitant de New York voulant atteindre l'Europe dans une barque : « Tais-toi et rame ! »

Peut-être y parviendra-t-il, mais, en tout cas, le voyage sera peu agréable. C'est pourquoi ce livre est si intéressant. Vous allez y trouver toutes les informations nécessaires pour démystifier trois cents ans de cette forme d'art qu'est la musique. Après avoir lu *La Musique classique pour les nuls*, non seulement vous naviguerez sans peine dans les détroits de Bach, Beethoven et Brahms – les 3 B – mais vous trouverez que ce voyage est passionnant et gratifiant.

Dans ce livre, vous allez trouver des astuces d'écoute, des explications simples sur les formes musicales et les grandes époques de la musique et, mieux encore, quelques anecdotes qui vous montreront que les musiciens ne sont pas forcément des gens avec lesquels on s'ennuie.

Lisez ce livre et vous allez comprendre pourquoi la musique classique a eu une telle signification pour tant d'entre nous. Frank Zappa, Sting, Charlie Parker et d'autres y ont puisé leur inspiration. Et aussi Albert Schweitzer et des millions d'autres. Sans doute y trouverez-vous, vous aussi, de l'inspiration.

Si vous êtes un débutant, ce livre va vous guider dans votre abord de la musique classique. Si vous êtes un habitué des concerts, vous allez y trouver de quoi combler les quelques failles qui peuvent subsister dans votre érudition musicale.

Zarin Mehta, directeur général du Festival de Ravinia (Highland Park, Illinois, États-Unis).

Sommaire

Chapitre 12 : Une fois encore, avec sentiment 341

Cinquième partie : La partie des dix *349*

Chapitre 13 : Les 10 idées fausses les plus répandues sur la musique classique 351

Introduction

*E*n ouvrant ce livre, vous allez faire un saut dans l'univers effrayant, mystérieux et immense de la musique classique, où une centaine de gens habillés comme au Grand Siècle, assis sur une estrade, s'époumonent dans des tuyaux de bois ou de métal, s'acharnent sur des instruments à cordes qui ne leur ont rien fait, emplissant l'air de clameurs exotiques et stridentes.

Nous voyons déjà vos cheveux se dresser sur votre tête. Mais restez calme ! Que vous le sachiez ou non, vous avez déjà eu, malgré vous, au cours de votre existence, quelque expérience de la musique classique par le cinéma, la télévision, la radio et même dans les ascenseurs. Si vous avez déjà entendu les noms de Bach, Mozart et Beethoven, vous en savez plus qu'il n'en faut pour prendre un bon départ.

Pourquoi ce livre est fait pour vous

Nous tenons pour acquis que vous êtes quelqu'un de très intelligent. Après tout, vous avez choisi ce livre parmi des tas d'autres fort compétents sur tout ce qui concerne la musique.

Mais dans cette société vaste, complexe et surinformée, on s'attend à ce que vous soyez parfaitement instruit de quelques centaines de sujets. Cependant, il est normal que même le plus grand génie ne sache pas absolument *tout* sur tout. Si tel est votre cas, ô notre Lecteur, vous faites partie de ceux qui vont avoir le bonheur de s'éveiller à la Sagesse de la Musique classique.

C'est la raison pour laquelle ce livre est fait pour vous. Il va vous donner une connaissance approfondie des bases de la musique classique, sans supposer pour autant que vous ayez déjà une expérience préliminaire. Grâce à lui, vous allez apprécier toutes les subtilités de cette forme artistique. Et bien qu'il ne puisse pas complètement remplacer un véritable enseignement de la musique, il vous intéressera au moins autant et vous coûtera beaucoup moins cher.

Comment lire (et écouter) ce livre

Ce livre comprend six parties :

- La première partie vous présente le monde de la musique classique avec un bref historique et des descriptions des termes les plus courants qu'on y rencontre : *symphonie, quatuor à cordes*, etc.

- La deuxième partie vous amène dans la salle de concert pour que vous y fassiez quelques expériences de musique vivante et que vous puissiez y découvrir un environnement professionnel insolite.

- La troisième partie est un guide couvrant tous les instruments de l'orchestre.

- La quatrième partie dissèque la musique classique et vous fait découvrir les petites molécules dont elle est constituée.

- Les cinquième et sixième parties vous font pénétrer plus profondément dans le monde de la musique classique et vous aident à en tirer le meilleur parti.

Vous noterez que ce livre comporte en encart un CD d'accompagnement. C'est votre clé pour entrer dans le monde de la musique classique : une introduction sans douleur aux différents styles et aux différentes périodes. Vous pourrez suivre nos descriptions de ces pièces musicales tout en les écoutant. C'est là une de ces choses qui font que *La Musique classique pour les Nuls* se détache nettement des autres ouvrages écrits sur le même sujet.

Nous avons conçu ce livre de manière à ce que vous puissiez en commencer la lecture par n'importe quel passage. Inutile d'avoir terminé un chapitre pour attaquer le suivant. Prenez la table des matières ou l'index comme point de départ, si vous le souhaitez. Ou si vous vous sentez d'humeur romantique, mettez le CD dans un lecteur de salon (pas nécessairement celui de votre ordinateur, si vous en avez un), pelotonnez-vous contre un être cher et commencez à lire depuis le début. (Vous pouvez quand même sauter la page du copyright ; sa lecture risquerait de faire baisser l'intensité de votre humeur romantique.)

Les icônes utilisées dans ce livre

Tout au long de cet ouvrage, nous avons placé des icônes en face de certains paragraphes. Ils vous permettent de repérer quelques catégories de sujets susceptibles de vous intéresser particulièrement ou, au contraire, de vous faire fuir. Dans ce dernier cas, vous pourrez les sauter plus facilement.

Cette icône attire votre attention sur un raccourci pratique, une technique ou une suggestion susceptible de vous aider à tirer un meilleur parti de la musique classique dans votre vie.

Afin de vous éviter une forte migraine, nous avons placé cette icône devant les sujets les plus pointus et les mots les plus savants.

Cette icône signale une occasion de poser le livre, de marcher vers un piano ou une chaîne hi-fi, et de faire une petite expérience grandeur nature.

Bien que ce livre soit un puissant moyen de s'initier à la musique, il ne vous permet pas *d'entendre* toutes les compositions dignes d'intérêt. Cette icône signale les œuvres que nous vous recommandons d'écouter, soit au concert, soit en les achetant en CD.

Sur le CD d'accompagnement se trouvent neuf extraits musicaux tirés de compositions très connues. Vous rencontrerez cette icône lorsque, dans le texte, nous évoquons l'un ou l'autre de ces morceaux.

Cette icône signifie que nous allons présenter un fait ou ouvrir une discussion qui appartiennent au royaume des snobs de la musique classique.

Que vous le vouliez ou non, la musique existe depuis bien plus longtemps que la plupart des pays du monde. Cette icône vous informe des tout débuts et des rituels qui ont traversé les siècles et nous sont parvenus (plus ou moins) intacts.

Un autre aspect de la musique et une forme artistique comme une autre. Connaître des anecdotes amusantes ou intéressantes vous attirera la sympathie (parfois le respect) de vos concitoyens. Cette icône vous signale les historiettes qu'il est bon d'apprendre par cœur.

Pourquoi être un débutant vous permet de mieux apprécier la musique classique

Que vous le croyez ou non, le fait d'être un débutant vous avantage par rapport aux fans de la musique classique. En effet, vous pénétrez dans ce magnifique royaume avec un esprit libre de tout préjugé, sans idées reçues. Vous vous asseyez dans la salle de concert l'esprit ouvert, prêt à découvrir de vastes paysages émotionnels.

C'est une situation qu'oublient ou que négligent trop souvent les enthousiastes de la musique. Dans le classique, l'intellect doit céder le pas à l'émotion. Ici, plus que dans d'autres disciplines artistiques, il est fait appel aux sens. Nous vous montrerons comment les utiliser au mieux, voire les réveiller, afin de développer vos capacités à éprouver une des plus grandes joies de l'existence.

Première partie
Bienvenue chez les classiques

« *Nous allons maintenant avoir le plaisir de vous interpréter la Cloche engloutie de Maurice Ravel.* »

Dans cette partie...

Vous avez commencé à baigner dans la musique classique dans le ventre de votre mère (lorsqu'elle prenait l'ascenseur) et vous continuez à en être imprégné, que ce soit par le fond sonore du cinéma, celui des pubs de la télé ou la douce musique des parkings. Vous avez l'habitude de l'entendre, il serait temps de commencer à l'*écouter*.

Dans cette partie, vous allez découvrir ce que nous entendons par «musique classique» ; vous allez vous familiariser avec son vocabulaire et apprendre à discerner le médiocre du meilleur.

Chapitre 1
Forçons l'accès du royaume

- -

- -

La musique nous donne accès au cœur du monde. Quand j'écoute Mozart, Schubert ou Wagner, je sens monter en moi un irrésistible sentiment d'exaltation et de reconnaissance pour l'univers qui a engendré la vie et la musique.

Hubert Reeves (astrophysicien)

La musique classique est un monde où règne l'idéalisme, où les bons triomphent des méchants, où l'amour peut tout conquérir, où on vous donne toujours une seconde chance, où tout s'arrange à la fin et où vous pouvez avoir à la fois le beurre et l'argent du beurre.

La musique classique est un art vivant. Elle est sans cesse recréée devant un auditoire. À la différence des arts visuels, elle vous enveloppe en temps réel et naît sous vos yeux et vos oreilles. Contrairement à la littérature ou au théâtre, elle peut être comprise par chacun de vous, quelle que soit la langue que vous parliez.

La musique classique est le lieu de la joie, de la consolation, de l'inspiration, de la transcendance de l'esprit et, tout ça, si vous suivez nos conseils, pour à peine plus de 15 euros.

Qu'est-ce que la musique classique ?

Pour ce qui est de ce livre, la *musique classique* est la musique composée dans le monde occidental au cours des quelques siècles passés à l'exception des musiques traditionnelles et de variété. Elle s'adresse à des effectifs instrumentaux très variables – de l'instrument seul (piano, violon, orgue et tout ce qui passe par la tête du compositeur) à l'orchestre symphonique de plus de cent musiciens – et peut également inclure une ou plusieurs voix.

Ce n'est que tout récemment (tout au moins à l'échelle de la planète!) qu'on s'est mis à faire la distinction entre la musique «populaire» et la musique «classique». Aux XVIIe et XVIIIe siècles, il n'existait que la *musique* tout court et les gens savaient l'apprécier. On allait assister à la dernière exécution d'une symphonie, d'un concerto, d'un cycle de mélodies ou à la représentation d'un opéra tout comme on va maintenant au Zénith écouter Johnny ou, avec un brin de nostalgie, au parc des Princes entendre des Rolling Stones vieillissants. On était attiré par le spectacle des vedettes de l'époque, on aimait entendre interpréter ses rengaines favorites. On assistait à ces manifestations en vêtements de tous les jours, on y apportait de quoi se nourrir et se désaltérer et on ne manquait pas d'en acclamer à grands cris les meilleurs moments. La musique classique était alors la musique populaire.

La musique classique est restée aussi conviviale qu'elle l'était alors mais, de nos jours, elle nous est moins *familière*. Et c'est tout. Lorsque vous serez familiarisé avec cette forme d'art, vous l'apprécierez comme elle le mérite.

Comment savoir si je l'aime ?

Vous n'allez pas apprécier de la même façon tous les morceaux de musique classique. Et c'est très bien ainsi.

Tout d'abord, il y a quelques morceaux qui, comme on le dit par euphémisme, sont plus «accessibles» que d'autres. Généralement parce que leur mélodie se retient facilement (vous pouvez tout de suite la fredonner). D'autres, au contraire, vous paraissent, à la première audition, ressembler aux grincements d'une mécanique rouillée ou aux cris d'une bête qu'on égorge.

C'est à vous de voir ce qui vous convient le mieux, en la matière personne n'a tort ni raison : la musique classique est avant tout supposée plaire. On en donnait d'ailleurs, dans l'*Encyclopédie* de Diderot, la définition suivante : «l'art d'assembler les sons d'une manière agréable à l'oreille». À vous de déterminer ce qui vous est *agréable*.

Écoutez le début de chaque plage du CD accompagnant ce livre. Chacune d'elles contient un extrait d'un chef-d'œuvre reconnu, depuis l'époque baroque (du début du XVIIe siècle au milieu du XVIIIe) jusqu'à l'époque contemporaine, en passant par le classicisme (du milieu du XVIIIe siècle au début du XIXe) et le romantisme (qui couvre une bonne partie du XIXe siècle).

Y a-t-il un morceau qui vous plaise plus qu'un autre? Si c'est le cas, commencez votre exploration de la musique classique par les œuvres de son époque ou de son compositeur.

Si vous appréciez tout ce que vous entendez, c'est fantastique! Notre tâche en sera d'autant facilitée.

Les sept facettes de la bonne musique

Un humoriste a dit : « Il y a trois sortes de musiques : la bonne, la mauvaise et celle de M. Ambroise Thomas.[1] » Preuve, s'il en était besoin, que la même musique ne saurait convenir à tout le monde. Toutefois, malgré leur grande diversité, on retrouve des caractéristiques constantes dans toutes les sortes de musiques.

Elle vient du cœur

 Les bons compositeurs n'essaient pas de vous jeter de la poudre aux yeux avec des effets à grand spectacle. Ils composent dans le feu de l'inspiration. Voyez, par exemple, Tchaïkovski. Il a passé plus de la moitié de son existence dans le tourment de ses passions, et sa musique en est marquée. (Écoutez, par exemple, la plage 7 du CD d'accompagnement et vous comprendrez ce que nous entendons par là.)

Mozart est un compositeur particulièrement facile à aborder : les mélodies jaillissaient sans effort apparent de son imagination, et tout ce qu'il a composé reflète cette aisance. Stravinsky, en revanche, était un personnage méthodique, calculateur, discipliné et complexe, toutes caractéristiques qui transparaissent dans une grande partie de son œuvre. Bien que leurs personnalités soient aussi dissemblables que possible, ces compositeurs ont tous deux écrit une musique admirable qui leur ressemble.

---

1. Compositeur français d'opéras (1811-1896) dont l'œuvre la plus connue est sans doute *Mignon*. Professeur au Conservatoire de Paris, il en devint directeur en 1871 et y exerça ses fonctions avec un autoritarisme conservateur, mais une extrême conscience.

Sa structure est facilement perceptible

Les grandes œuvres musicales reposent sur une structure, une architecture musicale solide. Peut-être n'en êtes-vous pas immédiatement conscient lorsque vous les écoutez, mais vous ressentez instinctivement cette construction. Certaines partitions respectent des règles musicales comme la *forme sonate* ou le *rondo* (que nous étudierons de plus près au chapitre 3). Peut-être ne s'agit-il que d'une idée, d'un thème apparu au début et qu'on retrouve à la fin? Quel que soit le cas, nous aurions du mal à citer le nom d'un chef-d'œuvre de la musique qui n'aurait pas une structure cohérente.

De récentes études menées à l'université de Californie ont montré que des étudiants qui écoutaient du Mozart avant leur examen obtenaient des résultats supérieurs à ceux de leurs camarades qui s'en abstenaient. (Bien sûr, ils auraient obtenu des résultats encore meilleurs s'ils avaient réellement *étudié* la matière de leur examen.) Lorsque vous écoutez un morceau de Mozart, votre cerveau semble créer une série de compartiments propres à traiter ce que vous entendez. Ces compartiments sont alors à même de prendre en charge d'autres types d'informations. La musique classique vous permet ainsi de paraître plus intelligent.

Elle est à la fois créative et originale

On vous a répété à l'envi que certains des plus grands compositeurs – même ceux dont la musique vous semble facilement accessible – ont été incompris à leur époque. Ça a été le cas, entre autres, de Beethoven, Brahms, Mahler, Strauss[2], Debussy, Stravinsky ou Ives. Pour certains, cette affirmation est même en dessous de la vérité. Par exemple, la première interprétation du *Sacre du Printemps*, à Paris, en 1913, dégénéra en émeute.

La raison primordiale de ce rejet, c'est le manque de familiarité. La forme musicale utilisée ou les idées exprimées étaient trop neuves pour leur époque. Et c'est pour cela que ces œuvres sont passées à la postérité. Les compositeurs marquants ont une forte personnalité.

Avez-vous vu le film *Amadeus* (Milos Forman, 1984)? On y voit Salieri sous les traits d'un de ces fameux compositeurs de second rang. Il vivait à l'époque de Mozart et sa gloire a été complètement éclipsée par l'immense talent de Wolfgang. Non qu'il ait été un mauvais compositeur. Au contraire, il avait de grandes qualités. Mais il manquait d'originalité, de personnalité, et ce qu'il écrivait ne se distinguait pas des autres bonnes compositions de ses confrères. C'était le Poulidor des compositeurs de son époque.

---

2. Non pas Johann, celui des valses, mais Richard (1864-1949), auteur – entre autres – du *Chevalier à la rose*, de *Salomé* et de poèmes symphoniques comme *Till Eulenspiegel* ou *Don Juan*.

Elle reflète une émotion humaine

Les grands compositeurs ont quelque chose à dire. Ils sont la proie d'émotions tellement intenses qu'elles ont la nécessité de s'extérioriser. Les plus belles œuvres musicales tirent parti de cette faculté qu'a la musique d'exprimer l'inexprimable.

Lorsque Beethoven a découvert qu'il devenait sourd, il a été saisi d'une angoisse irrépressible, et sa musique témoigne de ce sentiment avec une telle clarté, une telle intensité que chaque note y est importante.

Cela ne signifie pas que tous les compositeurs expriment forcément des émotions aussi douloureuses. Dans la musique de Joseph Haydn, par exemple, transparaît le plus souvent une joie de vivre. Lui aussi a quelque chose à dire.

Elle retient constamment votre attention

La musique des grands compositeurs éveille constamment l'intérêt. Elle parvient à retenir votre attention par la variété de son inspiration. Si un compositeur utilise plusieurs thèmes dans un même morceau ou s'il y apporte des variantes, il n'en retiendra que mieux votre intérêt. C'est un peu comme dans un film. Une explosion au début, cela attire votre attention, n'est-ce pas ? Mais avez-vous déjà vu beaucoup de films où une explosion survient toutes les deux minutes pendant deux heures ? (*Independance Day* mis à part, bien sûr !) L'intérêt baisserait à chaque explosion. Ce n'est qu'en variant les effets qu'on retient l'attention.

Dans un film, une explosion peut être angoissante si elle est en situation, amenée avec la progression dramatique souhaitable. C'est la même chose pour la musique. La musique des grands compositeurs entretient le suspense nécessaire. Prenez par exemple le célèbre *Boléro* de Maurice Ravel : ce n'est qu'une longue montée en puissance de 15 minutes, au cours de laquelle les instruments de l'orchestre entrent un par un, sur un thème toujours identique, pour aboutir à l'explosion finale.

Il est facile de s'en souvenir

Dans la musique de variété contemporaine, il y a une accroche auditive autour de laquelle tout le morceau est construit. Si les chansons des Beatles ont eu un tel succès, c'est en grande partie parce que chacune d'elles avait une telle accroche : *Help, A Hard Day's Night, She Loves You* (*Yeah, yeah,*

yeah !). Il n'existe cependant aucun moyen scientifique de quantifier le poids d'une telle accroche : vous savez qu'elle existe parce que vous vous souvenez de l'air.

Le même concept peut s'appliquer à la musique classique. Les compositions de Mozart, Tchaïkovski, Chopin, Rachmaninov, Dvořák, Gershwin, Grieg ou Schubert ont toutes cette sorte d'accroche très personnelle qui, tout en les différenciant, fait qu'on se les rappelle facilement. C'en est au point que certaines de ces musiques ont été chapardées par des compositeurs de variété. Nana Mouskouri s'est emparée de *l'Hymne à la joie* de la *Neuvième Symphonie* de Beethoven, Johnny Hallyday de la *Symphonie n° 7* du même Beethoven. Le très controversé *Lemon Incest* de Serge Gainsbourg emprunte sa mélodie lancinante à une étude de Chopin. Gainsbourg, champion toutes catégories du chapardage, chipa en outre la *Symphonie n° 9* de Dvořák (« Initials BB »), la *Sonate Appassionata* de Beethoven (*Ma Lou Marilou*), *Sur un marché persan* de Ketelbey (*My Lady Héroïne*), la Chanson de Solvejg du *Peer Gynt* de Grieg (*Lost Song*), etc. mais aussi le troisième mouvement de la *Symphonie n° 3* de Brahms (*Baby Alone in Babylone*), que l'on retrouve également chez Enzo Enzo (*Quelqu'un de bien*), Dalida et Yves Montand (*Quand tu dors près de moi*) ! Les paroles de cette dernière chanson sont de Françoise Sagan, qui écrivit par ailleurs : *Aimez-vous Brahms ?* – la réponse semble : oui.

Elle s'adresse à vos émotions

La facette la plus importante de la musique classique, c'est sans doute la manière dont elle peut changer votre vie. Ne vous est-il jamais arrivé, en sortant du cinéma ou du théâtre, de trouver que le monde qui vous environnait semblait tout à coup différent ? Qu'il venait s'y ajouter un sentiment de danger, de tristesse ou – au contraire – de bonheur qui n'existait pas auparavant ?

C'est pareil pour une grande œuvre musicale. Elle peut vous sensibiliser à des aspects de l'existence auxquels vous étiez auparavant étranger. Elle peut vous ouvrir l'esprit, vous donner confiance en vous. Y a-t-il rien de plus enthousiasmant que le finale de la *Symphonie n° 2* de Mahler ?

Chapitre 2

Le tour de la musique en 140 pages

....

Dans ce chapitre :

▶ Prenez-vous-en aux moines

▶ Le désespoir des romantiques – sans oublier celui des baroques et des classiques

▶ Galerie des grands compositeurs

....

Chaque grand compositeur a été un être humain avec sa personnalité unique, son héritage, son histoire et ses habitudes. En connaissant si peu que ce soit de leur existence, vous serez mieux à même de comprendre leur musique.

Sans grand effort, vous pouvez vous procurer une histoire de la musique en plusieurs volumes et de plus de mille pages. Notre éditeur ne nous octroyant pas tant de place, nous allons faire tenir toute cette science en moins de 140 pages. Après tout, Phileas Fogg avait bien fait le tour du monde en 80 jours (ce qui, pour son époque, était un exploit). Pourquoi ne pourrions-nous pas parcourir plusieurs siècles de musique classique en moins de 140 pages ?

Tour de la musique : mode d'emploi

Pour chaque compositeur, nous vous proposons un choix d'œuvres à écouter. Pas dans n'importe quel ordre : dans notre grande sagesse, nous les avons rassemblés selon trois « niveaux » d'écoute (*, **, ***), en vous proposant une progression partant des œuvres les plus populaires, les plus faciles à appréhender, pour aller à des partitions que nous aimons vivement, mais qui nécessitent peut-être plus de familiarité avec le compositeur avant d'être abordées.

Comment a débuté la musique classique ?

La musique nous environne depuis l'éveil de l'humanité (ou, au moins, depuis son petit déjeuner). Les pithécanthropes et australopithèques s'exprimaient par des sons qui avaient probablement des inflexions musicales. (Malheureusement, aucun CD de cette époque n'est parvenu jusqu'à nous.)

Au cours des millénaires, la musique est devenue de plus en plus complexe. Les hommes ont inventé les instruments de musique pour produire des sons que leur voix était incapable d'émettre. Les tuyaux et les sifflets reproduisent les chants d'oiseaux et le murmure du vent. Les tambours reproduisent en l'amplifiant le son des battements de cœur. Les échelles musicales ont été standardisées. La musique était née.

Les premiers chants étaient probablement religieux. Les hommes, intimidés et effrayés par leur environnement, ont chanté des prières à d'hypothétiques divinités et fait des sacrifices aux éléments. Si le vent hurlait, ils hurlaient de même. Si la pluie tombait sur eux, ils chantaient sous la pluie[1]. Ils avaient pris l'habitude de magnifier leurs conquêtes et de fêter les bonnes chasses.

La notion de rythme est apparue très tôt dans l'histoire de la musique en écho, à la régularité de la marche et aux battements du cœur. La danse a été inventée pour apaiser les dieux, et la musique est venue s'y ajouter.

Dans ces temps-là, la tradition musicale se transmettait oralement. Chez certains peuples d'Orient ou d'Afrique, chez les tsiganes ou les gitans, c'est toujours ainsi qu'elle passe de génération en génération. Ce n'est que dans les deux derniers millénaires que l'on a songé à la fixer par écrit.

Le Moyen Âge

La période que l'on désigne sous le nom de Moyen Âge passe souvent pour une époque marquée par les fléaux, la pestilence et la mortification mais, à part ça, on ne s'y est pas trop ennuyé. De même que cette longue période vit naître les plus beaux châteaux forts, les plus belles cathédrales, elle présida aux premiers soubresauts de la musique classique occidentale et à l'émergence de genres et de styles qui, peu à peu, s'épanouiraient pour constituer les grandes formes musicales que nous connaissons aujourd'hui. Et surtout, à l'intérieur des monastères européens, des moines s'affairaient à créer l'une des plus grandes réalisations de la musique : la notation musicale.

---

1. Cette tradition s'est d'ailleurs perpétuée jusqu'à nous grâce à Stanley Donen, qui l'a fixée pour l'éternité avec « *Singing in the Rain* ».

Le chant grégorien

Il a fallu longtemps avant qu'on se préoccupe de fixer la musique pour l'éternité, échappant ainsi aux déformations de la tradition orale. Aux alentours du VIᵉ siècle, saint Grégoire (qui fut pape de 590 à 604 sous le nom de Grégoire Iᵉʳ le Grand) entreprit d'unifier les différentes liturgies qui avaient cours au sein de l'Église catholique. Il commença à répertorier et à codifier les chants religieux, à les classer selon les échelles de notes qu'elles utilisaient et leur fonction rituelle. En l'honneur de ce travail de titan, on donna le nom de *chant grégorien* au plain-chant – ces mélodies simples, ondulantes, chantées à l'unisson en latin par un groupe de moines en robe de bure, qui longtemps fut la seule musique ayant cours dans les églises. On attribue également à saint Grégoire l'idée de désigner les notes de la gamme par les premières lettres de l'alphabet (A, B, C…), habitude qui se perpétue de nos jours dans les pays anglo-saxons (nous autres Latins préférons les plus seyants *do*, *ré*, *mi*…, dont l'origine est tout aussi noble, voir plus bas).

Sans doute saint Grégoire ne se doutait-il pas du succès que remporteraient ces chants de nos jours, grâce aux moyens modernes de reproduction comme le CD.

Ce retour aux sources est motivé par le fait que le chant grégorien dégage une véritable profondeur spirituelle. Si vous fermez les yeux et que vous écoutez un de ces chants, tous vos soucis s'évanouiront ou, tout au moins, s'atténueront. Vous respirerez plus lentement et plus profondément. Votre métabolisme se ralentira. Et peut-être même cette quiétude vous fera-t-elle engraisser.

Mais nous nous égarons…

Premières polyphonies

Tout ce chant grégorien c'est bien beau mais, l'homme étant fait pour la diversité et le changement, il s'en lasse bientôt. Au IXᵉ siècle, des esprits novateurs ont l'idée d'improviser des polyphonies, c'est-à-dire des chants à plusieurs voix. Ces voix sont au nombre de deux, tout d'abord, et on va au plus simple : le moine n° 1 chante la mélodie habituelle, tandis que le moine n° 2, dans toute sa hardiesse, chante exactement la même mélodie (qu'il connaît par cœur pour la chanter régulièrement depuis sa jeunesse), mais décalée d'un intervalle donné (une quarte ou une quinte, voir la signification de ces mots barbares au chapitre 11). L'*organum* est né, première forme polyphonique qui ne demande qu'à prendre de l'ampleur (ce qu'elle ne manquera pas de faire, nous en reparlerons bientôt).

À la fin du IXe siècle apparaissent les premières notations musicales. Devant le nombre de chants de plus en plus colossal qu'ils doivent ingurgiter, les chantres inventent des moyens mnémotechniques : de petits vermicelles flottant au-dessus des syllabes des textes et indiquant grossièrement si la voix doit monter, descendre ou rester au même niveau. Ces signes cabalistiques, les *neumes*, sont les ancêtres de la notation moderne. Plusieurs systèmes (assez proches toutefois) cohabitent : la notation de Metz, celles de Laon, Saint-Gall (Suisse), Benevent (Italie), Montserrat (Catalogne)…

Les premiers auteurs-compositeurs-interprètes

Vers 900, le répertoire se développe. Jusque-là, on avait ajouté une voix à certains chants, mais on n'en avait pas inventé de nouveaux. Quelques moines géniaux décident de remédier à ce fâcheux état de fait. En fait, les chantres sont lassés de devoir mémoriser des kilomètres de ces longs ornements mélodiques sur une même syllabe appelés *mélismes* (du genre : A-a-a-a-a-a-a-a-a-a-a-a-a-a-llé-é-é-é-é-é-é-é-é-é-é-é-é-é-é-é-lu-u-u-u-u-u-u-u-u-u-u-u-ia, et encore, on vous l'a fait court). Ils ont l'idée de remplacer ces vocalises (de les « truffer », dit-on en termes savants, comme s'il s'agissait de dindes) par des textes de leur cru en guise de moyen mnémotechnique. Ces textes sont appelés *tropes* et *séquences*.

Certains de ces textes étant très réussis, ils prendront ensuite leur envol de manière indépendante (comme le *Stabat Mater*, illustré par tant de compositeurs, ou le *Dies iræ*, un pilier des *Requiem*). Ça n'a l'air de rien, mais c'est un grand pas dans l'histoire de la composition : on peut inventer de nouveaux textes, et donc de nouvelles musiques pour aller avec. Bref, un nouvel univers s'ouvre aux musiciens. Ces tropes formeront également la base des « drames liturgiques », petites pièces mêlant dialogues parlés et chant qui ne sont autres que de lointains ancêtres de l'opéra.

Un moine du nom de Gui

Gui d'Arezzo, un moine génial, est à l'origine de nombreuses innovations musicales, parmi lesquelles la postérité a principalement retenu l'invention des noms de notes modernes, à la place de leur désignation par les lettres de l'alphabet (restée toutefois en vigueur dans les pays anglo-saxons). Il prit tout simplement les premières syllabes des vers d'une *Hymne à saint Jean Baptiste* correspondant à ces notes : *ut, ré, mi, fa*… Le *solfège* était né.

Gui d'Arezzo avait aussi conçu un système de notation fondé sur une version rudimentaire de la *portée musicale* toujours utilisée de nos jours (voir le chapitre 11).

On a du mal à imaginer ce qu'il serait advenu du monde de la musique sans les inventions de Gui d'Arezzo. Heureusement, ce n'est pas la peine ! Gui a existé et nous continuons à glorifier son nom par l'utilisation constante de ses créations.

Il n'y a pas que la musique d'église dans la vie

Pendant que les moines planchaient, des individus louches rôdaient autour des châteaux du sud de la France, en quête de belles à séduire : les troubadours. On imagine souvent ces personnages comme des amoureux transis chantant au pied de tours d'où des châtelaines diaphanes daignaient parfois leur adresser un léger signe de tête. À vrai dire, cette poésie lyrique en langue d'oc, apparue vers 1100 en Aquitaine et pudiquement appelée « amour courtois », aurait souvent de bonnes raisons d'être classée X. Et tout laisse à penser que nombre de nobles dames, séduites par tant de soupirs, s'abandonnèrent aux roucoulements de leurs troubadours. En 1137, le mariage d'Aliénor d'Aquitaine avec le roi Louis VII de France sonna le début de l'influence des troubadours au nord de la Loire, conduisant à la naissance d'une poésie lyrique en langue d'oil (les trouvères). Et vers 1170 les Allemands s'y mirent à leur tour, avec les Minnesänger.

Les grandes heures de la polyphonie

Comme nous vous l'avons laissé entendre plus haut, l'*homo musicus* médiéval n'avait pas l'intention de s'en tenir à des polyphonies à deux voix, dont l'une était qui plus est bêtement calquée sur l'autre.

À partir de 1180, deux musiciens développèrent la polyphonie à l'ombre de la cathédrale Notre-Dame de Paris, en pleine construction : Pérotin, puis Léonin. Une voix (la *teneur*) chante en valeurs longues une mélodie de plain-chant, tandis que les autres brodent autour : ce sont les prémices du motet, qui deviendra avec la messe le genre majeur de la musique religieuse franco-flamande. L'école de Notre-Dame rayonne jusqu'en Angleterre, en Italie et en Espagne. On commence à noter les valeurs rythmiques, en plus des hauteurs de notes. C'est l'*ars antiqua* (l'art antique).

Qui dit *ars antiqua* dit bientôt *ars nova* (art nouveau) : c'est en 1322 que Philippe de Vitry publie son traité du même nom, qui marque le début d'un nouveau style musical : des rythmes plus complexes, des formes musicales plus structurées, l'introduction d'instruments dans la musique religieuse, le développement de nouveaux genres et notamment de chansons polyphoniques profanes (principalement en France, en Flandres et en Italie). La notation musicale est de plus en plus élaborée, afin de suivre ces développements.

En 1364, un compositeur imagine de composer de sa propre main une messe (c'est-à-dire la succession des six pièces de l'ordinaire de la messe catholique, *Kyrie, Gloria, Credo, Sanctus, Agnus Dei* et *Ite missa est*). Ça a l'air bête, mais il fallait y penser : jusque-là on puisait dans les morceaux existants, sans se soucier qu'ils présentent ou non une unité stylistique. Cette partition révolutionnaire est la *Messe de Nostre Dame*. Son auteur s'appelle Guillaume de Machaut (celui qui, à l'école primaire, se faisait coller à chaque fois qu'on lui demandait d'épeler son nom – « aime assez à chahuter »).

L'école franco-flamande

L'essor de la polyphonie (religieuse et profane) se concentrait principalement dans la moitié nord de la France et dans les Flandres, d'où le nom d'école franco-flamande que prit ce mouvement admiré jusqu'en Italie et en Angleterre. L'école franco-flamande connut son apogée aux XVe et XVIe siècles, avec des compositeurs comme Guillaume Dufay (1400-1474), Gilles Binchois (1400-1460), Jehan Ockeghem (1428-1495), Josquin des Prés (1440-1521), puis Clément Janequin (1485-1558) ou Roland de Lassus (1532-1594). Tous ces éminents musiciens composèrent d'admirables messes, des motets et des chansons polyphoniques profanes.

Nous vous recommandons chaudement de petites incursions dans ce répertoire dépaysant et magnifique, au sein duquel vous percevrez rapidement de nombreuses différences. Un siècle et demi sépare en effet les compositions sacrées d'Ockeghem, dont les mélodies un peu anguleuses, les harmonies grandioses et austères à la fois ne sont pas sans rappeler les grandes cathédrales gothiques, des sonorités beaucoup plus douces et coulantes de Roland de Lassus, qui s'installa à Venise et dont la musique regorge du soleil italien (oui, nous vous avons parlé exclusivement des Franco-Flamands, mais en Italie aussi il se passait des tas de choses intéressantes…). Faites également un petit détour par les chansons polyphoniques de Janequin, chefs-d'œuvre de drôlerie et de pittoresque, comme *Le Chant des oiseaux, La Guerre*, ou *La Bataille de Marignan* ou *Les Cris de Paris*.

En fait, Lassus ou Janequin appartiennent déjà à la période de la Renaissance.

La Renaissance

Quatre siècles après la mort de Gui d'Arezzo, le monde occidental est sorti des terreurs du Moyen Âge et s'est épanoui. Cette période a pris le nom de *Renaissance*. Elle a été propice à une prodigieuse éclosion artistique « sponsorisée » (comme nous dirions maintenant) par de riches amateurs, des seigneurs et des rois. (À cette époque, on ne parlait encore ni de TVA ni d'exception culturelle.)

En musique comme dans les autres arts, la Renaissance vint d'Italie (où, tel Lassus, de nombreux Franco-Flamands s'étaient établis). Deux grands facteurs favorisèrent cet état des choses : l'invention de l'imprimerie musicale (à Venise en 1498), puis la puissance retrouvée de l'Église, dans le sillage du concile de Trente (1545-1563) et de la Contre-Réforme.

On date la Renaissance musicale entre 1500 et 1600 environ.

Un des plus fameux compositeurs italiens de la Renaissance a été Giovanni Pierluigi da Palestrina (1525-1594), dont la Figure 2-1 reproduit le portrait. C'était un favori du pape d'alors, Jules III, et sa renommée s'est établie principalement dans le domaine de la musique religieuse : il fut le chantre de la Contre-Réforme et marqua la musique italienne pendant de nombreux siècles (Giuseppe Verdi le prenait encore comme modèle à la fin du XIXe siècle).

Figure 2-1 :
Portrait de
Giovanni da
Palestrina.
© Michael
Nicholson/CORBIS

Palestrina a composé beaucoup de musique religieuse. Mais, au cours de cette époque, d'autres compositeurs cherchaient à échapper à l'emprise de l'Église et s'adonnaient à d'autres genres que la messe et le motet. Girolamo Frescobaldi (1583-1643) composa de nombreuses pièces pour clavecin et pour orgue. Et de nombreux compositeurs cherchèrent leur bonheur dans la musique vocale profane, empruntant de longs extraits aux poètes italiens (Dante, l'Arioste et le Tasse, notamment) pour y déposer leur musique. (Il faudra attendre Victor Hugo pour réprouver cet usage : « Défense de déposer de la musique sur mes vers. »)

Les madrigaux

La forme musicale la plus populaire de musique vocale profane a été le *madrigal*. Il s'agit de pièces composées pour un minimum de trois voix, généralement sans accompagnement instrumental. Au cours de la Renaissance, des familles ou des groupes d'amis se réunissaient pour chanter ces madrigaux, chacun d'eux adoptant une ligne musicale différente et fronçant les sourcils envers le malheureux qui déraillait.

Les madrigaux étaient agréables à chanter parce qu'ils privilégiaient la beauté et l'élégance de la mélodie. Ils parlaient directement à l'auditeur car ils faisaient un usage abondant d'une technique de *peinture en musique* appelée – comme il se doit – *madrigalisme*. Lorsqu'un mot particulièrement descriptif survenait dans les paroles, le compositeur enrichissait sa mélodie d'ornements évocateurs. Le mot *fuite*, par exemple, était symbolisé par des imitations serrées, sur des rythmes rapides. Les mots *envol* ou *bonheur* s'accompagnaient de lignes ascendantes légères. S'il se trouvait le mot *soupir*, la voix partait d'une note élevée et descendait, comme fatiguée, jusqu'à une note plus basse.

S'il ne fallait retenir que deux noms parmi les musiciens qui s'illustrèrent dans l'art délicat du madrigal, ce seraient probablement ceux d'un contemporain de Palestrina, Roland de Lassus, évoqué plus haut au sein des Franco-Flamands, et de Claudio Monteverdi, dont nous allons parler dans la section suivante.

En 1550, Adrian Willaert, maître de chapelle à la basilique Saint-Marc de Venise, invente la stéréophonie en faisant se répondre deux chœurs installés dans deux tribunes différentes de l'édifice. Son élève Andrea Gabrieli et le neveu de celui-ci, Giovanni Gabrieli, développent la technique et proposent désormais des quadriphonies : quatre chœurs ou quatre orchestres se répondant des quatre côtés de l'immense basilique. Mieux qu'au stade de France !

Hors d'Italie, il se passe tout autant de choses passionnantes, notamment en Allemagne, avec l'effervescence de la Réforme, et en France.

En France comme en Italie, poètes et musiques se rassemblent pour unir leurs arts en prenant modèle sur la poésie et la musique antiques. L'un des moteurs de ce mouvement est, en France, Pierre de Ronsard, l'un des poètes de la Pléiade. En Italie, c'est à Florence que l'on s'interroge sur l'union de ces deux arts. En 1576 y est créée la Camerata Bardi, où l'on devise entre gens d'esprit sur l'art de déclamer en musique. Encore un petit effort, un quart de siècle, et l'opéra sera né.

L'époque baroque

Monteverdi a ouvert la route à une nouvelle époque de l'histoire de la musique que l'on appelle de nos jours le *baroque*, qui dura à peu près un siècle et demi et dont on peut fixer le début à 1600. Cette époque est marquée par un style fleuri, tourné vers une grande expressivité émotionnelle. En architecture, le même style a donné lieu à des décorations contournées et luxuriantes comme celles qu'illustre la Figure 2-2.

Figure 2-2 : Exemple de style architectural baroque.

L'opéra

L'une des grandes gloires de Claudio Monteverdi (1567-1643) est d'avoir offert son premier chef-d'œuvre à un genre promis à un brillant avenir :

l'opéra. Le chef-d'œuvre en question s'appelle *Orfeo* et fut présenté en 1607, à Mantoue, à un public certainement médusé.

Comme ce fut souvent le cas pour les formes artistiques apparues pendant la Renaissance, l'opéra tentait de recréer la gloire de la Grèce antique. Son modèle était alors le spectacle grec qui se pratiquait dans des amphithéâtres extérieurs avec accompagnement d'instruments à vent et à cordes. Monteverdi et quelques-uns de ses contemporains s'efforcèrent de transposer cette forme dans leur époque, mais leur musique n'était évidemment pas la même.

Nous pourrions vous en dire bien davantage – au moins 384 pages – au sujet de l'opéra, mais il ne faut pas mélanger les genres et c'est pourquoi nous lui avons consacré un *Opéra pour les Nuls* que vous aurez bientôt la joie de pouvoir acquérir chez votre libraire préféré.

Les barbares attaquent

Lorsque vous écoutez de la musique baroque, vous pouvez être surpris d'apprendre qu'on la considère aujourd'hui comme l'apothéose du *sentiment*. À côté des délires du romantisme, elle nous paraît plutôt sage et tranquille. C'est que toutes ces mélodies qui nous semblent aujourd'hui si fleuries répondaient, malgré leur caractère souvent improvisé, à des codifications très rigoureuses. De nombreux théoriciens s'affairaient alors pour déterminer par quelle musique traduire la joie, la peur, la tristesse ou la colère.

La *peinture en musique*, qui avait été si prisée par les madrigalistes de la Renaissance, trouva un regain de faveur et se développa. Auparavant, un chanteur aurait laissé tomber sa voix sur le mot *soupir* mais, maintenant, cette idée était reprise dans la musique seule, sans le secours des paroles. L'auditoire savait que cette descente musicale était censée représenter un soupir, sans le secours des mots. Et finalement la marge de manœuvre individuelle des compositeurs n'était pas si étendue qu'elle le serait à l'époque romantique ou qu'elle l'est de nos jours. Ce qui n'empêcha pas de grands génies de se révéler et de composer des œuvres à la fois très sensibles et très personnelles.

Rois, évêques et autres sponsors

Si vous aviez été un jeune musicien vivant en Europe il y a trois cents ans, un conseiller d'orientation professionnelle vous aurait certainement suggéré de chercher un emploi dans l'une de ces trois directions : la cour d'un seigneur ou même d'un roi, la maison d'un riche marchand ou l'entourage d'un évêque.

Tous ceux dont les noms sont parvenus jusqu'à nous ont bénéficié de cette forme de mécénat. Certains avec plus de chance que d'autres. Souvent leur situation était plutôt lucrative et leur laissait de grands loisirs pour se laisser aller à leur inspiration. Après tout, qui a besoin fréquemment d'une nouvelle composition pour célébrer un événement familial ?

Ainsi, Giuseppe Sammartini (1700-1775), hautboïste italien renommé qui a composé quelques-unes des premières symphonies qui méritent ce nom et influença Mozart, avait un emploi d'intendant auprès du prince de Galles dont il dirigeait aussi la musique de chambre.

> **Le prince de Galles :** Giuseppe, ces lasagnes étaient délicieuses.

> **Giuseppe Sammartini :** Grand merci, Votre Altesse, de décerner des éloges aussi flatteurs à mon modeste travail. Que souhaite Votre Altesse me voir préparer pour dimanche prochain ?

> **Le prince :** Je crois que j'aimerais bien un de vos exquis concertos pour hautbois. J'apprécie leur ornementation, leurs mélodies fleuries et les embellissements de leur ligne mélodique.

> **Giuseppe :** Je suis confus de tant de bonnes paroles, Votre Très Excellente Altesse.

> **Le prince :** Oh, à propos, Giuseppe, pourriez-vous mettre un peu moins d'amidon dans mes caleçons ?

> **Giuseppe :** À votre service.

Les baroques

Antonio Vivaldi

Antonio Vivaldi (1678-1741) fut une célébrité de la période baroque où il se distingua non seulement par la qualité de ses œuvres mais surtout par une extraordinaire fécondité – tout au moins sur le plan musical. En effet, outre une cinquantaine d'opéras, on lui doit plus de quarante pièces pour chœur et orchestre, une centaine d'œuvres pour orchestre seul et plus de 500 concertos pour divers instruments solistes avec accompagnement d'orchestre.

Il tomba dans un relatif oubli et son nom était pratiquement inconnu du grand public dans la première moitié du XXe siècle. C'est grâce au microsillon (les 33 tours en vinyle) qu'il fut redécouvert, en grande partie, d'ailleurs, grâce aux travaux du musicologue français Marc Pincherle qui publia en 1948 un inventaire thématique de sa production. *Les Quatre Saisons* firent alors (et continuent de faire) un véritable tabac.

Certains critiques, sans doute jaloux, prétendent qu'en réalité Vivaldi a écrit 500 fois la même pièce musicale. À de telles insinuations, nous ne répondrons qu'un mot: balivernes! Pour quelle raison quelqu'un irait-il écrire 500 fois le même morceau? Quel gaspillage! Personnellement, nous nous limiterions à 200 fois et, même alors, nous ne le ferions que pressés par le temps.

On retrouve une grande similitude de style dans tout l'œuvre de Vivaldi, ce qui peut expliquer – sinon justifier – les accusations dont il est l'objet.

Le petit prêtre qui ne disait pas la messe

Antonio Vivaldi grandit à Venise où, quand il en eut l'âge, il décida d'entrer dans les ordres. D'où le surnom de «Prêtre roux» qu'il dut à sa chevelure flamboyante.

Mais il ne devait pas rester longtemps prêtre et il connut de nombreuses mésaventures. Un jour, par exemple, au cours de la célébration d'une messe, l'inspiration le saisit soudain. Sans nulle hésitation ni excuse, il se précipita hors de l'autel et bondit jusqu'à la sacristie en quête d'une feuille de papier pour y noter l'air qui venait de lui traverser l'esprit. Inutile de dire que la congrégation en fut muette de saisissement!

Vivaldi fut conduit devant un tribunal pour connaître son châtiment. Par bonheur pour lui, la Sainte Inquisition était à ce moment de bonne humeur. Aussi s'en tira-t-il avec cette sentence: les génies sont toujours un peu dérangés. Sa punition fut une interdiction de dire dorénavant la messe. Sans doute cette condamnation fit-elle tout à fait son affaire.

Et c'est ainsi que le Prêtre roux fut rendu à la vie séculaire.

Le philharmonique des filles de la Pietà

Il occupa son dernier emploi durant trente-cinq ans, jusqu'à la fin de sa vie, survenue dans des circonstances mystérieuses, alors qu'il se rendait à Vienne. Il exerça le métier de professeur de violon à l'Ospedale della Pietà, une institution hybride tenant lieu à la fois de refuge et de conservatoire de musique pour les filles illégitimes.

Au cours des ans, Vivaldi exerça des fonctions de plus en plus étendues dans cet établissement, au point que, finalement, c'était pratiquement lui qui dirigeait tout. Il organisait des concerts hebdomadaires, dont la renommée s'étendit bientôt à toute l'Europe. Lorsqu'il voulait mettre en valeur les talents de telle ou telle jeune fille, il composait un concerto à son intention. (Pour plus de détails sur ce qu'est un concerto, voir le chapitre 3.)

Le concerto de Vivaldi comportait trois mouvements et se déroulait selon un schéma immuable qui devint un modèle pour beaucoup d'autres compositeurs de l'époque baroque. Voici quelle en était la formule :

Vif-lent-vif

À l'écoute de la musique de Vivaldi

Nous sommes certains que vous avez déjà entendu de la musique de Vivaldi et, tout spécialement, sa plus fameuse composition : *Les Quatre Saisons*. C'est une suite de quatre concertos composés en 1725 pour violon et orchestre, dans laquelle chaque concerto évoque l'une des saisons. C'est la formule qui sera reprise bien plus tard par les romantiques sous le nom de *poème symphonique*.

Le Printemps est rempli de chants d'oiseaux, puis vient un bref orage avec des coups de tonnerre et des éclairs. On y «voit» une bergerie endormie protégée par un chien qui aboie, des bergers qui dansent et des nymphes. Au cours de *L'Été*, vous ressentez la chaleur d'un soleil brûlant, vous entendez le coucou, des moustiques vous infligent quelques morsures et vous éprouvez le désagrément d'une averse de grêle. *L'Automne* commence par une bacchanale de moissonneurs ivres et se termine par une chasse effrénée avec des imitations d'appels de cors. Pendant *L'Hiver*, vous frissonnez, vous grelottez, vous tapez des pieds et vous vous rapprochez du feu pour tenter de vous réchauffer. Ensuite, vous retournez dehors, mais c'est pour de longues glissades sur la glace au travers de laquelle vous finissez par passer. Un peu sadique, sans doute. Toutes ces impressions sont merveilleusement évoquées par la musique.

Nous aimons beaucoup *Les Quatre Saisons* et nous ne sommes pas les seuls. Jamais musique n'a autant été mise à toutes les sauces : publicité, télévision, films… En CD, ces œuvres font partie des incontournables.

Si vous avez quelque difficulté à vous repérer dans la jungle vivaldienne, nous vous proposons quelques morceaux choisis :

* *Concerto pour deux trompettes en ut majeur*, RV 537.

* *Concerto pour deux mandolines*, RV 532.

* *Concerto pour deux violoncelles en sol mineur*, RV 531.

* *Concerto pour guitare en ré majeur*, RV 93.

* *Concerto pour flûte en fa majeur « La tempesta di mare »* (*« La Tempête de mer »*)*, op. 10 n° 1, RV 433 (à ne pas confondre avec le concerto pour violon portant le même titre, op. 8 n° 5, qui d'ailleurs est très bien aussi).

* *Concertos pour violon et orchestre « Les Quatre Saisons »*, op. 8 nos 1 à 4.

* *Concertos pour quatre violons et orchestre en si mineur,* op. 3 n° 10 (Bach admirait beaucoup cette œuvre et la transcrivit pour quatre clavecins).

* *Sonate pour deux violons et basse continue en ut majeur,* RV 60.

** *Concerto pour flûte en sol mineur « La notte » (« La Nuit »),* op. 10 n° 2, RV 439.

** *Concerto pour flûte en ré majeur « Il gardellino » (« Le Chardonneret »),* op. 10 n° 3, RV 428.

** *Gloria (pour trois solistes vocaux, chœur et orchestre),* RV 589.

** *Nisi Dominus* (pour voix d'alto et cordes), RV 589.

*** *Sinfonia al Santo Sepolcro,* RV 169

Vous aurez remarqué que le titre de chacune des œuvres que nous venons d'énumérer est suivi d'une indication chiffrée précédée des lettres RV. Il s'agit d'un numéro de catalogue établi par un musicologue et qui vous facilitera le repérage de l'œuvre lorsque vous achèterez un disque (très utile, vu le nombre de concertos composés par le monsieur !)

Vous pourrez également retrouver Vivaldi prochainement dans *L'Opéra pour les Nuls,* car il est l'auteur d'opéras tout à fait décoiffants.

Comme vous pouvez vous en douter, Vivaldi n'a pas été le seul compositeur italien de l'époque baroque. Nous vous signalons au passage l'existence de trois autres musiciens tout à fait estimables : Domenico Scarlatti, Arcangelo Corelli et Giovanni Battista Pergolesi.

Arcangelo Corelli (1653-1713)

Si Vivaldi est l'inventeur du concerto pour soliste, Corelli, son aîné de vingt-cinq ans, fixa un autre genre qui eut un grand succès : le *concerto grosso.* Ici, ce n'est pas un soliste qui dialogue avec l'orchestre, mais un petit groupe d'instruments qui tantôt s'en isole, tantôt se fond en lui. Beaucoup moins prolifique que son cadet, Corelli ne laisse que six recueils contenant douze œuvres chacun, rassemblés par genre : sonates pour violon et basse continue, sonates en trio… Les concertos grossos occupent l'op. 5. Le plus fameux est le huitième d'entre eux, le célèbre *Concerto pour la nuit de Noël,* une très belle œuvre dont nous vous recommandons vivement l'écoute.

Domenico Scarlatti (1685-1757)

Originaire de Naples, Domenico Scarlatti est l'exact contemporain de Jean-Sébastien Bach et de Georg Friedrich Haendel. Il se montra très jeune un claveciniste hors du commun, et se fit rapidement connaître comme un compositeur d'exception. Sa carrière souffrait toutefois de l'ombre colossale portée par son père, Alessandro Scarlatti, le plus célèbre compositeur d'opéra de son temps. Pour échapper à l'emprise paternelle, Domenico dut renoncer à la citoyenneté napolitaine et embarquer pour la cour du roi Jean V du Portugal, où il devint le maître de clavecin de l'infante Maria Barbara et de l'infant don Antonio. La petite princesse témoignait de dons tout particuliers. Elle avait 9 ans lorsque Scarlatti lui donna ses premières leçons, en 1722. Sept ans plus tard, en 1729, elle épousa l'héritier du trône d'Espagne, Ferdinand VI. Scarlatti la suivit à Séville puis, en 1733, à Madrid, demeurant à son service jusqu'à sa mort, le 25 juillet 1757. C'est pour Maria Barbara qu'il composa la somme considérable que constituent les 555 sonates. Nous ne savons lesquelles vous conseiller, tant chacune est éblouissante. Fiez-vous aux choix réalisés au disque par les grands clavecinistes, et vous ne pourrez être déçu !

Giovanni Battista Pergolesi (1710-1736)

La brièveté de la carrière de ce compositeur et l'abondance de sa production musicale en font une sorte de Mozart avant l'heure. Personnage brillant, il fut l'inventeur de l'*opera buffa* (l'opéra bouffe italien) en ayant l'idée de faire représenter isolément les intermèdes comiques qui truffaient un de ses opéras sérieux, *Il prigionier superbo*. Ces intermèdes prirent leur envol pour former l'œuvre la plus célèbre de Pergolèse (comme on l'appelle en France), La serva padrona (La servante maîtresse). À sa création en France, en 1752, cet ouvrage déclencha une polémique sanglante : la Guerre des coins, ou querelle des Bouffons, qui opposa les tenants de l'art français (le coin du roi, autour des admirateurs de Rameau) et ceux de l'art italien (le coin de la reine, animé par Jean-Jacques Rousseau). Pergolèse s'en moquait bien, puisqu'il était mort depuis seize ans. Non sans avoir composé une foule d'autres chefs-d'œuvre, au premier rang desquels son célèbre *Stabat Mater*, l'année de sa mort.

Georg Friedrich Haendel

Pendant que Vivaldi se faisait entendre à Venise, un autre compositeur, Georg Friedrich Haendel (1685-1759), établissait sa réputation en Angleterre. Lui aussi eut une grande influence sur les orientations de la musique, tant au cours de sa vie qu'après sa mort. La Figure 2-3 présente le portrait de cet homme important.

Figure 2-3 :
Portrait de
Georg
Friedrich
Haendel.

Le plus italien des rosbifs allemands

Né en Allemagne, Haendel reçut une solide éducation musicale en Italie. Ce qui explique pourquoi il est considéré comme le plus grand de tous les compositeurs anglais. (C'était l'Europe avant l'heure.)

Il était fils d'un barbier chirurgien. Cette alliance de deux professions qui nous paraît aujourd'hui singulière, voire inquiétante, était courante à son époque. Est-ce le fait que Papa se spécialise dans l'ablation des organes qui poussa le fiston à devenir organiste ? On peut en douter. Toujours est-il qu'il quitta le domicile paternel à 18 ans pour s'en aller à Hambourg où il trouva un emploi de compositeur et interprète.

Pressentant que l'opéra italien allait sous peu conquérir l'Europe, à 22 ans, il quitta l'Allemagne pour l'Italie dans le dessein d'apprendre à écrire des opéras, lui aussi. Il y rencontra la crème des compositeurs d'alors : Vivaldi, Corelli, Scarlatti… Il y composa beaucoup de musique, et notamment plusieurs opéras. L'un de ceux-ci, *Agrippina*, connut un grand succès. De retour en Allemagne, saisi par une incoercible bougeotte, il s'embarqua bientôt pour l'Angleterre et se fixa à Londres.

Dans ce pays, il écrivit 36 opéras dont la plupart sont d'authentiques chefs-d'œuvre. Mais le goût du public est changeant. Le dernier cri, c'était les divertissements musicaux en s'appuyant sur la Bible. Pour s'y plier, Haendel se mit donc à écrire des *oratorios* (pièces pour quelques chanteurs, chœur et orchestre sur des sujets généralement tirés de la Bible).

Le plus fameux de ces oratorios est *Le Messie*, qui fut représenté pour la première fois en 1742. Il eut un tel succès que, pour permettre à davantage de gens d'assister aux représentations, les gentilshommes étaient priés de venir sans leur épée et les dames sans l'ossature de leur robe à panier.

Une forte personnalité

Si grand qu'ait été son talent, la vertu majeure de Haendel n'était pas la patience. Il n'était pas du genre à tendre la joue gauche, et son irritabilité devint bientôt proverbiale, ce qui, on s'en doute, devait l'exposer à des plaisanteries d'un goût parfois douteux comme seuls les Anglais sont capables d'en commettre. Il était de notoriété publique qu'il ne pouvait pas supporter le bruit que faisaient les instruments de l'orchestre en s'accordant. Aussi, lorsqu'il devait diriger un concert, ordonnait-il aux instrumentistes de s'accorder avant qu'il ne pénètre dans le théâtre. Un soir, un farceur se glissa dans le théâtre et désaccorda tous les instruments avant

Dès le début de la représentation, ce fut une cacophonie tellement épouvantable que seuls cinquante instruments désaccordés peuvent en produire. Pis, sans doute, que les fameux concerts de Hoffnung dans les années 1960 en Angleterre. Haendel piqua une effroyable colère. Il attrapa une énorme contrebasse et la jeta à terre. Puis ce fut le tour d'une timbale qu'il projeta sur le premier violon (Évidemment bel effort !)

Dans sa frénésie, sa perruque s'envola, ce qui provoqua une hilarité générale et incontrôlable de l'auditoire au moment où Haendel quittait la scène, fou de rage.

À l'écoute de la musique de Haendel

Les compositions de Haendel constituent quelques-uns des meilleurs exemples du style baroque. Elles sont lumineuses, inspirées, souvent dansantes quoique chargées d'émotion. Cette constante qualité a de quoi surprendre étant donné la vitesse à laquelle il les écrivait. N'a-t-il pas composé son oratorio *Le Messie* – qui dure plus de deux heures et qui continue d'être joué à Noël et à Pâques dans bon nombre de grandes villes – en à peine plus de trois semaines ?

Haendel a beaucoup composé et, ne serait-ce que pour cette raison, il est très présent sur les rayons des disquaires. Nous vous recommandons en particulier ces morceaux :

* *Les Concertos grossos,* op. 3 n°s 1 à 6.

* *Les Concertos grossos,* op. 6 n°s 1 à 12.

* *Royal Fireworks Music.*

** *Suites de pièces pour le clavier* n°s 3, 5 et 7.

** *Le Messie,* oratorio pour solistes, chœur et orchestre.

** *Zadok the Priest*, « anthem » *(ode)* pour le couronnement du roi George II.

*** *Solomon et Belzhazzar*, oratorios *pour solistes, chœur et orchestre.*

* *Water Music*, suites nᵒˢ 1, 2 et 3. Cette musique fut composée pour être jouée sur une barge où avait pris place le roi George et qui allait et venait sur la Tamise. Vous pouvez en entendre un mouvement sur la plage 1 du CD d'accompagnement.

Un désastre royal

En 1749, Haendel composa sa *Music for the Royal Fireworks* (*Musique pour les feux d'artifice royaux*) pour commémorer la signature d'un traité entre l'Angleterre et l'Autriche. La première représentation fut un des plus grands désastres de toute l'histoire de la musique.

Pour cette occasion spéciale, le roi avait demandé à un architecte de réaliser une énorme toile de fond devant laquelle devait se placer l'orchestre. Le point culminant de la cérémonie devait être un spectaculaire feu d'artifice. Pour satisfaire à la commande royale, l'architecte conçut une construction de quelque 120 mètres de long sur une trentaine de hauteur, couronnée par un gigantesque soleil au bout d'un mât d'une soixantaine de mètres. que le concert commence.

Lorsque vint le jour de la représentation, ce fut Haendel en personne qui conduisit l'exécution de sa composition. Tout se passa fort bien pendant la première moitié du spectacle jusqu'au moment où commença le feu d'artifice.

Haendel était sans doute déjà fâché que le bruit des explosions couvre une partie de sa musique, mais le pire était encore à venir. Certaines pièces pyrotechniques vinrent atterrir, flambant encore, sur le prodigieux échafaudage auquel elles ne tardèrent pas à communiquer leur ardeur enflammée. Ce fut la panique dans la foule qui s'éparpilla rapidement tandis que, imperturbable et résolu, Haendel continuait à diriger sa musique.

Connaissant son tempérament volcanique, on peut penser que lorsqu'il eut l'occasion de parler de cette représentation avec son royal commanditaire, il lui servit une autre forme de feu d'artifice…

En Angleterre, encore : Henry Purcell

Henry Purcell (1659-1695) est un des plus grands compositeurs anglais de tous les temps, même si c'est loin d'être le seul comme les mauvaises langues le prétendent parfois ! Il fit carrière à l'époque de la restauration de la monarchie, après l'ère du Commonwealth. Il passa l'essentiel de sa courte vie comme compositeur, organiste et chanteur de la chapelle royale. Il est connu principalement comme compositeur d'ouvrages pour la scène, en particulier dans des genres hybrides typiquement anglais, à mi-chemin entre opéra et pièce de théâtre, comme le *masque* et le *semi-opéra*. Il laisse toutefois un opéra véritable, un véritable chef-d'œuvre malgré sa brièveté : *Dido and Aeneas* (*Didon et Énée*). Nous étudierons tous ces ouvrages palpitants dans *L'Opéra pour les Nuls*.

Quelques œuvres à écouter :

* *Ode à sainte Cécile « Hail, bright Cecilia »*, pour solistes vocaux, chœur et orchestre.

* *Airs profanes isolés* ou extraits de partitions scéniques : « *Music for a while* » (extrait d'*Œdipus*), *Sweeter than roses* (extrait de *Pausanias*), *Since from my dear Astrea's sight* (extrait de *Dioclesian*).

** *Musique pour les funérailles de la reine Mary*, pour solistes vocaux, chœur et basse continue (voir ce terme dans le glossaire, à l'annexe C).

** Fantaisies pour violes.

Johann Sebastian Bach[2]

L'immense majorité des musiciens comptent Bach (1685-1750) au rang des plus grands compositeurs qui aient jamais vécu. Certains le considèrent même comme le plus grand. Non seulement parce que chacune de ses compositions est un chef-d'œuvre en elle-même mais aussi parce que tous ceux qui sont venus ensuite lui doivent quelque chose de leur talent. Son portrait est reproduit sur la Figure 2-4.

Figure 2-4: Portrait de JSB le Grand.

---

2. En français, le *h* final ne se prononce pas ; on dit « bac ». De plus, en France, on a coutume de l'appeler *Jean-Sébastien*. Si vous préférez la v.o., dites *Johhhann Zébastiann BaX*, avec un *h* bien soufflé dans *Johann* et un raclement de gorge sonore pour le *ch* de *Bach*.

Quelques postes de moindre importance

C'est à 18 ans que Bach obtint son premier job : un poste d'organiste à la Neue Kirche d'Arnstadt. Cinq ans plus tard, après quelques tribulations et son mariage avec sa cousine Maria Barbara, il accepta un poste d'organiste et de musicien à la chapelle du duc de Weimar. C'est là qu'il écrivit quelques-unes de ses plus grandes pages pour l'orgue, qui aujourd'hui exercent toujours le même pouvoir de fascination sur l'auditeur.

Le maître d'orgue

D'après les récits de ses contemporains, on a quelque raison de penser que Bach fut un organiste au talent immense. Non seulement il avait une agilité digitale prodigieuse mais son jeu de pédalier (voir le chapitre 6) était d'une remarquable virtuosité. On venait de loin pour l'entendre jouer.

Ce fut également un maître de l'improvisation. À partir de n'importe quel fragment mélodique, il était capable de jouer immédiatement une musique inspirée. C'était, sous cet aspect, un précurseur de la musique de jazz d'aujourd'hui. Comme à son époque on n'avait pas encore inventé le magnétophone, ces chefs-d'œuvre de l'instant ont été perdus pour toujours et il ne nous reste que le témoignage de ses contemporains pour en faire foi.

Prolifique à plusieurs titres

Bach fut un des compositeurs les plus prolifiques de tous les temps. Mais la musique n'est pas le seul domaine où il fit preuve d'une grande fécondité. En deux mariages (sa première épouse était morte en 1720 après lui avoir donné quatre enfants et il se remaria dix-huit mois après avec Anna Magdalena, à peine âgée de 20 ans), il eut vingt enfants (reconnus !). Plusieurs d'entre eux reprirent le fonds de commerce paternel et connurent une certaine célébrité qui n'alla pas, toutefois, jusqu'à éclipser celle de leur géniteur : Wilhelm Friedmann, Carl Philip Emmanuel, Johann Christian (*alias* Jean-Chrétien), pour ne citer que les plus importants. En outre, ils aidèrent leur père à transcrire ses compositions musicales.

À l'âge de 38 ans, Bach se porta candidat au poste de Cantor de la Thomasschule de Leipzig mais ne fut agréé qu'après les refus successifs de Telemann[3] et de Graupner[4], qui lui avaient été préférés.

C'est là qu'il écrivit une grande quantité de *cantates* sacrées (pièces vocales accompagnées à l'orchestre qui paraphrasent et commentent les lectures de la liturgie). Statutairement, il devait en fournir une pour chaque dimanche et

---

3. Georg Philipp Telemann (1681-1767) a « sévi » dans plusieurs domaines musicaux et sa fécondité le dispute à celle de Bach. Il a exercé une importante influence sur les musiciens de son époque.

4. Johann Christoph Graupner (1683-1760) s'est illustré davantage par le nombre de ses œuvres que par leur qualité, et même l'industrie du disque – pourtant si avide de « redécouvertes » – ne s'y est que très peu intéressée.

chaque fête du calendrier religieux, ce qu'il fit « religieusement » pendant quatre ans. Au total, environ 230 morceaux.

La musique de Bach est un magnifique exemple de l'art du *contrepoint* poussé à son extrême : deux, trois, quatre lignes mélodiques – et parfois plus – se superposent et s'entrecroisent simultanément, créant ainsi de prodigieux effets harmoniques. Il perfectionna l'art de la *fugue* (un de ses recueils porte d'ailleurs comme titre *L'Art de la fugue*), forme musicale d'une grande complexité qui porte à leur degré le plus élevé l'art du contrepoint et la technique du canon (la répétition d'une même ligne par plusieurs voix vocales ou instrumentales, avec un décalage – comme dans *Frère Jacques*). Le CD d'accompagnement vous permet de découvrir le *Prélude et Fugue en ut majeur* du volume 2 du *Clavier bien tempéré* (voir chapitre 5). Les fugues de Bach mettent en œuvre des thèmes incroyablement complexes qui, bien que démarrant à des moments différents, se fondent en un ensemble parfait. Il excellait si bien dans cette pratique qu'il était capable d'improviser immédiatement une fugue sur n'importe quel thème musical.

Alors qu'aujourd'hui la tendance (souvent injuste) est de considérer la musique contemporaine comme de la cacophonie et de préférer les compositeurs du passé, la réalité fut longtemps inverse. Bien rares furent les compositeurs baroques qui continuèrent à être connus et joués après leur mort. Bach, qui de son vivant jouissait d'un certain prestige d'interprète mais dont la gloire de compositeur resta très locale, tomba pour ainsi dire dans l'oubli après sa mort. Seuls quelques érudits à Londres et à Vienne, où avaient travaillé ses fils, continuaient de lire ses partitions avec vénération, et c'est ainsi que Haydn, Mozart ou Beethoven purent connaître et admirer certaines de ses œuvres. La renaissance de Bach commença au XIXe siècle grâce à Felix Mendelssohn, qui fit jouer ses pages maîtresses à Berlin et à Leipzig.

À l'écoute de la musique de Bach

Vous pouvez entendre une œuvre de Bach pour clavecin sur la deuxième plage du CD d'accompagnement. Si vous en voulez davantage, nous vous suggérons de compléter votre collection par les œuvres suivantes :

* *Concertos brandebourgeois* nos 2 et 5, BWV 1047 et 1050.

* *Concerto italien pour clavecin seul*, BWV 971.

* *Toccata et Fugue pour orgue en ré mineur*, BWV 565.

* *Concerto pour clavecin (ou piano) en ré mineur*, BWV 1052.

* *Sonates pour flûte et clavecin en si mineur et en mi mineur*, BWV 1030 et 1034.

** *Suites pour orchestre* nos 2 et 3, BWV 1067 et 1068.

** *Cantate « Ich habe genug »*, BWV 82.

** *Cantate « Herz und Mund und Tat und Leben »*, BWV 147 (avec le célèbre air « *Jesus bleibet meine Freude* » (« *Jésus demeure ma joie*, parfois improprement traduit par « *Jésus que ma joie demeure* »).

** *Concerto pour deux violons et orchestre en ré mineur*, BWV 1060.

** *Messe en si mineur*, BWV 232.

*** *Passion selon saint Matthieu, oratorio* pour solistes, chœur et orchestre, BWV 244.

*** *Passacaille et Fugue pour orgue en ut mineur*, BWV 582.

*** *Sonates et Partitas pour violon seul*, BWV 1001 à 1006.

*** *Sonates pour violoncelle seul*, BWV 1007 à 1012.

Les lettres BWV (*Bach Werke Verzeichnis*) se réfèrent au numéro de catalogue des œuvres du Cantor de Leipzig.

Il y aurait de nombreux contemporains de Bach à citer. Nous avouons une certaine tendresse pour l'un d'eux, Sylvius Leopold Weiss (1686-1750). Ami de Bach, ce prodigieux virtuose du luth composa plus de 70 suites pour son instrument, dont certaines recèlent de véritables chefs-d'œuvre.

En France

Durant l'époque baroque, la France brilla d'un éclat tout particulier, notamment au cours du long règne de Louis XIV (1643-1715). Ensuite, à l'époque des Lumières, la musique continua de passionner les hommes de lettres et les philosophes, et de véritables guerres esthétiques eurent lieu à son sujet. Diderot lui consacra une large place dans son *Encyclopédie*.

Nous avons choisi de vous présenter quatre figures emblématiques de cette époque. Mais il y aurait bien d'autres à citer.

Jean-Baptiste Lully (1632-1687)

Italien de naissance, Lully devint le plus grand compositeur français de son temps (ou tout au moins le plus en vue, car il prit soin d'écarter un à un tous ses rivaux). Serviteur personnel de Mlle de Montpensier à ses débuts, il s'éleva jusqu'à la charge prestigieuse de surintendant de la musique du roi et maître de musique de la famille royale, jusqu'à régner sans partage sur la musique à Versailles. Il collabora avec Molière et Corneille et, plus particulièrement, avec le poète Quinault, créant une forme d'opéra typiquement française qui se déclinait en *comédies-ballets* et *tragédies en musique* ou *tragédies lyriques* (deux genres incluant des éléments de danse, l'une des marottes du roi). Il avait d'ailleurs obtenu un privilège royal (c'est-à-dire un monopole) pour la composition d'opéras à l'Académie royale de musique, et ses éventuels rivaux durent attendre sa mort pour faire la preuve de leur propre talent. (Tel fut le cas, par exemple, de Marc-Antoine Charpentier.)

Lully fixa l'ouverture d'opéra à la française, avec son introduction lente en rythmes pointés très solennels. Il imposa aussi une discipline nouvelle aux orchestres qu'il avait créés, la Grande Bande des violons du roy et les Petits Violons. Son autorité et son mauvais caractère lui valurent bien des désagréments : un jour qu'il frappa avec rage du bâton avec lequel il scandait la mesure au sol, il se transperça le pied, attrapa une gangrène et en mourut.

Ses grandes tragédies en musique, au premier rang desquelles *Atys*, *Roland* et *Armide*, exercèrent une influence considérable sur les compositeurs contemporains et sur la génération suivante, même après la mort de Lully en 1687. Mais c'est un autre chapitre, que nous étudierons dans *L'Opéra pour les Nuls*.

En attendant, voici de quoi ravir vos oreilles :

*   Musique de ballet pour *Le Bourgeois gentilhomme* de Molière (avec le célèbre menuet).

**   *Miserere mei* (superbe exemple du principal genre vocal religieux en vigueur à Versailles, le *grand motet*).

**   *Dies iræ* et *De profundis*, deux grands motets composés pour les funérailles de la reine Marie-Thérèse.

**   *Dixit Dominus* (un *petit motet*, genre plus modeste que le précédent mais non moins séduisant).

Marc-Antoine Charpentier (1643?-1704)

Marc-Antoine Charpentier, c'est l'homme invisible de l'histoire de la musique : on ne connaît aucun portrait de lui. Peut-être cela est-il dû au fait que, pendant de longues années, son rival Lully fit en sorte de l'écarter de tous les postes en vue à la Cour. Cela n'empêcha pas Charpentier de jouir d'une estime considérable. Ce fut un compositeur prolifique, qui composa énormément pour l'église mais laissa aussi de nombreuses pages profanes.

À l'inverse de l'Italien d'origine Lully, qui promut un style exclusivement français, Charpentier, qui avait été l'élève à Rome du célèbre Giacomo Carissimi (1605-1674), l'inventeur de l'oratorio, ne dédaignait pas introduire une certaine italianité dans ses œuvres, notamment dans ses œuvres vocales. Ainsi, ses grands motets et ses *Leçons de ténèbres* se caractérisent par un sens dramatique et une séduction mélodique que n'exploitent pas autant les pièces équivalentes de Lully.

En 1684, Charpentier fut nommé maître de musique à l'église jésuite Saint-Paul-Saint-Louis de Paris. En 1698, il devint maître de chapelle à la Sainte-Chapelle. Il dut attendre la mort de Lully et, *de facto*, la fin du privilège royal qui lui était accordé, pour faire représenter son unique tragédie en musique, *Médée*, en 1693.

Lully avait si mauvais caractère qu'il finit par se brouiller avec Molière. C'est ainsi que ce dernier fit appel à Charpentier, en 1673, pour la musique du *Malade imaginaire*.

Pour écouter Charpentier :

* *Te Deum* en *ré majeur* (ce morceau orchestré avec l'éclat de bois, de trompettes, de timbales et de cordes, a fait une carrière européenne comme indicatif de l'Eurovision).

* Musique de ballet pour Le *Malade imaginaire* de Molière.

* *Messe de minuit*, pour solistes vocaux, chœur et orchestre.

** *Leçons de ténèbres*.

** Histoire sacrée (oratorio) *Extremum judicium Dei* (*Le Jugement dernier*).

** Histoire sacrées *Mors Saulis* et *Jonathœ* (*La Mort de Saül et de Jonathas*) et *Le Reniement de saint Pierre*.

** *Super flumina Babylonis* (Au bord du *fleuve de Babylone*), grand motet.

François Couperin (1683-1733)

Né à Paris, François Couperin, dit «le Grand» afin d'être différencié de son oncle homonyme, est le membre le plus éminent d'une famille de musiciens français renommés. Il montra des dons si précoces qu'à la mort de son père, en 1679, on lui conserva sa tribune d'orgue de l'église parisienne Saint-Gervais jusqu'à ses 17 ans (c'est une autre «star» de l'époque, Michel Delalande, qui assure l'intérim). Louis XIV le nomme organiste de la chapelle royale en 1693, puis maître de clavecin des Enfants de France. Son traité *L'Art de toucher le clavecin* est un ouvrage capital sur l'interprétation de la musique française au début du XVIIIe siècle. L'œuvre de François Couperin couvre les principaux genres en vogue à l'époque en France, à l'exception de l'opéra.

Alors que la France et l'Italie se déchiraient pour savoir où se composait la meilleure musique, Couperin publia en 1724 un vaste ensemble de pièces de chambre rassemblées sous le titre des *Goûts réunis*. Il y mêlait les styles italien et français, entre lesquels il refusait de trancher. Ce recueil comporte notamment une partition intitulée *Le Parnasse ou L'Apothéose de Corelli* (que Couperin admirait énormément), décrivant avec un humour consommé (et des titres pleins de drôlerie) la rencontre de l'illustre compositeur italien avec les Muses : «Corelli au pied du Parnasse prie les Muses de le recevoir parmi elles» ; «Corelli charmé de la bonne réception qu'on lui fait au Parnasse, en marque sa joye»…

Les *Concerts royaux*, composés pour agrémenter les dimanches de Louis XIV, constituent un autre sommet de sa musique de chambre.

Voici quelques autres pistes pour découvrir l'art de Couperin :

* Les 27 Ordres (Suites) pour clavecin. Un trésor de 233 pièces où puiser sans modération.

** La *Messe solennelle à l'usage des paroisses* et la *Messe des couvents*, deux ensembles admirables de pièces pour orgue.

*** Les *Leçons de ténèbre*. Trois partitions pour un ou deux solistes vocaux et basse continue (voir ce terme dans le glossaire, en annexe C), sur les Lamentations de Jérémie ; un dépouillement extrême pour une beauté à couper le souffle.

Jean-Philippe Rameau (1683-1764)

Jean-Philippe Rameau domina la musique française de son époque, surtout après la mort de Couperin en 1733. Né à Dijon, deux ans avant Haendel, Bach et Domenico Scarlatti, il débuta comme organiste à la cathédrale de Clermont-Ferrand. En 1722 ou 1723, il s'établit à Paris ; il publia alors des recueils de pièces pour clavecin et son célèbre *Traité de l'harmonie*, où il exposait des théories révolutionnaires sur l'art de combiner les sons. À partir de 1733, il se consacra principalement à la composition d'opéras et à son œuvre de théoricien, sous la protection d'un mécène aussi généreux qu'éclairé, Le Riche de La Pouplinière, qui devint son ami.

Les premiers ouvrages lyriques de Rameau rompaient suffisamment avec le style de Lully pour susciter une vive polémique, la querelle des lullistes et des ramistes. Vingt ans plus tard, Rameau se trouva au cœur de la querelle des Bouffons, qui opposait ses opéras à la musique italienne représentée par Pergolèse et soutenue par le philosophe Jean-Jacques Rousseau.

Pour une première approche de l'œuvre de Rameau, et en attendant une étude plus approfondie de son œuvre lyrique dans *L'Opéra pour les Nuls*:

* Pièces pour clavecin : plongez dans ce réservoir formidable où alternent danses et pièces de genre aux titres pittoresques : *Le Rappel des oiseaux*, *L'Égyptienne*, *L'Entretien des Muses*, *Les Cyclopes*, *La Poule*...

Le style classique

La musique de Jean-Sébastien Bach a été le sommet du style baroque en musique, et cette époque s'est achevée à peu près en même temps qu'il s'éteignait. Le style musical qui l'a suivie est connu de nos jours sous le nom de style *classique*.

Nous croyons indispensable de préciser tout de suite qu'il y a une grande différence entre le mot *classique* appliqué au style ou à l'époque qui porte ce nom et son acception appliquée à la musique en général. L'*époque classique* ne représente en effet qu'une tranche de ce qu'on englobe sous le nom générique de *musique classique*.

Le style classique a été une réaction aux excès du baroque. Alors que la musique baroque se distingue par une surabondance d'ornements, d'extravagances et d'expressivité, le style classique se montre plus réservé, plus rigoureux et mieux contrôlé. (Encore tout cela est-il très relatif, les pieds de nez libertins de certains opéras de Mozart étant beaucoup plus débridés que les fugues de Bach.)

Au cours de la période classique, on voit émerger trois formes musicales: la *sonate*, la *symphonie* et le *quatuor à cordes*. Nous verrons ces trois formes de plus près au chapitre 3.

Les trois plus célèbres compositeurs de cette époque se sont illustrés dans chacune de ces formes. Ce sont Haydn, Mozart et Beethoven. Ces trois génies se connaissaient et vécurent une grande période de leur vie à Vienne, alors la capitale musicale de l'Europe par excellence.

Joseph Haydn

Joseph Haydn (1732-1809), dont la Figure 2-5 montre le portrait, a probablement été le plus agréable, le plus chaleureux et le plus gai de tous les compositeurs. Il était constamment à l'affût de petites plaisanteries, s'amusant d'un rien et de lui-même. Et cette disposition d'esprit se retrouve dans toute sa musique. Ne parle-t-on pas de lui en l'appelant le « bon papa Haydn » ?

Figure 2-5 :
Portrait de
Haydn.

Haydn grandit dans une contrée rurale de l'Autriche à proximité de la Croatie, de la Slovaquie et de la Hongrie. Tout jeune, il eut ainsi l'occasion d'entendre de nombreux airs du folklore de ces pays et acquit la conviction que la musique avait pour but de distraire et devait donc être plaisante à entendre. Il était doué d'une belle voix et chantait juste, ce qui fit qu'à huit ans il fut admis au sein de la maîtrise de la cathédrale Saint-Étienne de Vienne.

Là, il prit rapidement connaissance des chefs-d'œuvre musicaux du temps et décida de devenir compositeur après avoir échappé de peu à la castration, alors de pratique courante pour les enfants doués des plus jolies voix[5].

Comme tant de compositeurs avant lui, la première source de revenus de Haydn fut la charge qu'il obtint de musicien de cour. La plus longue période de sa vie se passa au service du prince hongrois Nicolas Esterházy, à Eisenstadt, puis dans le nouveau palais qu'il s'était fait construire à Fertöd, Eszterháza.

La vie à la cour du prince Esterházy

« Domestique ». Tel était le titre officiel de Haydn. Mais, en réalité, il était traité comme un roi. Il avait sa propre servante et son propre valet de pied ainsi qu'un confortable salaire. Il passait ses journées à écrire de la musique et à la jouer pour le prince Nicolas le Magnifique, frère de celui qui l'avait embauché, entre-temps décédé. Le prince participait parfois à l'interprétation de la musique de son protégé car il était lui-même assez bon musicien – il jouait du baryton, instrument ressemblant à notre violoncelle actuel.

5. Voir le film *Farinelli* (Gérard Corbiau, 1994).

Ce fut l'occasion pour Haydn d'expérimenter diverses formes musicales. Au cours des quelque vingt-cinq années qu'il devait passer à Eszterháza, il donna sa forme définitive à la symphonie et au quatuor à cordes. On l'appelle d'ailleurs «le père de la symphonie», et c'est peut-être pour cette raison que Beethoven et d'autres lui donnèrent ce surnom affectueux de «papa»...

À la mort de Nicolas le Magnifique, Haydn fut dégagé de ses obligations à Eszterháza par son successeur, peu mélomane. Il en profita pour faire deux séjours prolongés à Londres, où il présenta triomphalement ses dernières symphonies. Puis il regagna Vienne et y termina ses jours, couvert d'honneurs. Il mourut tranquillement dans son sommeil. Napoléon (dont les armées avaient pris la capitale autrichienne) avait fait placer une garde devant sa demeure pour veiller sur ses derniers jours.

À l'écoute de Haydn

La *Symphonie n° 94, «La Surprise»* est une de ses œuvres les plus célèbres et c'est un parfait exemple de son style à la fois élégant, imaginatif et facétieux. On raconte que, durant un de ses séjours à Londres, Haydn avait remarqué que ses auditeurs avaient tendance à s'assoupir lors des concerts donnés en soirée, après l'heure du souper, particulièrement lors des mouvements lents et des passages calmes de la musique. Par vengeance, il écrivit un deuxième mouvement de symphonie commençant comme à l'accoutumée de façon tranquille, avec peu d'instruments. Soudain, sans que rien ne l'ait laissé présager, un accord *fortissimo* retentit, de nature à réveiller en sursaut, à leur grande confusion, ceux des auditeurs qui s'étaient laissés glisser dans la quiétude d'une sieste postprandiale.

Peu à peu, en prenant de l'expérience, Haydn se mit à utiliser dans ses œuvres des thèmes folkloriques qu'il avait entendus dans sa jeunesse. La *Symphonie n° 104, «Londres»* en est un parfait exemple.

Le génie de Haydn est un des plus étonnant qui soit. Il a un talent inégalé pour surprendre l'auditeur, dans ce style classique qui semble si familier, où l'on a si souvent l'impression de presque deviner ce qui va survenir. Avec Haydn, livrez-vous à ce jeu de devinette... et vous risquez de perdre souvent!

Voici quelques œuvres qui devraient vous plaire:

* *Concerto pour trompette en mi bémol majeur,* Hob VIIe:1.

* *Concerto pour violoncelle en ut majeur,* Hob VIIb:5.

* *Symphonie n° 48, en ut majeur, « Marie-Thérèse».*

* *Symphonie n° 94, en sol majeur, « La Surprise ».*

* *Messe de Lord Nelson* pour solistes, chœur et orchestre.

**   *Symphonie n° 99, en mi bémol majeur.*

**   *Symphonie n° 101, en ré majeur, « L'Horloge ».*

**   *Symphonie n° 103, en mi bémol majeur, « Roulement de timbales ».*

**   *Symphonie n° 104, en ré majeur, « Londres ».*

**   *La Création,* oratorio.

**   *Quatuor à cordes en ré majeur,* op. 64 n° 5, *« L'Alouette ».*

***   Les six *Quatuor à cordes,* op. 76 (impossible de choisir !).

***   *Les Sept Dernières Paroles du Christ en croix* (cette œuvre existe sous deux formes : en oratorio ou en quatuor à cordes ; les deux sont d'une profondeur intense).

« Hob » se réfère aux numéros du catalogue des œuvres de Haydn réalisé par Anthony van Hoboken.

Haydn, le soprano

Quand il était tout enfant, Haydn s'était fait remarquer dans la maîtrise de la cathédrale Saint-Étienne par une très belle voix de soprano. Comme il prenait de l'âge, son professeur lui dit qu'il lui était possible de conserver pour toujours cette belle tessiture élevée au prix d'une « simple petite opération ». Sans se soucier de détails qui ne lui avaient pas été donnés, le jeune Joseph fut très intéressé par ce miracle et fort désireux de passer aux actes. Tout était prêt lorsque, quelques heures avant que l'irréparable n'ait lieu, son père lui expliqua les répercussions que cela aurait sur sa vie de famille.

Imaginez ce qui serait arrivé si Haydn avait subi cette opération ! Certes, il aurait conservé sa belle voix. Mais sans doute n'aurait-il jamais été embauché par le prince Esterházy. Et jamais il n'aurait pu disposer de l'orchestre de la Cour pour ses expériences musicales. Que seraient devenus la symphonie et le quatuor à cordes ? Ce qui est sûr, c'est que personne ne l'aurait appelé « papa ».

Wolfgang Amadeus Mozart

On considère souvent Bach comme le plus grand compositeur de tous les temps. Mais beaucoup de gens préfèrent décerner ce titre à Mozart (1756-1791), dont le portrait est reproduit sur la Figure 2-6. Dès son plus jeune âge, Mozart montra un talent et une facilité musicaux qui stupéfièrent son entourage.

Son père, Leopold, était lui-même un compositeur et un professeur de musique respecté, mais il sacrifia une carrière prometteuse pour développer les qualités musicales de son fils, à qui il apprit le piano, le violon et la théorie musicale. La famille Mozart résidait à Salzbourg, où le jeune Wolfgang grandit.

Sous la direction de son père, Wolfgang composa des concertos pour piano dès l'âge de 4 ans. Peu après, il écrivit sa première symphonie puis, à l'âge de 11 ans, son premier opéra : *Bastien et Bastienne*.

Le cirque Mozart

Leopold savait reconnaître le génie quand il le voyait, aussi entreprit-il une grande tournée européenne avec son fils et la sœur aînée de celui-ci, Nannerl. Partout où ils passaient, Leopold exhibait son fils comme un phénomène scientifique. Une de ses affiches, en Angleterre, ne disait-elle pas : « À l'intention de tous ceux qui aiment les sciences. Le plus grand prodige que l'Europe et même la nature humaine aient jamais vu est sans conteste le petit garçon allemand Wolfgang Mozart. »

Le jeune Mozart se livrait alors à des exhibitions qui tenaient davantage du cirque que de la musique, improvisant au clavier, déchiffrant aisément des pièces difficiles qu'il n'avait jamais vues auparavant, jouant sur un piano dont les touches étaient dissimulées à son regard par une bande d'étoffe. Nannerl participait aux réjouissances, enthousiasmant le public par son jeu de clavecin.

Le coup de pied

À l'âge de 13 ans, Mozart fut nommé *Konzertmeister* de l'archevêque de Salzbourg, Colloredo, auprès duquel il devait rester douze longues années. Mais ses fréquents voyages et fugues (non musicales) à la recherche d'un poste mieux rémunéré finirent par irriter ce puissant personnage qui, sans se douter un seul instant du jugement sévère que porteraient sur lui les générations futures, finit par licencier son musicien. Le secrétaire de l'archevêque se permit même, à cette occasion, un des gestes les moins subtils de l'histoire de la musique : il accompagna ce congé d'un vigoureux coup de pied au derrière.

Mozart alla chercher fortune à Vienne. Il savait, en effet, que cette ville était le centre de l'activité musicale européenne et il y avait eu du succès lors de ses tournées d'enfant prodige. Mais ce n'était plus maintenant un enfant prodige et, de ce fait, il n'intéressait plus personne. Il eut du mal à trouver du travail. La musique n'avait plus très bonne presse à la Cour et il était plus difficile qu'auparavant d'y trouver un riche protecteur. Mais Mozart ne perdit pas totalement son temps car il y rencontra Joseph Haydn.

Papa Haydn se prit immédiatement pour son jeune confrère d'une amitié qui devait durer jusqu'à la fin de sa vie. Lorsque Mozart lui dédia une suite de quatuors à cordes, Haydn fit à Leopold la remarque suivante : « Je vous le dis devant Dieu et en toute sincérité, votre fils est le plus grand compositeur qui ait jamais existé. »

Dur, dur…

Sans emploi régulier, Mozart dut se débrouiller en écrivant des opéras, genre qui était alors aussi populaire que l'est aujourd'hui le cinéma. Comme vous l'avez peut-être vu dans le film *Amadeus*, il déconcertait ses rivaux par la facilité avec laquelle il composait. Les idées musicales jaillissaient de sa tête à jet continu, toutes prêtes à être jouées, et il ne lui restait plus qu'à les transcrire.

Pendant cette période, Mozart tomba amoureux d'une jeune fille nommée Aloysia Weber, qu'il avait rencontrée cinq ans plus tôt, au cours de sa tournée européenne. Après qu'elle l'eut rejeté, il se tourna vers sa sœur, Constance, qu'il épousa. En l'honneur de ses noces, il écrivit sa grande *Messe en ut mineur*.

Aloysia n'était pas la seule à ne pas apprécier Mozart. Le public viennois, difficile et versatile, le considérait à l'égal de n'importe quel jeune compositeur de divertissements tout juste bons pour le dimanche soir.

La situation de Mozart finit par s'améliorer lorsqu'il se rendit à Prague, ville qui fait maintenant partie de la République tchèque. Les gens s'enthousiasmèrent pour son opéra *Les Noces de Figaro*. Un an après ce triomphe, en 1787, Prague lui commanda un opéra destiné à célébrer le mariage de la nièce de l'empereur. Et quelle histoire choisit-il pour célébrer musicalement cette union princière? Celle de *Don Juan*, tout simplement, le plus débauché de tous les débauchés. Il n'est pas indifférent de remarquer que le sous-titre en était: *dramma giocoso* (littéralement: drame joyeux). La création de cet opéra, *Don Giovanni*, eut lieu le 29 octobre sous la direction de l'auteur, et ce fut un succès sans précédent.

Le librettiste de *Don Giovanni* était Lorenzo Da Ponte (1749-1838), abbé de cour qui collabora avec Mozart pour d'autres opéras (*Le nozze di Figaro* et *Così fan tutte*). Ce curieux personnage, qui vécut près de 90 ans, finit curieusement son existence à New York où des difficultés financières l'avaient conduit à émigrer.

Celui qui compose plus vite que son ombre

La rapidité d'écriture de Mozart devint vite proverbiale. On raconte qu'un jour, rencontrant un mendiant dans la rue et n'ayant pas d'argent sur lui, il s'empara d'une feuille de papier, y griffonna quelques portées et écrivit un menuet et un trio en quelques minutes. Puis il fit cadeau de sa création au mendiant à qui il indiqua l'adresse d'un éditeur de musique, lequel acheta illico la composition. Sans doute cette technique se révélerait-elle moins efficace de nos jours, à New York comme à Paris.

Cette célérité d'écriture s'accompagnait d'une exubérance qui ne laissait pas d'inquiéter parfois son entourage. Au milieu d'une conversation, il lui arrivait d'éclater de rire, de se mettre à bondir à travers la pièce et de sauter par-dessus tables et chaises.

Adieu, papa Haydn

Pendant ce temps, Mozart restait en relation avec son ami et mentor, Joseph Haydn. En 1790, alors que Haydn était un «vieillard» de 58 ans (d'après les critères de cette époque) et que Mozart n'avait que 34 ans, ils passèrent une longue journée ensemble. Après le dîner, lorsque vint le moment de se séparer, Mozart dit à Haydn: «C'est probablement la dernière fois que nous nous disons au revoir dans cette vie.»

Il avait raison. Un an plus tard, il mourait.

Pendant des années après sa mort à l'âge de 35 ans, la rumeur (entretenu par Pouchkine et plus récemment par le film *Amadeus*) prétendit que Mozart avait été empoisonné par Antonio Salieri, compositeur jaloux de son succès. Plus vraisemblablement, il fut victime d'une épidémie virale qui avait frappé Vienne.

La dernière composition de Mozart fut son *Requiem*, une commande d'un étrange inconnu[6]. Peut-être vous souvenez-vous de la scène d'*Amadeus* dans laquelle Salieri endosse un monstrueux déguisement, se fait passer pour un étranger et terrorise Mozart jusqu'au délire et presque à la mort. C'est une totale invention.

Mais, depuis le début, Mozart était convaincu qu'il était en train d'écrire un *Requiem* pour sa propre mort. Dans sa hâte fébrile pour terminer à temps, il ne fit qu'aggraver son mal et, lorsqu'il mourut, il n'avait achevé que quelques mouvements et seulement esquissé le reste. C'est son élève Süssmayr qui termina le *Requiem*. C'est cette version qui est généralement jouée en concert et au disque.

Depuis la mort de Mozart, le monde de la musique n'a jamais retrouvé une telle combinaison de génie musical, de facilité dans la composition et d'inspiration divine. Sa musique est l'essence même du style classique: élégante, gracieuse, raffinée, d'inspiration élevée et ne versant jamais dans une sentimentalité de mauvais goût.

À l'écoute de Mozart

Rien de ce qu'a écrit Mozart n'est mauvais. Vous pouvez acheter en aveugle tout ce qu'il a composé sans crainte de vous fourvoyer.

Il nous est difficile d'établir une courte liste d'œuvres recommandées. Mais nous savons quelle confiance vous placez en notre jugement et nous voulons la justifier en accomplissant notre devoir, c'est-à-dire en vous indiquant ce que, nous, nous préférons. Fassent les dieux que vous soyez de notre avis!

* *Concerto pour piano n° 22, en mi bémol majeur*, K 482. (Vous pouvez entendre le final de ce concerto sur la troisième plage du CD d'accompagnement.)

* *Concertos pour piano n° 21, en ut majeur, K 467, et n° 23, en la majeur*, K 488.

* *Concerto pour flûte et harpe en ut majeur*, K 299.

* *Symphonie n° 40, en sol mineur*, K 550.

* *Requiem (achevé par Franz Süssmayr)*, K 626.

* *Messe en ut majeur, « Du couronnement »*, K 317.

---

6.   On s'accorde actuellement à reconnaître qu'il s'agissait du comte von Walsegg.

    *   *Grande Messe en ut mineur,* K 427 (inachevée).

    *   *Sonate pour piano en la majeur,* K 331 (avec la « Marche turque »).

    *   *Symphonie concertante pour violon et alto en mi bémol majeur,* K 364.

    *   *Sérénade pour cordes en sol majeur, « Petite musique de nuit »,* K 525.

  **   *Concerto pour clarinette en la majeur,* K 622.

  **   *Concerto pour violon n° 5, en la majeur,* K 219.

  **   *Symphonie n° 38, en ré majeur, « Prague »,* K 504.

  **   *Concerto pour piano n° 24, en ut mineur,* K 491.

  **   *Sérénade nocturne 7,* K 239.

  **   *Quintettes à cordes n°s 3 à 6,* K 515, 516, 593, 614.

  **   *Quintette pour clarinette et cordes en la majeur,* K 581.

***   *Sonate pour piano en ut mineur,* K 357.

***   Les six *Quatuors dédiés à Haydn,* K 387, 421, 458, 428, 464 et 465.

Dans toutes ces références, K (ou KV) signifie Köchel[8], nom du musicologue qui a établi le catalogue universellement admis des œuvres de Mozart.

Ludwig van Beethoven, celui qui a tout changé

Mozart lui-même n'a pas influencé l'évolution de la musique classique comme le fera Ludwig van Beethoven[9] (1770-1827, voir la Figure 2-7). Né à Bonn, en Allemagne, il était le fils d'un musicien de la chapelle princière, Johann, qui, à l'instar de Leopold Mozart, reconnut très tôt les dons naturels de son fils et tenta d'en faire, lui aussi, un enfant prodige. Mais alors que le père de Mozart sut favoriser en souplesse l'éclosion du talent de son fils, celui de Beethoven employa la manière forte en ayant recours aux châtiments corporels quand il jugeait que les progrès de son fils étaient trop lents. En dépit de ces mauvais traitements, Ludwig devint un excellent pianiste.

À l'âge de 22 ans, Beethoven, lui aussi, se rendit à Vienne pour les mêmes raisons qui y avaient mené avant lui Haydn et Mozart : c'est là qu'il fallait se trouver si l'on était musicien. Il y écrivit des pièces de circonstance pour plusieurs amateurs fortunés et se produisit dans des concerts publics où on ne jouait que ses œuvres. Globalement, il s'assura ainsi un niveau de vie supérieur à celui de Mozart qui avait si longtemps souffert de la pauvreté.

---

7.   Bel exemple de pléonasme puisque «sérénade» signifie «qu'on joue le soir». On peut légitimement penser que ce n'est pas Mozart qui a choisi ce titre.

8.   Se prononce «keu-chelle».

9.   Beethoven n'étant pas d'ascendance anglaise, les deux *e* se prononcent comme s'il n'y en avait qu'un seul, et le *e* de la dernière syllabe est presque muet : «bétovn».

Figure 2-7:
Portrait de
Beethoven.

Comme sa musique le reflète, Beethoven était ardent, impulsif et impétueux. Les gens aimaient autant le voir que l'entendre interpréter ses œuvres tant il se démenait à son piano. En dehors de la scène, son caractère difficile ne facilitait pas ses rapports avec ses logeurs et compliquait singulièrement sa vie sentimentale.

Papa Haydn enseigne deux ou trois choses à Ludwig

La principale raison qui avait poussé Beethoven à se rendre à Vienne était d'étudier la composition avec Haydn qui, après la mort du prince Esterházy, n'avait pas tardé à venir habiter dans cette ville. Hélas! les relations entre le maître et l'élève furent, elles aussi, marquées par le caractère difficile de Beethoven, bien que Haydn se montrât fort tolérant eu égard au talent qu'il avait reconnu à son élève.

Au contact de Haydn, dont c'était la grande spécialité, Beethoven, comme Mozart avant lui, apprit beaucoup de choses sur l'art de composer des symphonies et de la musique de chambre. Dans ses deux premières symphonies, l'influence de Haydn est manifeste : forme, structure, durée, tout cela est pratiquement identique à ce que faisait Haydn.

Mais un événement devait bouleverser la vie de Beethoven. À 31 ans, il s'aperçut qu'il devenait progressivement sourd. C'est la pire des choses qui puisse arriver à un musicien. Cette perte d'un sens indispensable à son art devait affecter profondément le compositeur[10].

Un jour que Beethoven se promenait en forêt en compagnie de son élève Ferdinand Ries, celui-ci remarqua le son de la flûte d'un berger tout proche que Beethoven ne percevait absolument pas, ce qui le rendit affreusement

---

10. Au point que des petits malins ont pu dire : «Beethoven était tellement sourd que, jusqu'à sa mort, il a cru qu'il faisait de la peinture. »

triste. Plus tard, le compositeur devait décrire ce tourment dans un document à la fois pathétique et courageux, que les musiciens connaissent de nos jours sous le nom de *Testament d'Heiligenstadt* (il fut en effet rédigé dans ce bourg aux alentours de Vienne).

> Ô vous qui croyez que je suis malveillant ou misanthrope, quelle erreur est la vôtre! Vous ignorez quelle est la véritable raison de cette attitude... Depuis six ans maintenant, je suis affecté d'un mal terrible... Comment pourrais-je admettre une faiblesse dans l'un des sens qui doit se montrer plus parfait chez un musicien que chez nul autre, un sens dont, naguère, je jouissais à la perfection. Je ne peux pas le supporter. Aussi, pardonnez-moi lorsque vous me voyez me replier sur moi-même alors que je voudrais tant pouvoir communiquer avec vous... Je dois vivre dans la solitude, comme si j'étais banni du monde.

Les compositions que Beethoven écrivit au cours de cette période portent souvent la marque de l'homme sentant son destin lui échapper. Lorsqu'on sait ce qu'il endurait, sa musique prend un sens plus profond. Dans l'expression de sa douleur, Beethoven a été la charnière entre la période classique et la période romantique, où le mot clé sera *expressivité*.

La Symphonie « Héroïque »

Si une musique a révolutionné l'histoire de la musique, c'est bien la *Troisième Symphonie* de Beethoven, connue sous le nom d'«*Eroica*». Car, avec cette pièce, Beethoven a rompu le fil qui l'attachait à Haydn et à Mozart et a ouvert sa propre voie.

Il l'avait conçue depuis le début comme une grande fresque évoquant la vie et la mort d'un héros. À l'origine, le dédicataire devait en être Bonaparte, mais il changea d'avis lorsque celui-ci s'autoproclama empereur, comme en témoigne cette lettre de son élève et ami Ferdinand Ries:

> Beethoven vouait une grande admiration à Bonaparte, et j'ai vu sur sa table de travail un exemplaire de la partition dont la page de titre était marquée en haut du nom de Bonaparte et en bas de son propre nom. Rien n'y figurait d'autre.

> Je fus le premier à apprendre à Beethoven que Bonaparte s'était proclamé empereur. Il entra alors dans une rage terrible et s'écria: «Alors, ce n'était, lui aussi, qu'un homme comme tous les autres? Maintenant, à son tour, il va piétiner les droits des gens et ne plus penser qu'à satisfaire son ambition personnelle. Il va devenir un tyran.» Il saisit alors la page de titre qu'il déchira en deux et jeta au sol. Il en refit une autre plus tard et c'est seulement alors que la symphonie prit le nom de *Symphonie «Héroïque»*.

Cette symphonie est à peu près deux fois plus longue qu'aucune de celles qui l'avaient précédée, et les proportions en sont plus amples. Le deuxième mouvement, en particulier, un mouvement lent, est une marche funèbre avec des moments de profonde tristesse où l'on sent le déchaînement d'un intense chagrin.

Au total, Beethoven écrivit neuf symphonies qui renouvellent totalement ce genre musical. Avec chacune, il essaie d'en dire davantage, de pénétrer des régions jamais atteintes par la musique avant lui. Pour la première fois, il y parle à la première personne, ouvrant la voie aux déchaînements de passions des romantiques. Il renouvelle totalement la forme : après lui, plus rien ne sera comme avant.

La Cinquième

La plus célèbre des symphonies de Beethoven est incontestablement la *Cinquième*. Elle commence dans la tonalité austère d'*ut* mineur avec les quatre notes « Pom pom pom poooooooom ! » que presque tout le monde a, un jour ou l'autre, sinon fredonnées, du moins entendues.

Après quatre mouvements d'une prodigieuse énergie, la symphonie s'achève sur un accord inattendu, chaleureux et triomphant en *ut* majeur.

Techniquement, seule une note différencie un accord en majeur d'un accord en mineur (voir le chapitre 11). Mais en ce qui concerne la charge émotive, la différence est énorme. Passer de mineur en majeur donne l'impression d'un coup de vent chassant les nuages pour laisser briller le soleil. Tout comme si vous veniez de trouver une place de parking libre juste devant votre restaurant favori.

Écoutez le premier mouvement de la *Cinquième Symphonie* sur la plage 4 du CD d'accompagnement. Toutefois, sachez que pour apprécier comme il se doit toute la puissance émotionnelle de l'œuvre, c'est tout entière que vous devrez l'écouter.

De l'esquisse à l'œuvre achevée

À la différence de Mozart, Beethoven avait de la difficulté à composer. En fait, il livra un dur combat avec (contre ?) son œuvre pendant des semaines et des mois, combat dont témoigne son carnet d'esquisses. Et, même à la fin, il n'en était pas encore pleinement satisfait.

Une des plus simples mélodies qui aient jamais figuré dans le carnet d'esquisses de Beethoven devint l'un des motifs les plus grandioses de l'histoire : l'« Hymne à la joie » qui constitue le dernier mouvement de sa *Neuvième Symphonie* (la dernière qu'il ait écrite).

À l'origine, il s'agit d'une poésie de Friedrich Schiller que Beethoven songeait à mettre en musique depuis l'âge de 23 ans. Ce n'est que vingt ans plus tard qu'il en trouvera la bonne occasion. Alors que la mélodie de l'«Hymne à la joie» semble si simple, Beethoven tâtonna longtemps avant de lui donner sa forme définitive. Le plus abouti de ces brouillons est la *Fantaisie pour piano, chœur et orchestre* op. 80. Écoutez-la en ayant bien le finale de la *Neuvième Symphonie* dans l'oreille, c'est troublant.

Jusque-là, toutes les symphonies avaient été conçues pour être interprétées par un orchestre seul. Pour la première fois, dans sa *Neuvième*, Beethoven eut l'audace d'ajouter quatre solistes et un chœur très fourni. Les critiques musicaux de l'époque n'y comprirent rien et crièrent au scandale. Pendant longtemps, cette trahison du genre classique allait alimenter leurs débats.

Par bonheur, pour une fois, le public sut reconnaître la marque du génie et ignora la critique. Une fois terminée l'exécution de la symphonie, le public, debout, fit à Beethoven ce qu'on appelle de nos jours une *standing ovation*. Mais Beethoven, qui en était au stade ultime de la surdité, n'entendait rien et restait assis, face à l'orchestre, ignorant de son triomphe. Il fallut qu'un des chanteurs vienne le prendre par l'épaule pour l'obliger à se retourner et à faire face à son auditoire enthousiaste.

Lorsque Beethoven mourut, il avait acquis une dimension nationale et plus de trente mille personnes endeuillées suivirent ses obsèques. L'un des porteurs du cercueil était Franz Schubert, que nous allons découvrir immédiatement après Beethoven.

À l'écoute de Beethoven

Si vous voulez entendre de la musique de Beethoven autre que les œuvres évoquées plus haut (en vérité, vous le *devez*), voici quelques suggestions :

* *Les Symphonies.* Toutes, sans exception.

* Ouvertures pour orchestre *Egmont, Coriolan, Leonore III.*

* *Concerto pour piano n° 4, en sol majeur,* op. 58.

* *Concerto pour piano n° 5, en mi bémol majeur, « L'Empereur »,* op. 73.

* *Concerto pour violon en ré majeur,* op. 61.

* *Sonate pour piano n° 8, en ut mineur, « Pathétique »,* op. 13.

* *Sonate pour piano n° 14, en ut dièse mineur, « Clair de lune »,* op. 27 n° 2.

* *Sonate pour piano n° 21, en ut majeur, « Waldstein »,* ou « L'Aurore », op. 53.

* *Sonate pour piano n° 23, en fa mineur, « Appassionata »,* op. 57.

* *Sonate pour violon et piano n° 5, en fa majeur, « Le Printemps »,* op. 24.

* *Sonate pour violon et piano n° 9, en la majeur, « À Kreutzer », op. 47.*

* *Septuor pour vents et cordes en si bémol majeur, op. 20.*

** *Trio pour violon, violoncelle et piano n° 5, en ré majeur, « Trio des esprits », op. 70 n° 1.*

** *Trio pour violon, violoncelle et piano n° 7, en si bémol majeur, « Archiduc », op. 97.*

** *Quatuors à cordes nᵒˢ 7 à 9, op. 59 nᵒˢ 1 à 3 (« Quatuors Rasumowsky »).*

*** *Sonate pour piano n° 32, en ut mineur, op. 111* (la dernière sonate pour piano de Beethoven, qui ouvre les abîmes de l'âme).

*** *Quatuor à cordes n° 13, en si bémol majeur, op. 130* (un des derniers quatuors à cordes de Beethoven, tous d'une profondeur et d'une émotion vertigineuses).

*** *Variations pour piano sur un thème de Diabelli, op. 120* (à partir du thème le plus anodin qui soit, 33 variations d'une incroyable invention).

Un outsider de marque, Luigi Boccherini

On parle toujours des «trois» classiques, Haydn, Mozart et Beethoven. Mais ils n'étaient pas seuls, à leur époque, à pratiquer cet art sublime qu'est la musique – loin de là. A preuve, nous vous présentons au moins un de ces compositeurs qui contribuèrent à l'élan formidable d'où surgirent nos trois têtes d'affiche.

De son vivant, Luigi Boccherini (1743-1805) jouissait d'une popularité égale à celle de Haydn, ce qui n'est pas rien. Il partage avec lui le privilège d'avoir «inventé» le quatuor à cordes. Un violoniste de l'époque le surnommait «la femme de Haydn», se moquant gentiment des mélodies sensuelles et délicates qui marquent l'œuvre de Boccherini.

Violoncelliste virtuose, Boccherini débuta dans sa ville natale de Lucques, puis se fit connaître à Vienne, à Paris et enfin en Espagne, où il se fixa en 1868. Il y entra au service de l'infant Don Luis et, à la mort de celui-ci en 1785, il reçut une pension du roi Frédéric Guillaume II de Prusse, violoncelliste lui-même, en l'échange de l'envoi régulier de partitions. Son dernier protecteur fut Lucien Bonaparte, frère cadet de Napoléon et ambassadeur de France à Madrid, en 1800-1801. Après quoi, frappé par de nombreux deuils et par la maladie, Boccherini sombra dans le dénuement, et y resta jusqu'à sa mort.

La majeure partie de son œuvre est de la musique de chambre. Vous connaissez certainement le fameux «Menuet», extrait de l'un de ses quintettes à cordes (formés pour la plupart d'un quatuor à cordes et d'un second violoncelle, qui a une partie beaucoup moins difficile que le premier). Cette page est charmante, mais ne rend pas forcément compte de l'intensité expressive de la musique de Boccherini (les mouvements lents de ses quintettes ont été comparés à ceux de Schubert), ni à de verve rythmique de ses mouvements vifs. Comme un autre Italien installé avant lui en Espagne, Boccherini parfuma sa musique d'accents ibériques. Il introduisit dans plusieurs partitions un instrument que le reste de l'Europe dédaignait, la guitare.

Il composa également onze concertos pour violoncelle dont le plus célèbre, le n° 9, est en fait un arrangement réalisé au XIXe siècle par le violoncelliste allemand Friedrich Grützmacher.

Boccherini est en outre l'auteur de symphonies, dont la plus fascinante est *La casa del diavolo* (La Maison du diable), une partition aussi théâtrale que son titre le laisse imaginer ; elle rend hommage au compositeur d'opéra Christoph Willibald Gluck, qui avait chaleureusement encouragé Boccherini lorsqu'il publia ses premières œuvres à l'âge de 17 ans.

À l'écoute de Boccherini :

* *Concerto pour violoncelle et orchestre à cordes n° 9, en si bémol majeur.*

* *Quintette à cordes en mi majeur* op. 11 n° 5, G 275, *(avec le fameux « Menuet »).*

* *Quintette à cordes en ré majeur* op. 40 n° 2, G 341 *(« Fandango »)*

* *Quintette avec guitare n° 4, en ré majeur,* G 448 *(« Fandango »)*

Le « Fandango » (une danse espagnole caractérisée par son rythme obsessionnel) de ces deux pièces est le même, et pour cause : celui inséré dans le quintette avec guitare est la transcription de l'autre (dans la version pour guitare, le compositeur a d'ailleurs prévu que le violoncelliste, assez désœuvré à ce moment-là, agrémente la partition de rythmes de castagnettes). Les autres mouvements sont différents.

** *Concerto pour violoncelle et orchestre à cordes n° 2, en ré majeur.*

** *Quintette à cordes en ré majeur* op. 11 n° 6, G 276, *« L'Uccelliera » (« La Volière »).* Avec ses nombreuses imitations de chants d'oiseaux, cette œuvre dut plaire tout particulièrement à Don Luis, qui se passionnait pour l'ornithologie et possédait de nombreux oiseaux exotiques.

** *La casa del diavolo.*

*** *Quintette à cordes en ut majeur* op. 30 n° 6, G 324, *« Musica notturna delle strade di Madrid »* (« Musique nocturne des rues de Madrid »). Une peinture sonore pittoresque de Madrid, avec ses cloches, ses chants religieux, ses chanteurs de rue et même la retraite de la garde dans le dernier mouvement, la fameuse « Ritirata », dont Boccherini introduisit lui-même les transcriptions dans de nombreuses autres de ses œuvres.

La lettre G, bien utile pour se repérer dans le maquis de l'œuvre de Boccherini, ses transcriptions et ses numéros d'opus contradictoires d'un éditeur à l'autre, correspond au nom d'Yves Gérard, le musicologue qui a établi le catalogue du compositeur.

Le Romantisme

Franz Schubert et le lied

Beethoven avait 20 ans lorsque naquit Franz Schubert. Ayant sans doute observé que tous les grands compositeurs séjournaient à Vienne, Franz décida de faire l'économie d'un billet d'avion et d'y naître.

Comme pour Mozart, la musique jaillissait de Schubert (dont le portrait est reproduit sur la Figure 2-8) à flot continu, comme l'eau d'une source. Un morceau était-il terminé qu'il se mettait aussitôt à en composer un autre. Toutes ses lignes mélodiques sont faciles à fredonner, même dans ses *Symphonies*.

Les schubertiades

Schubert jouait correctement du piano, mais il n'était pas un virtuose comme Mozart ou Beethoven et il n'aurait pas pu gagner sa vie de cette façon. Néanmoins le piano était un instrument pratique pour accompagner des soirées musicales entre amis. Au cours de celles-ci – qu'on appela bientôt *schubertiades* – on riait, on plaisantait, on jouait et on dansait sur des musiques improvisées par Schubert.

Le désespoir des romantiques

Au moment où mourut Beethoven, une nouvelle ère musicale commençait à s'ouvrir. Sous l'influence de la littérature, la musique s'adonnait à son tour au romantisme : les compositeurs parlaient désormais à la première personne, laissant libre cours à l'émotion et à l'exacerbation des sentiments. Ils puisaient leur inspiration dans une nature tour à tour inquiétante, consolatrice, magique, mais également dans la peinture, les nouvelles, les romans, la poésie, tous ces arts qui autour d'eux bouillonnaient de passion. Une imagination débridée prenait le pas sur la rationalité. Dans la fantasmagorie des romantiques se côtoyaient spectres sinistres et esprits féeriques, symbolisant le désespoir existentiel qui frappa tant d'artistes, mais aussi la passion qui pouvait les exalter.

Figure 2-8 :
Portrait de
Franz
Schubert.

Son tempérament porté au divertissement rendit Schubert très populaire parmi ses amis, bien que son physique ne fût pas particulièrement attractif. Au point, d'ailleurs, qu'on l'avait surnommé « le petit champignon ».

Ce cercle d'amis se resserra autour de lui lorsque, sans travail ni ressources, il dut trouver refuge pour de longues périodes chez l'un ou chez l'autre. Vienne continuait de se pâmer pour Haydn, et Beethoven y avait laissé de profondes traces, ce qui fait que Schubert avait du mal à y faire sa place au rayon des symphonies. Qui plus est, un jeune compositeur italien nommé Gioachino Rossini faisait sensation avec des opéras comme *Le Barbier de Séville*. La concurrence devenait sacrément rude !

L'« Inachevée »

Il n'empêche que les *symphonies* de Schubert témoignent d'un goût raffiné. La plus fameuse d'entre elles, la *Huitième*, a été appelée *Symphonie inachevée* car elle ne comporte que deux mouvements.

Certains ont prétendu que c'était à cause d'un incident fâcheux (la mort) qui serait survenu au compositeur alors qu'il y travaillait. Nous pensons, pour notre part, qu'il s'agissait plutôt d'un choix délibéré de s'affranchir des quatre mouvements traditionnels de ce genre musical et nous hasarderons trois hypothèses :

1) Ces deux mouvements tels quels, à eux seuls, atteignaient la perfection.

2) Schubert se révéla incapable de composer un troisième mouvement qui fût de la même qualité que les deux précédents. *A fortiori*, un quatrième.

3) Schubert composa en réalité une symphonie complète mais les deux derniers mouvements en ont été perdus. (Il existe cependant une esquisse du début du troisième.)[12]

Plusieurs compositeurs se sont risqués à compléter la Huitième mais sans parvenir à réaliser quelque chose qui soit en harmonie avec ce qui est de la main de Schubert.

Vint ensuite une *Neuvième Symphonie* qu'on appelle avec raison *La Grande*. Elle est, en effet, d'une durée inaccoutumée et c'est, de loin, la plus longue de ses symphonies.

Le mélodiste

Si intéressantes que soient les *symphonies* de Schubert, c'est dans les petites pièces chantées – les *lieder*[13] – qu'il excelle. Au total, il en a écrit plus de 600. (Il n'est pas mauvais non plus dans les pièces pour piano, témoin ses *Impromptus* ou ses *Moments musicaux*.)

Les lieder sont des pièces composées pour une seule voix avec accompagnement de piano (ou plus tard, avec Mahler ou Richard Strauss, d'orchestre). Encore que le mot *accompagnement* ne soit pas ici celui qui convient car, dans ces mélodies, le piano joue un rôle aussi important que la voix. Ainsi, dans *Gretchen am Spinnrade* (*Marguerite au rouet*), la voix incarne Gretchen, tandis que le piano imite le mouvement du rouet, allant et venant d'un mouvement continu, suggérant sa rotation et les rêveries de la jeune fille. Dans *Der Erlkönig* (*Le Roi des aulnes*), la voix unique qui chante le dialogue entre un père et son fils montés sur un cheval galopant est accompagnée par un piano imitant le bruit de la cavalcade. Enfin, lorsque la voix interprète une truite vagabonde dans *Die Forelle* (*La Truite*), on entend clairement l'accompagnement onduler tel le poisson dans les flots de la rivière. Plus vous écouterez ces lieder et plus vous percevrez cette symbiose entre le chanteur (ou la chanteuse) et le pianiste.

Piano à quatre mains

Toujours aussi soucieux de (bonne) compagnie, Schubert a écrit beaucoup de musique pour piano à quatre mains (et non pour deux pianos). Sans préciser, toutefois, si ces morceaux pouvaient être interprétés par un artiste ayant trois mains assisté d'un manchot.

Ce qu'il y a de bien dans cette musique particulière, c'est qu'elle favorise les contacts et, de ce fait, rend bien l'atmosphère qui devait être celle des schubertiades. De nombreux croisements de mains sont nécessaires entre les deux partenaires, et on peut penser que Schubert prenait plaisir à les interpréter en compagnie d'une jeune et jolie pianiste.

---

12. Certains affirment que le final serait constitué par le premier entracte de la musique de scène de *Rosamunde*.

13. *Lieder* est le pluriel du mot allemand *Lied* qui signifie «chanson».

Un an après avoir été un des porteurs du cercueil de Beethoven, Schuberts'éteignait , emporté par le typhus. Il mourait comme il avait vécu : très pauvre et très jeune – il n'avait que 31 ans.

À l'écoute de Schubert

Il est difficile de choisir dans la musique enregistrée ce qui dépeint le mieux le caractère particulier de Schubert. Nous allons néanmoins nous y risquer :

* * *Symphonies n°s 5 et 8, « Inachevée ».*
* * *Quintette pour piano et cordes en la majeur, « La Truite ».*
* * *Trio pour violon, violoncelle et piano n° 1, en si bémol majeur, D 898.*
* * *Messe pour solistes, chœur et orchestre n° 5 en la bémol majeur D 678.*
* ** *Der Hirt auf dem Felsen (Le Pâtre sur le rocher),* accompagné au piano et à la clarinette, D 965.
* ** *Cycle de lieder Die schöne Müllerin (La Belle Meunière).*
* ** *Impromptus pour piano, D 899 et 935.*
* ** *Symphonie n° 9, en ut majeur, « La Grande ».*
* *** *Quatuor en la mineur « Der Tod und das Mädchen » (« La Jeune Fille et la Mort »), D 810.*
* *** *Quintette à cordes en ut majeur, D 956.*
* *** *Fantaisie en fa mineur pour piano à quatre mains, D 940.*
* *** *Sonates pour piano n°s 18 à 23, D 845, 850, 894, 958, 959, 960.*

Dans ces références, D se rapporte au catalogue de Schubert établi par Deutsch.

Carl Maria von Weber

C'est essentiellement grâce à ses opéras, fortement imprégnés du romantisme allemand le plus intense, comme le *Freischütz*, que Weber (1786-1826, voir la Figure 2-9) est passé à la postérité.

Ce fut le premier chef d'orchestre à définir la disposition des différents pupitres (groupes de musiciens jouant du même instrument) de l'orchestre, toujours en vigueur de nos jours. Ce fut lui, également, qui organisa des répétitions séparées pour chaque section de l'orchestre et le premier qui dirigea « à la baguette », debout sur une estrade. Jusqu'alors, en effet, il était d'usage de conduire l'orchestre depuis un clavier ou en tapant du pied sur le sol. Enfin, ce fut lui qui, le premier, demanda un contrôle artistique complet de tous les aspects d'une production musicale. Et, cerise sur le gâteau, c'était un excellent pianiste.

Figure 2-9 :
Portrait de
Carl Maria
von Weber.

Outre le *Freischütz*, Weber a aussi composé deux autres opéras, *Euryanthe* et *Oberon,* qui n'eurent ni le même succès ni le même retentissement. Peut-être parce qu'ils étaient trop en avance sur les goûts musicaux de l'époque. Fidèle à la tradition romantique, Weber mourut de phtisie.

Outre sa musique orchestrale, Weber est aussi connu par les œuvres qu'il a composées pour le piano, le cor, le basson et surtout la clarinette. Il a également écrit deux symphonies, trop rarement jouées.

Weber savait créer des ambiances comme nul autre. La scène de la gorge aux loups, dans le *Freischütz,* est justement célèbre pour son caractère inquiétant, diabolique, surnaturel, propre à faire frissonner. De la musique de film avant la lettre! Tout à fait typique du gothique allemand, très à l'honneur chez les romantiques. N'oublions pas que c'est à cette époque que Mary Shelley, l'épouse du célèbre poète anglais, écrivit *Frankenstein*.

Weber a donné un nouveau style et une nouvelle identité à la musique romantique, influençant ainsi les compositeurs de sa génération et de la suivante.

À l'écoute de Weber

Pour connaître quelques-unes des facettes de Weber, écoutez ces morceaux:

* *Ouverture du Freischütz, d'Oberon et d'Euryanthe.*

* *Concertos pour clarinette n° 1 et n° 2.*

Felix Mendelssohn

Pendant ce temps, en Allemagne, naissait un autre génie: Felix Mendelssohn Bartholdy (1809-1847), dont la Figure 2-10 montre le portrait.

Figure 2-10:
Portrait de
Félix
Mendelssohn.
© Bettmann /
CORBIS

On peut dire que Mendelssohn était né avec une cuillère en argent dans la bouche car son père était banquier. Mais son grand-père était philosophe. Lorsque ses parents découvrirent son talent musical naturel, ils l'aidèrent à le développer. De même que Mozart, il commença très tôt à composer. Sa musique révèle une maturité qu'on s'étonne de trouver à son âge, et cela est particulièrement frappant dans l'*Octuor pour cordes* qu'il écrivit à l'âge de 16 ans et surtout dans l'ouverture de la musique de scène destinée à la pièce de Shakespeare *Le Songe d'une nuit d'été*, qui date de ses 17 ans.

Dix-sept ans plus tard, Mendelssohn s'intéressera de nouveau à cette pièce et écrira d'autres morceaux pour la musique de scène. Au nombre de ceux-ci figure la célèbre «Marche nuptiale», à laquelle vous ne pouvez quasiment échapper si vous assistez à un mariage à l'église.

Toujours comme Mozart, Mendelssohn composait avec facilité, la musique jaillissant, toute formée, de sa tête sans qu'il ait besoin d'en faire une esquisse préalable. Les amis de Mendelssohn rapportent qu'au cours de longues conversations il notait, sans presque s'interrompre, ses idées musicales sur un papier.

Le piano qui ne voulait pas mourir

Mendelssohn a été un des rares compositeurs qui aient atteint la gloire et fait fortune de leur vivant. Son *Concerto pour piano n° 1 en sol mineur*, par exemple, eut un tel succès que, pendant un moment, ce fut le concerto pour piano le plus joué parmi tous ceux qui avaient été écrits jusque-là. Hector Berlioz (que nous retrouverons un peu plus loin dans ce chapitre) raconte l'histoire d'un piano du Conservatoire de Paris qui avait tellement été utilisé pour jouer cette œuvre qu'il continuait à la jouer tout seul, sans que personne ne pose ses doigts sur le clavier. Le facteur de piano qui l'avait construit avait tout essayé pour l'arrêter : l'inonder de seaux d'eau, le jeter par la fenêtre, frapper ses touches à coups de hache, mais en vain. Finalement, il employa les grands moyens et jeta ce qui en restait au feu. Alors seulement le piano se tut.

Mendelssohn redécouvre Bach

Malgré son ascendance juive, Mendelssohn avait été baptisé dans la religion luthérienne et il composa de nombreuses pièces sur des sujets religieux.

Plus tard, il dirigea l'orchestre de Leipzig, en Allemagne, dans la ville même où Jean-Sébastien Bach avait écrit ses chefs-d'œuvre un siècle plus tôt. Il joua un rôle important dans la remise à l'honneur de la musique du Cantor. Comme vous vous en souvenez probablement, Bach connut la renommée en tant qu'organiste et non comme compositeur et beaucoup de ses partitions tombèrent dans l'oubli ou même furent détruites après sa mort.

En 1829, Mendelssohn dirige la première exécution depuis la mort de Bach. C'est à partir de ce moment que ce musicien revint à l'honneur et fut admiré et respecté comme il convenait dans le monde entier.

Mendelssohn perpétua la tradition de Bach et de Haendel dans ses propres oratorios : *Elias, Paulus* et *Christus* (inachevé). Cependant, ses symphonies, et en particulier la *Quatrième* («*L'Italienne*»), sont plus connues. Dans cette dernière, il a réussi à capturer l'atmosphère festive et désinvolte qu'il avait observée lors de vacances en Italie.

À l'écoute de Mendelssohn

Voici quelques œuvres à écouter pour apprécier l'œuvre de Mendelssohn :

*   *Trio pour violon, violoncelle et piano n° 2, en ut mineur,* op. 66.

*   *Concerto pour violon en mi mineur,* op. 64.

*   Ouverture *Les Hébrides ou La Grotte de Fingal.*

*   *Symphonie n° 4, en la majeur, « Italienne »*

**   *Octuor pour cordes en ré bémol majeur,* op. 24.

**   *Symphonie n° 5, en ré mineur, « Réformation ».*

**   *Lied Auf Flügel des Gesanges (Sur les ailes du chant).*

**   Ouverture et musique de scène pour *Le Songe d'une nuit d'été.*

***   *Elias, oratorio pour solistes,* chœur et orchestre.

***   *Sonates pour orgue* n°s 3, 4 et 6.

Juste assez bon

Lorsque vint le moment de diriger la première représentation de la *Passion selon saint Matthieu*, Mendelssohn marcha jusqu'à son pupitre et ouvrit l'énorme livre qui contenait la partition complète. C'est à ce moment qu'il s'aperçut qu'il y avait un petit problème : ce n'était pas la bonne partition ! Le livre avait la même apparence extérieure et la même épaisseur, mais c'était un morceau d'un autre auteur.

L'assistance était déjà en place et attendait avec recueillement que commençât la musique. Pas de problème ! Felix leva sa baguette et commença à diriger la *Passion*, tournant les pages au fur et à mesure afin de rassurer les musiciens. Il réussit à parvenir ainsi à la fin de l'œuvre (qui dure plus de deux heures) sans erreurs apparentes.

Hector Berlioz

Enfin un Français, allez-vous dire ! Oui, et pas n'importe lequel ! En effet, s'il est passé à la postérité, c'est en grande partie parce qu'il a changé les règles... tout simplement en les ignorant. Hector Berlioz (1803-1869, voir la Figure 2-11) est né à La Côte-Saint-André, près de Grenoble, et son père, médecin réputé de la région, le destinait à la médecine.

Berlioz, sous certains aspects, s'est montré encore plus novateur que Beethoven. On s'en aperçoit en comparant une symphonie de Beethoven avec la *Symphonie fantastique*, écrite tout juste trois ans après la mort de Beethoven. On a l'impression que c'est de la musique d'une autre planète.

Le carabin épouvanté

Une fois monté à Paris pour y suivre, selon la volonté paternelle, les cours de la faculté de médecine, il ne tarda pas à délaisser ses études au profit de l'Opéra puis du Conservatoire où Cherubini essaya (heureusement en vain) de le discipliner. Qu'était-il survenu pour modifier ainsi le cours de son existence ? Un irrésistible attrait pour la musique ou bien une répugnance encore plus profonde pour la dissection des cadavres ? Dans ses *Mémoires* (dont nous vous recommandons chaudement la lecture), il écrit :

Figure 2-11 : Portrait d'Hector Berlioz. © Bettmann / CORBIS

« Lorsque je pénétrai dans cette épouvantable salle où étaient entreposés des restes humains, jonchée de membres épars, et que je vis ces faces terrifiantes et ces têtes séparées du tronc, le cloaque sanglant où nous devions travailler et où régnait une épouvantable odeur, les oiseaux qui se battaient pour attraper des lambeaux de chair et les rats dévorant des vertèbres sanguinolentes, un tel sentiment de terreur me saisit que je m'échappai par la fenêtre et courus jusqu'à mon domicile comme si la Mort et tous ses démons étaient à mes trousses. »

Mon pauvre Hector, si c'est l'effet que ça vous fait…

Une nouvelle sorte de musique

Le directeur du Conservatoire était alors l'Italien Luigi Cherubini, redouté pour la rigueur avec laquelle il entendait faire respecter les règles de l'écriture musicale[14]. Ce qui ne fit pas l'affaire de Berlioz, qui ne pouvait pas supporter qu'on préférât se plier à des règles au détriment de la nouveauté de l'inspiration. D'un tempérament rebelle, il voulait, en effet, créer une musique *neuve* et il ne comprenait pas qu'on puisse s'y opposer par principe.

Durant toute sa carrière, aucun aspect de la musique n'échappa à son œil inquisiteur : les règles de l'harmonie, la structure d'une symphonie, la façon d'écrire une mélodie, le nombre d'exécutants dans un orchestre, etc. S'il sentait que ces écarts allaient l'aider à exprimer ce qu'il avait dans la tête, il les adoptait. Sinon, il en cherchait d'autres.

Camille et Camille

À 27 ans, il remporta le prix de Rome pour lequel il concourait pour la quatrième fois. Cette récompense était considérée comme la consécration d'un jeune musicien et donnait droit à un séjour de quatre ans, tous frais payés, dans la Ville éternelle. Il n'y trouva pas de grandes sources d'inspiration, trop préoccupé, sans doute, par la découverte de la ville elle-même. Il en garda néanmoins quelques souvenirs dont il devait tirer plus tard l'ouverture *Le Carnaval romain*, qui reste une de ses œuvres les plus connues après la *Symphonie fantastique*.

Une autre raison de la stagnation de son inspiration musicale fut peut-être l'engouement qu'il ressentit pour une jeune Parisienne prénommée Camille. Lorsqu'après quatre mois d'éloignement il apprit qu'elle s'était trouvé une consolation en la personne du facteur de pianos Camille Pleyel, il connut les tourments d'une terrible jalousie. Décidé à tuer son rival, il fit emplette d'un pistolet, s'habilla en femme et s'embarqua pour Paris. Mais lorsqu'il atteignit Gênes (d'autres disent Nice), il estima que la mort de son rival serait une solution par trop mélodramatique. Et il décida de se suicider en se jetant dans la Méditerranée.

Heureusement, la tentative de suicide échoua. On le repêcha, ce qui nous permet, aujourd'hui, de n'être pas privés des chefs-d'œuvre qu'il n'avait pas encore écrits.

---

14. Les *Mémoires* de Berlioz décrivent avec beaucoup d'humour les rages qui saisissaient Cherubini au simple contact de son élève.

Une histoire fantastique

Un soir que Berlioz assistait à la représentation de *Roméo et Juliette* de Shakespeare en anglais, il tomba éperdument amoureux de l'actrice principale, une Irlandaise du nom d'Harriett Smithson qui ne parlait pas un mot de français. La barrière des langues gêna probablement l'échange des sentiments, ce qui n'empêcha pas notre Hector de lui écrire des lettres enflammées. Il allait partout où elle passait et finit par l'épouser en 1833.

Entre-temps, il avait écrit la *Symphonie fantastique*, sous-titrée *Épisode de la vie d'un artiste*, œuvre en cinq mouvements décrivant la passion d'un jeune artiste tombant éperdument amoureux d'une femme frivole et insensible. Cette obsession est traduite, tout au long de l'œuvre, par un thème mélodique particulier que Berlioz appelle *idée fixe*. (Plus tard, Wagner qui, au cours d'un séjour parisien, entendit cette symphonie, reprendra ce principe sous le nom de *leitmotiv*.)

Cette symphonie était tellement novatrice par rapport à tout ce qu'on avait écrit jusqu'alors que Berlioz avait dû placer çà et là dans la partition des notes pour le chef d'orchestre du type : « Ce n'est pas une erreur de copie. Cela doit *réellement* être joué de cette façon. S'il vous plaît, **ne corrigez rien**. »

On ne peut pas dire que la vie matrimoniale de Berlioz fut plus heureuse que sa vie sentimentale. Harriett n'avait pas appris le français et Berlioz ignorait toujours l'anglais. Or, comme n'importe quelle divorcée vous le dira, la communication est indispensable pour consolider les liens du mariage. Ils finirent par se séparer. C'est la vie.

À l'écoute de Berlioz

Voici quelques-unes des œuvres les plus typiques de Berlioz :

* * *Ouverture Le Carnaval romain.*
* * *Ouverture Le Corsaire.*
* ** *Symphonie fantastique.*
* ** *Requiem* (pièce de grande ampleur pour chœur et orchestre, dominée par la présence de quatre fanfares d'harmonie).
* *** *Les Nuits d'été,* six mélodies pour voix et orchestre.
* *** *Roméo et Juliette,* « symphonie dramatique » pour orchestre.

Frédéric Chopin

Pendant que Berlioz faisait ses premières gammes à La Côte-Saint-André, un autre grand compositeur naissait en Pologne : Frédéric Chopin (1810-1849, Figure 2-12), fils d'un Lorrain émigré dans ce pays. Pianiste virtuose, il devait bouleverser la musique pour piano en faisant découvrir les immenses possibilités de cet instrument.

Une enfance en Pologne

Comme tant des compositeurs que nous avons évoqués et que nous évoquerons dans ce chapitre, Chopin fut un enfant prodige. À l'âge de 7 ans, il publia en Pologne sa première composition et, un an plus tard, il faisait ses débuts comme concertiste. Son enfance a été bercée par la riche musique folklorique de la Pologne et surtout par les *polonaises* et les *mazurkas* qui devaient être plus tard, pour lui, des sources d'inspiration fécondes.

Figure 2-12 :
Portrait de
Frédéric
Chopin.
© Bettmann /
CORBIS

Frédéric composait toujours au piano et il aimait improviser en même temps. Ce qu'il détestait, c'était la nécessité de transcrire tout ce qui lui passait par la tête car c'était figer ses idées. Comme, à cette époque, le magnétophone n'était pas encore sorti du laboratoire, la plupart de ces improvisations sont perdues.

À 21 ans, Chopin s'en vint à Paris où sa virtuosité fit sensation, car personne n'avait entendu une telle musique auparavant. Malheureusement, de constitution fragile et maladive, il ne pouvait pas donner beaucoup de concerts. Il vivait de la vente de ses compositions et de leçons de piano, et limitait, autant qu'il le pouvait, ses apparitions en public à des salons mondains où il recueillait un très grand succès.

Son succès ne l'empêchait pas d'avoir éventuellement l'esprit caustique. On raconte qu'après un dîner, la maîtresse de maison l'ayant prié de se mettre au piano, il joua le *7ᵉ Prélude,* qui ne comporte que 16 mesures. «Oh, monsieur Chopin, c'est tout ? » s'exclama la dame. «Oh, madame, répondit-il, j'ai si peu mangé. »

Des doigts minces mais un cœur gros comme ça

Nous avons eu l'occasion de voir et de toucher un moulage en bronze d'une main de Chopin. Ses doigts étaient minces, délicats, brillants et métalliques.

On raconte – que ne raconte-t-on pas une fois que les protagonistes ne sont plus là pour démentir ! – qu'un jour, le petit chien de George était en train de tourner en rond, essayant d'attraper sa queue. Elle dit alors à Frédéric : «Si j'avais votre talent, j'écrirais une musique sur ce petit chien. » Et c'est ainsi que serait née la *6ᵉ Valse, en ré dièse majeur*, précisément dite «du petit chien».

La musique de Chopin est un déluge de notes allant d'une extrémité du clavier à l'autre. Elle est chaude, inspirée, romantique et tendre. Dans un enregistrement de Chopin, vous ne percevez pas souvent un sentiment d'agonie ou de douleur (si ce n'est de la part du pianiste, préoccupé par les difficultés d'exécution).

Si vous pensez n'avoir jamais rien entendu de Chopin, vous êtes dans l'erreur. La fameuse «Marche funèbre», tellement sombre, voire lugubre, qui a servi à illustrer les mésaventures de Bugs Bunny et de Beep-Beep le Road Runner dans maints dessins animés, a précisément Chopin pour auteur. C'est en réalité le mouvement central de sa *Sonate en si bémol mineur*, op. 35.

À l'écoute de Chopin

La musique de Chopin a été et continue d'être enregistrée très souvent. Aussi n'aurez-vous que l'embarras du choix pour trouver ses œuvres sur les rayons des disquaires. Nous vous suggérons :

* *Concerto pour piano n° 1 en mi mineur,* op. 11.

* *Les 19 Valses pour piano.*

* *24 Préludes,* op. 28.

     *   *2ᵉ Scherzo, op. 31.*

     *   *4ᵉ Ballade, en fa mineur, op. 52.*

     **   *2 Polonaises, op. 40*

     **   *Polonaise en la bémol majeur, « Héroïque », op. 53.*

     **   *Concerto pour piano n° 2 en fa mineur, op. 21.*

     **   *Sonate pour piano n° 2, en si bémol mineur, op. 35.*

     *** *Sonate pour violoncelle et piano en sol mineur, op. 65.*

Fred et George

À Paris, Chopin s'éprit de George Sand qui n'en était pas à son coup d'essai dans la passion dévorante qu'elle portait aux artistes de tout genre. George (sans *s*) avait acquis une certaine notoriété en littérature et avait choisi ce prénom masculin sur le conseil de son éditeur. (À cette époque, on n'admettait guère que les femmes s'occupassent d'autre chose que de tenir leur maison, de faire la cuisine et d'élever leurs enfants.) Son véritable nom était Amandine Aurore Lucile Dupin, baronne Dudevant.

Elle avait pris certaines habitudes masculines : ainsi, elle aimait s'habiller en homme et fumait le cigare. Dans le couple « je t'aime, moi non plus » qu'elle forma avec Chopin, ce fut donc tout naturellement elle qui porta la culotte.

Robert Schumann

On peut qualifier d'excentriques des compositeurs comme Haendel, Beethoven et Berlioz. Mais vous n'avez encore rien vu.

Robert Schumann (1810-1856, Figure 2-13) fut l'un des porte-flambeaux du romantisme allemand sans que personne ne s'en doute de son vivant. Le récit de son existence tourmentée, traversée par des périodes traumatiques intenses, pourrait être en tête du hit-parade des Mémoires.

Figure 2-13 :
Portrait de
Robert
Schumann.

Encore un prodige !

Tout enfant, Schumann montrait déjà un incroyable talent au clavier. Malheureusement, Mme Schumann, comme toutes les mères encore maintenant, rêvait d'une carrière plus «honorable» pour son fils : avocat, par exemple. Avec répugnance, Robert commença donc des études de droit à l'université de Leipzig. Malheureusement pour madame mère, il y rencontra Felix Mendelssohn et ils devinrent amis. Et bientôt, comme Berlioz, Schumann délaissa l'université au profit de la musique.

C'est à ce moment qu'il commença des études de piano avec un remarquable professeur appelé Friedrich Wieck. Bientôt, il tombait amoureux de sa toute jeune fille, Clara.

Cherche Clara, désespérément

Clara était elle-même une prodigieuse musicienne. À 9 ans, elle avait fait une tournée en Allemagne comme pianiste virtuose et à ce moment-là, à 16 ans, elle avait devant elle une magnifique carrière. Comme vous pouvez vous en douter, son père n'était pas enthousiasmé à l'idée de la voir épouser son étudiant de 25 ans. «Voleur d'enfant ! » devait-il certainement grommeler en allemand.

Sans aucun doute, papa Wieck avait oublié un des préceptes de base de l'éducation des enfants : si vous défendez quelque chose à votre progéniture, il (ou elle) s'entêtera à le faire. Ce qui devait arriver arriva : Robert et Clara se marièrent. Cela demanda cinq ans et une assignation en justice, mais ils y parvinrent.

Sur le plan affectif, les années qui suivirent furent les plus heureuses de l'existence de Schumann, à qui Clara donna sept enfants. Mais, sur le plan professionnel, ce fut une autre histoire. Pour tenter de renforcer l'annulaire de la main gauche – qui est le doigt de la main qui a le moins d'indépendance –, Schumann conçut un «ingénieux» système de ficelles et de poids qui n'aboutit qu'à paralyser son doigt.

Une carrière de virtuose étant désormais hors de sa portée, Schumann se tourna vers la composition. Il se mit à écrire principalement des pièces pour piano. Mais il ne délaissa ni la musique, ni la musique vocale (avec de merveilleux Lieder) ni l'orchestre, puisqu'il écrivit aussi quatre symphonies et un merveilleux concerto pour piano.

Un véritable romantique

Dans la plus pure tradition romantique, Schumann attachait plus d'importance à la traduction des sentiments qu'à la forme sous laquelle il les exprimait. Et, sur le plan des émotions, il n'était pas à court. Sa personnalité oscillait entre deux pôles : l'un extraverti et acharné au travail ; l'autre languissant et tourné vers l'intérieur. Il ressentait une sorte de dédoublement de sa personnalité et baptisa ses deux «moi», qui devinrent des personnages récurrents de ses œuvres : Florestan pour la part la plus exaltée de son être, et Eusebius pour la plus mélancolique et introvertie.

La médecine moderne a un nom pour ce type de comportement : un syndrome maniaco-dépressif. Malheureusement pour lui, ces troubles s'accompagnèrent d'hallucinations qui allèrent en s'aggravant. À 44 ans, dans les affres d'une crise, il tenta de se suicider en se jetant dans le Rhin. Comme Berlioz il fut repêché, trempé comme une soupe, mais bien vivant. À la suite de cette crise, il dut être interné, et les deux dernières années de sa vie se passèrent dans une maison de santé.

À l'écoute de Schumann

Difficile de faire un choix dans l'œuvre de Schumann, et pourtant nous nous y risquons pour vous :

* *Kinderszenen (Scènes d'enfants) pour piano.*

* *Trois Romances pour hautbois et piano, op. 94.*

* *Concerto pour piano en la mineur, op. 54.*

* *Symphonie n° 2, en ut majeur, op. 61.*

** *Carnaval pour piano.*

** *Quatuor à cordes n° 1, en la mineur, op. 41 n° 1.*

** *Quintette pour piano et cordes en mi bémol majeur,* op. 44.

** *Symphonie n° 3, en ré bémol majeur, « Rhénane »,* op. 97.

** *Fantasiestücke (Pièces de fantaisie)* pour clarinette et piano, op. 73.

** *Dichterliebe (Les Amours du poète),* cycle de lieder pour voix et piano, op. 48.

*** *Kreisleriana* pour piano.

** *Davidsbündlertänze* pour piano.

Johannes Brahms

Johannes Brahms (1833-1897, Figure 2-14) n'échappe pas à la règle : lui aussi fut un enfant prodige. Tout au moins sur le plan musical. Heureusement pour lui, son père, qui était musicien professionnel (il jouait de la contrebasse), sut reconnaître son talent et fit son éducation dans ce domaine.

À la différence de ses prédécesseurs, qui complétèrent leur formation en pratiquant leur art dans des lieux aussi augustes que les cathédrales et les cours princières, c'est dans les tavernes et les bordels de Hambourg que le jeune Brahms trouva à s'employer. En qualité de pianiste, bien entendu, nous ne voulons rien insinuer d'autre ! La musique est toujours de la musique, et cette expérience lui permet de découvrir un grand éventail de musique populaire et de musique de danse.

Un génie est né

C'est à l'âge de 20 ans que Brahms vint frapper à la porte de Robert et Clara Schumann. Après avoir entendu la musique que composait Johannes, Schumann écrivit dans le journal qu'il avait fondé un article dithyrambique, où il s'exclamait : «Chapeau bas, messieurs, un génie ! »

Mais Robert ne fut pas le seul de la famille Schumann que séduisit Brahms. Clara ne fut pas insensible au charme du jeune homme. L'histoire ne dit pas jusqu'où allèrent leurs relations mais, deux ans après, Schumann mourait et on sait qu'ils passèrent de plus en plus de temps ensemble.

La renommée de Brahms grandit très vite et il fut bientôt reconnu comme un des plus éminents compositeurs de son temps, non seulement dans son pays, mais aussi à l'étranger.

Figure 2-14 :
Portrait de
Johannes
Brahms.

La célébrité

C'est Hans von Bülow, célèbre pianiste et chef d'orchestre de cette époque, qui a créé l'expression « les 3 B » (Bach, Beethoven, Brahms). Cet honneur fut naturellement apprécié de Brahms, mais le fait d'appartenir à une aussi glorieuse trilogie lui donna un grand sentiment de responsabilité. Est-ce pour cette raison qu'il décida de s'installer à Vienne ?

L'apport de Brahms à la musique romantique s'est traduit par une expressivité à la fois riche et chaleureuse. Il était très sévère vis-à-vis de lui-même et il n'écrivit sa première symphonie qu'à l'âge de 43 ans (alors que Mozart, mort à 35 ans, en avait, pour sa part, publié 41).

On peut être surpris de remarquer que la musique de Brahms, qui nous semble tellement romantique et d'une écoute agréable, était jugée académique, pesante, rude et même dissonante par le public de son époque. En 1930 encore, on pouvait voir dans une grande salle de concert américaine un graffiti qui avait changé l'indication « Sortie de secours » en « Sortie en cas de Brahms ». Le mieux est sans doute de vous faire une opinion par vous-même en écoutant la plage 5 du CD d'accompagnement.

La raison d'une telle attitude négative se trouve peut-être dans le fait que Brahms ne se préoccupe pas essentiellement de ligne mélodique. Comme Beethoven, il exploite souvent des idées musicales simples faites de quelques notes qu'il triture de toutes les façons possibles, ce qui ne donne pas nécessairement quelque chose qu'on puisse fredonner facilement. On rapporte qu'il aurait dit : « Je donnerais volontiers tout ce que j'ai composé pour avoir écrit *Le Beau Danube bleu* »(de Johann Strauss, pas de Richard).

À l'écoute de Brahms

La perfection abonde dans la musique de Brahms, aussi pouvez-vous l'aborder par à peu près n'importe quelle œuvre. Voici quelques-unes de celles que nous préférons (et encore, nous nous sommes retenus) :

* *Danses hongroises* (version pour piano, piano à quatre mains ou orchestre).

* *Sextuor à cordes n° 1, en si bémol majeur,* op. 16.

* *2 Rhapsodies pour piano,* op. 79.

* *Symphonies n°s 2 et 3.*

* *Concerto pour violon en ré majeur,* op. 77.

* *Concerto pour piano n° 2 en si bémol majeur,* op. 83.

** *Sonate pour violon et piano n° 1, en sol majeur,* op. 78.

** *Intermezzos pour piano,* op. 118.

** *2 Sonates pour clarinette et piano,* op. 120.

** *Quintette pour piano et cordes en fa mineur,* op. 34.

** *Variations pour orchestre sur un thème de Haydn.*

** *Ein deutsches Requiem (Un requiem allemand)* pour solistes, chœur et orchestre.

*** *Die schöne Magelone (La Belle Maguelonne),* cycle de lieder pour voix et piano op. 33.

*** *Rhapsodie pour voix d'alto,* chœur d'hommes et orchestre, op. 53.

*** *Quintette pour clarinette et cordes,* op. 115.

*** *Symphonie n° 4.*

*** *Variations sur un thème de Haendel* pour piano, op. 24.

Nicolò et Franz superstars

L'engouement du public pour les superstars ne date pas d'Elvis Presley. Sans doute peut-on le faire remonter au XIXe siècle et aux deux vedettes de la musique que furent Nicolò Paganini et Franz Liszt (voir la Figure 2-15).

Figure 2-15 :
Nicolò et
Franz super-
stars.
© Bettmann /
CORBIS

Paganini, le violon du diable

Nicolò Paganini (1782-1840) fut l'un des plus étourdissants violonistes que le monde eût connu jusqu'alors. Sa technique était parfaite, ses doigts voltigeaient sur les cordes, son archet virevoltait et son style ardent provoquait un prodigieux enthousiasme.

Paganini révolutionna la technique violonistique. Il était capable d'exécuter sans faiblir des morceaux que l'on considérait comme injouables à cause de leur difficulté. Il avait en outre un remarquable talent de bateleur, s'exhibant comme un phénomène de foire. Avant un concert, par exemple, il préparait son violon en affaiblissant trois des quatre cordes de l'instrument. Au cours de la représentation, ces cordes se brisaient l'une après l'autre, l'obligeant ainsi à terminer sur une seule.

Beaucoup de femmes (et quelques hommes) s'évanouissaient au cours de ses concerts. Parfois, il demandait qu'on baissât les lumières pendant qu'il improvisait une pièce aux sonorités particulièrement effrayantes. Lorsqu'on rétablissait l'éclairage normal, la salle ressemblait à un champ de bataille jonché de gisants.

Encore fallait-il entretenir cette aura de fantastique et d'irréel. Les chroniqueurs de l'époque répandaient les rumeurs les plus singulières : qu'il avait coupé la tête de sa femme, qu'il avait appris le violon au cours d'un emprisonnement de huit ans dans un donjon pour avoir abattu un de ses rivaux, et même qu'il avait vendu son âme au diable. L'aspect même du virtuose, avec sa figure allongée, jaunâtre, sa mine taciturne, sinistre, ses doigts longs et osseux et la grande cape noire dans laquelle il aimait à s'envelopper, contribuait à entretenir ce dernier mythe.

Pour démontrer son extraordinaire virtuosité, il écrivit beaucoup de pièces destinées à la mettre en vedette et parmi lesquelles on retiendra surtout les *24 Caprices* et les *6 Concertos*. Nous vous recommandons particulièrement l'audition des deux premiers concertos, toujours en faveur auprès des violonistes modernes. Le n° 2 s'achève par la fameuse « Campanella » (« Clochette »), en fait un triangle dont le timbre rivalise avec les aigus cristallins du violon.

Et pour les cordes frappées : Liszt

Si Paganini fut la vedette incontestable du violon, Franz Liszt (1811-1886) fut le tenant du titre pour le piano, effectuant de brillantes tournées partout en Europe où il jouait à guichet fermé. Lui aussi savait se mettre en scène : arrivant en gants blancs, exigeant d'avoir à sa disposition immédiate un piano de rechange au cas où l'instrument ne lui résisterait pas et prouvant sa prodigieuse mémoire en jetant ostensiblement la partition de ce qu'il allait jouer par-dessus son épaule avant le début du concert.

Paganini faisait s'évanouir d'enthousiasme ses groupies, mais Liszt faisait mieux : il s'évanouissait lui-même à la fin d'un morceau particulièrement difficile et chargé d'émotion, ce qui redoublait l'enthousiasme de ses fans. Il recevait tant de lettres lui demandant une mèche de ses cheveux qu'il avait fini par acheter un chien dont il coupait une touffe de poils pour répondre à chaque demande. La *lisztomania* (nous ne garantissons pas l'authenticité du terme) était à son comble.

Pour mettre en valeur ses talents de virtuose, Liszt a composé une très grande quantité de morceaux pour piano solo, certains d'une difficulté encore jamais rencontrée. Citons, par exemple, les *Rhapsodies hongroises* et les *Études d'exécutions transcendantes* (comme leur nom l'indique).

Sa vie sentimentale, elle non plus, n'était pas de tout repos. Après avoir fréquenté Caroline de Saint-Cricq et d'autres demoiselles, il se lia d'une « grande amitié » avec une comtesse aussi belle que mariée, Marie d'Agoult, dont il eut trois enfants au nombre desquels Cosima, laquelle devait plus tard épouser Wagner. Il rompit avec elle après six ans d'une existence commune passionnée et vagabonde (pour cause de scandale). Quelques années plus tard, il devait trouver consolation auprès de la princesse Carolyne Sayn-Wittgenstein.

Lorsqu'il atteignit ses 37 ans, Liszt frappa le monde de stupéfaction en annonçant qu'il mettait fin à sa carrière de virtuose. Il s'installa alors à la cour de Weimar, en Allemagne, où il exerça pendant une bonne décennie les fonctions de directeur de la musique. Là, il dirigea des représentations d'opéras et de musique symphonique, et composa de nombreux poèmes symphoniques ainsi que deux symphonies (*Faust* et *Dante*) et deux concertos pour son instrument favori. Nous vous recommandons particulièrement le premier de ceux-ci, qui témoigne d'une écriture scintillante ne sacrifiant en rien la qualité de la ligne mélodique.

Dix-sept ans plus tard, nouvel événement: Liszt décide d'entrer dans les ordres et se rend à Rome dans cette intention. Il y reçoit les ordres mineurs, devenant ainsi «l'abbé Liszt».

À l'écoute de Liszt

* *Rhapsodie hongroise n° 2.* (Vous pouvez la savourer dans un dessin animé inénarrable de Tom et Jerry, *The Cat Concerto*, de 1947 – il paraît que c'est ce dessin animé qui a donné envie à Lang Lang de devenir pianiste !)

* *Mazeppa* (poème symphonique).

* *Les Préludes* (poème symphonique).

** *Études d'exécutions transcendantes,* notamment *Mazeppa*, *Feux follets* et *Chasse sauvage*.

** *2e Ballade pour piano, en si mineur.*

*** *Faust-Symphonie.*

*** *Prélude et Fugue sur B.A.C.H.* (le nom de Bach transcrit en notes selon la notation anglo-saxonne), pour orgue.

Richard Wagner

Liszt posa les premières pierres de la «musique de l'avenir». Mais ce fut Richard Wagner (1813-1883, Figure 2-16) qui construisit l'édifice. La parenté entre les deux hommes allait plus loin qu'un simple rapprochement de leurs idées puisqu'une des filles que Franz avait eue de Marie d'Agoult, Cosima, devint la seconde épouse de Richard.

Figure 2-16 :
Portrait de
Richard
Wagner.

L'opéra avant tout

Wagner ne concevait la musique que sous une forme d'opéra particulière, l'«œuvre d'art total», dont il maîtrisait tous les paramètres : livret (qu'il tirait lui-même de la mythologie germanique et de la littérature allemande), musique bien sûr, mais aussi décors et mise en scène, et même acoustique puisqu'il se fit construire le théâtre de ses rêves, dévolu à son seul projet artistique un peu mégalomane, dans la petite ville bavaroise de Bayreuth. Bien que nous ayons volontairement laissé de côté dans ce livre tout ce qui concerne l'opéra[15], nous pensons que Wagner y a sa place, et cela pour trois raisons :

✔ C'est Wagner qui a réellement lancé l'idée de musique du futur en créant un mouvement qui recueillit l'adhésion de nombreux compositeurs, non seulement d'opéras, mais aussi d'autres genres musicaux. Sans ses innovations, la musique moderne n'aurait certainement pas eu le même visage. Pendant un certain temps, le monde de la musique se partagea alors entre ceux qui regardaient vers le futur (Wagner, Liszt, Berlioz) et ceux qui s'inscrivaient davantage dans la tradition, par exemple, Brahms, dont nous avons souligné le souci de se conformer aux règles. Brahms et Wagner étaient, en fait, les pôles autour desquels gravitaient de perpétuelles controverses entretenues par les partisans de l'un et de l'autre. Bien que Brahms pût se compter, en privé, au rang des fans de Wagner, lorsqu'il était en public, il s'imposait d'aboyer avec les loups et de se ranger du côté des adversaires de ce renouveau. Un jour que l'on annonçait à Brahms qu'un membre de l'orchestre de Wagner venait de mourir, il murmura ironiquement : «Le premier cadavre ! »

---

15. Pour mieux le développer plus tard dans *L'Opéra pour les Nuls.*

✔ Bien que ce ne soit pas lui qui ait créé le mot, Wagner a développé, dans ses opéras, la pratique du *leitmotiv*, ligne mélodique constamment présente d'un bout à l'autre d'une œuvre, où elle s'attache à un personnage, un objet ou une idée. C'est le développement de l'« idée fixe » que Berlioz avait introduite avec sa *Symphonie fantastique*. Elle sera reprise plus tard, par Richard Strauss, entre autres. Beaucoup plus tard, on la retrouvera, accompagnant Dark Vader, Luke Skywalker, la princesse Lelia et d'autres protagonistes de *La Guerre des étoiles*…

✔ Les opéras de Wagner commencent par une ouverture de proportions imposantes (parfois appelée *Prélude*) qui peut s'entendre isolément comme une pièce symphonique à part entière et qui est fréquemment interprétée comme telle dans les concerts.

Aubade

Composition vocale ou instrumentale destinée à être interprétée à l'aube, généralement pour rendre hommage à une personne aimée ou respectée. Parmi les exemples connus, citons l'*Aubade* pour dix instruments de Poulenc et *Siegfried-Idyll* de Richard Wagner, composée pour être jouée à sa seconde femme, Cosima, le matin de son anniversaire.

À l'écoute de Wagner

Voici quelques-unes des meilleures ouvertures de Wagner, tout au moins à notre humble avis :

*   Ouvertures de *Tannhäuser, Rienzi,* et *Der fliegende Holländer (Le Vaisseau fantôme)*.

**   Ouverture de *Die Meistersinger von Nürnberg (Les Maîtres chanteurs de Nuremberg)*. Attention, il ne s'agit pas ici de chantage mais de chants !

**   Prélude de *Lohengrin*.

**   *Siegfried-Idyll*.

**   Prélude et « *Mort d'Isolde* », extraits de *Tristan et Isolde* (la « *Mort d'Isolde* », dernière scène de l'opéra qui voit l'héroïne se consumer d'amour, existe pour le concert en version purement symphonique).

***   Prélude et « *Enchantement du Vendredi saint* », extraits de *Parsifal*.

Et, pour couronner le tout, pourquoi ne pas écouter *La Chevauchée des Walkyries*, ne serait-ce que pour dire que vous l'avez réellement entendue dans sa version originale et pas comme musique du film *Apocalypse Now*.

Figure 2-17 :
Portrait de
Giuseppe
Verdi.

Giuseppe Verdi

Originaire de la région de Parme, Verdi domina l'opéra italien de 1842 (année où son troisième opéra, *Nabucodonosor,* triompha à la Scala de Milan) à ses deux derniers opéras, d'après Shakespeare : *Otello* et *Falstaff*, créés dans le même théâtre respectivement en 1887 et 1892. Entre-temps, ses ouvrages avaient triomphé sur les plus grandes scènes d'Italie et d'Europe : *La forza del destino* (*La Force du destin*) fut créé à Saint-Pétersbourg en 1862, *Aida* accompagna en 1871 les festivités données au Caire à l'occasion de l'inauguration du canal de Suez, et plusieurs opéras résultèrent de commandes de l'Opéra de Paris, au nombre desquels *Les Vêpres siciliennes* (1855) et *Don Carlos* (1867).

À la fin de sa vie, Verdi – qui jusque-là avait composé presque exclusivement pour la scène – livra de magnifiques partitions religieuses : le *Requiem*, composé à l'occasion de la mort de l'écrivain Alessandro Manzoni, et les *Quatre Pièces sacrées* (*Ave Maria, Stabat Mater, Laudi alla Vergine Maria, Te Deum*).

L'*Ave Maria*, pour chœur mixte a cappella, est une des partitions les plus profondes de Verdi, qui y retrouve la pureté de certaines musiques de Palestrina, le grand compositeur italien de musique sacrée de la Renaissance. Il s'agit pourtant, à l'origine, d'une sorte de pari. C'est Arrigo Boito, le librettiste d'*Otello* et de *Falstaff*, qui découvrit dans un article d'une revue musicale une «gamme énigmatique», formée des notes *do, ré* bémol, *mi, fa* dièse, *sol* dièse, *la* dièse, *si, do* (et un *fa* naturel en redescendant). Il s'agissait d'une sorte de défi lancé par un certain Crescentini à ses collègues compositeurs. Boito suggéra à Verdi d'écrire sur cette gamme étrange un *Ave Maria*, en pénitence du *Credo* blasphématoire lancé par Iago dans *Otello*. Ce à quoi Verdi rétorqua que Boito avait blasphémé plus encore, puisqu'il en avait écrit les paroles.

Le compositeur du Risorgimento

La carrière de Verdi coïncida avec la montée du nationalisme italien et avec l'unification du pays, deux causes auxquelles il était très attaché. Ses premiers opéras traduisent ouvertement cette flamme patriotique, et la police autrichienne ne s'y trompait pas, qui enrageait de voir le public se dresser comme un seul homme à quelques vers particulièrement chargés de sens, ou bisser avec frénésie des chœurs d'Hébreux ou de Lombards opprimés dans lesquels il se reconnaissait aisément. L'identification du peuple italien se fit d'autant mieux que le nom du compositeur était l'acrostiche de Vittorio Emmanuele re d'Italia (Victor-Emmanuel roi d'Italie), et les tags *Viva VERDI* fleurissaient sur les murs d'Italie du nord.

À l'écoute de Verdi

En attendant une étude approfondie des opéras de Verdi dans *L'Opéra pour les Nuls*, voici de quoi vous mettre en appétit:

* *   Ouvertures de *La Force du destin* et *des Vêpres siciliennes*.

* **   Préludes d'*Attila* et *La traviata*.

* **   *Messa da requiem*.

* ***   *Quatre Pièces sacrées*.

* ***   *Quatuor à cordes*.

Le nationalisme dans la musique classique

Au milieu du XIXᵉ siècle, l'épicentre de la musique se situait en Allemagne et en Autriche. Comme nous l'avons vu, les compositeurs accouraient de partout à Vienne, Leipzig et Weimar pour recevoir les leçons des grands maîtres.

Mais, à la même période, l'éveil des nations politiques s'accompagna d'un éveil des nations artistiques et musicales. Les compositeurs secouèrent le joug des conventions en vigueur et se tournèrent vers leurs racines, faisant entrer les folklores nationaux dans le saint des saints de la musique savante.

Dans chaque contrée, il existait un folklore national qui, jusqu'alors, avait été soigneusement tenu à l'écart de la musique dite « sérieuse ». Soudain, on ne jura plus que par lui et il devint la source d'inspiration de toutes les compositions. De cette façon, la musique devint le symbole de l'orgueil national et ces influences se répandirent même au-delà des frontières pour atteindre le reste du monde

Bedřich Smetana

Un des premiers à s'inspirer de son folklore national fut Bedřich Smetana (1824-1884, Figure 2-18), qui connut la renommée en tant qu'auteur, pianiste et chef d'orchestre. Sa musique est totalement différente de celle de ses devanciers en ce qu'elle tire ses racines du folklore même de la Bohême, de son histoire et de ses paysages.

Figure 2-18 :
Portrait de
Bedřich
Smetana.

De son temps, la Bohême était sous la domination de l'Empire austro-hongrois. Smetana, fâché d'avoir grandi dans un pays dominé par une puissance étrangère, se joignit à un groupe de révoltés qui tentaient de créer un État bohémien indépendant. Après l'échec de leur tentative, il se réfugia un temps en Suède puis s'installa à Prague.

Une rivière coule en lui

Une de ses compositions les plus séduisantes est un ensemble de six poèmes symphoniques (comme ceux de Liszt ou de Richard Strauss) appelé *Má Vlast (Ma Patrie)*. Le plus célèbre est le deuxième: *La Moldau* (*Vltava*, en tchèque), du nom du fleuve principal de son pays.

Smetana manifeste un talent singulier pour représenter musicalement le cours d'un fleuve. Au début, la Moldau est symbolisée par deux solos de flûte représentant les deux torrents qui forment sa source. Au fur et à mesure qu'elle grossit, d'autres instruments de l'orchestre viennent s'y ajouter, l'un après l'autre, jusqu'à représenter le cours majestueux d'un grand fleuve qui traverse des bois où l'on entend des cors de chasse lointains, des champs où l'on célèbre une noce et où, au crépuscule, apparaissent des nymphes; puis serpentant à la traversée de Prague et, finalement, se perdant au lointain.

Smetana est resté très populaire dans son pays. Au cours d'un récent voyage en République tchèque pour effectuer des recherches en vue de l'écriture de ce livre (c'est du moins ce que nous avons déclaré au fisc), nous avons été bercés tout au long du voyage par une *Moldau* omniprésente. Dans la petite ville de Litomisl, nous avons visité la maison où est né Smetana. La vieille dame qui servait de guide (probablement une parente de Bedřich) s'empressa de brancher la stéréo dès notre arrivée et ce fut encore l'incontournable *Moldau* qui accompagna toute la durée de notre visite. Et rebelote pour notre voyage de retour aux États-Unis. Devons-nous l'avouer? Nous ne voulons plus jamais entendre la *Moldau*!

À l'écoute de Smetana

À votre tour, vous **devez** écouter *La Moldau* et, pourquoi pas, les cinq autres poèmes symphoniques de *Ma Patrie*. Pour faire bonne mesure, ajoutez-y l'ouverture et les danses de son fameux opéra *La Fiancée vendue,* dont l'action se passe tout naturellement dans un village de Bohême.

Antonín Dvořák

Il s'agit encore ici d'un natif de la Bohême. Le *r* surmonté d'un accent circonflexe à l'envers se prononce «rj», ce qui fait qu'on doit dire «dvorjak» (en roulant le *r*, c'est encore mieux). Il vécut de 1841 à 1904, et la Figure 2-19 reproduit son portrait. Son enfance fut bercée par la musique folklorique de son pays, les danses rustiques et les joyeuses chansons paysannes. Son père descendait d'une longue lignée de bouchers mais jouait de la cithare pour accompagner les noces villageoises. C'est ainsi qu'Antonín reçut un début d'éducation musicale en jouant du crincrin aux côtés de son père.

Figure 2-19 :
Portrait de
Antonín
Dvořák.

Dvořák s'installa à Prague dès l'âge de 16 ans et c'est là qu'il entendit pour la première fois quelques compositions de Smetana qui l'enthousiasmèrent. Il décida alors que sa musique s'inspirerait, elle aussi, du folklore bohémien. Comme il fallait bien vivre, il fut violoniste au Théâtre national puis organiste de l'église Saint-Adalbert. Plus tard, il devint professeur au conservatoire de musique de cette ville.

Le succès vient

Si l'on s'en réfère aux standards de la musique classique, Dvořák fut un phénomène. Il n'était, en effet, ni tourmenté, ni perturbé, ni fêlé comme cela avait été le cas, avant lui, de certains de ses illustres prédécesseurs (Beethoven, Berlioz, Schumann…). Il avait une personnalité radieuse en dépit du fait qu'il ressemblait plutôt à un bouledogue bien policé qu'à un romantique échevelé. Cette heureuse disposition se retrouve dans sa musique, qui ne doit rien à l'usage des antidépresseurs.

Dvořák était un homme aux manières pondérées, ayant des goûts simples et six enfants. Il s'adonnait à l'élevage des pigeons, contemplait rêveusement les locomotives et ne s'adonnait pas à la boisson. Ce fut aussi un phénomène pour une autre raison : sa musique devint très vite populaire, certainement à cause de son don inné pour la mélodie et de l'utilisation qu'il faisait de thèmes folkloriques.

Au nombre de ses admirateurs, il faut citer Brahms qui – vous vous en souvenez sans doute – avait un goût marqué pour les mélodies faciles à fredonner. C'est lui qui présenta le jeune auteur à son éditeur Simrock, qui accepta dès lors de publier la musique de cet inconnu. Cette relation fut plus profonde que de simples rapports sociaux. On perçoit nettement l'influence brahmsienne dans certaines des symphonies de Dvořák, la *Septième*, particulièrement.

Une invitation en Amérique

À l'âge de 51 ans, Dvořák fut invité en Amérique pour diriger le Conservatoire national de musique qui venait d'être créé à New York. Il hésita beaucoup, invoquant son orgueil national, le riche héritage culturel de la Bohême, sa famille et ses admirateurs. Mais quand il découvrit que le salaire offert était 25 fois plus élevé que celui qu'il percevait à Prague, il n'hésita plus et s'embarqua par le prochain bateau.

Il resta aux États-Unis pendant trois ans. Il ressentit un profond mal du pays, qui se trouva encore accentué par le temps qu'il passa dans une colonie bohémienne de l'Iowa. Au cours de son séjour, il découvrit le folklore indien et la musique africaine qui l'inspirèrent pour l'écriture de la plus célèbre de ses symphonies, la *Neuvième*, dite «*Du Nouveau Monde*». Le mélancolique solo de cor anglais du deuxième mouvement rappelle les negro-spirituals, et le scherzo du troisième mouvement décrit – selon l'auteur même – une danse indienne lors d'une fête dans la forêt.

Les Américains estiment que la *Symphonie du Nouveau Monde* est réellement de la musique de leur pays. Mais, pour un Tchèque, c'est sans aucun doute de la musique bohémienne. Pour un compositeur, c'est un vrai tour de force que d'inspirer un sentiment nationaliste à deux groupes ethniques aussi différents.

À l'écoute de Dvořák

* *Concerto pour violoncelle en si mineur*, op. 104.
* *Danses slaves*, op. 46 et 72.
* *Romance pour violon et orchestre en fa mineur*, op. 11.
* *Symphonies* n°s 7, 8 et 9.
** *Sérénade pour cordes*, op. 22 (un de ses mouvements se trouve sur la plage 6 du CD d'accompagnement).
** *Sérénade pour vents en ré mineur*, op. 44
** Ouvertures *Dans la nature, Carnaval et Otello*
** *Quatuor à cordes n° 12, « Américain »*, op. 81
*** *Trio pour piano et cordes n° 4, « Dumky »*, op. 90.
*** *Requiem*.

Dvořák eut un gendre célèbre, Josef Suk (1874-935), violoniste fameux et compositeur éminent. Suk composa plusieurs belles pages orchestrales, comme la *Sérénade pour cordes*, le *Scherzo fantastique* et la symphonie

Asrael, page monumentale et hallucinée écrite sous le coup de la mort de son beau-père et de sa femme.

Edvard Grieg[16]

Ce que Dvořák et Smetana sont pour la Bohême, Grieg l'est pour la Norvège, petit pays d'environ 4 millions d'habitants situé au nord de l'Europe et dont la culture artistique ne nous est pas très familière.

Figure 2-20 : Portraits d'Edvard Grieg (à gauche) et de Jean Sibelius (à droite).

Comme tout grand compositeur en puissance qui se respecte, Edvard Grieg (1843-1807, voir la Figure 2-20) séjourna à Leipzig pour étudier les techniques des grands maîtres. À l'âge de 15 ans, il fut admis au conservatoire de cette ville. Malheureusement pour lui, il y travailla si dur qu'il contracta une maladie pulmonaire dont il ne guérit jamais complètement.

---

16. Le *e* ne se prononce pas ; on dit : « grig ».

Le sentiment national

Lorsqu'il revint en Norvège, Grieg, encouragé par des artistes comme le dramaturge Henrik Ibsen, se lança dans la lutte pour l'indépendance de son pays qui était sous la tutelle de la Suède depuis 1814. Il prit alors la décision de renier l'influence germanique et se mit à composer en s'inspirant des rythmes et des mélodies du folklore de son pays.

Sa musique enthousiasma ses compatriotes au point qu'à l'âge de 29 ans le gouvernement norvégien lui accorda une pension à vie. Deux années avant sa mort, son zèle nationaliste fut enfin récompensé : la Norvège fut affranchie de la tutelle suédoise. Le jour de son enterrement, à Bergen, plus de 40 000 personnes assistèrent à ses funérailles.

La plupart des compositions de Grieg ont un son chaleureux. Ses mélodies sont d'une grande évidence, au point que, lorsque vous en entendez une, vous êtes tout étonné que personne ne l'ait composée avant lui.

À l'écoute de Grieg

Voici quatre des compositions les plus populaires de Grieg, qu'il faut absolument connaître :

* *Concerto pour piano en la mineur,* op. 16.
* *Suites de Peer Gynt* nos 1 et 2 destinées à servir de musique de scène pour une pièce d'Ibsen.
** *La Suite Holberg pour cordes,* op. 40.
*** *Sonate pour violon et piano n° 3, en ut mineur,* op. 45.

Glinka et le groupe des Cinq

Au XIXe siècle, le gouvernement de la Russie se montrait tyrannique et cupide, serrant dans ses griffes des petits pays sans défense comme la Finlande, étouffant dans l'œuf toute tentative d'éveil des nationalismes. Ce qui n'a pas empêché ce pays d'avoir lui-même quelques compositeurs soucieux d'écrire une musique inspirée de leurs racines culturelles. Et, de ce côté, il y avait de quoi faire.

Mikhaïl Glinka (1804-1857), dont la Figure 2-21 montre un portrait, fut celui qui introduisit le premier le folklore russe dans sa musique. Peut-être avez-vous déjà entendu l'ouverture de *Rousslan et Lioudmila,* son œuvre la plus connue ? C'est une des pièces du répertoire de base de tous les chefs d'orchestre, qui apprécient son caractère contrasté, ses effets sonores et les passages mélodieux des violons et des violoncelles.

Figure 2-21 :
Portrait de
Mikhaïl
Glinka.

Glinka fut acclamé comme un héros par les compositeurs russes de l'époque romantique. Il inspira à Balakirev la création du *groupe des Cinq* (dont il ne fit pas partie). Ce groupe était constitué par la réunion de cinq compositeurs ayant résolu de bannir toute influence étrangère (lisez : « de l'Europe de l'Ouest », et même « de l'Allemagne ») de leur musique et de s'attacher à la mise en valeur du folklore slave. Il se composait de Mily Balakirev (1837-1910), César Cui (1835-1918), Modest Moussorgski (1839-1881), Nikolaï Rimski-Korsakov (1844-1908) et Alexandre Borodine (1833-1887).

C'étaient tous de bons musiciens, mais des autodidactes : ils avaient refusé l'enseignement officiel, trop germanisé à leur goût. Seul Balakirev avait débuté dans la vie comme musicien. Cui était professeur de génie militaire ; Borodine, chimiste ; Moussorgski, militaire et Rimski-Korsakov, officier de marine. Préfiguration des *Village People*, en quelque sorte…

Rimski-Korsakov, le meilleur des cinq

Tout jeune, Nikolaï Rimski-Korsakov avait montré de grandes qualités de pianiste mais sa passion, c'était la mer. À l'âge de 12 ans, il entra à l'École de marine de Saint-Pétersbourg. Lorsqu'il en sortit, il passa vingt-deux ans dans la marine: onze ans en tant que navigant et onze ans en qualité d'inspecteur des orchestres militaires de la flotte.

C'est au cours de sa carrière militaire que Rimski-Korsakov fit la rencontre d'un compositeur russe nommé Mily Balakirev, qui professait que les compositeurs russes contemporains étaient trop inféodés aux idées de leurs collègues allemands et français. Il aurait souhaité qu'ils trouvent plutôt leur inspiration du côté de leur propre héritage culturel. C'est de cette idée que naquit le *groupe des Cinq*, qui rassembla les cinq compositeurs que nous avons cités plus haut.

Lorsqu'il quitta la vie militaire, Rimski-Korsakov entra au conservatoire de Saint-Pétersbourg en qualité de professeur d'harmonie. Il s'y révéla excellent pédagogue et eut comme élèves Sergueï Prokofiev et Igor Stravinsky. C'est dans le domaine de l'orchestration qu'il montrait les plus grandes capacités, c'est-à-dire l'art de combiner les timbres de l'orchestre. Il écrivit sur ce sujet un traité qui est toujours utilisé de nos jours.

L'une des pièces les plus connues de Rimski-Korsakov est *Schéhérazade*, tiré des *Mille et Une Nuits*. Vous connaissez certainement l'histoire de ce sultan cruel qui met à mort chaque fille de son harem à l'issue de leur nuit d'amour. Une d'elles, Schéhérazade, imagine de sauver sa vie en lui racontant des histoires incroyables qui le tiennent en haleine mais dont elle diffère le dénouement jusqu'au lendemain. Et elle recommence ainsi de jour en jour, chaque fois avec une histoire différente, pendant mille et une nuits. À la fin de ces 2,74 années, le sultan, sans doute un peu fatigué, finit par renoncer à sa coutume barbare. L'histoire ne dit pas si Schéhérazade gagna Hollywood pour y faire fortune en tant que scénariste.

À l'écoute du groupe des Cinq

Voici quelques-unes des compositions du groupe des Cinq qu'il faut avoir entendues:

Rimski-Korsakov

* *Schéhérazade*, op. 35.

* Ouverture *La Grande Pâque russe*, op. 36.

** *Capriccio espagnol.*

** *Fantaisie sur des thèmes russes* pour violon et orchestre.

Moussorgski

* * *Une nuit sur le mont Chauve*
* ** *Tableaux d'une exposition* (soit dans la version pour piano originale, soit dans la version orchestrée par Maurice Ravel).

Borodine

* * *« Danses polovtsiennes »* extraites de l'opéra *Le Prince Igor*
* * *Dans les steppes de l'Asie centrale,* poème symphonique
* ** *Symphonie n° 2, en si mineur.*

Balakirev

* * *Islamey,* fantaisie orientale pour piano.

Piotr Ilitch Tchaïkovski

Le « meilleur » des compositeurs russes n'appartint pas au groupe des Cinq. Il s'agit de Piotr Ilitch Tchaïkovski (1840-1893), dont le portrait est reproduit sur la Figure 2-22. C'était un homme égocentrique, névrosé, vulnérable et émotif dont la vie ne fut qu'une longue souffrance.

Figure 2-22 :
Portrait de
Tchaïkovski.

Ses parents avaient remarqué ses dons de musicien mais, sachant très bien que ce n'était pas là un métier qui nourrit son homme, ils le dirigèrent vers une carrière de juriste. Et Piotr ne manqua pas à la tradition en interrompant rapidement ses études pour se diriger vers le conservatoire de musique de Saint-Pétersbourg.

À l'âge de 26 ans, on lui offrit un poste de professeur de théorie de la musique au conservatoire de Moscou. Plus tard, il fut élu à l'un des postes de directeur de cette estimable institution.

À 27 ans, il épousa une de ses anciennes élèves mais cette union ne fut pas heureuse, car la conception qu'avait Tchaïkovski du commerce avec le beau sexe ne dépassait pas le cadre de relations platoniques. C'est ainsi que, plus tard, il entretiendra pendant une quinzaine d'années une correspondance avec une de ses admiratrices, Nadejda von Meck, qu'il ne rencontrera jamais mais qui lui versera néanmoins une rente substantielle grâce à laquelle il pourra s'adonner entièrement à la composition. Il lui dédiera d'ailleurs sa *Symphonie n° 4* avec la dédicace « À ma meilleure amie ». En Russie, à l'époque de Tchaïkovski, l'homosexualité était un crime puni de l'exil en Sibérie, ce qui explique en grande partie l'état d'esprit inquiet et tourmenté du compositeur.

Souffrance et musique

Cette perpétuelle angoisse, ce mal d'être n'apparaissent généralement pas dans sa musique (symphonies, ballets, opéras, ouvertures), qui est vive et très chantante. C'est sans doute ce qui explique sa grande popularité. Le nom de Tchaïkovski devint vite célèbre dans le monde entier et il fut invité à diriger le gala d'ouverture du Carnegie Hall à New York en 1891.

Le plus grand don de Tchaïkovski était celui de la mélodie. C'est pour cette raison que vous avez certainement entendu de la musique de Tchaïkovski sans le savoir. Au cinéma, Chaplin a emprunté un thème du *Concerto pour violon* pour son film *Limelight* (*Les Feux de la rampe*). Et la télévision américaine utilise très régulièrement le thème de *Roméo et Juliette* pour tous les duos d'amour de ses shows. Quant aux principaux airs du ballet *Casse-Noisette*, ils ont depuis longtemps fait le tour du monde.

Mais Tchaïkovski n'a pas composé que de la musique brillante. Sa *Symphonie n° 6*, justement appelée *«Pathétique»*, est une longue plainte déchirante sans doute proche de ses véritables états d'âme. Le dernier mouvement, en particulier, est un douloureux renoncement. Vous pouvez l'entendre dans son intégralité sur la plage 7 du CD d'accompagnement. Tchaïkovski mourut à peine plus d'une semaine après la création de l'œuvre. Sa mort est, aujourd'hui encore, entourée d'un certain mystère : les uns disent qu'il est mort de maladie ; d'autres prétendent qu'il se serait suicidé à la veille qu'éclate une affaire de mœurs. La vérité tient peut-être des deux : il serait mort d'un choléra qu'il se serait volontairement inoculé en buvant de l'eau croupie pendant une épidémie.

À l'écoute de Tchaïkovski

Dans une production aussi intéressante, il est difficile de faire un choix. Pour commencer, écoutez :

* * *Concerto pour piano n° 1 en si bémol,* op. 23.

* * *Concerto pour violon en ré majeur,* op. 35.

* * *Symphonies n°s 4, 5 et surtout 6, « Pathétique ».*

* * Suites d'orchestre du ballet *Casse-Noisette.*

* ** *Variations rococo pour violoncelle et orchestre.*

* ** *Roméo et Juliette,* ouverture fantaisie.

* ** Suite d'orchestre du ballet *Le Lac des cygnes.*

* *** *Sextuor à cordes « Souvenir de Florence »,* op. 70.

En France

Georges Bizet (1838-1875)

Carmen demeure l'œuvre la plus jouée de l'abondant répertoire lyrique du XIXe siècle et elle a fait l'objet d'innombrables adaptations théâtrales et cinématographiques, pas toujours heureuses. Avant l'exploration de cette œuvre dans *L'Opéra pour les Nuls,* en compagnie des *Pêcheurs de perles* et de *La Jolie Fille de Perth,* vous pouvez en toute quiétude en retrouver les principaux airs dans la suite d'orchestre que Bizet en a tirée, et dans la brillante *Fantaisie sur des thèmes de «Carmen»* pour violon et orchestre du virtuose espagnol Pablo de Sarasate (1844-1908). Du côté de l'orchestre, on se plaît à louer la fraîcheur et l'entrain de la délicieuse *Symphonie en ut majeur,* composée à 17 ans. On ne peut oublier non plus les deux suites d'orchestre tirées du mélodrame *L'Arlésienne,* sur la pièce d'Alphonse Daudet ni les charmants *Jeux d'enfants* pour piano à quatre mains.

Léon Boëllmann (1862-1897)

Le nom de l'Alsacien Léon Boëllmann est connu de tous les organistes, en premier lieu grâce à la brillante «Toccata» qui couronne sa *Suite gothique.* Il fut organiste à l'église Saint-Vincent-de-Paul à Paris de 1881 jusqu'à sa mort prématurée en 1897.

Emmanuel Chabrier (1841-1894)

Chabrier eu le grand tort de composer une musique à la fois chantante et truculente, originale et brillante, ce qui le fait mépriser de l'intelligentsia. Tout le monde a fredonné *España* et beaucoup ont entendu la *Bourrée fantasque* pour piano, la *Fête polonaise* (extraite de l'opéra *Le Roi malgré lui*) ou la *Joyeuse Marche*.

Ernest Chausson (1855-1899)

Venu tard à la musique après des études de droit, comme Schumann, Chausson vit sa paisible existence brusquement interrompue par un stupide accident de bicyclette. Il nous a laissé, entre autres, un *Poème* pour violon et orchestre dont le lyrisme brumeux peut plaire à certains (à nous, par exemple). Il n'acheva qu'une symphonie, en *si* bémol, une œuvre puissante et inspirée qui vaut bien mieux que l'oubli qui l'entoure. Le meilleur de Chausson se trouve peut-être dans son œuvre vocale: le cycle des *Serres chaudes* (pour voix de femme et piano), d'après Maeterlinck, la *Chanson perpétuelle* (avec accompagnement d'orchestre ou de quintette avec piano), d'après Charles Cros, et le *Poème de l'amour et de la mer*, d'après Bouchor, pour voix de ténor et piano ou orchestre. Nous vous conseillons également d'écouter son *Concert pour piano, violon et quatuor à cordes*, une partition pleine de charme.

Léo Delibes (1836-1891)

Delibes s'est fait connaître principalement comme auteur de ballets et d'opéras-comiques. Citons pour les premiers *Coppélia* et *Sylvia* (dont vous avez certainement dans l'oreille quelques airs sans même le savoir) et retenons parmi les seconds *Lakmé*, avec son fameux «Air des clochettes».

Henri Duparc (1848-1933)

Même s'il a largement connu le XXᵉ siècle, Duparc est un pur produit du précédent: il publia ses cinq premières mélodies en 1868, et sa dernière mélodie connue date de 1884. Par la suite, souffrant de troubles nerveux, il abandonna la composition. Si l'œuvre d'Henri Duparc est des plus réduites, ses mélodies suffisent à l'imposer comme un compositeur essentiel du répertoire français. Elles ne sont qu'au nombre de dix-sept, dont treize seulement furent publiées, mais de quelle qualité! Ecoutez *Invitation au voyage* et *La Vie antérieure* (poèmes de Baudelaire), *Chanson triste* (Lahor), *Phidylé* (Leconte de Lisle) et *Lamento* (Gautier). Et pour compléter cette approche presque intégrale de l'œuvre de Duparc, essayez son poème symphonique *Lénore*.

César Franck (1822-1890)

Nous comptons César Franck parmi les Français, bien qu'il soit d'origine belge : il fit en effet toute sa carrière à Paris. Ce fut un maître de l'orgue : en 1859, il est devenu le premier titulaire de l'orgue Cavaillé-Coll de Sainte-Clotilde, poste qu'il occupa jusqu'à sa mort. Il forma autour de lui un cercle d'élèves dévoués et fidèles, obtenant sa première reconnaissance officielle en 1871, lorsqu'il fut enfin nommé professeur d'orgue au Conservatoire. Homme au caractère doux et religieux, surnommé *Pater seraphicus* par ses disciples, il exerça une influence considérable sur les générations suivantes, comme professeur, comme compositeur et comme interprète. Mais il demeura un compositeur marginal aux yeux du public parisien, dont l'intérêt se portait surtout sur l'opéra.

Les pièces orchestrales les plus connues de Franck sont les *Variations symphoniques pour piano et orchestre* et la somptueuse *Symphonie en ré mineur* (dont les trois mouvements reposent sur un thème unique, appelé *thème cyclique*). Ses œuvres pour orgue, quoique peu nombreuses, forment un pan essentiel du répertoire de cet instrument.

À l'écoute de Franck

*   *Symphonie en ré mineur.*

*   *Sonate pour violon et piano en la majeur.*

*   Prélude, fugue et variation pour orgue.

* * *   *Pièce héroïque* pour orgue.

* *   *Variations symphoniques pour piano et orchestre.*

* *   Poème symphonique *Psyché* (dont certains mouvements font appel à un chœur).

* * *   *Grande Pièce symphonique* pour orgue.

* * *   Poème symphonique *Les Djinns.*

Charles Gounod (1818-1893)

C'est à l'opéra que Gounod connut ses deux plus grands succès, avec *Faust* en 1859 et *Roméo et Juliette* huit ans plus tard (voir prochainement *L'Opéra pour les Nuls*). Mais la guerre de 1870 et un séjour prolongé en Angleterre constituèrent une rupture néfaste dans sa carrière. Ravel le qualifia de « véritable instaurateur de la mélodie en France » et, parmi les quelque 130 compositions dans ce genre, certaines sont de toute beauté. Il reste également célèbre pour sa *Messe solennelle de sainte Cécile* (en l'honneur de la sainte patronne de la musique). Il composa deux « vraies » symphonies, mais sa *Petite Symphonie* de 1885, pour dix instruments à vent, les éclipse en popularité.

Vincent d'Indy (1851-1931)

D'Indy profita lui aussi abondamment du xxᵉ siècle, mais nous préférons le traiter ici: en effet, il ne brillait pas par son caractère avant-gardiste, et ses œuvres les plus tardives continuent de glorifier le style de ses débuts. Fondateur de la Schola Cantorum[17], il est surtout connu, de nos jours, pour sa *Symphonie sur un chant montagnard français*, pour piano et orchestre, dite «*Symphonie cévenole*» (1886).

Édouard Lalo (1823-1892)

Toute sa vie, Lalo poursuivit un rêve: connaître le succès à l'opéra. Après *Fiesque*, jamais représenté, *Savonarole*, abandonné, et *La Jacquerie*, créé après sa mort, il fonda ses espoirs sur *Le Roi d'Ys*, mais attendit dix ans avant de pouvoir le faire représenter, en 1888. L'accueil fut tardif mais triomphal. Entre-temps, le ballet *Namouna* avait enchanté toute la jeune génération de compositeurs, Debussy en tête, malgré l'incompréhension du public.

Deux autres partitions de Lalo continuent de briller à l'affiche des concerts: la *Symphonie espagnole*, un concerto pour violon au parfum ibérique prononcé composé pour le fameux violoniste espagnol Pablo de Sarasate, et le *Concerto pour violoncelle en ré mineur*.

Jules Massenet (1842-1912)

Massenet remporta ses principaux succès à l'opéra. En 1884, *Manon* le consacra comme le compositeur lyrique français majeur après Bizet; ce rang ne lui fut pas contesté avant la création de *Pelléas et Mélisande* de Debussy (1902). Parmi ses opéras (que nous étudierons dans *L'Opéra pour les Nuls*), citons encore *Werther* et *Thaïs*, d'où est issue sa page symphonique la plus célèbre: la *Méditation de Thaïs* pour violon et orchestre.

Jacques Offenbach (1819-1880)

Né en Allemagne, le «petit Mozart des Champs-Élysées», comme l'appelait Wagner, est un cas unique dans son genre puisque nombre de ses opéras bouffes continuent d'être représentés de nos jours: *La Belle Hélène, La Vie parisienne, La Périchole*… Fraîches et joyeuses, sans jamais être vulgaires, volontiers satiriques, ces œuvres ont donné ses lettres de noblesse au genre. Désireux de composer une œuvre sérieuse, il nous a laissé *Les Contes d'Hoffmann* dans lesquels, si l'inspiration vole peut-être plus haut, il n'a heureusement pas réussi à se départir de ses qualités mélodiques. Plusieurs pages célèbres d'Offenbach ont été rassemblées par Manuel Rosenthal (1904-2003) sous la forme du ballet *Gaîté parisienne*.

---

17. École de musique créée en 1896 par plusieurs compositeurs français dont Vincent d'Indy est le plus connu, en vue d'un renouveau du chant grégorien et de la polyphonie (autant dire que ce n'était pas l'antre de l'avant-garde).

Camille Saint-Saëns (1835-1921)

Encore un enfant prodige dont les talents s'étendaient bien en dehors de la musique mais qui choisit celle-ci comme profession. L'une de ses principales qualités a été d'écrire une musique «solide», caractéristique de la tradition française. En contrepartie, un de ses principaux défauts a été de s'opposer résolument à toute innovation, voire de montrer une tendance à la xénophobie. Debussy disait de lui que c'était «l'homme du monde qui connaissait le mieux la musique». On ne connaît souvent de lui que le *Carnaval des animaux*, brillante fantaisie qui fait l'enchantement des petits et des grands. Mais il a écrit dans tous les genres, de la sonate à l'opéra (une douzaine, dont le plus fameux est *Samson et Dalila*).

À l'écoute de Saint-Saëns

* * *Carnaval des animaux*, « grande fantaisie zoologique ».

* * *Concerto pour piano n° 5*, « *Égyptien* ».

* * *Introduction et Rondo capriccioso* et *Havanaise* pour violon et orchestre.

* * *Symphonie n° 3, en ut mineur*, « avec orgue ».

* ** *Le Rouet d'Omphale, Phaëton* et *Danse macabre*, poèmes symphoniques.

* ** *Concerto pour violoncelle n° 1, en la mineur*.

* ** *Concerto pour violon n° 3, en si mineur*.

* *** *Sonate pour clarinette et piano*, op. 167 (l'un des chefs-d'œuvre de la vieillesse de Saint-Saëns).

En Autriche

Anton Bruckner (1870-1894)

Fils d'un instituteur et organiste de la région de Linz, en Autriche, Bruckner fut destiné par son père à la carrière de maître d'école et entra comme élève à l'abbaye collégiale toute proche de Sankt Florian, où il reçut un premier enseignement musical. Engagé en 1841 comme instituteur, il continua l'étude de l'orgue et du contrepoint en autodidacte, et fut nommé en 1848 organiste de Sankt Florian. Il obtint en 1856 la tribune de la cathédrale de Linz et composa bientôt ses premières pages symphoniques. Mais, jugées trop longues et trop difficiles, ses symphonies se heurtèrent à l'incompréhension du public et de la critique. Et cet être un peu névrosé, qui manquait totalement de confiance en lui, accepta d'y apporter de nombreux remaniements, quand il ne laissa pas faire des musicologues plus ou moins bien intentionnés. (Ce qui rend difficile la tâche des interprètes, car il n'est pas toujours aisé de distinguer les désirs véritables de l'auteur dans les multiples versions qui coexistent de ses partitions).

Bruckner développa le genre de la symphonie en des œuvres monumentales, souvent influencées dans leur structure et dans leur sonorité par son expérience d'organiste. Admirateur de Wagner, auquel il dédia sa *Troisième Symphonie*, il laisse neuf symphonies numérotées (dont la neuvième est inachevée) ; il donna à la seconde de ses symphonies de jeunesse le numéro 0. La plus populaire est certainement la *Septième*, créée à Leipzig en 1884 ; son orchestration utilise quatre tubas wagnériens, instruments intermédiaires entre le cor et le tuba qui venaient d'être mis au point.

Il laisse également une musique vocale et chorale religieuse abondante, notamment un célèbre *Te Deum*.

Johann Strauss fils (1825-1899)

Fils aîné de Johann Strauss, l'auteur de la *Marche de Radetzky* qui, chaque année, clôt traditionnellement le concert du nouvel an à Vienne, Johann Strauss fils passa outre la volonté de son père, qui voulait le voir entrer dans la banque. Il fonda son propre orchestre, dont il fit le rival de celui de son père. À la mort de celui-ci, il réunit les deux ensembles, acquérant au passage le surnom de «roi de la valse». Il entraîna ses deux frères cadets, Josef et Eduard, dans une carrière internationale frénétique, qui les mena jusqu'aux États-Unis.

Johann Strauss fils composa 16 opérettes, dont les plus connues sont *Die Fledermaus* (*La Chauve-souris*), et *Der Zigeunerbaron* (*Le Baron tzigane*), au parfum hongrois prononcé – vous pouvez en écouter les ouvertures, qui vous donnerons une bonne idée de l'atmosphère générale de ces ouvrages. Particulièrement fécond, Johann Strauss fils laisse près de 170 valses et autant de polkas, 76 quadrilles, des marches et des galops. Nous n'avons pas besoin de vous présenter *An der schönen, blauen Donau* (*Le Beau Danube bleu*) ni la *Kaiser-Walzer* (*Valse de l'empereur*). Sachez juste que la plupart des œuvres du fiston Strauss sont de véritables petits bijoux, et que le mieux est encore de les découvrir au petit bonheur la chance…

En Belgique

Guillaume Lekeu (1870-1894)

Membre de la «bande à Franck», Lekeu était promis à une carrière exceptionnelle lorsqu'il fut emporté par la fièvre typhoïde à 24 ans. Son œuvre la plus connue est sa *Sonate pour violon et piano en sol majeur*, une partition intensément lyrique. Sa sonate pour violoncelle et piano fut achevée après sa mort par son professeur, Vincent d'Indy, tout comme son quatuor avec piano.

En Italie

Vincenzo Bellini (1801-1835)

Originaire de Catane, en Sicile, Vincenzo Bellini est l'un des compositeurs d'opéras italiens les plus marquants du début du XIXe siècle. Dans sa courte vie, il composa surtout des opéras, au premier rang desquels *Norma* et son célèbre air «Casta diva», mis à toutes les sauces (notamment à celles de Nana Mouskouri et de Mireille Mathieu). Nous étudierons donc son cas dans *L'Opéra pour les Nuls*. Sachez toutefois qu'il fut admiré par Wagner (ce qui ne saute pas forcément aux oreilles quand on compare leurs ouvrages respectifs) et que son influence ne s'arrêta pas au domaine de l'opéra. Chopin, par exemple, lui doit beaucoup, en particulier dans l'art de conduire les mélodies.

Gaetano Donizetti (1797-1848)

Originaire de Bergame, Donizetti domina l'opéra italien pendant presque une décennie, de la mort de Bellini à l'émergence de Verdi. Il composa près de soixante ouvrages, d'une valeur inégale. Mais certains d'entre eux sont de véritables chefs-d'œuvre, comme *Lucia di Lammermoor*, *Maria Stuarda* ou, dans une veine plus légère, *L'elisir d'amore* ou *Don Pasquale*. Vous en avez certainement les airs principaux dans l'oreille. Pour de plus amples informations, rendez-vous bientôt dans *L'Opéra pour les Nuls*!

Gioachino Rossini (1792-1868)

Rossini connut un destin hors du commun puisque, après avoir connu la gloire dès l'âge de 18 ans, et mené une carrière fracassante de compositeur d'opéras dans l'Europe entière, il quitta brusquement la scène après le succès de *Guillaume Tell*, créé à l'Opéra de Paris en 1829. La révolution de 1830 fit échouer le projet de commandes royales, et Rossini cessa d'écrire des opéras. Il jouit cependant jusqu'à la fin de sa vie d'une estime considérable, en Italie (où il retourna de 1837 à 1855) aussi bien qu'à Paris, où il s'installa finalement et où il mourut en 1868.

Rossini laisse près de 40 opéras, dont nous aurons l'occasion de reparler dans notre ouvrage *L'Opéra pour les Nuls*. En attendant, vous pouvez vous régaler à l'écoute des ouvertures d'opéras comme *Il barbiere di Siviglia* (*Le Barbier de Séville*), *La scala di seta* (*L'Échelle de soie*), *Il Signor Bruschino* (*Monsieur Bruschino*), *L'Italiana in Algeri* (*L'Italienne à Alger*), *La Gazza ladra* (*La Pie voleuse*), *Semiramide* ou *Guillaume Tell*.

Après sa retraite anticipée, Rossini ne resta pas totalement inactif. Il composa notamment deux œuvres religieuses, son célèbre *Stabat Mater* et une œuvre charmante et originale, la *Petite Messe solennelle* pour «douze chanteurs de trois sexes – hommes, femmes et castrats – , piano et harmonium, dont il se demandait si c'était «de la musique sacrée ou de la sacrée musique».

En route vers la modernité

Après avoir assisté à quelques concerts de musique de notre temps, vous pouvez, vous aussi, développer un syndrome nerveux rien qu'en entendant les seuls mots «musique contemporaine». De nombreuses musiques composées depuis 1890 ont été écrites par des compositeurs ayant pour principal souci de rompre avec les règles traditionnelles. Malheureusement, parmi les règles ainsi délibérément violées, se trouve la seconde partie du précepte qui disait: «La musique est l'art d'assembler les sons d'une manière agréable à l'oreille.»

Nous l'avons déjà dit et nous allons donc nous répéter. Tout d'abord, vous pouvez réellement apprécier certaines compositions de musique «classique moderne», même celles qui sonnent de la façon la plus bizarre. Ensuite, certains des compositeurs du siècle passé et de notre siècle ont de brillantes idées musicales et sont capables d'écrire des pièces intéressantes auxquelles vous devez simplement vous habituer. Enfin, simplement parce que le fait que ce *soit* moderne n'implique pas que cela *sonne* moderne, certains compositeurs contemporains ont un don aussi naturel que leurs prédécesseurs pour composer des mélodies chantantes et qui séduisent immédiatement l'auditeur.

Vu de notre début de XXIe siècle, le XXe donne l'impression d'une frénésie de courants, de découvertes, d'innovations en tous genres. La musique a suivi le train de son temps, absorbant toutes les nouveautés technologiques qui s'offraient à elle: développement de la facture instrumentale, irruption des machines électriques, puis électroniques, et enfin de l'ordinateur dans le processus créateur. Le disque, la radio, la télévision et aujourd'hui Internet ont métamorphosé sa diffusion. Son champ d'inspiration s'est considérablement développé: les compositeurs ont intégré à leur univers sonore la musique populaire des peuples proches et lointains, mais aussi le bruit de la ville et des machines, du vent et de la mer.

À l'instar de la peinture, sautant à pieds joints dans les territoires vierges et déroutants de l'abstraction, la musique s'est détachée de ce qui était son socle et son rempart depuis plusieurs siècles: la tonalité, c'est-à-dire l'utilisation des gammes et d'un système savant d'attractions entre les notes, de tensions et de détentes, de points de repères sonores rassurants. On joua avec ces règles comme avec un élastique, en les distendant de plus en plus – comme au jeu de Jokari. Jusqu'au jour où certains compositeurs coupèrent carrément l'élastique, où d'autres se dirent qu'il était bien plus drôle de jouer avec plusieurs balles à la fois, où un troisième groupe décida de remplacer les raquettes par des plats de spaghettis bolognaise (juste pour voir ce que ça fait), avant qu'une quatrième école ne dise que ce bon vieux Jokari ne marchait pas si mal avec sa balle en caoutchouc et ses deux raquettes en bois, pourvu qu'on l'égaie de couleurs vives et qu'on sirote une bonne bière entre deux parties…

En route à présent pour découvrir les grands acteurs de la musique moderne et contemporaine, de l'orée du XXᵉ siècle à nos jours.

Figure 2-23: Richard Strauss et Gustav Mahler, deux disciples ardents de Richard Wagner.

Richard Strauss, le poète de l'orchestre

Né en Allemagne, Richard Strauss (1864-1949) reçut une éducation musicale précoce de son père, premier corniste au théâtre de la Cour, à Munich, ce qui explique sans doute la présence de cet instrument dans nombre de ses œuvres. Outre ses deux concertos pour cor, chevaux de bataille des virtuoses de cet instrument, on retrouve le cor dans certains passages particulièrement ardus de ses œuvres orchestrales.

Strauss était convaincu qu'après Wagner il n'était plus possible d'écrire de la musique sous sa forme ancienne. « À partir de maintenant, écrivit-il, il n'y aura plus de notes de remplissage… et pas davantage de symphonies » (ce qui ne l'empêchera pas d'en écrire deux pour sa part, mais d'un genre assez nouveau, il est vrai).

Pour Strauss, le futur consistait à écrire de la musique à programme, c'est-à-dire de la musique qui raconte quelque chose, des *poèmes symphoniques*. Nous en reparlerons au chapitre 3. Avant lui, cette forme avait déjà eu quelques représentants: Liszt, par exemple, qui a écrit, entre autres, *Les Préludes* et *Mazeppa*. Les œuvres les plus connues de Richard Strauss dans ce domaine sont (nous donnons la traduction française des titres): *Don Juan, Don Quichotte, Une vie de héros, Ainsi parlait Zarathoustra, Les Joyeuses Équipées de Till l'Espiègle* et *Mort et Transfiguration*.

Nous sommes certains que, sans le savoir, vous avez déjà entendu plusieurs de ces musiques, car elles ont été utilisées dans de nombreux films. Par exemple, au début de *2001: l'Odyssée de l'espace*, lorsque les hommes des cavernes regardent l'énorme parallélépipède venu des grands espaces, on entend trois notes de trompette suivies d'un grand crash et de coups de timbales. C'est précisément le début d'*Ainsi parlait Zarathoustra*.

Conformément au principe de ce genre musical, chacun de ces poèmes symphoniques suit le cours d'une histoire. *Don Juan* dépeint par exemple cet archétype de l'amoureux dans ses conquêtes. Dans *Mort et Transfiguration*, on perçoit la faiblesse du vieillard et les ratés de ses battements de cœur au moment où il va mourir. Dans *Don Quichotte*, c'est le combat du vieux fou contre l'armée des moutons bêlants ou les moulins à vent, puis sa chute de cheval. Un soir, au cours d'un dîner, Richard Strauss confia à un ami: « Je peux traduire *n'importe quoi* en musique: par exemple le mouvement que vous faites pour transporter votre cuillère et votre fourchette de l'autre côté de votre assiette. » (Nous parions, cependant, que ce poème symphonique n'a jamais vu le jour.)

La musique de Richard Strauss reproduit certains des *trucs* de l'autre Richard (Wagner): il associe souvent un *leitmotiv* à un personnage de ses opéras (que vous pourrez découvrir dans *L'Opéra pour les Nuls*) et de ses poèmes symphoniques. Il utilise des *tonalités trompeuses* qui semblent sur le point de conclure tranquillement et avec bonheur en un accord final, et modulent (passent à une autre tonalité) *in extremis*.

Strauss fut également un remarquable chef d'orchestre, ce qui peut expliquer pourquoi il fut l'un des rares compositeurs de musique à s'enrichir et à connaître la gloire de son vivant. Ce n'est pas en le voyant diriger un orchestre que vous vous seriez aperçu de son génie musical. Il dirigeait assis, sobrement, sans expressivité excessive, avare des mouvements de sa baguette. Il déclara un jour qu'il n'était pas nécessaire que le pouce gauche d'un chef d'orchestre quitte la poche de son gilet.

Chronologiquement, Richard Strauss fut un musicien du XXe siècle durant les trois quarts de sa carrière mais, musicalement, il appartient encore à la période postromantique. Bien qu'il ait longtemps continué à expérimenter dans de nouvelles directions, sa musique n'a jamais abandonné la *tonalité* (c'est-à-dire l'harmonie traditionnelle). Il s'en rapprocha même davantage encore vers la fin de sa vie. Dans sa jeunesse, il avait écrit le poème symphonique *Mort et Transfiguration*. Soixante ans plus tard, comme il mourait, il eut la force de dire : « La mort est exactement comme je l'ai décrite. »

À l'écoute de Richard Strauss

*   *Till Eulenspiegels lustige Streiche (Les Joyeuses Équipées de Till l'Espiègle).*

*   *Don Juan*

*   « Danse des sept voiles » extraite de l'opéra *Salomé.*

*   « Suite de valses » extraite de l'opéra *Le Chevalier à la rose.*

* *   *Burlesque pour piano et orchestre.*

* *   *Vier letzte Lieder (Quatre derniers lieder),* pour soprano et orchestre.

* *   *Tod und Verklärung (Mort et Transfiguration).*

* *   *Also sprach Zarathustra (Ainsi parlait Zarathoustra).*

* * *   *Le Bourgeois gentilhomme,* destiné à accompagner la représentation de la pièce de Molière.

* * *   *Concerto pour cor n° 2 en mi bémol majeur.*

* * *   *Concerto pour hautbois.*

* * *   *Métamorphoses pour cordes.*

Gustav Mahler, le tourmenté

Par opposition à la sobriété émotionnelle et à l'équilibre de Strauss, l'autre héritier de Wagner, Gustav Mahler (1860-1911), fut un génie tourmenté et névrosé.

Né en Bohême (qui fait maintenant partie de la République tchèque), c'était le fils d'une famille juive pauvre (mais honnête) et il connut un début de vie angoissé. À quelqu'un qui lui demandait ce qu'il comptait devenir plus tard, dans sa vie, il aurait répondu : « Un martyr. »

Son vœu fut accompli : toute sa vie fut dominée par la tragédie. Sa fille mourut de la scarlatine et il en éprouva un sentiment de culpabilité car il venait juste d'écrire les *Kindertotenlieder* (*Chants des enfants morts*). Il souffrait d'une maladie de cœur et, de ce fait, était hanté par l'idée de la mort. Depuis toujours, il répétait : «Je suis trois fois apatride : une fois parce que je suis un Bohémien né en Autriche, une fois parce que je suis un Autrichien vivant parmi les Allemands et une fois parce que je suis un juif au milieu du monde entier.»

Tout jeune, il connut des moments difficiles. Son père, homme cruel, battait régulièrement les membres de sa famille et particulièrement sa mère. Après une de ces scènes particulièrement douloureuses, il s'enfuit de chez lui, incapable d'en supporter davantage. Alors qu'il se trouvait dehors, un orgue de Barbarie jouait une chanson à boire populaire. Plus tard, lors d'une séance de psychothérapie avec Sigmund Freud, il devait comprendre que c'était cet épisode qui l'avait conduit à associer la musique banale et joyeuse à la tragédie la plus sombre.

La plus grande partie de la musique de Mahler est emplie de tels contrastes : rapides alternances de passages forts et doux, instruments jouant aux extrémités de leur tessiture, moments de beauté éthérée, de rage, de tourment, de désolation ou de triomphe. Certaines de ses symphonies se terminent en flambées glorieuses à faire se dresser les cheveux sur la tête. C'est le cas, par exemple, de la *Deuxième symphonie, «Résurrection»* et de la *Huitième Symphonie*, appelée *«Symphonie des mille»*, parce qu'elle requiert le concours d'un nombre colossal d'exécutants – solistes, chœurs et orchestre.

Mahler acquit une excellente réputation de chef d'opéra et dirigea successivement l'Opéra de Budapest et celui de Vienne. À la fin de sa vie, il assura quatre saisons comme premier chef du Met (le Metropolitan Opera de New York). Comme chef d'orchestre, il ne se contentait pas de diriger les musiciens, il attaquait l'œuvre, s'y jetait à corps perdu et *devenait* la musique elle-même.

La dévotion qu'il portait à l'accomplissement musical dans son ensemble le conduisait à un état d'épuisement allant jusqu'à la perte de connaissance, mais ses talents de chef d'orchestre lui gagnèrent une admiration universelle. Heureusement pour lui, car ses compositions eurent du mal à connaître le succès. Ce n'est que plus tard, grâce à des chefs comme Leonard Bernstein, l'un des meilleurs spécialistes de sa musique, qu'il connut une gloire tardive.

La musique de Mahler suit le droit fil des idées de Wagner en évitant de se tenir strictement à une tonalité. Avant Wagner, presque chaque œuvre était clairement écrite dans une tonalité particulière, alors qu'on trouve dans la musique de Mahler des passages entiers où on ne sait plus dans quelle tonalité on est, ni même s'il y a encore une tonalité.

À l'écoute de Gustav Mahler

Là encore, sans le savoir, vous avez probablement entendu de la musique de Mahler : le thème musical de *Mort à Venise* (Luchino Visconti, 1970), par exemple, est emprunté à l'une de ses symphonies.

Il a écrit neuf symphonies et des cycles de lieder au caractère sombre. Pour une bonne approche par le disque de cette musique, explorez progressivement la liste suivante, dans cet ordre :

* * *Symphonie n° 4, en sol majeur.*

* * *Symphonie n° 1, en ré majeur, « Titan ».*

* * *Symphonie n° 5, en ut dièse mineur.*

* ** *Symphonie n° 2, en ut mineur, « Résurrection ».*

* ** *Rückert-Lieder (Mélodies sur des textes du poète Rückert).*

* ** *Lieder eines fahrenden Gesellen (Chants d'un compagnon errant).*

* *** *Kindertotenlider (Chants des enfants morts).*

* *** *Le Chant de la terre, pour solistes vocaux et orchestre.*

* *** *Symphonie n° 8, en mi bémol majeur, « Symphonie des mille ».*

Jean Sibelius

Si Jean Sibelius (1865-1957), dont le portrait est reproduit à côté de celui de Grieg sur la Figure 2-20, a atteint la célébrité, c'est sans doute parce qu'il a été l'homme de la situation au bon moment. De la même façon que la Norvège s'était trouvée sous la tutelle de la Suède pendant plus d'un demi-siècle, la Finlande était gouvernée par la Russie depuis la fin du XIXᵉ siècle.

La saga de Sibelius

Comme de nombreux compositeurs avant lui, Sibelius commença des études de droit pour faire plaisir à sa mère. Mais – chassez le naturel, il revient au galop – après un an, il abandonna cet enseignement au profit de celui de la musique, qu'il poursuivit au conservatoire d'Helsinki. Il reçut une bourse pour se perfectionner – ô surprise ! – à Berlin et à Vienne.

À son retour d'Autriche, il constata que son pays était passé sous la domination russe et rejoignit un groupe de rebelles appelé «les jeunes Finnois». Comme Grieg avant lui, il décida de bannir l'influence musicale allemande de ses compositions. Dans sa musique, on perçoit le climat glacial qui baigne les longues nuits et les jours trop courts, les paysages mornes, enneigés, balayés par un courant d'air glacé, tout autant que l'âme fière du peuple de la Finlande, tentant de se réchauffer à grands coups de vodka.

Ce sentiment national est exacerbé dans son poème symphonique *Finlandia*, depuis son début austère jusqu'à sa triomphale conclusion en passant par le thème lyrique et passionné de sa partie centrale. Comme on peut s'en douter, cette œuvre ne déchaîna pas l'enthousiasme des Russes, qui en interdirent l'exécution. Même les pays voisins s'inquiétèrent des sentiments belliqueux que cet hymne national virtuel pouvait susciter chez les Finlandais.

Après que la Finlande eut brisé le joug russe en 1918, Sibelius devint un héros national et cette vénération s'est poursuivie jusqu'à nos jours. Les villes de Finlande sont emplies de statues, de monuments et de musées à son effigie ou à son nom.

Le talent de Sibelius ne se borne pas à la fibre patriotique. Ce fut l'un des plus grands maîtres de l'orchestration (l'art d'assembler les sonorités de l'orchestre), un art qui s'exprime aussi bien dans ses sept symphonies ou son concerto pour violon que dans des pages qui «racontent des histoires» comme ses nombreux poèmes symphoniques et ses musiques de scène pour diverses pièces de théâtre. Il n'a pas son pareil pour tirer des instruments les sonorités les plus étranges, de longues lignes étales et glacées, mais il sait également comme personne accumuler lentement la tension jusqu'à de colossaux déferlements orchestraux, comme le premier et majestueux lever de soleil après la longue nuit boréale, ou de puissantes coulées de lave dévalant les flancs d'un volcan dont l'éruption avait été longtemps contenue.

À l'écoute de Sibelius

Les compositions de Sibelius semblent en prise directe avec les éléments de la nature finnoise. On y entend le vent, les vastes étendues, la lente alternance de l'été et de l'hiver, la puissance d'un lever de soleil, l'immensité des forêts, et même, dans la *Cinquième Symphonie*, la magie d'un vol de cygnes. Elles puisent souvent leur inspiration dans le *Kalevala*, la saga (mythologique) nationale finnoise.

Pour bien débuter dans la découverte de ce compositeur, écoutez ces œuvres :

* *Finlandia,* op. 26.

* *Symphonie n° 1, en mi mineur,* op. 39.

* *Symphonie n° 2, en ré majeur,* op. 43.

* *Le Cygne de Tuonela* (extrait des *Quatre Légendes pour orchestre ou Lemminkäinen).*

* *Concerto pour violon en ré majeur,* op. 47.

** *Symphonie n° 5, en mi bémol majeur,* op. 82.

** *Musique de scène de Kuolema (La Mort),* avec la célèbre « Valse triste ».

** *La Fille de Pohjola* et *Chevauchée nocturne* et *Lever de soleil,* poèmes symphoniques.

*** *Tapiola, poème symphonique.* Le titre signifie « Le Domaine de Tapio », dieu des forêts de la mythologie finnoise. C'est une musique d'une étrangeté fascinante, une peinture du chaos, de l'informe qui prend corps peu à peu pour dégager ensuite une puissance colossale. Nous vous avouons que c'est notre œuvre préférée chez Sibelius, et nous espérons que vous apprendrez à l'aimer.

Carl Nielsen

La renommée de Grieg et de Sibelius a dépassé, de leur vivant, le cadre des frontières de leurs pays. Ce ne fut pas le cas pour le compositeur danois Carl Nielsen (1865-1931). À ce jour, bon nombre de passionnés de la musique ignorent encore son nom. À leur grande honte, car il a composé des œuvres brillantes, d'une beauté frappante, originales, expressives et écrites avec une grande économie de notes[18]. Et, ce qui ne gâte rien, nul besoin d'utiliser des caractères exotiques pour écrire son nom ! Son portrait est reproduit sur la Figure 2-24.

Figure 2-24 :
Portrait de
Carl Nielsen.

---

18. C'est peut-être là que le bât blesse : il n'est pas facile de fredonner la ligne mélodique de ses compositions, sans doute insuffisamment chantantes.

La vie sur une île

Comme Hans Christian Andersen, Carl Nielsen est né dans l'île de Fionie, non loin de la côte danoise. Cette île connaît des changements brutaux de saisons, et ce climat, en même temps que l'existence simple qu'on y mène, a eu une grande influence sur la musique de Carl. Ses premières compositions ont été écrites alors qu'il n'avait que 17 ans. L'année d'après, il commença des études musicales au conservatoire de Copenhague.

Sous l'influence de ses maîtres, imbus d'idées musicales traditionnelles et déjà démodées, il s'en fut en Allemagne voir ce qui se passait dans les centres musicaux de ce pays. Comme tous les compositeurs nationalistes que nous avons rencontrés dans ce chapitre, il étudia sérieusement et, de retour au pays, se dépêcha d'oublier ce qu'on lui avait enseigné. «Ce sont ceux qui donnent de bons coups de poing dont on se souvient le plus longtemps», écrivit-il alors. «Beethoven, Michel-Ange, Bach, Berlioz, Rembrandt, Shakespeare, Goethe, Henrik Ibsen et des gens comme eux ont tous infligé un œil au beurre noir à leur époque.»

Nielsen lui-même ne ménagea pas ses poings, tout spécialement dans ses six symphonies. Chacune d'elles explore un nouveau territoire musical et contient quelques passages surprenants. La *Cinquième*, par exemple, jouée pour la première fois en 1922, contient un passage où Nielsen demande à la caisse claire de «détruire la musique». (Notre expérience nous a montré que certains joueurs de caisse claire n'ont pas besoin de cette invite pour parvenir au même résultat.)

En dépit du son nouveau que fait entendre cette musique, souvent pleine de dissonances et d'harmonies inhabituelles, Nielsen fut finalement admiré par le monde musical. De nos jours, sa musique commence à recevoir l'accueil favorable qu'elle mérite.

À l'écoute de Nielsen

Le mieux que vous ayez à faire est d'approcher Nielsen par ce qu'il a écrit de plus *accessible*, c'est-à-dire de moins novateur. Commencez donc par les deux morceaux suivants:

* *Petite Suite* pour cordes, op. 1.

* Ouverture de *Mascarade*.

Vous pourrez ensuite aborder des morceaux de résistance:

** *Symphonie n° 3*, op. 27, *« Sinfonia espansiva »*.

** *Concerto pour flûte*.

** *Concerto pour clarinette,* op. 33.

*** *Symphonie n° 4,* op. 29, « L'Inextinguible ».

Sergueï Rachmaninov

Bien qu'il ait vécu jusqu'en 1943, Sergueï Rachmaninov, né en 1873, dont le portrait est reproduit sur la Figure 2-25, est un authentique romantique russe. Il grandit à Saint-Pétersbourg et fit ses études musicales au conservatoire de cette ville où il dévora tout ce que les grands maîtres russes comme Tchaïkovski et les membres du groupe des Cinq pouvaient lui offrir. Lors de son examen de sortie, Tchaïkovski lui décerna la note la plus élevée jamais attribuée. Mais on sait que l'auteur de *Casse-Noisette* n'était pas un adepte de la litote.

Figure 2-25 :
Portrait de
Rachmaninov.

Lorsque, à l'époque de la révolution russe, Rachmaninov émigra aux États-Unis, il emporta l'âme de son pays dans ses bagages. Sous une apparence froide, voire rébarbative, se cachaient des sentiments chaleureux. Ne vous y trompez pas : ce n'est pas parce que beaucoup de ses œuvres ont été écrites dans une tonalité mineure et que l'une d'elles porte comme titre *L'Île des morts* qu'il n'a composé que de la musique ennuyeuse et funèbre.

Les miracles de l'hypnose

Au début de sa carrière, Rachmaninov connut une longue période de «trou noir» au cours de laquelle il fut incapable d'écrire une seule note. Après la première et désastreuse audition de sa *Symphonie n° 1*, il eut une grave dépression nerveuse et perdit toute inspiration. Ce n'est qu'après avoir vu un hypnotiseur qu'il s'en sortit. («Dormez, je le veux… Vous êtes en train d'écrire un accord en *ut* mineur… Vous allez me dédier votre prochain morceau… »)

Lorsqu'il recouvra sa santé intellectuelle, Rachmaninov écrivit son *Deuxième Concerto pour piano*, de loin la plus populaire de ses compositions, qu'il dédia à son hypnotiseur.

C'était un pianiste phénoménal et il écrivit nombre de ses compositions (principalement ses concertos pour piano) à sa propre intention. Actuellement, c'est surtout pour ces œuvres qu'il est connu.

Si vous aimez lire (et que vous regardez quand même la télévision), vous connaissez certainement le début du premier mouvement de son *Premier concerto pour piano* : c'était l'indicatif de l'émission *Apostrophes* de Bernard Pivot.

A l'écoute de Rachmaninov

Voici une liste de quelques morceaux composés par Rachmaninov. Commencez par les pièces orchestrales suivantes :

* * *Concerto pour piano n° 2 en ut mineur,* op. 18.
* * *Concerto pour piano n° 3 en ré mineur,* op. 30.
* ** *Rhapsodie sur un thème de Paganini,* op. 43.
* ** *Symphonie n° 2 en mi mineur,* op. 27.
* *** *L'Île des Morts,* poème symphonique.

Pour le piano seul :

* * *Prélude en do dièse mineur,* op. 3 n° 2.
* ** *Prélude en ré majeur,* op. 23 n° 4.
* ** *Sonate pour piano n° 2, en si bémol mineur,* op. 36.

Claude Debussy

On peut considérer que c'est le compositeur français Claude Debussy (1862-1918, voir la Figure 2-26) qui a réellement inauguré son siècle sur le plan musical. Avec une certaine anticipation, puisqu'il a commencé à écrire en 1894.

Le style de la musique de Debussy est souvent appelé *impressionnisme*, par analogie avec les peintures de Monet ou Renoir. Il tenta en effet de traduire en musique les *impressions* créées par des paysages, des sons, des odeurs et des saveurs, de la même façon. Parlant de ses *Nocturnes pour orchestre*, il dit ainsi : «Il ne s'agit pas de la forme habituelle du nocturne, mais de tout ce que ce mot contient d'impressions et de lumières. »

Figure 2-26 :
Portraits de
Claude
Debussy et
de Maurice
Ravel.
© Bettmann /
CORBIS

Pour cela, Debussy utilisa un nouveau langage. Les formes éprouvées ne lui suffisaient pas. Il avait besoin de nouveaux accords, de nouvelles progressions harmoniques pour produire les effets qu'il recherchait.

Il étudia de bonne heure la composition au Conservatoire de Paris, où ses étranges harmonies étaient regardées de travers. On dit d'ailleurs que, plusieurs années après son passage, un élève de cette honorable institution fut renvoyé pour avoir été trouvé en possession d'une partition de Debussy.

Comme vous pouvez le penser, les auditoires parisiens mirent longtemps à s'habituer à cette musique nouvelle aux sonorités singulières. Aujourd'hui, on la trouve luxuriante et sensuelle, mais pour l'époque, ce n'était qu'un bruit chaotique.

Une des plus intéressantes innovations de Debussy fut l'usage de la gamme par tons entiers et de la gamme pentatonique, qui échappent aux règles usuelles de l'harmonie. Pour jouer une gamme ordinaire sur un piano, vous commencez sur une note quelconque et vous jouez ensuite les notes adjacentes dans un ordre prescrit de façon à faire alterner comme il convient tons et demi-tons (voir le chapitre 11 pour en savoir davantage sur ce point). De cette alternance entre tons et demi-tons naissent des tensions et des résolutions (un sentiment de bien-être, de repos), qui forment les fondements de l'harmonie tonale. Mais, dans la gamme en tons entiers, l'octave (par exemple, l'intervalle entre deux *do* successifs) est divisée en six tons entiers et donc équivalents: plus de note qui domine les autres; il en naît une harmonie qui a l'air de flotter dans les limbes, sans le point d'appui rassurant de la «tonique» (la note donnant son nom aux gammes habituelles et qui sert de point de repos). Il en résulte une sonorité magique, rêveuse, qui n'appartient à aucune tonalité réelle. Quant à la gamme pentatonique (utilisée aussi par Bartók), elle renvoie au choix à la musique chinoise ou aux musiques les plus ancestrales, ce qui crée également un climat d'étrangeté.

La première composition importante de Debussy fut le *Prélude à «L'Après-midi d'un faune»*, sur le poème de ce nom de Stéphane Mallarmé. Sa musique colle au poème qui raconte les aventures survenant à un faune (créature mythologique mi-homme, mi-chèvre) au cours d'un après-midi. La mélodie en est rêveuse, sensuelle et auréolée d'un certain flou. Le faune rencontre des nymphes, il les poursuit, elles s'échappent, il mange des raisins…

Médiocre chef d'orchestre, Debussy excellait dans le toucher du piano et, s'il a renouvelé la couleur orchestrale, il n'en a pas, pour autant, négligé la palette pianistique. C'est, à cet égard, par ses *Préludes* et surtout ses *Études*, le digne continuateur de Chopin.

Vous trouverez sur la huitième plage du CD d'accompagnement le troisième mouvement du poème symphonique *La Mer*. Dans cette œuvre, on perçoit nettement le mouvement des grandes vagues qui déferlent, des vaguelettes qui s'entrechoquent et du vent qui vient fouetter l'océan. Si vous n'entendez pas à l'écoute de ce fragment le mouvement de la mer «toujours recommencé», c'est sans doute que votre lecteur de CD demande à être réglé.

À l'écoute de Debussy

L'approche de Debussy se fera commodément par ses œuvres les plus «faciles» (les plus conventionnelles, si l'on ose dire), dans cet ordre:

* *Prélude à « L'après-midi d'un faune ».*

* *Sonate pour violoncelle et piano.*

* *Iberia* (extrait des *Images* pour orchestre).

* *Children's Corner,* suite « enfantine » pour piano seul.

** *Sonate pour flûte, alto et harpe.*

** *La Mer.*

** *Images* pour piano.

*** *Nocturnes* pour orchestre (et chœur de femmes en vocalise le dernier mouvement, « Sirènes »).

*** *Préludes* pour piano.

*** *Quatuor à cordes.*

*** Cycles de mélodies avec piano *Fêtes galantes* (poèmes de Verlaine) et *Chansons de Bilitis* (poèmes de Pierre Louÿs).

Si vous êtes conquis, vous pouvez aborder le grand chef-d'œuvre de Debussy, l'opéra *Pelléas et Mélisande*, d'après une pièce de Maurice Maeterlinck (que certains farceurs appellent *Pédéraste et Médisante*, sans doute par allusion au caractère fade et éthéré du rôle titre). Mais nous en reparlerons dans *L'Opéra pour les Nuls.*

Maurice Ravel

L'autre grand compositeur français de la première moitié du XXe siècle, Maurice Ravel (1875-1937, voir la Figure 2-26), eut la chance de voir ses dons reconnus par son père dès l'âge de 6 ans. À 14 ans, il entra au conservatoire de Paris. Bien qu'il admirât Debussy, à aucun moment il ne s'en inspira. Au contraire, loin des brumes debussystes où l'on peut retrouver une robustesse toute wagnérienne, Ravel fait preuve d'un souci extrême du détail, au point que Stravinsky, compositeur russe dont nous parlerons un peu plus loin, le qualifiait d'« horloger suisse », ce qui est un pléonasme. Plus tard, il subira l'influence du jazz américain qu'il découvrira lors d'un bref séjour aux États-Unis, en 1928.

Ce qui a fait connaître Ravel, c'est surtout son *Boléro*, composition d'une quinzaine de minutes fondée sur un thème unique inspiré de la danse espagnole du même nom et qui, à l'exception des quinze dernières secondes, se répète sans aucune modulation pendant toute l'œuvre. Alors où en est l'intérêt ? Tout simplement dans le fait que les variations s'effectuent dans l'orchestration, les instruments entrant progressivement et créant ainsi des associations de timbres particulièrement ingénieuses et savoureuses. Ou bien cette musique va vous enthousiasmer ou bien vous allez la rejeter d'emblée, sans même l'écouter en entier. Dans ce dernier cas, persévérez et laissez-vous séduire par l'oreille plutôt que par l'esthétique ou le raisonnement.

Le *Boléro* a été utilisé dans de nombreux films, Hollywood ayant perçu dans l'intensité croissante aboutissant à un dénouement explosif on ne sait quelle extase ouvertement sexuelle. Même notre Lelouch national est entré dans le jeu avec *Les Uns et les Autres*. Dans le genre épicé, il faut absolument citer *L'Heure espagnole*, spirituelle comédie musicale en un acte sur un livret de Franc-Nohain, toute en nuances, dont la première eut lieu en 1911. Ravel en parlait comme d'une « conversation en musique ». L'œuvre, pourtant, fut mal accueillie, certains critiques particulièrement imaginatifs allant jusqu'à la juger pornographique.

Une autre des compositions de Ravel qui a grandement contribué à sa popularité lui a également été inspirée par la danse. C'est *La Valse*, écrite peu après la fin de la Grande Guerre (1919). L'œuvre commence par un petit air de valse, élégant et racé, représentatif de la société brillante de la Belle Époque. Au fur et à mesure que se déroule la pièce, la mélodie évolue en se déformant, figurant le déclin de la société européenne, pour se terminer dans un déchirement explosif de tout l'orchestre.

La danse a toujours inspiré Ravel. Plus connue que *La Valse*, citons la *Pavane pour une infante défunte* (1899), les *Valses nobles et sentimentales* (1911), la *Habanera* (1895, qui sera reprise plus tard dans la *Rhapsodie espagnole*). On pourrait y ajouter la « Forlane », le « Menuet » et le « Rigaudon » extraits du *Tombeau de Couperin* (1913).

Notre pièce favorite est le ballet *Daphnis et Chloé*, que Ravel écrivit pour les Ballets russes de Serge de Diaghilev en 1909. Comme dans *Le Prélude à « L'Après-midi d'un faune »* de Debussy, il est ici aussi question de nymphes.

Ravel a également mis à profit son remarquable talent d'orchestrateur en orchestrant plusieurs pièces pour piano comme, par exemple, *Tableaux d'une exposition* de Moussorgski et le *Menuet pompeux* de Chabrier.

Enfin, ce bref panorama ne serait pas complet si l'on omettait les deux concertos pour piano composés en 1931, dont l'un est « *pour la main gauche* », écrit à la demande du pianiste Paul Wittgenstein qui avait perdu son bras droit à la guerre. L'autre, en *sol*, pour les deux mains, commence sur un coup de fouet et témoigne d'un lyrisme prouvant, s'il en était besoin, que Ravel était plus qu'un habile mécanicien.

À l'écoute de Ravel

Outre *Daphnis et Chloé* (*Suite de ballet n° 2*), qui, nous venons de le dire, est l'œuvre de Ravel que nous préférons entre toutes, vous devez connaître :

* * *Boléro.*

* * *Ma Mère l'Oye,* ballet.

* ** *La Valse.*

* ** *Rhapsodie espagnole.*

* ** *Le Tombeau de Couperin* (pour piano ou orchestre).

* ** Les deux concertos pour piano.

* *** *Shéhérazade*, pour soprano et orchestre. (Rien à voir avec l'œuvre de Rimski-Korsakov qui porte le même titre.)

Igor Stravinsky

Certains considèrent le Russe Igor Stravinsky (1882-1971) comme le compositeur le plus important du XXe siècle. Personne après lui n'a pu composer sans se référer aux idées musicales qu'il avait développées, qu'on les accepte ou qu'on les rejette. Son portrait est reproduit sur la Figure 2-27.

Figure 2-27 :
Portrait
d'Igor
Stravinsky.

Comme tant d'autres avant lui, Stravinsky commence sans entrain des études de droit mais, dès ce moment, il décide qu'il sera compositeur. Entré au conservatoire de Saint-Pétersbourg, il attire l'attention de Rimski-Korsakov, alors directeur de cet établissement. Ses études musicales sont sages : il ne révélera sa véritable personnalité que plus tard.

Le scandale de L'Oiseau de feu

Stravinsky se fit connaître par des musiques de ballet. Serge Diaghilev, le directeur des Ballets russes – que nous avons déjà rencontré à propos de Maurice Ravel –, avait proposé à Serge Liadov d'écrire une musique sur la légende de l'Oiseau de feu. À l'approche des répétitions, il s'enquit auprès du compositeur de l'état d'avancement du projet et Liadov lui répondit : « Tout va bien, je viens juste d'acheter le papier à musique. » Inquiet pour la réussite de son projet, Diaghilev lui retira sa commande et s'adressa à Stravinsky.

Cette composition fut un événement considérable. Lorsque, le 25 juin 1910, eut lieu à l'Opéra de Paris la première, personne n'avait jamais entendu une telle complexité de rythme ni de dissonances aussi surprenantes. L'auditoire fut surtout abasourdi par le mouvement intense et les sonorités inédites de l'œuvre. Le ballet eut un grand retentissement et Stravinsky devint le compositeur favori de Diaghilev, ce qui lança sa carrière parisienne.

L'accord de Petrouchka

Ensuite, ce fut *Petrouchka* (1911), musique de ballet sur un argument classique, celui du pantin amoureux. Ce ballet contenait non seulement des thèmes folkloriques mais s'inspirait aussi d'un refrain populaire de l'époque dont on appréciera la haute tenue littéraire :

> *Elle avait un' jamb' de bois*
> *Et pour que ça n' se voie pas*
> *Elle avait mis par en d'sous*
> *Des rondelles de caoutchouc.*

Côté dissonances, on était servi ! Par exemple, Stravinsky superposait délibérément deux accords adjacents dont la rencontre formait (pour ses contemporains) une horrible cacophonie. Si vous disposez d'un piano, vous pouvez facilement jouer la mélodie et vous rendre compte par vous-même de l'effet produit.

Cette dissonance représente le pied-de-nez que fait le pantin. Cette fois, le public comprit et ce fut un succès.

Ce sacré Sacre

On n'avait encore rien vu, ou plutôt rien entendu. Le pire, pour les auditoires parisiens était à venir. En 1913, à l'âge de 31 ans, Stravinsky fit éclater la bombe du *Sacre du printemps*. Le sous-titre « *Tableaux de la Russie païenne* » dit tout. Dans sa correspondance, Stravinsky écrit : « Je voyais en imagination un rite païen solennel : les sages assis en cercle, regardant une jeune fille, qu'ils offraient en sacrifice au dieu du Printemps, danser jusqu'à l'épuisement complet pour s'en concilier les faveurs. »

Cette musique, râpeuse à l'excès, avec de courts fragments mélodiques répétitifs, de soudaines dissonances brutales, des instruments hurlant à l'extrême limite de leur tessiture et un rythme frénétique, un martèlement constant, provoqua une nouvelle bataille d'*Hernani*. La création, qui eut lieu en 1913 au Théâtre des Champs-Élysées fraîchement inauguré, déclencha un scandale pire que celui de *L'Oiseau de feu*. On parla du « massacre du Printemps ». Les douairières du XVIe arrondissement s'estimèrent insultées. Bref, ce fut un scandale.

Mais tout le monde ne fut pas de cet avis. Claude Debussy, en particulier, fit connaître haut et fort son approbation de cette musique, ce qui ne fit que renforcer les protestations indignées contre la musique de Stravinsky.

On peut entendre sur la neuvième plage du CD d'accompagnement un long extrait du *Sacre du printemps* que nous disséquerons en détail au chapitre 5. Pour l'instant, qu'il nous suffise de vous dire que la meilleure façon d'écouter cette musique est de la laisser vous retourner et vous frapper comme un coup de tonnerre.

Après le Sacre

Ces trois événements musicaux précédèrent de peu la Première Guerre mondiale (1914-1918) et la révolution d'Octobre en Russie (1917). Stravinsky quitta alors son pays et se trouva bloqué en Suisse jusqu'à l'armistice de 1918. Sa situation matérielle était plutôt critique car il était pratiquement sans ressources. De cette époque datent quelques œuvres comme *L'Histoire du soldat* (1918).

En 1920 commence sa période dite *néoclassique*, marquée par un retour au classicisme – mais à un classicisme marqué d'éléments contemporains – avec le ballet *Pulcinella*, sur des thèmes du compositeur italien Pergolèse (1710-1736).

Cinq ans plus tard, il embarque pour les États-Unis, où il achètera une maison à Hollywood en 1939. En 1945, renonçant à la nationalité française qu'il avait obtenue plus jeune, il se fera naturaliser américain. Des compositions écrites dans les derniers temps de sa vie, on retiendra surtout l'opéra intitulé *The Rake's Progress* et créé à Venise en 1951.

À l'écoute de Stravinsky

Les trois œuvres à découvrir en priorité sont les trois grands ballets :

* *L'Oiseau de feu.*

* *Petrouchka.*

* *Le Sacre du Printemps.*

Pour approfondir :

** *Pulcinella.*

*** *Symphonie de psaumes.*

Sergueï Prokofiev

Né peu avant la révolution d'Octobre, en 1911, Sergueï Prokofiev mourut à Moscou en 1953, quelques années après avoir fait son autocritique devant le Comité central du Parti en 1948. Cette autocritique était motivée par le «formalisme décadent» de sa musique. La Figure 2-28 montre un portrait de Prokofiev. Sa musique n'est sans doute pas aussi connue du public que celle de Stravinsky ou d'autres compositeurs russes, à l'exception du célèbre *Pierre et le Loup* et, à un moindre degré, de sa souriante *Symphonie classique*. Ajoutons-y le ballet *Roméo et Juliette*, l'opéra *L'Amour des trois oranges* et, pour les spécialistes, la cantate *Alexandre Nevski*, écrite pour le film d'Eisenstein.

Figure 2-28 :
Portrait de
Sergueï
Prokofiev.

À l'écoute de Prokofiev

* * *Pierre et le Loup*, op. 67.

* * Suites d'orchestres extraites du *ballet Roméo et Juliette.*

* * *Symphonie n° 1 (« Symphonie classique »),* op. 25.

* ** *Concerto pour violon et orchestre n° 2, en sol mineur,* op. 63.

* ** *Sonate pour piano n° 7, en si bémol majeur,* op. 83.

* ** *Symphonie n° 5,* op. 100.

* ** *Cantate Alexandre Nevski.*

* ** Suite d'orchestre de l'opéra *L'Amour des trois oranges.*

* *** *Sarcasmes et Visions fugitives* pour piano seul.

* *** *Lieutenant Kijé.*

Dimitri Chostakovitch

Dimitri Chostakovitch fut l'un des principaux compositeurs officiels de l'Union soviétique après que celle-ci, à la suite de la révolution d'Octobre, eut remplacé l'ancienne Russie.

À la différence de Stravinsky, qui avait quitté son pays avant l'instauration du nouveau régime, Chostakovitch (1906-1975) a passé toute sa vie en Union soviétique. Il a écrit sa *Première Symphonie* à l'âge de 18 ans. C'est une œuvre bruyante, exubérante, provocante et à l'harmonie souvent dissonante. Les apparatchiks l'appréciaient particulièrement car elle leur semblait personnaliser le zèle révolutionnaire dont ils étaient imprégnés.

Des difficultés surgissent

Mais, avec le temps, l'attitude gouvernementale face aux créations de Chostakovitch se modifia, car tout ce qui pouvait paraître exubérant et provocant n'était plus dans la ligne du Parti, celui-ci considérant comme une priorité la glorification du *statu quo.* Cela valut au compositeur de sévères rappels à l'ordre.

En 1935, Chostakovitch était devenu l'un des musiciens les plus fêtés de l'Union soviétique. Son opéra *Lady Macbeth de Mtsensk* connut un grand succès, non seulement dans son pays, mais aussi à l'étranger. Le compositeur avait donc toutes les raisons de se croire promis à un brillant avenir.

C'est alors qu'un éditorial de la *Pravda* condamna son travail et tout ce qu'il représentait sous ce titre: «Le Chaos au lieu de la musique». On pouvait lire dans cet article que «le but de la bonne musique est d'inspirer les masses populaires» et, plus loin, qu'«une telle musique est très dangereuse».

Les représentations de *Lady Macbeth de Mtsensk* furent immédiatement arrêtées. Désigné comme «ennemi public du peuple», leur auteur eut à subir l'ostracisme des cercles musicaux de son pays, un tel ostracisme que les annonces de ses concerts étaient ainsi libellées dans les journaux: «Ce soir à 20 heures, concert par l'ennemi du peuple Chostakovitch». Aux États-Unis, une telle annonce aurait eu pour effet de faire doubler le prix des billets, mais en URSS c'était la mort assurée (sinon physique, du moins professionnelle). Chostakovitch en fut vivement affecté.

Il se soumit donc et, pour être réhabilité, écrivit une *Cinquième Symphonie* au sous-titre révélateur: «*Réplique d'un artiste soviétique à de justes critiques*». En outre, il remania son opéra dans une perspective «socialiste» et changea son titre en *Katerina Ismaïlovna*.

La symphonie plut beaucoup à la critique car elle était parfaitement représentative du style musical dont le pouvoir en place était friand. Chostakovitch fut complètement réhabilité aux yeux du régime stalinien et sa musique jouée dans toute l'Union soviétique.

La revanche de Dimitri

Le compositeur eut cependant le dernier mot. En dépit de son sous-titre, sa *Cinquième Symphonie* était tout sauf un tribut payé aux puissants qui gouvernaient le pays. Si vous l'écoutez attentivement, vous percevrez la métaphore musicale décrivant le régime totalitaire acharné à démolir l'optimisme naturel du peuple. En fait, des années plus tard, le compositeur admit qu'il avait voulu réaliser une cinglante condamnation du régime stalinien: «Je pense que c'est clair pour tout auditeur de la *Cinquième Symphonie*. Il faudrait être complètement sourd pour ne pas le percevoir... Les réjouissances sont forcées, organisées sous la menace. C'est comme si quelqu'un vous battait en vous disant: *Vous devez vous réjouir, vous devez vous réjouir...* En vous relevant, à demi assommé, vous répétez: *Je dois me réjouir, je dois me réjouir...* »

Comme vous pouvez l'imaginer, Chostakovitch dut se montrer prudent dans ses compositions ultérieures et ces précautions sont apparentes dans certaines de ses œuvres. Il dut travestir son inspiration pendant une grande partie de sa carrière.

Peut-être le fait d'avoir composé la première musique extraterrestre de l'Histoire fut-il une consolation pour lui. En effet, le premier cosmonaute, Youri Gagarine, chanta une de ses mélodies lorsqu'il était en orbite.

À l'écoute de Chostakovitch

La production de Chostakovitch est abondante, parfois lourde, souvent indigeste, aussi est-il prudent la consommer avec mesure. Une fois que vous y aurez goûté, plus rien ne vous empêchera de vous y plonger sans modération !

* * *Suite de jazz n° 2* (avec la célèbre « *Valse* »).

* * *Concerto pour piano n° 1,* op. 35 (piano, solo de trompette et cordes, œuvre brillante et pleine d'entrain).

* * *Symphonie n° 5, en ré mineur,* op. 47.

* ** *Sonate pour violoncelle et piano,* op. 40.

* ** *Symphonie n° 1, en fa mineur,* op. 10.

* ** *Concerto pour violoncelle* n° 1, op. 107.

* ** *Symphonie n° 7, en ut majeur,* « *Leningrad* », op. 40.

* *** *Quatuors à cordes* n°s 3 et 8.

Béla Bartók

Le premier problème pour un Français soucieux de découvrir la musique de Béla Bartók (1881-1945) consiste à prononcer le nom de sa ville natale : Nagyszentmiklós ! qui signifie tout simplement Saint-Nicolas-le-Grand. À l'époque cette ville se trouvait en territoire hongrois, mais, par les facéties du découpage de l'empire austro-hongrois en 1920, la région d'origine du plus grand compositeur hongrois de tous les temps se situe aujourd'hui en Roumanie.

Bartók (voir la Figure 2-29) fit ses études musicales à Bratislava (qui était à l'époque hongroise et s'appelait Pozsony), puis à Budapest. L'enseignement y est très germanisé. Les compositeurs admirés sont Brahms, Wagner et Richard Strauss. En ces temps de nationalisme exacerbé, cela déplaît fort au jeune Bartók, qui donne ses concerts en costume national (c'est un pianiste de premier ordre) et oblige toute sa famille à appeler sa sœur Erzsébet (Élisabeth) non plus par son surnom Elza, qu'il trouve trop allemand, mais par le plus magyar Böske. L'une de ses premières compositions est un poème symphonique à la gloire du héros de la révolution de 1848, Kossuth, une œuvre puissante et straussienne au profond parfum hongrois.

Sur les traces de la musique populaire

Le grand tournant de sa carrière est la découverte, en 1904-1905, de la musique paysanne hongroise: un vaste corpus de chants populaires, profondément différents de ce qui passait jusqu'alors pour la musique hongroise traditionnelle, celle propagée par les orchestres tsiganes. La découverte de cette musique toute simple, avec ses tournures archaïques et ses rythmes très particuliers ouvrent à Bartók de nouveaux horizons sonores et l'aide à se libérer définitivement de l'influence de Strauss et Wagner. Il se fait remarquer en 1910 par son premier quatuor à cordes, mais aura toutes les peines à faire monter ses premières partitions majeures, l'opéra *Le Château de Barbe-Bleue* et la pantomime *Le Mandarin merveilleux*, dont le sujet fait scandale.

En compagnie de son ami Zoltán Kodály, il recueille et étudie sans relâche le folklore de Hongrie, qui continue de nourrir son œuvre. Mais la perception des deux amis diverge sensiblement. Kodály a pour but premier de rendre accessible ce trésor, quitte à les faire «rentrer dans le rang» de la musique savante. Il considère le plus humble de ces chants avec un respect infini, se considérant comme un simple artisan sertissant ces perles inestimables – tâche largement dépassée, bien sûr, tant son inspiration est élevée lorsqu'il s'agit d'habiller ces airs auxquels il a consacré sa vie.

Au contraire, Bartók trouve dans ces airs ancestraux non pas le parfum national qui colorerait ses partitions, mais la source d'inspiration de ses innovations les plus radicales. Aussi dépasse-t-il largement le cadre du folklore hongrois et se passionne-t-il aussi bien pour les rythmes incroyables des danses bulgares que pour la sauvagerie de certaines musiques turques ou la beauté étrange des noëls roumains. Après le fonds hongrois, le plus important trésor amassé par Bartók fut le roumain, avec 3 400 airs. Sa province natale, la Transylvanie, où cohabitent les deux populations, était son terrain de chasse préféré; il en rapporta quantité de chants et de danses, qui inspirèrent son œuvre de façons diverses – de la simple transcription au plus haut degré d'abstraction, en passant par tous les états du «folklore imaginaire», pour reprendre l'expression de l'un de ses biographes.

Bartók raconte avec beaucoup d'humour comment les langues et les gosiers se déliaient devant le pavillon du phonographe après une ou deux tournées de *palinka* (l'eau-de-vie locale) offertes aux chanteurs d'un jour.

Les affres d'un paysage politique troublé

En 1919, Bartók participe à l'éphémère gouvernement communiste de la République des Conseils. En 1926, le *Concerto pour piano n° 1* inaugure la série des grands chefs-d'œuvre de la maturité, que viendront compléter notamment le *Quatuor n° 5*, la *Musique pour cordes, percussions et célesta*, la *Sonate pour deux pianos et percussions*, le *Concerto pour violon*. Opposant farouche au nazisme, Bartók s'exile à New York en 1940. Il y mourra dans le dénuement, emporté par une leucémie en 1945, laissant inachevées ses deux dernières œuvres, le *Concerto pour piano n° 3* et le *Concerto pour alto*.

Une œuvre aux multiples visages

Inspirée par le folklore, l'œuvre de Bartók est profondément humaine. Ses partitions les plus complexes recèlent toujours des trésors de beauté sonores. Toutes ne sont pas faciles d'accès. Des pièces comme la *Rhapsodie pour violon et orchestre n° 1*, qui imite les sonorités de l'orchestre tsigane avec son violon langoureux et virtuose et son cymbalum, parle plus directement à l'auditeur que le *Quatuor à cordes n° 4*, laboratoire d'un langage plus radical. Aussi est-il important d'aborder la musique de Bartók «par le bon bout», sous peine d'être rebuté par des compositions plus percussives ou plus abstraites que d'autres. Et l'on découvrira l'une des œuvres les plus riches, les plus originales, les plus marquantes de son siècle.

Figure 2-29:
Portrait de
Béla Bartók.

À l'écoute de Bartók

* *Danses populaires roumaines* pour orchestre.

* *Rhapsodies pour violon et orchestre* n°s 1 et 2

* *Images hongroises pour orchestre.*

* *Divertimento pour cordes.*

** *Suite de danses pour orchestre.*

** *Concertos pour piano* n°s 2 et 3.

   **   Ballet *Le Prince de bois*.

   **   *Concerto pour orchestre*.

  ***   *Allegro barbaro pour piano*.

  ***   *Sonates pour deux pianos et percussions*.

  ***   *Musique pour cordes, percussions et célesta*.

  ***   Pantomime *Le Mandarin merveilleux*.

La seconde école de Vienne

Comme vous vous en êtes sûrement aperçu (sinon, vous avez dû sauter de nombreuses pages!), beaucoup de compositeurs célèbres antérieurs à 1900 ont vécu et composé à Vienne: Haydn, Mozart, Beethoven, Schubert, Brahms, leurs sœurs, leurs cousins et leurs tantes. Ces maîtres ont marqué la musique de leur empreinte pour plusieurs siècles. À l'aube du xxᵉ siècle, un nouveau groupe de musiciens a voulu renouveler la composition. Comme ils vivaient, eux aussi, à Vienne, on leur donna le nom de «seconde école de Vienne[19]». Leur chef de file fut Arnold Schönberg (1874-1951, voir la Figure 2-30).

Figure 2-30:
Portrait
d'Arnold
Schönberg.

Schönberg composa d'abord des morceaux à la ligne mélodique claire où l'on décèle l'influence de Wagner, de Richard Strauss et de Mahler: *La Nuit transfigurée* et les *Gurrelieder*, par exemple. Mais ensuite, il décida de rompre avec le système tonal que, jusqu'ici, tout le monde avait respecté, et

---

19. La première étant formée par les compositeurs classiques Haydn, Mozart et Beethoven.

commença à écrire un nouveau type de musique totalement *atonale*. C'est une musique qui paraît dissonante, où toutes les notes sonnent «faux» par rapport aux critères en vigueur jusque-là. Cette révolution était aussi profonde que, pour la peinture, le fait de peindre des sujets abstraits.

Après plusieurs années d'expérience, Schönberg poussa encore plus loin ses recherches et substitua à l'inspiration, des règles mathématiques et intellectuelles pour déterminer quelle note on devrait écrire après telle autre. De nos jours, ce système est appelé *musique sérielle* ou *dodécaphonique* (car elle utilise les douze demi-tons de la gamme chromatique). Il fut suivi dans cette voie par Alban Berg (1885-1935) et Anton Webern (1883-1945).

À l'écoute des dodécaphonistes

Si vous voulez savoir à quoi ressemble cette musique, voici quelques points de repère :

- **Schönberg.** *Pierrot lunaire*, op. 21. Il s'agit d'une pièce pour récitant et cinq instruments dans laquelle Schönberg met en œuvre le *Sprechgesang* (chant parlé), une technique de déclamation où les rythmes et les hauteurs approximatives de la voix sont notés dans la partition.

- **Berg.** *Concerto pour violon « À la mémoire d'un ange »*, composé en 1934 à la mémoire de Manon Gropius (fille d'Alma Mahler, la veuve du compositeur, et de l'architecte Walter Gropius). Le décès de la jeune fille, à 18 ans, avait profondément affecté Berg. Même si le concerto est atonal, on y retrouve un climat d'émotion intense, presque comme dans une pièce romantique. Il faudrait également citer ses opéras *Wozzeck* et *Lulu*.

- **Webern.** *Six pièces pour orchestre*, op. 6, série de très courtes pièces d'une durée totale de 12 minutes. Webern était le champion de la brièveté : la quatrième pièce dure 18 secondes ! Spécialiste de la «mélodie de timbres», une mélodie dont les notes sont réparties entre plusieurs instruments. Totalement atonal.

En France

Pierre Boulez (né en 1925)

Pierre Boulez est l'un des musiciens les plus influents de la seconde moitié du XXe siècle, tant comme compositeur que comme chef d'orchestre. Poursuivant la voie ouverte par son professeur Olivier Messiaen, il a étendu les techniques du sérialisme : un développement du dodécaphonisme au-delà des limites posées par la seconde école de Vienne (Schönberg, Berg, Webern). Il a fondé à Paris l'Ircam (Institut de recherche et de coordination acoustique-musique), véritable vivier de la musique contemporaine française. Pour avoir une idée de sa musique, vous pouvez écouter *Le Marteau sans maître* et *Pli selon Pli*.

Paul Dukas (1865-1935)

Dukas était affligé d'un sens critique impitoyable, qui le conduisit à remanier, voire à détruire nombre de ses propres compositions et à ne publier qu'un nombre limité d'entre elles. Cette exigence fit de lui un critique musical redouté et un professeur de composition fort respecté au Conservatoire. Sa page la plus célèbre est le scherzo symphonique *L'Apprenti sorcier*, inspiré par la ballade de Goethe *Der Zauberlehrling*. Elle fut popularisée par son adaptation dans le dessin animé de Walt Disney *Fantasia*, où l'on voit Mickey lutter contre des balais de plus en plus frénétiques. Un an plus tôt, en 1896, Dukas avait achevé son unique symphonie, une partition qui vaut bien mieux que le dédain qui l'entoure. Dukas est aussi l'auteur de *La Péri*, poème dansé pour orchestre, qui s'ouvre par une puissante fanfare, page aussi brève qu'originale. Son chef-d'œuvre est peut-être son «conte lyrique» *Ariane et Barbe-Bleue*, sur un livret de Maeterlinck, magnifique opéra qui doit autant à Wagner qu'à Debussy.

Marcel Dupré (1886-1971)

Originaire de Rouen, l'organiste Marcel Dupré s'est fait connaître mondialement comme improvisateur et comme interprète du grand répertoire et de ses propres compostions. Il a régné sur l'orgue français pendant trente ans, comme organiste de Saint-Sulpice, à Paris, et comme professeur d'orgue, puis directeur du Conservatoire de Paris. Ses œuvres pour orgue reflètent sa propre virtuosité et sont souvent la retranscription de ses improvisations. Nous vous recommandons l'écoute de partitions pour orgue seul comme la *Symphonie-Passion*, la *Symphonie n° 2 en ut dièse mineur*, le *Poème héroïque* (dédié à Verdun) ou une œuvre que nous aimons particulièrement pour sa puissance dramatique et ses magnifiques méditations, *Le Chemin de la Croix*, commentaires sur les poèmes homonymes de Paul Claudel. Vous pouvez également écouter *Cortège et Litanie*, pour orgue et cuivres.

Maurice Duruflé (1902-1986)

Organiste à l'église Saint-Étienne-du-Mont, à Paris, et professeur d'orgue au Conservatoire, Duruflé se fit connaître comme virtuose dans le monde entier. Son œuvre est très restreinte, mais d'une extrême qualité. Sa partition la plus célèbre un *Requiem*, s'inscrit dans la tradition du chant grégorien par l'usage de mélodies de plain-chant (voir ces termes dans le Glossaire et au début du Tour du monde). Parmi ses pièces d'orgue, citons le beau *Prélude, adagio et choral varié sur le* Veni Creator, la joyeuse et virtuose *Suite* op. 5 et le *Prélude et fugue sur le nom de Jehan Alain*, organiste tué au champ d'honneur en 1940, une partition qui reprend le thème de sa plus belle pièce: les *Litanies* pour orgue.

Tentative d'explication de Schönberg

Si vous appuyez sur le *do₃* d'un piano (celui qui se trouve à peu près au milieu du clavier) puis sur les sept touches qui suivent jusqu'au *do₄*, vous aurez joué la gamme dans la tonalité de *do* majeur. 99 % de la musique écrite dans le monde dans une tonalité quelconque. C'est pourquoi l'on parle de *Symphonie en ré majeur* ou de *Sonate en fa dièse mineur*.

Mais, lorsque vous avez joué votre gamme de *do* majeur, vous avez sauté toutes les touches noires. La grande idée de Schönberg a été de considérer qu'il n'y avait aucune raison de faire preuve d'une telle ségrégation. Sa musique utilise *toutes* les notes qui existent d'un *do* à l'autre, de façon *égale* (voire *égalitaire*). Au détriment de concepts anciens comme l'harmonie, la mélodie et l'agrément de l'oreille, certes. Mais c'est le prix à payer pour le progrès !

Schönberg décida en outre d'instaurer un système de quota musical pour ces notes : s'il écrivait un *do* sur sa portée musicale, il n'avait plus le droit d'en écrire un autre tant qu'il n'aurait pas utilisé les onze autres notes. Cela évitait que ne se dégagent des pôles d'attraction (les notes sur lesquelles on se sent au repos) et plus généralement toute hiérarchie entre les notes (ces hiérarchies, et le système de tensions et de détentes harmoniques qu'elles engendraient, étant le fondement de l'harmonie tonale).

Schönberg poussa encore plus loin son raisonnement. Il définit un ordre spécifique pour ces douze notes. Par exemple : *do, mi* bémol, *sol, la* bémol, *fa, si, do* dièse, *si* bémol, *ré, fa* dièse, *la, mi* et s'obligea à utiliser ces notes dans cet ordre, encore et encore, au cours d'un même morceau. Toutefois, il s'autorisa à en varier le rythme et la tessiture ainsi qu'à associer les notes en accords, mais toujours dans l'ordre prescrit.

Tout cela commençait à devenir sérieusement pesant. Aussi ajouta-t-il deux règles supplémentaires : on avait le droit de dérouler la série à l'envers (*rétrogradation*) et ou sous une forme renversée en miroir (les intervalles ascendants devenant descendant et vice versa : *renversement*). Pendant plusieurs années, il eut ainsi beaucoup de plaisir à associer ces différentes règles pour composer ce qu'il continuait d'appeler de la musique (faute, peut-être, de trouver un autre mot).

À bien des égards, Webern se montra plus radical encore que son maître. Il était champion dans l'art d'inventer des séries aux belles proportions, où les notes étaient disposées selon des axes de symétrie complexes. C'est plutôt à lui que se réfèrent les compositeurs qui, tel Boulez, poussèrent dans les années 1950 le système encore plus loin en appliquant le principe de la série à tous les paramètres sonores : intensité, rythme, mode de jeu... (Autant dire qu'ils composaient des casse-tête à composer, à interpréter... et souvent à entendre !)

Henri Dutilleux (né en 1916)

Bien qu'il soit vivant et continue de composer de magnifiques partitions, Henri Dutilleux fait partie des «classiques» de la musique contemporaine. Son œuvre s'inscrit dans la tradition de Debussy et de Ravel par la clarté de son langage et par la magie des timbres qu'il développe. C'est une musique originale, moderne, mais qui en même temps parle immédiatement car elle ne cherche pas la nouveauté pour elle-même, mais veut apporter beauté et émotion. Le talent de Dutilleux se déploie tout particulièrement dans sa musique orchestrale et des œuvres comme sa *Deuxième Symphonie, « Le Double »* ou encore *Timbre, Espace, Mouvement,* où un groupe considérable de vents et de percussions s'oppose à des cordes graves (violoncelles et contrebasses). Le concerto pour violoncelle et orchestre *Tout un monde lointain* a été commandé par Mstislav Rostropovitch qui l'a joué pour la première fois par lui en 1970. Le concerto pour violon *L'Arbre des songes* fut écrit pour Isaac Stern, qui le créa en 1985. La musique de chambre de Dutilleux fait preuve des mêmes qualités. Elle est dominée par le quatuor à cordes *Ainsi la nuit* et par les *Citations* pour hautbois, clavecin, contrebasse et percussion, dont nous aimons tout particulièrement les sonorités étranges.

Gabriel Fauré (1845-1924)

L'histoire de Fauré est un peu triste. C'est non sans difficulté qu'il réussit à se faire une place au sein des institutions musicales parisiennes rigides de la fin du XIXᵉ siècle. Élève de Camille Saint-Saëns à l'École Niedermeyer, il fut l'organiste de diverses églises parisiennes, avant d'obtenir un poste de maître de chapelle à la Madeleine en 1877. Il dut cependant s'épuiser en leçons privées jusqu'à sa nomination au poste d'inspecteur des conservatoires de province (1892). En 1896 arrivèrent enfin deux consécrations : il succéda à Théodore Dubois au grand orgue de la Madeleine et surtout à Massenet au Conservatoire. Il dispensa durant neuf ans des cours de composition pour le moins non conformistes et compta parmi ses élèves Ravel, Florent Schmitt et Enesco. En 1905, il prit la direction de l'établissement, succédant une nouvelle fois à Dubois dans la foulée du scandale causé par l'échec de Ravel au prix de Rome ; il introduisit de nécessaires réformes dans l'enseignement aussi bien que dans l'administration. Mais, après ces quelques années de gloire, le destin le rattrapa. Souffrant depuis 1903 de troubles auditifs croissants (il entendait les sons de plus en plus déformés), il prit sa retraite en 1920 et se consacra dès lors plus complètement à la composition.

Un siècle plus tard, la musique de Fauré est toujours citée en exemple dans les cours d'harmonie des conservatoires français (comme celle de César Franck, d'ailleurs). D'un raffinement extrême, cette musique ne s'offre pas toujours à la première écoute, surtout les pièces de la fin de sa vie, qui traduisent la souffrance du compositeur et son repli sur soi. Pour une première approche, les pages « faciles » ne manquent pas, toutefois.

À tout seigneur tout honneur : Fauré, c'est d'abord son *Requiem*. Ensuite, vous ne pourrez être que séduit par la beauté profonde de l'*Élégie pour violoncelle et orchestre*, par la fraîcheur enfantine de *Dolly*, ou par le charme un peu désuet de *Masques et Bergamasques* (qui inclut la célèbre « Pavane ») et de la musique de scène pour *Pelléas et Mélisande* (la pièce de Maeterlinck qui a inspiré également Debussy, Schoenberg et Sibelius), avec sa célèbre «Berceuse».

Fauré fut également l'un des plus grands maîtres du genre de la mélodie, et nous ne citerons à titre d'exemple que ses deux cycles les plus célèbres : *La Bonne Chanson*, sur des poèmes de Verlaine, et *L'Horizon chimérique*, sur les poèmes du jeune, Jean de La Ville de Mirmont, mort au champ d'honneur. Rien ne vous empêche ensuite d'aborder les versants les plus intimes et les plus secrets du génie fauréen, la musique de chambre et la musique pour piano (en particulier les magnifiques *Nocturnes*).

Le cycle pour piano à quatre mains *Dolly* fut composé dans les années 1890 pour la petite Dolly, fille d'Emma Bardac, future épouse de Debussy, qui venait de divorcer de son mari banquier. Emma était également chanteuse et c'est pour elle que Fauré composa *La Bonne Chanson*. Emma eut avec Debussy une seconde fille, Chouchou, que son père aimait passionnément et pour laquelle il composa en 1908, un recueil exquis de pièces enfantines pour le piano, *Children's Corner*. Ainsi chacune des filles d'Emma Bardac reçut son petit chef-d'œuvre… Ironie de l'histoire, la nounou de Chouchou s'appelait… Miss Dolly.

Pierre Henry (né en 1927)

Avec Pierre Schaeffer, Henry est à l'origine d'un genre de musique un peu particulier, la musique concrète, où les bruits de la vie quotidienne enregistrés sur bande magnétique et retravaillés sont élevés au même rang que les sons produits par nos bons vieux instruments. Un ancêtre de la musique électronique, en quelque sorte. Les deux compères font sensation en 1950 avec la *Symphonie pour un seul homme*, pour piano préparé, voix, souffle, bruits de bouche et de pas. L'œuvre est révélée au grand public cinq ans plus tard lorsqu'elle est chorégraphiée par Maurice Béjart. Douze autres collaborations suivront entre Henry et Béjart, notamment *Messe pour le temps présent* (avec ses célèbres «Psyché Rock» et «Jericho Jerk»), musique écrite avec Michel Colombier, et les *Variations pour une porte et un soupir*.

Arthur Honegger (1892-1955)

Honegger est suisse, mais nous le compterons au nombre des compositeurs français car il est né à Rouen, – ce qui en fait en quelque sorte un musicien normand – et fait une bonne partie de sa carrière musicale à Paris, dans le cercle formé autour d'Erik Satie et du poète Jean Cocteau, le fameux groupe des Six. Les cinq autres membres de ce groupe étaient Francis Poulenc, Darius Milhaud, Louis Durey, Georges Auric et l'une des rares femmes compositrices, Germaine Tailleferre.

Le talent d'Honegger est très divers. Il reste célèbre principalement par son mouvement symphonique *Pacific 2.3.1.*, poème symphonique traduisant le mouvement puissant la locomotive du même nom (les chiffres représentent le nombre d'essieux de la machine). Honegger est également l'auteur d'une charmante *Pastorale d'été* pour orchestre, de cinq symphonies très inspirées et de plusieurs oratorios qui portent la marque du sérieux caractérisant les Helvètes, plus précisément les Helvètes protestants: *Le Roi David*, *Jeanne d'Arc au bûcher*, La Danse des morts notamment.

Charles Kœchlin (1867-1950)

Élève de Gabriel Fauré, polytechnicien, Kœchlin fut un compositeur inclassable et éclectique en même temps qu'un professeur respecté. Sa réputation de théoricien était telle que son œuvre s'en est trouvé injustement négligé. Ses compostions puisent fréquemment leur inspiration dans une source littéraire ou picturale: Koechlin privilégie notamment les thèmes de la mer, de la Grèce antique, de la nature, de la nuit et de l'Orient, que l'on retrouve dans son œuvre la plus connue, *Le Livre de la jungle*, d'après Rudyard Kipling. On y découvre un talent d'orchestrateur unique, mais aussi la poésie profonde, l'invention harmonique et le lyrisme de cet homme que l'on décrit comme droit et bon, d'une érudition aussi grande que sa modestie.

Nous vous conseillons d'aborder l'écoute de Koechlin par le poème symphonique *Vers la voûte étoilée*, rêverie magnifique et vibrante, et par *Les Bandar-Log*, «scherzo des singes» tiré du *Livre de la jungle*, œuvre pleine d'humour et de sauvagerie.

Olivier Messiaen (1908-1992)

L'œuvre de Messiaen n'est pas forcément la plus abordable pour le néophyte, mais elle occupe un rang capital dans l'histoire de la musique française et occidentale. Messiaen fut en effet, avec Boulez et quelques autres, l'un de ceux qui bouleversa la manière de composer dans les années 1950, en développant les procédés dodécaphoniques mis en place par Webern, Schoenberg et Berg. Professeur marquant d'harmonie puis de composition au Conservatoire de Paris, il a eu comme élèves les plus grands compositeurs de la génération suivante. Ce fut également un organiste de renom, titulaire jusqu'à sa mort de l'orgue de la Trinité, à Paris.

Inspirée par les rythmes de l'Inde, la colossale *Turangalîla-Symphonie* domine l'œuvre symphonique de Messiaen, avec les quatre méditations symphoniques rassemblées sous le titre de *L'Ascension*, arrangées plus tard pour orgue. Citons également *Des canyons aux étoiles*, splendide fresque pour piano, cor, xylorimba, glockenspiel et grand orchestre. De nombreuses partitions de Messiaen, notamment le concerto pour piano *Réveil des oiseaux*, sont inspirés par le chant des oiseaux. L'une de ses œuvres les plus poignantes est le *Quatuor pour la fin du temps*, composé lorsqu'il était prisonnier en 1939 au stalag VIII A, à Görlitz.

Darius Milhaud (1892-1974)

Compositeur prolifique, Milhaud a écrit plus de 400 numéros d'opus, d'une qualité malheureusement inégale. Son œuvre est empreint de la chaleur de la Provence et influencé par le séjour qu'il fit au Brésil comme secrétaire de Paul Claudel, alors ambassadeur de France. On peut écouter sans crainte, et même avec beaucoup de plaisir, les ballets *Le Bœuf sur le toit* et *La Création du monde* (imprégnés de rythmes jazzy), ainsi que le pimpant *Scaramouche* pour deux pianos.

Maurice Ohana (1914-1992)

Compositeur français d'origine espagnole, Ohana s'est fait connaître en 1950 par son oratorio *Llanto por Ignacio Sánchez Mejías* qui, à l'époque, fit l'effet d'un coup de tonnerre et dont la force expressive ne s'est jamais démentie. Le texte, de Federico García Lorca, rend hommage à ce torero ami et mécène des artistes, décédé tragiquement des suites de blessures dans l'arène. Ohana composa d'autres œuvres vocales magnifiques, comme les *Cantigas*, sur des chants sacrés du roi Alphonse X le Sage de Castille.

Francis Poulenc (1899-1963)

Si la musique de Poulenc est souvent accusée de frivolité, ce n'est pas sans raison. Ce fut un compositeur mondain et adulé par les salons parisiens, et certaines de ses œuvres s'abandonnent à un charme facile, flirtant si besoin avec les accents doucereux des guinguettes des bords de Marne et de leurs accordéons. À la première audition de son *Concert champêtre*, pour clavecin et orchestre, le critique Émile Vuillermoz déclara : «C'est une cacade.» Mais Poulenc montrait par ailleurs un visage grave et profond, qui transparaît dans certaines de ses mélodies et de ses œuvres chorales sacrées ou profanes, ou encore dans son opéra *Dialogues des carmélites*. Il composa d'admirables partitions sur des poèmes d'Éluard et d'Apollinaire. «Moine et voyou», résuma le critique Claude Rostand!

À l'écoute de Poulenc

* *L'Embarquement pour Cythère,* pour deux pianos.

* *Sonate pour flûte et piano.*

* *Sonate pour clarinette et piano.*

* *Concerto pour deux pianos en ré mineur.*

* *Gloria.*

** *Le Bestiaire ou Cortège d'Orphée,* cycle de mélodies sur des poèmes d'Apollinaire.

** *L'Histoire de Babar,* mélodrame sur un texte de Jean de Brunhoff pour récitant et piano (il existe une version avec orchestre réalisée par Jean Françaix).

** *Trio pour piano, hautbois et basson.*

** *Stabat Mater.*

*** *Tel jour, telle nuit* et *Miroirs brûlants,* cycles de mélodies sur des poèmes d'Éluard.

*** *Litanies à la Vierge noire.*

Albert Roussel (1869-1937)

D'abord officier de marine comme Rimski-Korsakov, il ne vint que tardivement au métier de musicien en étudiant à la Schola Cantorum où, plus tard, il enseigna. Les ballets *Le Festin de l'araignée* et *Bacchus et Ariane* sont les œuvres les plus représentatives de son art plein de vigueur et de rythme.

Érik Satie (1866-1925)

Originaire de Honfleur, Satie fut aussi excentrique dans son mode de vie que dans sa musique. Ami de Cocteau, il exerça une influence considérable sur certains de ses contemporains les plus respectés, notamment Debussy, Ravel et les compositeurs du groupe des Six (Poulenc en tête), en particulier par l'économie de moyens dont il faisait preuve dans ses partitions. Plusieurs de ses pages se sont imposées auprès d'un large public, souvent hors de leur contexte d'origine.

L'ouvrage scénique le plus fameux de Satie est le «ballet réaliste» *Parade,* composé en collaboration avec Cocteau et donné par les Ballets russes à Paris en 1917, dans des décors et costumes de Picasso. On y entend les «instruments de musique» les plus étonnants, tels un revolver et une machine à écrire (vous avez certainement ce solo dans l'oreille sans même le savoir, car il a fait la joie de génériques de radio et de télévision).

Mais la part la plus populaire de l'œuvre de Satie est sa musique pour piano, qui porte souvent des titres singuliers: les trois *Gymnopédies* (Debussy orchestra deux d'entre elles), les six *Gnossiennes,* les *Trois Préludes en forme de poire* (pour piano à quatre mains), *Embryons desséchés* ou encore *Véritables Préludes flasques*...

Florent Schmitt (1870-1958)

Né près de Nancy, Florent Schmitt fut, comme tant de ses contemporains, fasciné par l'Orient et nombre de ses partitions sont teintées d'exotisme. Son style est au carrefour entre la tradition symphonique allemande et le raffinement de l'impressionnisme de Debussy. C'est avec le grandiose *Psaume XLVII*, de 1904, que le nom de Schmitt s'imposa auprès du public. Son chef-d'œuvre est certainement le poème symphonique *La Tragédie de Salomé*, aux couleurs et aux rythmes envoûtants.

Edgar Varèse (1883-1965)

Varèse fut l'un des compositeurs les plus avant-gardistes de la première moitié du XXe siècle. Préférant le concept de «son organisé» à celui de «musique», le terme de «son» à celui de «note», il s'intéressa très tôt à la musique électronique et participa à l'élaboration du théréminovox, instrument fondé sur l'altération de champs d'ondes hertziennes. Il s'installa dès 1916 à New York, où l'atmosphère était plus favorable à ses recherches, et adopta pour son prénom la graphie Edgard. *Amériques*, pour grand orchestre, utilise des sirènes, tout comme *Ionisations*, écrit pour un ensemble de plus de 30 percussions. Cette dernière pièce peut vous paraître un peu agressive à l'écoute sur disque. En revanche, si vous avez l'occasion d'aller l'écouter en concert, précipitez-vous : c'est du grand spectacle et de la sensation forte !

Louis Vierne (1870-1937)

Presque aveugle de naissance, Louis Viernel étudia l'orgue à l'Institution des jeunes aveugles de Paris où il rencontra César Franck, dont il devint l'élève. En 1900, il fut nommé organiste à Notre-Dame de Paris. Sa vie fut une longue série d'épreuves personnelles, mais sa carrière lui apporta de grandes joies. Professeur très estimé, enseignant au Conservatoire, puis à la Schola Cantorum, il trouva en Marcel Dupré et Maurice Duruflé ses disciples les plus remarquables. Mais il fut surtout, avec son aîné Alexandre Guilmant, le premier organiste à donner de véritables récitals, acclamé jusqu'aux États-Unis. Il mourut à sa tribune de Notre-Dame, frappé par une embolie cardiaque, tandis qu'il donnait son mille sept cent cinquantième concert.

L'œuvre pour orgue de Vierne est un pan fondamental du répertoire de cet instrument avec notamment, 6 symphonies, 24 *Pièces en style libre* (pour orgue ou harmonium) et 24 *Pièces de fantaisie*, où se déploie une intense poésie. Nous vous conseillons tout particulièrement l'écoute de la *Troisième Symphonie* et de *Pièces de fantaisie* comme «Naïades», «Feux follets», «Étoile du soir», «Gargouilles et chimères» ou «Carillon de Westminster», qui vous permettront de découvrir toutes les facettes du génie de Vierne : la méditation intense, les harmonies envoûtantes, la virtuosité diabolique.

Charles-Marie Widor (1844-1937)

Widor occupe une place capitale au sein de l'école d'orgue française, dite «symphonique», comme interprète, comme compositeur et comme pédagogue. Il était réputé pour ses talents exceptionnels d'improvisateur. Il composa abondamment pour son instrument, mais aussi dans tous les autres genres. Son œuvre pour orgue exploite toutes les ressources des instruments grandioses construits par le facteur Aristide Cavaillé-Coll. De ses dix symphonies pour orgue, les plus jouées sont la *Troisième* (qui s'achève par une éblouissante toccata) et la *Neuvième*, dite « *Gothique* ».

Quelques compositeurs français en pleine activité

(ou qui devraient l'être encore si une mort précoce ne les avaient arrachés trop tôt à ce monde)

Nous croyons de notre devoir de vous faire connaître quelques compositeurs français de notre temps qui ont soulevé chez nous un enthousiasme tel que nous avons envie de vous faire partager. Ce choix n'est pas aisé. D'abord, nous ne prétendons pas connaître *tous* les compositeurs en exercice dans ce pays, loin de là. Ensuite, nous manquons du nécessaire recul pour distinguer les noms qui s'imposeront vraiment dans la durée. Il s'agit donc de paris sur l'avenir, motivés par notre sensibilité, dont nous comprenons bien qu'elle puisse ne pas être la vôtre.

Nicolas Bacri (né en 1961). Assez porté sur une musique dissonante à ses débuts, Nicolas Bacri revient ces derniers temps à une musique plus sage, affranchie des dogmes et livrée à une inspiration profonde. Écoutez par exemple son *Concerto pour trompette* op. 65.

Pascal Dusapin (né en 1955). Tout l'œuvre de Pascal Dusapin n'est pas d'un abord immédiat très facile, mais on ne peut pas omettre de citer cette personnalité très indépendante, qui a su s'imposer comme l'un des chefs de file de la jeune école française. Il présente la particularité de composer de nombreux opéras, ce qui n'est pas si fréquent de nos jours. Il a également composé la belle musique du film d'Anne Fontaine, *Entre ses mains* (2005).

Thierry Escaich (né en 1965). Inutile de nous voiler la face, nous aimons à peu près *tout* ce qu'a écrit et enregistré ce musicien hors du commun qui, non content d'être l'un des compositeurs les plus inspirés de sa génération, est également un organiste (et un improvisateur) d'exception. Cette musique fiévreuse, que l'on pourrait aisément qualifier de post-romantique s'il fallait absolument la ranger dans une catégorie (ce que nous ne croyons pas), ne devrait pas manquer de vous transporter. Écoutez par exemple le *Concerto pour orgue et orchestre*, la *Tanz-Fantaisie* pour trompette et orgue, la *Fantaisie concertante pour piano et orchestre* ou le poème symphonique *Vertige de la Croix*.

Jean-Louis Florentz (1947-2004). Organiste et compositeur, Florentz puisait son inspiration aussi bien dans le sacré (au sens le plus universel du terme) que dans la musique africaine, qu'il étudia avec toute la passion et la précision scientifique de l'ethnomusicologue. Passionné par les oiseaux équatoriaux autant que par les langues sémitiques, il avait tissé des liens étroits avec la communauté éthiopienne orthodoxe de Jérusalem-Ouest. Voici quelques-unes de ses œuvres que nous aimons particulièrement : *Asun* (*Requiem de la Vierge*), *Les Jardins d'Amènta* pour orchestre (inspirés par le Livre des morts égyptien), le *Second Chant de Nyandarua* pour 12 violoncelles.

Olivier Greif (1950-2000). Olivier Greif a vécu relativement en marge des cercles à la mode, ce qui vaut à son œuvre d'être moins médiatisée que celle de nombreux pairs. Pourtant, sa mort prématurée a laissé un grand vide auprès de ceux, nombreux, qui ont apprécié et défendu cette musique d'une haute émotion et qui n'hésite pas à afficher son inspiration sacrée et métaphysique. «Pessimisme mystique», telle était la définition que donnait de sa musique ce fils d'un rescapé d'Auschwitz – ceci expliquant en partie cela. Que vous abordiez son œuvre par n'importe quelle pièce, par exemple le *Requiem*, le quadruple concerto *La Danse des morts* (pour piano, violon, alto, violoncelle et orchestre) ou *Les Chants de l´âme*, il y a de fortes chances pour que vous ayez envie de découvrir toutes les autres.

Gérard Grisey (1946-1998). Gérard Grisey est avec Tristan Murail le fondateur du mouvement «spectral», qui s'inscrit dans la lignée de Ravel, tout particulièrement de son ballet *Daphnis et Chloé*. Ces compositeurs concentrent leur travail sur le timbre, qu'ils privilégient par rapport au rythme ou à la structure. Il en résulte des partitions aux sonorités fascinantes. Parmi les œuvres les plus marquantes de Grisey, citons *Le Noir de l'étoile* (1991), qui mêle des percussions à des sons enregistrés sur bande magnétique et à des signaux astronomiques recueillis et amplifiés en direct ; et *Quatre Chants pour franchir le seuil* (1998), pour soprano et ensemble instrumental, inspiré par le Livre des morts égyptiens, la poétesse grecque Erina de Telos (IVe siècle avant Jésus-Christ), l'Apocalypse et l'épopée de Gilgamesh. Lorsque fut créée cette pièce en 1999, Grisey avait lui-même déjà «franchi le seuil» quelques mois plus tôt.

Jacques Lenot (né en 1945). La musique de Jacques Lenot n'est pas de celles qui veulent séduire à tout prix. Elle est complexe, riche et généralement d'une difficulté redoutable pour l'exécutant. L'auditeur, toutefois, ne perçoit qu'un formidable élan créateur, nourri de poésie allemande aussi bien que de la contemplation de l'océan ou des montagnes alpestres. Nous avons un faible pour ses œuvres pour piano (*Cités de la nuit, Burrascoso, L'Esprit de solitude, Préludes*) et pour son œuvre maîtresse pour l'orgue, *Notre royaume n'est pas de ce monde*.

Kaija Saariaho (née en 1952). Nous annexons sans vergogne Kaija Saariaho aux compositeurs français parce qu'elle vit et travaille à Paris depuis 1982 et que nous aimons beaucoup sa musique. Certaines de ses partitions sont d'une modernité plus radicale que d'autres, mais en lointaine héritière de Sibelius elle développe un sens inné du timbre, un rapport au temps et à la nature très particulier, empreint d'une forme de mysticisme. Notre œuvre préférée est *Du cristal… à la fumée*.

Éric Tanguy (né en 1968). Comme toutes les musiques contemporaines que nous aimons, celle d'Éric Tanguy ne se prétend d'aucune école, d'aucun système. Elle ne cherche pas à être « d'avant-garde », à se faire remarquer par son originalité. Elle se contente d'exprimer des émotions et d'être plaisante à entendre, ce qui est déjà pas mal. Écoutez par exemple la *Sinfonietta* et *Intrada* pour orchestre, ou son *Concerto pour violoncelle n° 2*, créé par Mstislav Rostropovitch. Sa pièce symphonique *Éclipse* a été créée le 11 août 1999 sur le parvis de la basilique Saint-Rémi de Reims, pendant la dernière éclipse totale de Soleil visible en France.

En Allemagne

Paul Hindemith (1895-1963)

Hindemith s'est fait connaître à la fois comme instrumentiste (il jouait du violon et de l'alto), comme théoricien de la musique et comme compositeur. Le gouvernement nazi le classe parmi les auteurs de « musique dégénérée » (Entartete Musik) et refuse son opéra *Mathis der Maler* (*Mathis le Peintre*), ce qui provoque la démission du chef d'orchestre Wilhelm Furtwängler. Lassé de ces attaques, Hindemith démissionne du conservatoire de Berlin, où il enseignait la composition depuis huit ans, et quitte son Allemagne natale en 1935. En 1940, il s'installe aux États-Unis et il enseigne à l'université Yale, puis, après guerre, à celle de Zurich, en Suisse. Il s'éteint en 1963 dans sa ville natale de Francfort.

Sa pièce la plus connue est la *Symphonie « Mathis le Peintre »*, tirée de l'opéra homonyme. Hindemith présente en outre la particularité d'avoir écrit pour les instruments les plus divers, notamment un concerto pour viole d'amour.

Carl Orff (1895-1982)

Orff est connu mondialement pour sa méthode d'apprentissage de la musique, qui allie musique (surtout les percussions) et mouvement corporel. Son langage de compositeur se caractérise par l'usage de motifs mélodiques et rythmiques répétés avec insistance. Son œuvre la plus célèbre est *Carmina Burana* (que l'on peut traduire par « Chants de Beuren »), une vaste fresque chorale et orchestrale sur des textes en latin médiéval et en vieil allemand trouvés à l'abbaye de Benediktbeuren, en Bavière.

Kurt Weill (1900-1950)

Figure marquante de la vie musicale allemande sous la République de Weimar, Weill quitta son pays en 1933 et devint plus tard citoyen américain, se consacrant à la composition de musique pour Broadway. Il collabora à plusieurs reprises avec Bertolt Brecht, notamment pour *Aufstieg und Fall der Stadt Mahagonny* (*Grandeur et décadence de la ville de Mahagonny*) et pour *Die Dreigroschenoper* (*L'Opéra de quat'sous*). Il tira de cet ouvrage une suite instrumentale intitulée *Kleine Dreigroschenmusik* (*Petite Musique à quat'sous*).

En Angleterre

Benjamin Britten (1913-1976)

Benjamin Britten est sans aucun doute le compositeur anglais majeur du milieu du XXᵉ siècle. Il s'est forgé une réputation mondiale dans tous les grands domaines de la musique classique, de l'œuvre pour instrument seul à l'opéra, tout en demeurant profondément anglais dans son inspiration – ce que ses prédécesseurs Elgar ou Bridge n'avaient pas totalement réussi à réaliser.

Certains le préfèrent à Elgar comme « successeur » de Purcell, ne serait-ce qu'à cause de ses *Variations sur un thème de Purcell*. Citons la *Simple Symphony*, le *War Requiem* et son opéra *Peter Grimes*, dont sont extraits trois beaux « Interludes marins » pour orchestre. Et une œuvre pédagogique précieuse dans l'apprentissage des instruments, *The Young Person's Guide to the Orchestra* (*Le Guide des jeunes personnes à l'orchestre*).

Edward Elgar (1857-1934)

De ce successeur (lointain et indirect) de Purcell, on connaît surtout la musique de cérémonie *Pomp and Circumstance* (reprise par Stanley Kubrick dans son film *Orange mécanique*) et ses *Variations Enigma*.

Gustav Holst (1874-1934)

D'origine scandinave par son père, Gustav Holst naquit dans la station balnéaire anglaise de Cheltenham. De son vivant, sa musique connut des fortunes diverses, mais il exerça une influence indéniable sur les compositeurs anglais plus jeunes. Son nom reste associé à la suite symphonique *Les Planètes*, qui témoigne de son intérêt pour l'astrologie. (À noter qu'elles ne sont qu'au nombre de huit, la dernière, Pluton, n'ayant pas encore été découverte à l'époque.)

Michael Tippett (1905-1998)

Homme discret, d'une profonde humanité, Tippett parvint lentement à maturité et donna son meilleur dans une série remarquable d'opéras dont il écrivit lui-même les livrets. Côté symphonique, nous vous conseillons le *Concerto pour double orchestre à cordes*, le *Triple Concerto pour violon, alto et violoncelle*, la *Petite Musique pour cordes* et la *Fantaisie concertante sur un thème de Corelli*, où transparaît son admiration pour les grands maîtres du passé. Son humanisme et son pacifisme s'expriment dans son oratorio *A Child of Our Time* (*Un enfant de notre temps*), achevé en 1941 et lié aux événements de la nuit de Cristal.

Ralph Vaughan Williams (1872-1958)

Vaughan Williams est une autre figure majeure de la musique anglaise moderne. Il s'efforça de créer un style musical spécifiquement anglais, en s'inspirant du folklore national et en rendant hommage aux compositeurs anglais de la Renaissance et du baroque. On retient de lui *A Sea Symphony* (*Une symphonie de la mer*), – qui recourt à des chanteurs solistes et à un chœur –, un séduisant concerto pour hautbois (bien pratique pour ces instrumentistes au répertoire plutôt restreint), la *Fantaisie sur "Greensleeves"* pour flûte, harpe et cordes, et la *Fantaisie sur un thème de Thomas Tallis* pour deux orchestres à cordes, hommage à ce grand compositeur anglais du XVIe siècle.

En Espagne

Isaac Albéniz (1860-1909)

Pianiste virtuose (il eut Liszt pour professeur !), Albéniz enseigna à la Schola Cantorum. Il a composé bon nombre de pièces typiquement espagnoles (*Asturias, España, Cordoba…*), devant lesquelles certains font la fine bouche. Son génie n'éclata que tardivement avec une série de douze pièces pour piano unanimement admirée, *Iberia*, composée de 1905 à 1909.

Manuel de Falla (1876-1946)

LE compositeur espagnol par excellence, à l'instar de Purcell pour les Anglais. Falla a étudié de près le folklore espagnol ancien et moderne, comme Bartók le fit avec la musique hongroise, et composé des œuvres imaginatives, parfois austères comme son *Concerto pour clavecin*. *El Sombrero de tres picos* (*Le Tricorne*), *La Vida breve* (*La Vie brève*) et *Nuit dans les jardins d'Espagne* (pour piano et orchestre) sont ses œuvres les plus jouées. En 1915, Falla arrangea sept chansons populaires espagnoles (*Siete canciones populares españolas*), qui se sont imposées aussi bien dans leur version vocale originale que dans différentes transcriptions, en particulier pour violon et piano.

Enrique Granados (1867-1916)

On qualifie parfois ses œuvres (*Goyescas, Tonadillas...*) de «musique de salon» et on le place au troisième rang de la trilogie qu'il forme avec ses «confrères» Albéniz et de Falla.

Joaquin Rodrigo (né en 1902)

Son *Concierto de Aranjuez* est probablement l'une des «espagnolades» les plus jouées et, si l'on peut lui reprocher certaines facilités, on doit néanmoins reconnaître qu'on l'écoute avec plaisir.

En Estonie

Arvo Pärt (né en 1935)

Pärt est une figure inclassable de la musique contemporaine, dont les œuvres mêlent diverses influences dans un style éclectique très personnel. Ses partitions sont souvent baignées par une foi profonde et invitent par là à la méditation ou à la relaxation. Il a fait grande impression avec des œuvres comme la *Passio Domini Nostri Jesu Christi secundum Johannem* (*Passion selon saint Jean*) ou le *Stabat Mater*, pour trois voix solistes et trio à cordes. Nous vous conseillons également l'audition de pièces comme *Fratres*, pour violon et piano, l'émouvant *Cantus in memoriam Benjamin Britten*, pour orchestre à cordes et cloche, et *Tabula Rasa*, concerto pour deux violons, orchestre à cordes et piano préparé.

En Hongrie

Ernő Dohnányi (1877-1960)

Dohnányi fut un peu le grand frère spirituel de Bartók, son cadet de quatre ans. Il joua un rôle essentiel dans le développement de la culture musicale de son pays, malgré les obstacles dressés par le régime qui avait remplacé le premier gouvernement républicain de Hongrie. Opposé ouvertement à l'alliance de son pays avec l'Allemagne nazie, il fut contraint à l'exil et passa ses dernières années aux États-Unis, mourant à New York en 1960.

Dohnányi se fit connaître par son *Quintette pour piano et cordes* op. 1, une page très brahmsienne qui lui valut d'ailleurs l'admiration et le soutien du vieux maître allemand. Il poursuivit dans cette voie avec une série de magnifiques œuvres de chambre, au nombre desquelles l'admirable *Sérénade* pour trio à cordes. Mais il doit sa gloire de compositeur aux exquises

Variations sur un thème enfantin pour piano et orchestre (le thème en question n'est autre que *Ah! vous dirai-je maman*).

Dohnányi fut l'un des plus grands pianistes de son temps et il offrit à son instrument quelques pages virtuoses, mais aussi les *Ruralia hungarica*, série de pièces sur des thèmes populaires hongrois.

Il est le grand-père du chef d'orchestre Christoph von Dohnányi.

Zoltán Kodály (1882-1967)

Kodály passa l'essentiel de sa carrière à recueillir, classer et diffuser la musique populaire hongroise (en compagnie de Bartók), et développer la pratique musicale dans son pays, avec pour devise: «La musique appartient à tous». Il se consacra de plus en plus à la pédagogie, élabora une célèbre méthode de solfège, imposa l'enseignement de la musique dans les écoles primaires et anima sans relâche la vie chorale à travers tout le pays. La musique vocale et chorale domine d'ailleurs sa production, de la simple harmonisation de chant populaire aux fresques les plus élaborées. Et Kodály continue d'être un compositeur fétiche des chœurs amateurs et professionnels.

Ses premiers chefs-d'œuvre concernent surtout la musique de chambre, avec des pièces dont il ne dépassera jamais l'audace; le violoncelle, son instrument de prédilection, y tient une place importante. Sa réputation s'est établie à l'étranger avec des pièces plus tardives, où il magnifie le folklore hongrois dans des orchestrations brillantes et colorées: *Háry János*, les *Danses de Galánta* ou les *Variations sur «Le paon s'est envolé»*. Le *Concerto pour orchestre* de 1941 est une commande de l'Orchestre de Chicago pour son cinquantenaire. L'une de ses dernières pages est la *Symphonie en ut*, à la mémoire du chef d'orchestre Arturo Toscanini.

À l'écoute de Kodály

*   *Danses de Galánta* pour orchestre.

*   Suite d'orchestre extraite de *Háry János*.

*   *Variations sur « Le paon s'est envolé »*.

*   *Soir d'été*, pour orchestre.

**   *Sonate pour violoncelle et piano*.

**   *Kállói kettös (Pas de deux de Kalló)*, pour chœur et orchestre.

***   *Sonate pour violoncelle seul*.

***   *Missa brevis*, pour solistes, chœur et orchestre.

***   *Psalmus hungaricus*, pour ténor, chœur et orchestre.

*** Chœurs a cappella, notamment *Öregek (Les Vieux), Norvég leányok (Les Filles de Norvège), Akik mindig elkésnek (Ceux qui sont toujours en retard), Jézus és a kufárok (Jésus et les marchands du Temple), Hegyi éjszaka (Nuits dans les montagnes)*.

Nous vous signalons encore le nom des deux grands compositeurs hongrois vivants qui font figure de maîtres incontestés dans le paysage de la musique contemporaine : **György Ligeti** (on prononce D'eurd' Liguèti, avec deux d « mouillés » comme dans a*di*eu, et ça veut dire Georges Dubois), né en 1923, dont Stanley Kubrick a utilisé la musique dans ses plus grands films (voir au chapitre 17) ; et **György Kurtág**, né en 1926.

En Italie

Luciano Berio (1925-2003)

Berio est un des compositeurs marquants de la seconde moitié du xxᵉ siècle. Vous n'êtes pas obligé d'écouter ses œuvres en boucle car elles ne sont pas toujours très abordables à première ouïe. Sachez cependant qu'il fut l'un des pionniers dans l'utilisation de l'électronique, qu'il appliqua à la musique la technique picturale du collage (par exemple dans sa *Sinfonia*, combinaison de citations musicales et littéraires mais aussi de slogans de mai 1968 ou des bribes de conversations) et qu'il repoussa bien au-delà des limites existantes les techniques de jeu instrumental et de chant. Pour vous persuader de ce dernier point, vous pouvez écouter l'une ou l'autre des *Sequenze*, série de pièces pour instruments seuls. Vous y entendrez comment un hautbois ou un trombone peut gémir, grincer, produire plusieurs sons à la fois, se transformer en instrument à percussion. À noter que la *Sequenza III* a été composée pour un instrument un peu spécial, la voix (en l'occurrence celle de l'épouse de Berio, la chanteuse Cathy Berberian).

Giacomo Puccini (1858-1924)

« Métier sûr, inspiration divine, instinct dramatique efficace » : voilà ce qu'on dit généralement de lui. Tout le monde connaît (ou dit connaître) *Tosca, La Bohème, Madame Butterfly* et *Turandot*. Ces ouvrages tiendront une place de choix dans notre prochain opus, *L'Opéra pour les Nuls*. On connaît moins la *Messa di gloria,* brillante partition écrite par un Puccini de 20 ans pour son examen de sortie du conservatoire.

Ottorino Respighi (1879-1936)

Respighi a été brièvement l'élève de Rimski-Korsakov à Saint-Pétersbourg et l'influence du compositeur russe se traduit dans la luxuriance de son orchestration. Ce caractère est particulièrement sensible dans son œuvre la plus célèbre, le «Triptyque romain» composé de trois poèmes symphoniques: *Pini di Roma* (*Pins de Rome*), *Fontane di Roma* (*Fontaines de Rome*) et *Feste romane* (*Fêtes romaines*).

En Pologne

Henryk Górecki (né en 1933)

Originaire de Silésie, Górecki doit l'essentiel de sa célébrité à une œuvre unique, sa *Troisième Symphonie*, dite *«Des chants affligés»*. Cette œuvre exerce une fascination hypnotique sur les auditoires, notamment avec son émouvant solo de soprano. La *Deuxième Symphonie*, «*Kopernikowska*», recourt à un baryton solo et à un chœur, mêlant magnifiquement des extraits des Psaumes à des textes de Copernic (comme son nom l'indique…).

Witold Lutosławski (1913-1994)

Lutosławski est le père d'une musique contemporaine polonaise particulièrement inventive et talentueuse. Son *Concerto pour orchestre* reste assez «romantique», très influencé par les rythmes du folklore polonais. Il aborda ensuite un style plus expérimental et plus diversifié, en particulier dans la *Musique funèbre pour cordes «à la mémoire de Bartók»*, le *Livre pour orchestre*, aux sonorités étranges et qui fait usage de l'aléatoire (la durée, la vitesse d'exécution et la hauteur des notes de certains passages sont laissées à l'appréciation des musiciens), ou *Paroles tissées*, pour ténor et orchestre de chambre, inspiré par les *Quatre Tapisseries de la châtelaine de Vergy* de Jean-François Chabrun.

Krzysztof Penderecki (né en 1933)

Penderecki est certainement le plus important des compositeurs polonais vivants, et son œuvre s'est taillé une réputation internationale. Tout d'abord assez avant-gardiste, son style s'est par la suite peu à peu assoupli au contact des traditions plus anciennes qu'il a prises comme nouvelles sources d'inspiration.

Son œuvre la plus emblématique est *Threnos à la mémoire des victimes d'Hiroshima*, pour orchestre à cordes: une partition qui à l'époque de sa création (en 1960) fit grand bruit et où les cordes produisent les sons les plus incroyables, grincements, gémissements, tremblements, jusqu'à un chaos fracassant, pour traduire l'horreur de la bombe atomique.

L'autre domaine de prédilection de Penderecki est la musique religieuse, où il se montre souvent plus conservateur. Écoutez par exemple le *Requiem polonais,* la *Passion selon saint Luc* ou le *Magnificat.*

Karol Szymanowski (1882-1937)

Né le 3 octobre 1882 à Tymoszówka (Ukraine) dans une famille éprise d'arts, Szymanowski est le plus grand compositeur polonais de la première moitié du XXᵉ siècle. Fondateur en 1905 du groupe Jeune Pologne, chargé de promouvoir la nouvelle musique polonaise, il fut au moment de la guerre fasciné par l'Orient et influencé par Scriabine, Debussy et Ravel. Lyriques, colorées, les partitions de cette période débordent de volupté, qu'il s'agissent des cycles de mélodies inspirés par Tagore ou le poète soufi Hâfiz, ou de la *Troisième Symphonie, «Chant de la nuit»* ou encore de l'opéra *Le Roi Roger.* Les œuvres de la dernière décennie retournent aux origines de la musique polonaise populaire et religieuse, dans l'esprit de Stravinsky et de Bartók, avec le ballet *Harnasie* ou le *Stabat Mater.*

À l'écoute de Szymanowski

* * *Concerto pour violon n° 1.*

* * *Troisième Symphonie, « Chant de la nuit »,* pour ténor solo et un orchestre immense.

* ** *Harnasie.*

* ** *Chants d'amour de Hâfiz,* op. 26, cycle de mélodies avec orchestre sur des poèmes de Hâfiz.

* ** *Le Muezzin passionné,* op. 42, cycle de mélodies avec orchestre sur des poèmes de Tagore.

* ** *Mythes,* pour violon et piano.

* ** *Symphonie concertante* pour piano et orchestre, op. 60.

* ** *Litanies à la Vierge Marie.*

* *** *Masques,* pour piano.

* *** *Stabat Mater.*

En République tchèque

Leoš Janáček (1854-1928)

Né au cœur de la Moravie, Janáček est tout le contraire d'un enfant prodige. Il resta longtemps un obscur professeur et chef d'orchestre de Brno, qui avait pour marotte l'étude du chant populaire de son pays. Ses premières partitions passèrent totalement inaperçues. Son génie ne fut reconnu qu'avec la représentation à Prague de l'une de ses partitions maîtresses, l'opéra *Jenůfa*, dont la création à Brno onze ans plus tôt était passée presque inaperçue. Un an plus tard, à 63 ans, Janáček tomba éperdument amoureux d'une toute jeune fille, Kamila Stösslová. Dès lors, il composa avec frénésie, et toutes les partitions de la dernière décennie de sa vie sont d'authentiques chefs-d'œuvre.

À l'écoute de Janáček

Voici de quoi vous guider dans cet œuvre riche mais parfois déroutant, parcouru d'un parfum tchèque très séduisant :

* *Mladí* (Jeunesse), sextuor pour instruments à vent (hymne plein de vitalité à la jeunesse par un compositeur de 70 ans !).

** *Tarass Boulba,* rhapsodie pour orchestre.

** *Sinfonietta* pour orchestre.

*** *Quatuor à cordes n° 2, « Lettres intimes »* (magnifique hommage du compositeur à son amour, Kamila Stösslová).

*** *Messe glagolitique* (écrite sur des textes en slavon).

Bohuslav Martinů (1890-1959)

Né dans un clocher d'église dans la petite ville de Polička, en Bohême, Bohuslav Martinů gagna sa vie comme second violon à l'Orchestre philharmonique tchèque avant de partir pour Paris en 1923. En 1940, l'arrivée de l'armée allemande l'obligea à fuir aux États-Unis ; il y reçut le soutien du chef d'orchestre Serge Koussevitzky, qui lui passa plusieurs commandes. Les empêchements politiques du bloc de l'Est l'empêchèrent de rentrer en Tchécoslovaquie et il passa ses dernières années à l'étranger, décédant en Suisse en 1959.

À l'écoute de Martinů

Martinů composa énormément et dans les genres les plus divers, mêlant des influences diverses : le folklore tchèque, la musique de Debussy, la musique baroque (et notamment la forme du concerto grosso), le bruit de la ville et des machines. Toute sa musique ne présente pas le même intérêt, mais voici quelques œuvres qui devraient vous emballer, même si elles présentent souvent un caractère sombre, voire tragique.

* *Quintette à cordes* (l'un des chefs-d'œuvre des années parisiennes).

** *La Revue de cuisine,* pour six instruments (une intrigue amoureuse rocambolesque entre ustensiles de cuisine).

** *Nonette* H. 374 (testament de Martinů, empreint de nostalgie et de parfum tchèque).

** *Symphonie n° 4* (composée en Amérique, l'une des rares partitions joyeuses de Martinu).

** *Concerto pour deux orchestres à cordes, piano et timbales.*

*** *Mémorial pour Lidice* (poème symphonique à la mémoire de ce village tchèque rasé par les nazis).

*** *Fresques de Piero della Francesca,* pour orchestre.

En Roumanie

Georges Enesco (1881-1955)

Né en Moldavie, Georges Enesco fut le plus grand des compositeurs roumains, mais également un violoniste remarquable, le professeur de d'Arthur Grumiaux, de Christian Ferras, d'Ivry Gitlis ou de Yehudi Menuhin. Son activité se concentra à Paris, où il fut l'élève de Fauré et de Massenet, ce qui explique que l'on connaisse son nom sous sa forme francisée plutôt que sous sa forme roumaine originale, Gheorghe Enescu (les anglophones, quant à eux, écrivent «George Enescu»). Il contribua néanmoins de manière essentielle au développement de la musique dans son pays.

Tout en s'inscrivant dans le sillage de Brahms et de Wagner, son œuvre puise abondamment aux sources folkloriques de son pays, ce qui a fait de lui le fondateur de l'école nationale roumaine. Sa partition la plus connue est la *Rhapsodie roumaine pour orchestre n° 1,* qui s'achève par une incroyable imitation du chant de l'alouette. Mais il composa aussi de nombreuses autres pages symphoniques, notamment un concerto pour violon (1921) et s'illustra avec un talent particulier dans le domaine de la musique de chambre, abordant les effectifs les plus divers.

Enesco s'illustra également dans le domaine de la musique de chambre, avec en particulier un dixtuor à vent (si, si, *dixtuor,* c'est bien comme cela que l'on dit) et un magnifique octuor à cordes, bien pratique (pour les organisateurs de concerts) à coupler avec celui de Mendelssohn. Il laisse aussi un opéra, *Œdipe,* créé en 1936 à l'Opéra de Paris.

En Russie

Dimitri Kabalevski (1904-1987)

Le nom de ce compositeur russe est bien connu des apprentis pianistes, pour lesquels il composa de nombreuses pièces. Kabalevski se plia largement aux exigences de la politique culturelle imposée par le gouvernement soviétique, occupant des fonctions importantes à l'Union des compositeurs soviétiques. Cela lui vaut aujourd'hui un certain dénigrement. Mais certaines de ses compositions ont connu un grand succès, comme son opéra *Les Comédiens*, d'où est tirée une suite d'orchestre fameuse et très agréable à entendre.

Aram Khatchatourian (1903-1978)

S'il ne fallait retenir qu'une œuvre de ce compositeur russe d'origine arménienne, ce serait la «Danse du sabre» extraite de son ballet *Gayaneh,* où transparaît l'influence du folklore arménien. Son autre ballet, *Spartacus*, est lui aussi haut en couleur. Le talent d'orchestrateur de Khatchatourian transparaît dans son opéra *Mascarade*, d'où est tirée une suite d'orchestre pittoresque et pleine d'entrain. Khatchatourian est également l'auteur d'un célèbre concerto pour violon, dont le flûtiste français Jean-Pierre Rampal a réalisé une transcription pour flûte.

Alexandre Scriabine (1872-1915)

Ami et condisciple de Rachmaninov au conservatoire de Moscou, Scriabine connut une carrière beaucoup plus courte que lui, et bien différente. Son œuvre est marqué par l'intérêt qu'il portait à la philosophie, tout particulièrement aux théories théosophiques d'Elena Blavatski, qui influencèrent ses grandes fresques symphoniques de maturité, comme la *Troisième Symphonie «Le Divin Poème»* et les poèmes symphoniques *Le Poème de l'extase* et *Prométhée, le poème du feu*. Il y imagina de les accompagner de jeux de lumières révolutionnaires, associant chaque type d'accord à une harmonie de couleurs. Pianiste, Scriabine composa beaucoup pour son instrument, et ses sonates et pages brèves, bien qu'inscrites dans la tradition de Chopin, ouvrent de nouveaux territoires sonores.

Au Japon

Tôru Takemitsu (1930-1996)

Takemitsu est le chef de file d'une série de compositeurs japonais contemporains alliant la tradition musicale occidentale à une forte identité japonaise. Son œuvre utilise indifféremment des instruments japonais et occidentaux, ensemble ou séparément, forgeant une sonorité unique. Elle s'inspire également beaucoup des philosophies orientales, proposant un rapport au temps et à la jouissance du son qui, pour nos oreilles occidentales pressées, est tout à fait fascinant. Son *Requiem pour cordes* fit une forte impression lors de sa création en 1957. Nous vous recommandons chaudement de vous installer confortablement dans une lumière tamisée, d'oublier vos tracas et de vous laisser prendre à la magie de pièces comme *The Family Tree* ou *From me flows what you call time*.

Au Brésil

Heitor Villa-Lobos (1887-1959)

« Mon premier traité d'harmonie fut la carte du Brésil », se plaisait à rappeler cet autodidacte qui apprit la guitare en côtoyant les musiciens de rue. Au cours d'expéditions pittoresques, il s'imprégna des sons de la forêt tropicale, des musiques rituelles indigènes, des rythmes des Noirs de Bahia. Il fut le premier à embrasser les sons brésiliens dans toute leur diversité, et ils infléchirent son style au plus profond. Villa-Lobos ne se contenta pas de les superposer à un solide métier, appris dans les partitions de Bach, Wagner ou d'Indy, puis lors de ses deux longs séjours parisiens, entre 1923 et 1930. À la manière d'un Bartók, il s'en servit pour inventer un langage nouveau. Villa-Lobos déploya également une intense activité d'organisateur de concerts et de pédagogue. Il fit découvrir au public brésilien les œuvres de Bach et de Beethoven, mais aussi de ses amis français. Dans les années 1930, il fut nommé surintendant de l'Éducation musicale et artistique par le président Getúlio Vargas.

Son œuvre est considérable (plus de mille opus) et conserve l'aspect improvisé et brûlant de la musique des *seresteiros* (chanteurs de rue) et des *chorões* (les groupes de musiciens ambulants). Villa-Lobos a rendu hommage à Bach par une série de pièces aux effectifs les plus divers intitulées *Bachianas Brasileiras*. La première des deux pièces formant les *Bachianas Brasileiras n°s 5* est une longue vocalise envoûtante et fort célèbre, sur fond de huit violoncelles. Vous pouvez également aborder Villa-Lobos par des œuvres orchestrales pittoresques, pleines de rythmes colorés, tels les *Bachianas Brasileiras n°s 2*, *Amazonas* ou *La Découverte du Brésil*, ou encore par le *Concerto pour guitare*.

Aux États-Unis

Pendant que la seconde école de Vienne s'évertuait à créer une nouvelle sorte de musique, sombre et complexe, les Américains évoluaient[20], de leur côté, vers une musique nationale exprimant ce côté résolument optimiste, plein d'espoir et d'énergie, de l'esprit américain.

Samuel Barber (1910-1981)

Barber a écrit la troisième œuvre musicale favorite des Américains : son *Adagio for Strings*, qui vous rappellera certains passages du film *Platoon* (Oliver Stone, 1986). C'est à l'âge de 25 ans que Barber composa cette œuvre, alors qu'il suivait des études au Curtis Institute de Philadelphie. Elle se répandit rapidement à travers les États-Unis et, après la Seconde Guerre mondiale, devint un hymne non officiel à la mémoire des jeunes soldats tombés au cours de la bataille.

À une époque où les tendances de la musique classique hésitaient entre l'atonalité et le dodécaphonisme, d'une part, et le jazz, d'autre part, Barber est resté sans honte romantique, écrivant une musique pleine de sève et de mélodie. Des qualités que l'on peut goûter, notamment, dans son *Concerto pour violon* op. 14.

Leonard Bernstein (1918-1990)

Chef d'orchestre légendaire de l'Orchestre philharmonique de New York, Bernstein écrivit de nombreuses œuvres de musique classique imprégnées de jazz. *West Side Story* lui acquit gloire et fortune. C'était à l'origine un show de Broadway, sorte de *Roméo et Juliette* américanisé, qui avait connu un très grand succès. Mirisch Pictures, à Hollywood, entreprit d'en faire un film à grand spectacle pour la réalisation duquel de gros moyens techniques et financiers furent mis en œuvre. Ce film reçut partout un accueil triomphal et il a beaucoup contribué à faire connaître Bernstein. Certains morceaux comme le «Mambo», «Tonight», «I fell pretty» ou «Maria» sont dans (presque) toutes les mémoires… même en Europe. On retrouve ces airs dans les *Danses symphoniques* tirées de l'ouvrage.

Bernstein composa un opéra, *Candide*, dont nous vous recommandons l'étincelante ouverture. Il a également écrit des œuvres plus graves, qui témoignent d'une foi juive teintée d'angoisse, par exemple la symphonie-cantate *Kaddish*.

---

20. Auparavant, les chefs-d'œuvre de la musique « américaine » étaient l'œuvre de compositeurs étrangers tel Dvořák, par exemple Samuel Barber (1910-1981).

Lors de la chute de Berlin, Bernstein dirigea sur place une exécution de la *Neuvième* de Beethoven qui fut commercialisée accompagnée d'un fragment (grand comme l'ongle du pouce) réputé authentique du Mur.

John Cage (1912-1992)

Cage abasourdit l'univers musical en y introduisant le concept du *hasard* (quatre récepteurs de radio accordés sur des stations différentes et «jouant» ensemble, par exemple). Il introduisit également la notion d'amusement dans un art jusqu'alors fort sérieux. Une de ses œuvres porte le titre de *4'33''*. Le pianiste arrive à son instrument, ouvre le couvercle du clavier et s'assied devant pendant 4 min 33 s sans jouer une seule note. (Cette pièce est très appréciée de nombreux exécutants à la virtuosité approximative, d'autant qu'elle peut être aisément transposée à l'instrument de son choix!) Dix ans plus tard, il composa une pièce, *0'0''*, qui n'était pas moins provocatrice ; elle était interprétée par le compositeur, qui découpait des légumes, les mettait dans un mixeur et dégustait pour finir le jus obtenu.

C'est encore lui qui utilisa pour l'interprétation de ses œuvres des *pianos préparés* entre les cordes desquels on introduit toutes sortes d'objets: morceaux de papier, clous, peignes… Il est souvent plus amusant d'entendre *parler* de ses œuvres que de les *entendre* elles-mêmes.

Aaron Copland (1900-1990)

Aaron Copland (Figure 2-31) est né à Brooklyn, dans l'État de New York, d'émigrants russes. Sa musique a saisi l'esprit de l'Amérique profonde. En écoutant une de ses compositions, pour peu qu'on ait un peu d'imagination, on croit voir les meules de paille parmi les champs de blé du Middle West. Il y a incorporé des rythmes et des harmonies de jazz et s'est inspiré de légendes américaines comme celle de *Billy the Kid*.

La plus connue de ses œuvres est *Appalachian Spring* (*Printemps dans les monts Appalaches*), ballet dont l'argument est l'histoire d'un couple de jeunes fermiers nouvellement mariés explorant leur ferme. Cette œuvre reste, à ce jour, la plus connue des musiques américaines[21].

George Gershwin (1898-1937)

Natif lui aussi de Brooklyn, George Gershwin a comblé le fossé entre la musique classique et la musique dite «populaire». Il mourut d'une tumeur au cerveau à l'âge de 39 ans. On peut voir son portrait sur la Figure 2-31.

---

21. En tout cas aux États-Unis : en Europe, cette gloire revient plutôt aux compositions de Gershwin ou de Barber.

Figure 2-31 :
Portraits
d'Aaron
Copland et
de George
Gershwin.

La composition qui le révéla et lui donna cette popularité universelle est la *Rhapsody in Blue*, sorte de concerto pour piano écrit à l'origine non pas pour un orchestre symphonique mais pour un *jazz-band*. La première eut lieu en 1923 sous la direction de Paul Whiteman lors d'un concert que ce dernier donna avec son orchestre sous le titre de *An Experiment in Modern Music* (*Expérience de musique moderne*).

Gershwin écrivit la *Rhapsody in Blue* à la dernière minute, quelques semaines avant le concert. Elle lui avait été inspirée par les bruits et les paysages d'un trajet en train de New York à Boston. La pièce associe de façon spectaculaire la structure d'un concerto pour piano classique avec le jazz et le blues typiquement américains. On peut néanmoins constater que Gershwin est plus à l'aise avec cette forme qu'avec la musique classique. Le rouleau de piano qu'il enregistra est une bonne démonstration de ses talents de pianiste de jazz. Il gagna sa vie en écrivant de la musique pour les shows de Broadway dont son frère, Ira, écrivait les paroles.

Malgré cette réussite, George ne se sentait pas très sûr de lui, car il avait une formation plutôt légère en théorie musicale et en composition. Aussi demandait-il tout le temps leur assistance et leurs conseils à des compositeurs de musique classique. S'étant ainsi lié d'amitié avec Arnold Schönberg avec qui il jouait au tennis, il en profita pour solliciter ses conseils. Le grand-père de la musique atonale refusa heureusement de lui donner des leçons en disant : « Je ne ferais de vous qu'un mauvais Schönberg alors que vous êtes déjà un excellent Gershwin. »

Voici quelques autres partitions de Gershwin dont nous vous conseillons l'écoute : le poème symphonique *Un Américain à Paris* (qui fait usage de Klaxons), le *Concerto en fa* pour piano et orchestre, l'*Ouverture cubaine*, avec sa débauche de percussions exotiques, et *Catfish Row*, la suite d'orchestre tirée de son unique opéra, *Porgy and Bess*, son œuvre maîtresse (remplie de tubes comme « Summertime » ou « I got plenty o' nuttin' », devenus des standards de jazz).

Charles Ives (1874-1954)

Cet agent d'assurances menait une double vie, composant à ses moments perdus. La plupart de ses œuvres ont fini au grenier où elles ont été redécouvertes plus tard. Elles sont aujourd'hui saluées par les Américains comme d'authentiques chefs-d'œuvre, et on le reconnaît comme le « père » de la musique américaine. Pour notre part, nous apprécions tout particulièrement *The Unanswered Question* (*La Question sans réponse*), *Central Park in the Dark* (*Central Park dans l'obscurité*) et *Three Places in New England* (*Trois lieux en Nouvelle-Angleterre*).

Les compositeurs « minimalistes »

John Adams (né en 1947), **Steve Reich** (né en 1936) et **Philip Glass** (né en 1937) sont les représentants les plus éminents d'un style musical appelé *minimalisme*, dans lequel de courts fragments musicaux répétés *ad nauseum* avec de subtiles variations de rythme et d'harmonie sont supposés vous transporter dans un état second. C'est principalement tonal et lénifiant, jamais désagréable à entendre. Louez la cassette vidéo de *Koyaanisqaatsi* (si vous pouvez la trouver), film entièrement accompagné par la musique de Philip Glass pour comprendre de quoi il s'agit.

Heureusement, chez ces compositeurs de talent, cette technique n'est pas utilisée comme une « recette de cuisine », mais s'accompagne d'une réelle imagination rythmique et sonore, ce qui a donné naissance à des œuvres tout à fait dignes de vos oreilles !

À l'écoute des minimalistes

John Adams

* *Short Ride in a Fast Machine* (*Courte Promenade dans une machine rapide*). Pièces plaisantes, désinvoltes et très rythmées d'une durée à peine supérieure à 4 minutes chacune. C'est une parfaite introduction au style de ce compositeur.

* *Harmonielehre*. Pièce en trois mouvements, à notre avis la meilleure pièce écrite actuellement dans le style minimaliste.

Steve Reich

* *Music for Pieces of Wood* (*Musique pour morceaux de bois*), un fascinant éloge du rythme.
* *Desert Music.*
* *Different Trains.*
* *City Life.*

Ceux qui détestent les compositeurs

On demandait un jour au grand chef d'orchestre sir Thomas Beecham s'il avait entendu une œuvre de Stockhausen (compositeur allemand de musique électronique). « Non, répondit-il, mais je crois que j'ai déjà souvent marché dessus. »

Depuis l'aube des temps, le public a été long à accepter les nouvelles idées musicales. À l'époque des polyphonies franco-flamandes, les premiers accents de la musique de la Renaissance ont certainement semblé bien étranges.

Lorsqu'ils firent entendre leurs premières œuvres, Beethoven et Brahms sont apparus comme des provocateurs, écrivant une musique affreuse et dissonante. Il en fut de même pour Berlioz, Debussy, Mahler, Nielsen, Schönberg... Citez-nous un compositeur apprécié qui ait ouvert de nouveaux horizons en musique classique, et nous pourrons vous en citer autant qui furent insultés de leur vivant.

Les compositeurs écrivent leur musique dans l'espoir qu'un jour prochain quelqu'un sera capable de la comprendre et peut-être même de l'aimer. Si votre arrière-arrière-grand-père avait donné ses chances à Brahms, ses CD ne seraient sans doute pas des best-sellers de nos jours.

C'est pourquoi il faut conserver un esprit ouvert pour aborder la musique. N'oubliez pas que votre meilleur ami était, avant que vous ne fassiez sa connaissance, un parfait étranger pour vous. Pour la musique, c'est souvent la même chose.

Chapitre 3

Les genres musicaux

. . . .

Dans ce chapitre :

▶ Il y a *symphonie* et *symphonique*

▶ De la sonate à l'oratorio

▶ Ce qu'on peut attendre de chaque forme musicale

. . . .

Si l'imagination des compositeurs se montre actuellement très riche lorsqu'il s'agit de donner un titre à leurs œuvres, cette créativité n'a pas toujours eu cours. Au XVIIIᵉ siècle, vous aviez beaucoup plus de chances d'entendre un morceau de musique appelé *Symphonie n° 1* que *Plongeon intergalactique dans l'amas du Centaure.*

Encore que certains comme François Couperin (1668-1733) n'aient pas hésité à user de titres tels que *Les Barricades mystérieuses* ou *Les Idées heureuses.*

On donnait alors généralement aux œuvres musicales un titre correspondant à la forme ou au genre auquel elles appartenaient. La distinction entre ces deux termes est subtile. La *forme* est la manière dont est construit chaque mouvement, chaque partie «isolable» d'un morceau. C'est de l'ordre de la maçonnerie, de la plomberie et de l'électricité : «Le fameux compositeur X a-t-il privilégié, dans le finale de sa *Symphonie n° 156*, la traditionnelle forme *rondo*, ou a-t-il opté pour une fugue, un thème et variations, une passacaille ?» (Voilà le genre de conversation que vous serez bientôt à même de lancer, au cours d'un dîner mondain.)

Le *genre* est une notion plus globale, incluant le type de formes utilisées, l'effectif instrumental, la destination de l'œuvre… On est cette fois dans le domaine de l'architecture et de l'urbanisme : est-ce un pavillon de banlieue, un immeuble de bureau, une ferme sicilienne ou pakistanaise ? Ou, en termes musicaux : s'agit-il d'un opéra (rassemblant des formes comme l'ouverture, l'air, le récitatif), d'une sonate ou d'une symphonie (où l'on retrouvera la «forme sonate», le scherzo ou le rondo), d'un oratorio ou d'un quatuor à cordes ?

Pour vous, genre ou forme, le résultat est certainement le même: un jargon qui risque de vous intimider. Dans votre carrière d'amateur de CD, de même qu'au concert, vous courez le risque d'entendre fréquemment les noms de ces formes et de ces genres musicaux. Comme un homme averti en vaut deux, dans ce chapitre, nous allons vous éclairer sur les arcanes de ce vocabulaire.

La symphonie

La symphonie est une forme musicale qui existe depuis plus de deux cents ans. C'est une composition pour orchestre comptant le plus souvent quatre parties appelées *mouvements*. Il était d'usage que les compositeurs montrassent leur maîtrise des éléments musicaux en écrivant des symphonies. (L'emploi, ici, de l'imparfait du subjonctif est une occasion, pour le traducteur, d'écrire sa petite symphonie personnelle.) C'était une sorte de signe de reconnaissance permettant de distinguer les apprentis compositeurs de leurs aînés. Au cours des ans, la symphonie devint l'une des formes musicales à la fois les plus répandues et les plus achevées. De nombreux compositeurs dont nous parlons dans ce livre ont écrit au moins une symphonie. Beethoven en a écrit neuf, Brahms quatre, Mozart quarante et une. Haydn fut sans conteste le recordman de la catégorie puisqu'il en écrivit cent quatre.

Les mouvements d'une symphonie s'enchaînent généralement les uns aux autres avec une pause entre chacun d'eux mais ils ne sont pas indépendants. Le mot allemand pour mouvement est *Satz*, qui signifie également «phrase». Les quatre mouvements d'une symphonie s'enchaînent à la façon dont quatre phrases forment un paragraphe.

À de rares exceptions près, ces quatre mouvements se conforment à un modèle standardisé. Le premier est vif et animé; le deuxième, plus lent et lyrique; le troisième est un menuet (danse ancienne adaptée au goût du jour) ou un scherzo revigorant; et le quatrième, un brillant finale.

Mais ce n'est pas tout. Encore faut-il savoir ce qu'on trouve à l'intérieur de chaque mouvement. C'est ce que nous allons voir maintenant.

Et *symphonique*, qu'est-ce que cela signifie? Ce qualificatif est souvent appliqué à un orchestre, c'est-à-dire à un groupe de musiciens jouant des symphonies. Et *philharmonique*, alors? Le *Petit Larousse* en donne la définition suivante: «Se dit de certaines associations musicales (groupe de musiciens amateurs, grands orchestres symphoniques).»

Premier mouvement : vif et animé

La structure du premier mouvement suit d'habitude ce qu'on appelle la *forme sonate*. Cette notion est beaucoup moins complexe que vous pouvez l'imaginer et, lorsque vous l'aurez apprivoisée, vous aurez de bonnes chances de mieux apprécier la musique classique. Nous avons volontairement simplifié nos explications, mais ce que nous allons dire convient au premier mouvement de presque toutes les symphonies classiques et romantiques.

Dans une forme sonate, on trouve généralement deux thèmes (c'est-à-dire deux mélodies principales, servant à l'échafaudage de tout le mouvement). Le premier est presque toujours sonore et énergique, alors que le second est plus calme et lyrique. On les appelle parfois *thème masculin* et *thème féminin*, bien que cette distinction ait quelque chose d'arbitraire, voire de sexiste.

- ✔ Le mouvement est parfois précédé par une introduction lente au caractère un peu solennel.

- ✔ Au début du mouvement vif proprement dit, vous entendez le premier thème puis, après une brève transition harmonique, le second. Le rôle de cette section est d'*exposer* les deux thèmes, c'est pourquoi on lui donne le nom d'*exposition*. Pour que vous ayez bien ces thèmes dans l'oreille, et que vous puissiez apprécier ensuite les transformations qu'ils subissent, l'exposition est parfois répétée telle quelle.

- ✔ Vient alors une deuxième section, dans laquelle le compositeur développe les deux thèmes, les variant, jouant avec certains fragments de ces thèmes et créant d'intéressantes associations entre eux. D'où le nom de *développement* donné à cette section.

- ✔ Ensuite, les deux thèmes réapparaissent dans le même ordre qu'au début : le premier, puis le second. Ils sont maintenant présentés sous une forme un peu différente mais on les reconnaît facilement. Cette section est appelée *réexposition*.

- ✔ Ce bel édifice est couronné par une brillante péroraison, la *coda* (le mot signifie «queue» en italien).

Au risque de nous répéter, voici la structure générale d'un premier mouvement de symphonie :

INTRODUCTION LENTE – EXPOSITION – DÉVELOPPEMENT – RÉEXPOSITION – CODA.

La symphonie n'est pas le seul genre musical à adopter la forme sonate. On trouve cette structure dans les premiers mouvements de nombreux autres genres instrumentaux, comme le concerto, le quatuor à cordes et la plupart des genres de musique de chambre, à commencer bien sûr par les sonates pour instrument seul ou deux instruments des époques classique et romantique. La quatrième plage du CD vous donne un parfait exemple de forme sonate avec le premier mouvement de la *Symphonie n° 5* de Beethoven.

Deuxième mouvement : lent et lyrique

Reprenons le cours de notre symphonie. Après le premier mouvement, vivant et énergique, il faut prendre un peu de repos. C'est pourquoi le deuxième mouvement est généralement lent et lyrique, construit autour d'un thème chantant qui donne au compositeur l'occasion de montrer son habileté à écrire des mélodies. Ici, il n'y a pas de place pour un combat des sexes, et la structure est souvent plus relâchée que dans le premier mouvement.

Troisième mouvement : dansant

Le troisième mouvement d'une symphonie est généralement dansant. C'est soit un *menuet* (construit sur le modèle de cette ancienne danse de cour), soit un *scherzo* (littéralement : « plaisanterie »). Ce mouvement est d'habitude écrit selon une mesure 3/4, c'est-à-dire à trois temps (UN-deux-trois, UN-deux-trois…). C'est Papa Haydn (1732-1809) qui a codifié la présence du menuet dans la symphonie. Écoutez, par exemple, le troisième mouvement de n'importe laquelle de ses symphonies, de la 31e à la 104e.

Le troisième mouvement comporte généralement trois sections. Vous entendez d'abord le menuet ou le scherzo lui-même. Vient ensuite une section contrastée (souvent jouée par un effectif plus restreint), appelée *trio*. Ce trio peut avoir un caractère un peu rustique, tranchant avec le raffinement de la section précédente. Et le mouvement se termine par la reprise à l'identique du menuet ou du scherzo.

La structure du troisième mouvement est donc :

MENUET – TRIO – MENUET

ou

SCHERZO – TRIO – SCHERZO

La prochaine fois que vous entendrez une symphonie, essayez de distinguer ces trois sections dans le troisième mouvement. Nous sommes sûrs que vous y parviendrez.

Finale : brillant

Le dernier mouvement est généralement rapide, et permet à l'orchestre de briller. Il est d'un caractère vif et enjoué, peu soucieux d'exprimer d'intenses émotions. Souvent, il est construit selon la forme *rondo*. Dans cette forme, un même thème revient sans cesse comme un refrain, en alternance avec des épisodes contrastant avec lui (les couplets). Voici, par exemple, un rondo en prose qui pourrait avoir été écrit pour une quelconque *Symphonie électorale* :

✔ Nous allons diminuer les impôts.

✔ Nous saurons nous montrer déterminés.

✔ Nous allons diminuer les impôts.

✔ Nous lutterons contre l'insécurité.

✔ Nous allons diminuer les impôts.

✔ Nous ferons comme nos prédécesseurs, mais mieux encore.

✔ Nous allons diminuer les impôts.

Si on appelle *thème A* «Nous allons diminuer les impôts» et, respectivement, *thèmes B, C* et *D* les trois autres, on arrive à la forme rondo suivante :

$$A - B - A - C - A - D - A.$$

Vous trouverez un magnifique exemple de rondo dans le dernier mouvement du *Concerto pour piano* n° 22 de Mozart, qui se trouve sur la plage 3 du CD d'accompagnement.

Tout cela est très théorique, bien sûr, et ne représente qu'une «moyenne». Rien n'interdit au compositeur de trouver sa propre voie et d'inventer son propre schéma. Ainsi Brahms achève-t-il sa *Symphonie n° 4* par une somptueuse passacaille, une sorte de thème et variations sur un motif mélodique présenté non pas par les instruments aigus, mais par les plus graves, sous les différentes mélodies (une «basse obstinée»). Le finale de la *Symphonie n° 9* de Beethoven fait intervenir solistes vocaux et chœurs (le fameux « Hymne à la joie»), et celui de la *Symphonie n°2, « Lobgesang»* («Chant de louange ») de Mendelssohn est une authentique cantate. Et, au XXe siècle, les compositeurs ont mis un point d'honneur à inventer d'autres types de symphonies, mais aussi d'opéras, de quatuors, de sonates et de tout ce que l'on peut imaginer.

Sonates et sonatines

Une sonate est un morceau en plusieurs mouvements composé pour un ou deux instruments, rarement plus. Des centaines de sonates ont été écrites pour piano seul et autant, sinon plus, pour d'autres instruments : violon, flûte, clarinette, trompette, cor...

Le mot *sonate* vient de l'italien *suonare*, qui signifie tout simplement « jouer » (d'un instrument). Il s'oppose au terme *cantate*, issu du verbe *cantare*, « chanter ». À partir de l'époque classique (Haydn, Mozart, Beethoven) et jusqu'au début du XXe siècle, la sonate respecte d'ordinaire une forme assez stricte, spécialement dans son premier mouvement. Cette standardisation a donné lieu à l'expression *forme sonate*, que nous avons déjà rencontrée à propos du premier mouvement d'une symphonie. Après ce premier mouvement vient généralement un mouvement lent et lyrique, avant un finale qui est souvent en forme de *rondo*, comme un dernier mouvement de symphonie.

Et une *sonatine*, qu'est-ce que c'est ? Au cours de vos explorations musicales, vous avez déjà probablement rencontré ce mot. Comme le laisse supposer le diminutif *-ine*, il s'agit d'une *petite* sonate. Ce raccourcissement se manifeste de plusieurs façons : elle peut avoir moins de mouvements qu'une sonate (deux, parfois) et chaque mouvement a une durée plus réduite. Le premier mouvement ne contient généralement pas de développement, et on parvient rapidement à la réexposition.

Les sonatines sont presque toujours plus faciles à jouer que les sonates à part entière et, pour cette raison, sont souvent destinées à des débutants.

Les concertos

Dans le jargon musical actuel, un concerto est un morceau de musique dans lequel un des exécutants (le *soliste*), qui est souvent un artiste de renommée internationale, cher payé, prend place sur le devant de la scène et joue la partie principale, accompagné par le reste de l'orchestre. C'est le héros de l'affaire, la *prima donna*. Il ne regarde pas toujours le chef d'orchestre. En général, c'est celui-ci qui suit le soliste, plutôt que l'inverse. (Pardon pour cette simplification !)

Dans la plupart des grands concertos, l'orchestre ne se contente pas d'accompagner le soliste en faisant des poum-poum ou des tra-la-la-la-lère pour mettre en valeur ses mélodies : il a une partie souvent d'égale importance à jouer. Il s'établit alors un dialogue, une conversation, entre les deux protagonistes (« antagonistes » dans le pire des cas). Vous aurez un exemple de ce dialogue sur la troisième plage du CD, avec le troisième mouvement du *Concerto pour piano n° 22* de Mozart.

Quelquefois (comme c'est le cas pour le hautbois dans le mouvement lent du concerto pour violon de Johannes Brahms), un autre membre de l'orchestre intervient, s'opposant çà et là au soliste. Pas à coups de poings, évidemment, mais à coups d'arguments musicaux.

Les concertos ont un grand pouvoir d'attraction sur l'auditoire. Si vous n'en avez jamais entendu, vous ne savez pas ce que vous perdez. Beaucoup de gens ne vont assister à un concert que pour écouter le concerto, pour entendre un soliste réputé, assister à ses prouesses pyrotechniques.

Certains solistes sont payés très cher (parfois 30 000 à 50 000 euros pour un seul concert). Les organisateurs de ces concerts savent qu'ils sont sûrs de récupérer leur mise. Parfois, les amateurs de musique prennent un abonnement pour toute une série de concerts, simplement pour être certains d'avoir une place pour entendre leur soliste préféré.

Lorsque vous devez assister à un concert où joue un soliste, choisissez une place légèrement à gauche du centre, car le soliste se tient presque toujours à la gauche du chef. Si c'est un pianiste, placez-vous encore plus à gauche (même à l'extrême gauche) car, ainsi, vous pourrez voir les mains de l'exécutant. Évitez alors de vous placer au centre, dans les premiers rangs, car le piano vous boucherait complètement la vue.

Structure d'un concerto

Un concerto dure en moyenne une demi-heure. Il se compose presque toujours de trois mouvements, trois parties contrastées séparées par une pause, du genre vif-lent-vif (comme la symphonie, le menuet ou le scherzo en moins). Cette structure permet au soliste de montrer sa virtuosité dans les mouvements extrêmes et la beauté de son timbre dans le mouvement lent central.

À la différence des musiciens de l'orchestre, les solistes jouent de mémoire. Le chef, lui aussi, a une partition sous les yeux, et pas des moindres. Cette coutume date de l'époque des grands virtuoses comme Franz Liszt (1811-1886) qui, déjà, savait pratiquer la starification. Beaucoup de gens vont à un concert pour guetter les fausses notes du soliste, un peu comme ils iraient au cirque dans l'espoir de voir le dompteur se faire dévorer par ses fauves. Chacun ses plaisirs! Pour notre part, nous préférons un soliste prenant des risques dans son exécution et développant une riche palette de sonorités et d'émotions (quitte à mettre quelques notes «à côté») plutôt qu'un robot à notes à la technique parfaite, mais sans âme.

Les membres de l'orchestre sont tenus de suivre leur partition comme un train de rester sur ses rails, ce qui, dans une certaine mesure, évite au soliste toute tentation de s'écarter du droit chemin. Mais certains solistes ont du mal à observer une stricte discipline, et c'est alors au chef et à l'orchestre de réagir promptement pour éviter la catastrophe. Si – dans les cas extrêmes – le soliste saute brutalement trois pages (ce qui n'a rien d'impossible étant donné le caractère répétitif de la structure d'un concerto), le chef doit immédiatement deviner à quel endroit il a atterri et se débrouiller pour remettre l'orchestre sur le bon chemin.

Si l'orchestre et son chef réagissent rapidement, le public peut ne s'apercevoir de rien. Mais il arrive que l'orchestre et le soliste se désynchronisent pendant de longues secondes. Dans de telles situations, le chef doit prendre des mesures désespérées pour que l'orchestre rattrape le soliste. Si jamais vous entendez un chef dire «Sautez à la lettre F», vous saurez que ça vient d'arriver.

La cadence

Près de la fin de chacun des mouvements et surtout du premier, il y a un moment où tout semble s'arrêter, sauf le soliste, qui se met alors à exécuter un passage, le plus souvent brillant, dont la durée peut aller de dix secondes à cinq minutes. Ce passage s'appelle la *cadence*. Jusqu'au XIXe siècle, la cadence était traditionnellement improvisée. À l'exception de quelques concertos où elle est écrite par le compositeur, elle reste à l'initiative de l'exécutant, qui peut improviser, jouer une cadence qu'il a écrite lui-même ou en adopter une écrite par un soliste de grande renommée ou un autre compositeur. La cadence est destinée à permettre au soliste de montrer de quoi il est capable, non seulement en tant qu'improvisateur, mais aussi en tant qu'exécutant. Il est possible d'y déployer toute sa fantaisie, ce qui en fait un moment très prisé par les fans de certains solistes particulièrement imaginatifs. («À ton avis, que va bien pouvoir inventer F. S. ce soir?»)

Sur le CD d'accompagnement, écoutez la plage 3 à 8 min 49 s. Vous y entendrez la cadence du troisième mouvement du *Concerto pour piano n° 22* de Mozart.

Lorsque le soliste a terminé sa cadence, l'orchestre reprend la parole et conclut le mouvement en quelques accords.

Presque toutes les cadences se terminent par un *trille* (un battement rapide entre deux notes voisines), qui est le signal indiquant à l'orchestre qu'il peut sortir de sa torpeur (ou de son émerveillement) et conclure le mouvement. Si vous avez un piano à portée de vos mains, vous allez pouvoir découvrir expérimentalement ce qu'est un trille :

1. **Avec votre index appuyez sur n'importe quelle touche (mais de préférence une touche blanche).**

2. **Avec votre majeur appuyez sur la touche immédiatement à droite.**

3. **Répétez les étapes 1 et 2 de plus en plus vite.**

Danses et suites de danses

Comme nous l'avons vu au chapitre 2, dans les temps anciens, la musique était souvent écrite pour accompagner un chant (dans les églises, par exemple) ou une danse.

Si vous allez à un concert et que vous entendez un menuet, il s'agit d'une forme qui, à l'origine, ne servait qu'à rythmer un pas de danse.

Mais lorsque la musique commença à se développer, les compositeurs acquirent de l'expérience, et certains rythmes, certaines lignes mélodies, conçus à l'origine pour être dansés, firent leur chemin dans l'écriture de pièces uniquement destinées à être écoutées. De nos jours, personne ne se lève soudain au cours d'un concert, lorsque retentissent les premières mesures d'un menuet, afin d'esquisser un pas de danse.

Dans les formes dansées, vous remarquerez certaines constantes :

- Le rythme est immuable. Qui voudrait danser sur un rythme changeant ? Même en l'an de grâce 500 AD (avant le Disco), les gens avaient besoin d'un rythme stable.

- La musique a un caractère répétitif prononcé. Autrement dit, elle ne contient guère de développements. Les airs que vous entendez reviennent souvent.

- Le titre porte un nom évoquant la danse : valse, mazurka, mambo…

Passons maintenant à la *suite de danses*. C'est un ensemble de danses regroupées en un tout cohérent. À l'époque baroque, cette forme consistait en une série de danses dans la même tonalité. Le « noyau dur » était la succession Allemande – Courante – Sarabande – Gigue, qui s'était imposée en raison de son équilibre entre mouvements lents et vifs, solennels et gais. Sur ce squelette quasi immuable se greffaient d'autres danses, au gré de la fantaisie du compositeur : gavottes, bourrées, menuets, rigaudons… Jean-Sébastien Bach a été l'un des maîtres incontestés de cette forme, qu'il a développée notamment au clavecin et au violon.

La première plage du CD d'accompagnement – la très populaire *Water Music* de Haendel – est un exemple de suite de danses particulièrement développée. En l'écoutant, vous comprendrez ce que nous entendons par « rythme stable » et « impression dansante ».

Au XIXe siècle, le mot *suite* a changé de sens. La *suite de danses* a laissé place à la *suite d'orchestre*, qui désigne un regroupement d'extraits symphoniques d'une œuvre scénique ou d'une musique de film. Les deux suites de *Carmen*, par exemple, consistent en une succession d'airs et d'interludes tirés de l'opéra de Bizet (1838-1875) qui porte ce nom. Il existe aussi une suite de *Casse-Noisette,* une de *West Side Story,* une de *La Guerre des étoiles…* et de nombreuses autres partitions.

Sérénades et divertissements

Au XVIIIe siècle, lorsqu'un prince ou un monarque souhaitait égayer une cérémonie privée ou une soirée par une musique de fond, il confiait cette tâche à un petit ensemble de musiciens attaché en permanence à son service. Ceux-ci pouvaient, à l'occasion, donner un concert, mais l'essentiel de leur fonction était de créer l'ambiance des divertissements princiers ou royaux. C'est pour de telles occasions qu'ont été écrites deux formes de musique : la *sérénade* et le *divertissement* (*serenata* et *divertimento*, en italien).

Comme vous pouvez vous y attendre, une sérénade ou un divertissement se compose généralement de plusieurs mouvements (cinq, voire davantage). Au cours d'un dîner, vous ne souhaitez pas entendre une musique trop élaborée. Ce qui convient le mieux, c'est une musique d'ambiance, un peu comme celle qu'on entend de nos jours dans les ascenseurs ou dans les supermarchés.

Des sérénades ont été écrites pour vents, pour cuivres et percussions, pour cordes et pour diverses combinaisons de ces instruments. C'était au compositeur de choisir l'instrumentation en fonction des circonstances de l'exécution. Par exemple, un quatuor à cordes était plus indiqué pour un banquet qu'un ensemble de trompettes et de tambours. Inversement, à l'extérieur, par une chaude soirée, des instruments à vent faisaient mieux l'affaire.

La plupart des sérénades et des divertissements durent de 20 à 30 minutes. Certaines sérénades (comme, par exemple, la magnifique *Sérénade «Haffner»* de Mozart) vont jusqu'à une heure, convenant bien à une réception donnée à l'extérieur. Mozart a écrit une autre sérénade, celle du *Cor de postillon*, dont la durée n'excède pas un quart d'heure.

Un passage de la plage 3 du CD d'accompagnement (à 4 min 17 s) vous donnera une idée de ce que sont les sérénades mozartiennes. Au milieu du mouvement final du *Concerto pour piano n° 22*, il a inséré une oasis de tranquillité imitant le caractère d'une sérénade pour vents.

Lorsque vous entendez une sérénade ou un divertissement au cours d'un concert, souvenez-vous de l'occasion pour laquelle cette pièce a été composée. Essayez de vous représenter la scène, imaginez-vous assis le long de la berge d'une rivière, loin du bruit des fax et des téléphones portables, tenant une galante conversation ou dégustant quelque nourriture raffinée, hors d'œuvre ou canapés.

Thèmes et variations

Œufs durs.

Œufs durs farcis.

Œufs durs farcis à la crème d'anchois.

Épinards aux œufs durs.

Œufs mollets.

Voici un exemple de thème avec des variations. Lorsque vous avez compris cela, vous avez compris l'une des formes musicales les plus répandues.

Un thème musical n'est rien d'autre que la mélodie qui apparaît au début d'un morceau de musique. Lorsque le compositeur a fini d'exposer son thème, il va le reprendre, encore et encore, mais en y changeant chaque fois un élément. Une variation peut modifier l'harmonie du thème ; une autre, en changer le rythme ; une troisième, ajouter des notes d'ornementation à la mélodie, et ainsi de suite. Mais, lorsque vous entendez chaque variation, vous pouvez presque toujours y percevoir le thème original.

Vous trouverez un exemple remarquable de variations dans le deuxième mouvement de la *Symphonie n° 94* de Joseph Haydn («*La Surprise*»). Il commence par un thème très simple, presque simpliste, suivi de plusieurs variations s'enchaînant l'une à l'autre. La musique de Haydn a elle-même été un sujet de variations pour certains des compositeurs qui l'ont suivi. Johannes Brahms, par exemple, est l'auteur des *Variations sur un thème de Haydn*.

Fantaisies et rhapsodies

Se couler dans des structures prédéterminées telles que la forme sonate ou la forme rondo ne convient pas à tous les compositeurs ni à toutes les circonstances. Dès les origines de la musique instrumentale, les musiciens ont développé des formes plus libres où leurs idées pouvaient se développer dans l'apparence de l'improvisation. Ces formes revêtent toutes sortes d'appellations, comme celles de *rhapsodie*, de *caprice* ou de *fantaisie*. Même le grand Jean-Sébastien Bach, réputé si méticuleux, aimait à faire précéder, par exemple, ses savantes fugues pour orgue ou pour clavecin de toccatas ou de préludes à la structure beaucoup plus fantasque (écoutez par exemple la célébrissime toccata de la *Toccata et Fugue pour orgue en ré mineur*).

Une fantaisie peut exploiter un thème ou plusieurs thèmes musicaux d'emprunt d'une manière plus libre que le thème et variations (voir plus haut). Ainsi le compositeur anglais Ralph Vaughan Williams (1782-1858) a-t-il pris l'air de *Greensleeves* comme point de départ et d'arrivée de sa rayonnante *Fantasia on Greensleeves*. De grands virtuoses compositeurs, tels le pianiste Franz Liszt (1811-1886) ou des violonistes comme Pablo de Sarasate (1844-1908) ou Henryk Wieniawski (1835-1880), ont produit d'admirables fantaisies sur les airs principaux des opéras en vogue à leur époque.

Toutes les fantaisies ne sont pas complètement dépourvues de forme, sinon de formalisme. Elles sont juste un petit peu moins strictes que les autres formes musicales. Les grands compositeurs ayant passé de longues années à étudier et à travailler des formes très rigides, il leur était bien difficile d'échapper à ce carcan. La *Fantaisie chorale* op. 80 de Beethoven, par exemple, est d'allure libre, certes, mais elle est néanmoins fortement structurée. Et la célébrissime *Sonate «Au clair de lune»* de Beethoven, pour piano, porte l'indication *quasi una fantasia* («presque une fantaisie»).

La *rhapsodie* s'apparente à la fantaisie, ayant, elle aussi, une structure libre. Mais elle adapte souvent un caractère national. Franz Liszt a été le grand propagateur de cette forme avec ses *Rhapsodies hongroises* pour piano, des œuvres virtuoses et éclatantes empreintes de la flamme tsigane. De nos jours, il en existe de nombreux arrangements pour orchestre, en particulier de la *Rhapsodie hongroise n° 2*.

Poèmes symphoniques

De même qu'une fantaisie ou une rhapsodie, un poème symphonique n'a pas de forme fixe, standard. Mais il est soumis à une contrainte : il est supposé *raconter une histoire* au moyen des instruments de l'orchestre.

L'inventeur du genre est, une fois encore, Franz Liszt avec des œuvres comme *Les Préludes*, *Mazeppa* ou *Prométhée*. Un thème personnifie le héros, et les transformations de ce thème (qui prend tour à tour un visage joyeux, passionné, héroïque ou douloureux) accompagnent le déroulement du poème ou du roman qui a inspiré la partition. Liszt trouva en Richard Strauss (1864-1949) un continuateur de premier ordre ; citons notamment *Don Juan, Don Quichotte, Ein Heldenleben (Une vie de héros), Also sprach Zarathustra (Ainsi parlait Zarathoustra)* et *Tod und Verklärung (Mort et Transfiguration)*.

D'autres compositeurs ont pratiqué ce genre. Citons comme exemples les six poèmes symphoniques de Bedřich Smetana composant *Má Vlast (Ma Patrie)*, au nombre desquels la célèbre *Moldau*, *Finlandia* et les *Légendes pour orchestre* de Jean Sibelius (avec, en particulier, *Le Cygne de Tuonela*), *Roméo et Juliette, Hamlet* et *Francesca da Rimini* de Piotr Ilitch Tchaïkovski. Si les Anglo-Saxons apprécient *Orkney Wedding with Sunrise*, de Peter Maxwell Davies, de notre côté, nous préférons la *Danse macabre*, *Le Rouet d'Omphale* et *Phaëton* de Camille Saint-Saëns, *L'Apprenti sorcier* de Paul Dukas, *Les Djinns* de César Franck, *Pacific 231* d'Arthur Honegger et, peut-être aussi, *Les Pins de Rome* et *Les Fontaines de Rome* d'Ottorino Respighi.

Bien entendu, il ne faut pas oublier l'un des chefs-d'œuvre du genre, *La Mer* de Claude Debussy, qui décrit l'agitation de l'océan, de l'aube au crépuscule. Vous pourrez en entendre un extrait sur la plage 8 du CD d'accompagnement.

Comme ils racontent une histoire, les poèmes symphoniques sont particulièrement agréables à écouter et faciles à suivre. Si vous avez l'histoire sous les yeux, vous pouvez facilement repérer son déroulement au fur et à mesure de l'écoute. On pourrait les comparer à de la musique de film sans images. La musique de John Williams pour le film *La Guerre des étoiles* est un poème symphonique qui doit beaucoup à Richard Strauss.

Lied et mélodie

En allemand, *Lied* (prononcez *līd*; pluriel : *Lieder*) signifie «chanson». Il s'agit de pages vocales accompagnées généralement au piano, typiques du romantisme allemand. C'est dans les années 1800 à 1850 que ce genre connut son apogée, tout spécialement lors de concerts donnés dans des salons. Ces lieder reposent sur des poèmes d'auteurs aussi connus que Goethe ou Heine.

Le leader des lieder

Le plus célèbre des compositeurs de lieder est incontestablement Franz Schubert (1797-1828), principalement connu pour sa *Symphonie «Inachevée»*, qui est aussi l'auteur de plus de 600 lieder (tous terminés, eux!). Dès l'âge de 17 ans, il s'adonna à ce genre avec génie. Les plus connues de ses compositions sont *Der Erlkönig (Le Roi des aulnes)*, *Der Tod und das Mädchen (La Jeune Fille et la Mort)*, *Heidenröslein (Rose des bruyères)* et *Die Forelle (La Truite)*.

Schubert regroupa bon nombre de ses lieder en *cycles* organisés par thèmes et généralement fondés sur des cycles de poèmes. Citons *Die schöne Müllerin (La Belle Meunière)*, *Winterreise (Le Voyage d'hiver)* et *Schwanengesang (Le Chant du cygne)*.

Robert Schumann (1810-1856), Johannes Brahms (1833-1897) et Hugo Wolf (1860-1903) se sont, eux aussi, illustrés dans l'art du lied, incontestablement influencés par Schubert. Au XXe siècle, deux autres compositeurs germaniques composèrent d'admirables lieder avec orchestre : Gustav Mahler (1860-1911) et Richard Strauss, auteur des *Vier letzte Lieder (Quatre Derniers Lieder)*.

La mélodie

Le genre de la mélodie est l'équivalent français du lied allemand. Presque tous les grands compositeurs français du XIXe siècle et du début du XXe s'y illustrèrent, qu'il s'agisse de mélodies avec accompagnement de piano ou d'orchestre. L'un des pionniers du genre fut Hector Berlioz (1803-1869), avec notamment le cycle *Les Nuits d'été*. Quelques décennies plus tard, Gabriel Fauré (1845-1924) composa quelques chefs-d'œuvre dans le genre avec par exemple le cycle *La Bonne Chanson*, d'après Verlaine. Il fut suivi par Claude Debussy (1862-1918), dont le nom est lié à celui de poètes comme Baudelaire ou Mallarmé, et Maurice Ravel, auteur de cycles comme *Shéhérazade* (d'après Tristan Klingsor) et les *Histoires naturelles* (Jules Renard).

D'autres compositeurs moins connus occupent une place éminente dans l'histoire de la mélodie française, comme Henri Duparc (1848- 1933), qui illustra Baudelaire avec génie dans *L'Invitation au voyage* ou *La Vie antérieure*, ou Francis Poulenc (1899-1963), le chantre d'Éluard (les cycles *Tel jour, telle nuit* et *Le Travail du peintre*) et d'Apollinaire (les cycles *Le Bestiaire* et *Calligrammes*).

Deux formes de mélodies et de lieder

On peut classer les lieder et les mélodies en deux catégories. Les uns adoptent une structure en couplets, avec éventuellement un refrain qui les rythme. C'est le cas de morceaux au caractère populaire ou enfantin, mais également de mélodies ou de lieder très raffinés suivant tout simplement la découpe du poème (dans ce cas, on pourra noter de subtiles variations d'une strophe à l'autre, notamment dans l'accompagnement, pour épouser l'évolution du texte). D'autres se déroulent de manière continue, du début à la fin, sans l'intervention régulière d'un thème particulier. C'est le cas, par exemple, du *Roi des aulnes*, de Schubert, cité plus haut.

Oratorios et cantates

La plus grande partie des œuvres dont nous parlerons dans ce livre est constituée de musique symphonique. Mais nous ne pouvons pas passer sous silence cette grande forme vocale qu'est l'*oratorio*.

À l'époque médiévale, la musique avait principalement une fonction religieuse. Elle reposait sur des textes sacrés et était chantée par des moines. À l'époque baroque, tous les compositeurs ont écrit des œuvres religieuses et en particulier des oratorios.

Né en Italie, l'oratorio est en quelque sorte l'équivalent sacré de l'opéra : une vaste pièce qui dure parfois plusieurs heures, conçue pour orchestre, chœur et solistes vocaux, et racontant de grands épisodes de la Bible. S'agissant de pièces religieuses, l'exécution se faisait toutefois sans mise en scène ni décor.

L'un des plus célèbres oratorios baroques est sans aucun doute *Le Messie* de Georg Friedrich Haendel (1685-1759). Citons également, du même compositeur, *Saül, Samson, Israël en Égypte, Salomon*…

Jean-Sébastien Bach (1685-1750) a écrit plusieurs oratorios spectaculaires à partir de sujets tirés du Nouveau Testament : l'*Oratorio de Noël*, les *Passions selon saint Jean et saint Matthieu*. Il a également écrit plus de trois cents *cantates* (dont une centaine ont été perdues), sortes de petits oratorios, de plus courte durée, et qui ne racontent pas forcément une histoire. La plupart étaient des œuvres de circonstance composées pour chaque dimanche.

Dans les autres pays, l'oratorio connut également beaucoup de succès. Vivaldi en composa trois, et en France le genre fut illustré notamment par Marc-Antoine Charpentier (1643-1704), avec *David et Jonathas*.

Durant la période classique, le grand maître du genre fut Joseph Haydn, avec *La Création* et *Les Saisons*.

Felix Mendelssohn (1809-1847), à qui l'on doit la redécouverte de Bach au XIXᵉ siècle, composa deux beaux oratorios avec *Elias* et *Paulus*.

Au XXᵉ siècle, le genre intéressa de nouveau quelques compositeurs comme Claude Debussy (*Le Martyre de saint Sébastien*) ou Arthur Honegger (*Le Roi David, Jeanne d'Arc au bûcher*). Plus près de nous, le Polonais Krzysztof Penderecki (né en 1933) a composé plusieurs oratorios grandioses (*La Passion selon saint Luc, Utrenia, Kosmogonia…*) et le jeune Français Thierry Escaich (né en 1965) a redonné vigueur à ce genre avec *Le Dernier Évangile*.

Opéras, opéras-comiques et opérettes

Puisque nous parlons de musique chantée, nous ne pouvons pas passer l'opéra sous silence. L'*opéra* est un drame mis en musique qui associe le meilleur de l'art théâtral, de la musique vocale et de la musique instrumentale dans un ensemble d'une haute intensité dramatique.

Dans un opéra, il est rare de trouver du texte seul. Cependant, les nécessités de la continuité de l'action imposent parfois un lien presque parlé soutenu par quelques accords de piano ou de clavecin entre les différentes parties chantées. Ce lien s'appelle un *récitatif*.

Un *opéra-comique* est un opéra comportant des scènes parlées. Contrairement à ce que suggère son nom, le thème n'en est pas toujours comique. Ainsi *Carmen*, de Georges Bizet, se termine par la mort de l'héroïne. Ce genre n'a plus actuellement la faveur des compositeurs.

Le versant «comique» de l'opéra est représenté par le genre italien de l'*opera buffa* et par l'opéra bouffe français mêlant airs chantés et scènes parlées, un genre satirique auquel Jacques Offenbach a donné ses lettres de noblesse (*Orphée aux Enfers, La Belle Hélène, La Vie parisienne…*).

L'*opérette* est plus légère encore que l'opéra bouffe, puisqu'elle ne prétend à aucune satire politique ou sociale, et généralement plus courte. Son but est uniquement de divertir. Ce genre est apparu à la fin du XIXᵉ siècle et a connu ses heures de gloire en France et en Autriche-Hongrie. Outre les œuvres de Jacques Offenbach, l'inventeur du genre, citons *Véronique* d'André Messager, *La Fille de Madame Angot* de Charles Lecoq, *Ciboulette* de Reynaldo Hahn, *Trois Valses* d'Oscar Straus (rien à voir avec les Strauss de Vienne), *Ta Bouche* de Maurice Yvain. Et, dans l'empire des Habsbourg, les Autrichiens Franz von Suppé et Johann Strauss (*La Chauve-souris, Le Baron tsigane*) et les Hongrois Ferenc Lehár (*La Veuve joyeuse, Le Pays du Sourire*) et Imre Kálmán (*Princesse Csárdás*). L'opérette s'est perpétuée à Broadway sous le nom de *comédie musicale* (*My Fair Lady* ou *West Side Story*, par exemple).

Dans un opéra, l'action s'arrête momentanément pour qu'un personnage puisse se lancer dans un «grand air». L'air de la folie de *Lucia de Lamermoor*, de Donizetti*,* en est un bel exemple. Lorsque les Trois Ténors donnent un concert, ils enchaînent air sur air. Les snobs et les pointilleux préfèrent dire *aria* (le terme italien) au lieu de «air».

Il faudrait un livre entier pour traiter le sujet de l'opéra, qui occupa les plus grands compositeurs, de Monteverdi à Messiaen en passant par Haendel, Mozart, Rossini, Verdi, Wagner, Bizet, Puccini et tous les autres! C'est la raison pour laquelle les auteurs de ce livre ont écrit dans la même collection *Opera for Dummies*, dont la traduction française *L'Opéra pour les Nuls* est en préparation.

Ouvertures et préludes orchestraux

Sans doute savez-vous déjà ce qu'est une *ouverture*, ne serait-ce qu'en raison de son nom. Nous allons néanmoins le préciser : il s'agit d'une pièce musicale de dimension modeste composée à l'origine pour permettre à l'orchestre de se chauffer (et au public de se taire) avant que le rideau ne se lève à l'Opéra. Mais certains compositeurs ont écrit des ouvertures indépendantes de toute œuvre lyrique. Par exemple, l'*Ouverture tragique* de Johannes Brahms est simplement destinée à illustrer un sentiment de tragédie.

Souvent, l'ouverture est bâtie sur quelques thèmes qui seront repris et développés au cours de l'opéra. Aussi sa structure est-elle très libre.

Ballets

Un *ballet* est une histoire qui associe la musique et la danse sans chant ni paroles.

Dans les premiers temps du ballet, c'était la danse qui tenait le haut du pavé, le travail du compositeur consistant à écrire de la musique pour permettre aux danseurs de se mettre en valeur. Des considérations musicales comme l'action dramatique ou la beauté des thèmes étaient alors secondaires. En conséquence, les compositeurs de cette époque ne faisaient pas preuve d'une imagination débordante puisqu'il ne s'agissait, en somme, que de musique de fond.

Mais vinrent Léo Delibes (1836-1891), l'auteur de *Coppélia,* et Piotr Ilitch Tchaïkovski (1840-1893), qui écrivit de la musique de ballet qu'on peut fort bien écouter pour elle-même, en fermant les yeux : *Le Lac des cygnes, Casse-Noisette, La Belle au bois dormant.*

Les ballets de Tchaïkovski sont les plus populaires et les plus appréciés. D'autres compositeurs ont suivi sa voie, parmi lesquels nous citerons deux autres Russes, Sergueï Prokofiev (1891-1953) et Igor Stravinsky (1882-1971), et un Français, Maurice Ravel, avec *Daphnis et Chloé* et *Ma Mère l'Oye.*

Les ballets de Prokofiev (*Roméo et Juliette, Cendrillon*) sont régulièrement représentés, mais leur exécution en dehors de toute performance chorégraphique est sans doute plus courante. Les ballets de Stravinsky sont moins dansés que joués, encore que *Le Sacre du Printemps* ou *L'Oiseau de feu* vaillent le déplacement. Beaucoup d'orchestres aiment inscrire ce type de musique à leur répertoire.

De même que dans l'opéra, l'action s'arrête périodiquement pour qu'un danseur (ou une ballerine) exécute un solo particulièrement brillant ou expressif. C'est l'équivalent des *airs* de l'opéra.

Entre ces solos, la musique de ballet s'attache à suivre et à soutenir l'action qui se déroule sur la scène. Il s'agit donc, ici encore, de *musique à programme*, un peu à la façon du poème symphonique mais en suivant de plus près l'action.

Lors des exécutions orchestrales, la partition du ballet peut être jouée intégralement mais, dans ce cas, elle est plus difficile à suivre parce que la danse n'est plus là pour la soutenir. Aussi préfère-t-on généralement jouer une *suite* de ballet composée des «meilleurs» morceaux du ballet (les plus expressifs ou les plus pittoresques).

Musique de chambre

On trouve de tout chez les disquaires, des *duos* aux *dixtuors*, en passant par les *trios*, les *quatuors*, les *quintettes* et mêmes des *sextuors*, des *septuors*, des *octuors* et des *nonettes*.

Si on appelle ce genre musical de la *musique de chambre*, ce n'est ni en raison de son caractère propre à favoriser l'endormissement (encore que certains quatuors…) ni parce que cette musique aurait des vertus curatives et que son lieu d'élection serait constitué par les chambres d'hôpital.

Non, c'est tout simplement parce qu'elle ne nécessite qu'un petit effectif et peut donc théoriquement être jouée à votre domicile. (C'était d'ailleurs le cas à l'origine.)

Le quatuor à cordes est considéré comme le genre le plus pur, le plus parfait de la musique de chambre. Tout compositeur qui se respecte (et surtout veut se faire respecter par ses camarades) doit composer au moins un quatuor à cordes. Ce genre est interprété par une formation consistant en deux violons, un alto et un violoncelle. La structure du quatuor classique et romantique est très voisine de celle d'une symphonie : généralement quatre mouvements arrangés dans la même progression : vif, lent, dansant et animé. Le corollaire de cette perfection, c'est que le quatuor à cordes est (sauf exceptions) un genre assez difficile à aborder pour le néophyte : son caractère «sérieux», «abstrait», l'uniformité des timbres entre les quatre instruments à cordes le rendent généralement peu affriolant et, comme un grand vin, il ne s'offre véritablement qu'aux connaisseurs.

Mieux vaut donc, pour vos premiers pas dans l'univers vaste et riche de la musique de chambre, vous diriger vers des astres plus bariolés, notamment les formations mêlant des instruments de différentes familles – le trio avec piano (violon, violoncelle, piano), le quintette avec piano ou clarinette (un quatuor à cordes plus un piano ou une clarinette), voire des «bizarreries» comme la *Sonate pour flûte, alto et harpe* de Claude Debussy – ou vers des formations de cordes plus étoffées (quintette, sextuor, octuor).

Certaines formes musicales ont mis des siècles à évoluer en passant entre les mains des plus grands compositeurs et en devenant plus raffinées. Dans le cas du quatuor à cordes, c'est Joseph Haydn (1732-1809) qui a eu la plus grande influence sur sa forme.

Haydn a été l'un des trois compositeurs les plus marquants de la période classique (les deux autres étant Mozart et Beethoven). Comme nous l'avons vu au chapitre 2, il passa une grande partie de sa vie à la cour du prince Esterházy, aux environs de Vienne, et il ne quitta cet emploi qu'à la mort du prince. Au cours de ces quelque vingt-cinq années, il avait pour tâche de composer pour les soirées musicales de la cour qui avaient lieu deux fois par semaine.

Haydn avait à sa disposition un orchestre dont les membres étaient également des employés à plein temps du prince Esterházy, aussi écrivit-il des quantités de musique à leur intention : des concertos, des opéras, des oratorios, des sonates pour piano… et 83 quatuors à cordes.

Isolé comme il l'était en dehors de la ville, à la cour du prince, Haydn fut préservé des influences extérieures, tout comme s'il avait résidé aux îles Galapagos. Dans cet isolement, il pouvait se livrer à des expériences, essayer de nouvelles formes et de nouveaux styles, voir ce qui marchait et ce qui ne marchait pas. Au cours de ces longues années, il parvint ainsi à standardiser la forme du quatuor à cordes et de la symphonie.

Les innovations apportées par Haydn à ces formes musicales devaient avoir une grande influence sur ses collègues et sur ses élèves, Mozart et Beethoven, qui l'appelaient « Papa Haydn » et qui écrivirent des quatuors aussi sublimes que ceux de leur maître révéré.

Après tout, qu'avez-vous à faire de la forme ?

Voilà une bonne question, et nous sommes contents que vous l'ayez posée. En réalité, vous n'avez que faire de la forme. Mais, comme vous l'avez compris, dans l'ancien temps, on s'attendait à ce que les compositeurs coulassent leurs œuvres dans un des moules reconnus s'ils souhaitaient recevoir l'approbation de leurs contemporains et être pris au sérieux. Et la plupart d'entre eux acceptaient cette contrainte.

Toutefois, on doit reconnaître que, privé de toute structure définie, le processus de la création est incroyablement difficile. Comme nous l'avons lu dans un autre livre, tout ce qui est dépourvu de forme est vide. Paradoxalement, la créativité peut s'exprimer plus librement à l'intérieur d'un cadre. Les enfants colorient plus facilement un dessin lorsque ses contours sont déjà marqués. Il est plus facile de composer lorsque vous n'avez plus qu'à vous glisser à l'intérieur d'une forme. Surtout, jouer avec la forme est extrêmement réjouissant, pour le compositeur comme pour l'auditeur qui a remarqué les subtiles entorses aux règles.

Il en est en musique comme dans les autres arts : apprendre des règles ne sert qu'à acquérir un métier, des réflexes, un langage commun par lequel on pourra communiquer. L'artiste véritable absorbera totalement ces règles jusqu'à les faire siennes et à les réinterpréter à sa propre manière, mû par une nécessité intérieure et non par des lois qui, finalement, n'existent que pour être bousculées.

Deuxième partie
Écoutez !

« Lorsque je t'ai dit que nous venions écouter le Canon de Pachelbel je ne pensais pas que tu interpréterais le titre au pied de la lettre. »

Dans cette partie...

Si vous avez bien lu la première partie, vous savez maintenant qui joue de la musique classique, en quoi consiste le travail des exécutants et quel est leur but. Vous avez quelques notions sur l'histoire de la musique classique, sur les compositeurs qui l'ont écrite et sur les formes musicales qu'ils ont respectées. Vous êtes maintenant fin prêt pour aller au concert.

Le chapitre 4 va vous révéler les étranges traditions qui ont cours dans les salles de concert. Le chapitre 5 sera consacré à une visite guidée du CD d'accompagnement, ce qui devrait vous faciliter l'écoute de la musique en général. Et, en guise d'entracte, nous vous emmènerons dans les coulisses, parmi le monde fascinant des musiciens eux-mêmes.

Chapitre 4

Guide de survie du concert

. . . .

Dans ce chapitre :

▶ Quel habit revêtir, où s'asseoir, que manger ?

▶ Comment déchiffrer le livret du programme ?

▶ Que va-t-il se passer sur scène ?

▶ Le chef d'orchestre : celui qui parle rarement et qui tient une petite baguette

. . . .

*A*ssister à un concert, c'est un peu comme assister à une réunion politique ou à une convention scientifique : vous faites les cent pas dans un hall gigantesque où déambulent des tas de gens parlant un jargon qui vous semble incompréhensible. Certains sont étrangement vêtus et tous observent une étiquette qui vous paraît hermétique. Pas de panique ! La lecture de ce chapitre va vous épargner tout embarras. Lorsque vous serez parvenu à son dernier paragraphe, vous vous sentirez aussi à l'aise que n'importe quel snob présent à un concert.

Nous parlerons en général de concerts donnés par des orchestres symphoniques. Mais tout ce que nous allons dire pourrait aussi bien s'appliquer à des formations moins importantes comme des quatuors à cordes ou des ensembles de cuivres (encore que l'atmosphère y soit d'ordinaire moins guidée), ou même encore à des récitals de piano ou de chant.

Comment se préparer (ou ne pas se préparer)

Inutile d'être déjà familiarisé avec la musique que vous allez entendre avant d'assister à un concert. Après tout, un concert de musique classique, c'est comme un concert de rock, une représentation théâtrale ou un film : une distraction.

Mais, comme tout le monde, nous avons une certaine tendance à aimer ce que nous connaissons déjà. N'oubliez pas toutefois que votre air préféré vous était totalement inconnu lorsque vous l'avez entendu pour la première fois.

Aussi, après avoir dépensé de 10 à 100 euros pour votre billet, il n'est pas déraisonnable d'investir une quinzaine d'euros pour acheter un enregistrement de la musique que vous allez entendre. (Peut-être avez-vous d'ailleurs la chance de disposer d'une bonne médiathèque pas loin de chez vous.) Il n'est pas nécessaire d'écouter tous les morceaux, sans doute, mais au moins l'œuvre principale du programme. Quelle est cette œuvre ? Il s'agit souvent de celle qui est interprétée juste après l'entracte, la dernière inscrite au programme, et la plus longue.

Écoutez le disque, lisez le livret qui l'accompagne et vous aurez déjà une bonne idée de ce que vous allez entendre. Sauf si vous êtes de ceux qui ne peuvent écouter de la musique que s'ils ont la partition sous les yeux. Mais, dans ce cas, que venez-vous faire dans ce livre ?

Si vous n'avez pas écouté les œuvres avant d'assister au concert, jetez au moins un coup d'œil aux notes de programme une fois que vous serez dans la salle de concert. Vous y découvrirez des renseignements sur le compositeur, sur les circonstances de la composition de l'œuvre et l'état d'esprit de l'auteur à ce moment-là.

Certains orchestres proposent des discussions informelles avant le concert. Ces entretiens sont généralement gratuits. Ils se déroulent sur un ton plutôt bon enfant mais sont riches d'enseignements. Malheureusement, tous les orchestres ne pratiquent pas cet exercice.

Quand doit-on arriver au concert ?

De bonne heure ! Vous n'allez pas déranger tout le monde pour gagner votre place (en admettant qu'on vous laisse entrer pendant l'exécution d'un morceau, ce qui serait bien exceptionnel !). Si vous arrivez suffisamment tôt, vous pourrez entendre les musiciens s'accorder, ce qui est toujours pittoresque. Vous les entendrez aussi exécuter tel ou tel passage particulièrement délicat, histoire de se « mettre en doigts » comme un coureur qui effectue une petite course sur place avant que ne commence la compétition. Et vous aurez tout loisir de lire les notes de programme pour vous renseigner sur les œuvres jouées, mais aussi sur les interprètes.

Dois-je porter un pagne pour écouter Le Sacre du Printemps?

Les gens sont souvent préoccupés par la tenue qu'ils doivent porter pour assister à un concert. Ne vous faites pas de mauvais sang et mettez ce qui vous plaît, pourvu que votre allure reste correcte. Il n'y a aucune exigence particulière en la matière, sauf lorsqu'il s'agit de concerts de gala organisés pour une circonstance particulière et présidés par un personnage important.

Les jeunes viennent souvent dans leur tenue de tous les jours. Les gens plus âgés préfèrent généralement le costume-cravate. Les femmes saisissent parfois l'occasion pour porter une nouvelle robe et se montrer à leur avantage. Quant à nous, nous pensons qu'une tenue par trop guindée ne vous permettrait pas d'apprécier en toute quiétude la musique que vous allez entendre.

Bien sûr, un concert est souvent empreint d'une certaine solennité et peut ressembler par certains côtés à un cérémonial. Mais ce ne sont pas là des détails de première importance. Vous venez pour entendre de la musique, pas pour vous montrer. Les perles ne sont pas indispensables; les oreilles suffisent!

Si vous décidez d'accorder votre habillement au thème du concert (pagne ou autre vêtement «typique»), vous risquez d'être le seul dans ce cas et de vous faire remarquer, ce qui n'est pas nécessairement bon pour votre image de marque. Mais on ne vous demandera pas de sortir. Certains auditeurs iront même jusqu'à penser que votre costume est une forme particulière de publicité pour le concert, ce qui ne fera que les amuser.

Un point important: si quelqu'un de l'assistance, à un moment ou à un autre, vous donne une raison de penser qu'il (ou elle) désapprouve votre façon de vous habiller, tournez-vous de son côté et dites-lui en souriant: «Que pensez-vous de cette modulation surprenante et éblouissante vers la fin de l'exposition?» Ça marche toujours, quelle que soit l'œuvre que l'orchestre vient de jouer. De toute façon, les gens qui sont trop attentifs à leur mise n'entendent généralement rien à la musique, au propre comme au figuré.

Le choix de votre place et comment acheter votre billet aux meilleures conditions

Rares sont les orchestres professionnels qui ne rencontrent pas de difficultés financières de plus en plus grandes. L'entretien d'un grand orchestre coûte des millions d'euros par an. C'est la raison pour laquelle ils méritent votre soutien tant moral que financier. Nous éprouvons un sentiment de culpabilité à vous donner des conseils pour payer moins cher votre place à un concert donné par un des orchestres de votre pays.

Aussi allons-nous vous donner des conseils pour faire des économies lorsque vous assisterez à un concert de l'Orchestre philharmonique de Bulgravie. Dans ce pays, vous n'ignorez pas que les orchestres sont une institution d'État et que leurs membres sont tous fonctionnaires. Peu nous importe que le gouvernement de la Bulgravie fasse ou non d'importants bénéfices lors des tournées de son orchestre national!

Comment faire des économies lorsque vous assistez à un concert donné par l'Orchestre philharmonique de Bulgravie

par Dimitri Poguinski et Sacha Spekovitch

Fait numéro un. Les meilleurs sièges dans une salle de concert ne sont pas forcément les plus chers. C'est parfois au fond du premier balcon qu'on entend le mieux.

Si vous êtes placé juste à cet endroit, vous entendrez généralement le son réfléchi par le plafond. Vous pourrez même entendre parfois les murmures des musiciens. Les places du premier rang d'orchestre, là où sont assises quelques-unes des notabilités locales, sont celles qui ont la plus mauvaise acoustique. C'est absolument comme si vous mangiez du *knotchpanitchki* avec trop d'ail et pas assez d'oignon. Vous avez trop de l'un et il vous manque le parfum de l'autre. Permettez aux sensations auditives de se fondre entre elles en vous asseyant plus loin en arrière.

Addendum. D'un autre côté, pouvoir contempler les exécutants et le chef (ou le soliste, s'il s'agit d'un concerto) constitue un point positif, et vous ne pouvez pas mieux les voir que si vous êtes assis en face d'eux. Alors que faire? Pourquoi pas des jumelles de théâtre? Vous pouvez aussi songer à acheter un billet pour le balcon et, à un moment quelconque de la première partie du concert, regarder s'il n'y a pas de place libre aux premiers rangs d'orchestre. Après l'entracte, qu'est-ce qui vous empêche d'aller vous y asseoir? De cette manière, vous aurez eu le meilleur des deux mondes: une acoustique superbe dans la première partie et une vue excellente dans la seconde. Le tout pour pas cher.

Addendum à l'addendum. Que risque-t-il de se passer si, après avoir occupé une place jusqu'ici libre, quelqu'un vient vous la réclamer? Prenez alors votre propre billet et, simulant l'étonnement, dites: «*Höppla! et hèlá plàata Orkèstu A-1? Jôt dúmal shto bìta Trijta Balkôn ZZ-49? Jöt toka requalâ.*» («Oh, c'est la place d'orchestre A-1? Je pensais que j'étais au troisième balcon, à la place ZZ-49! Je suis désolé.») Ou mieux encore, dites: «*Möy bônaful! Et hèlá Sämôdi?*» («Mon Dieu, nous sommes samedi?»)

En réalité, un sourire fera généralement l'affaire. Rappelez-vous qu'il vous reste votre billet pour aller vous réfugier sur votre propre siège.

Fait numéro deux. Il est rare que le prix des billets diminue juste avant le concert. Ce n'est donc pas à ce moment qu'il faut chercher à savoir s'il n'y a pas des billets à prix réduit (en revanche c'est souvent le cas pour les étudiants) mais au moment de la location des places. Vous trouverez aussi souvent des revendeurs de billets au marché noir, à l'entrée du concert, mais ne comptez pas les payer moins cher. Au contraire: lors des concerts donnés par des vedettes reconnues, nombreux sont ceux qui achètent d'avance une certaine quantité de billets pour les revendre plus cher à ceux qui s'y sont pris trop tard.

Il est donc rare de trouver des gens qui, pour une raison ou une autre, ne peuvent pas utiliser leur billet et, afin de ne pas tout perdre, sont prêts à le revendre à vil prix, voire à vous en faire cadeau. Pour bénéficier de ces conditions aussi avantageuses que rares, vous devez avoir l'air aimable et respectable et faire votre possible pour ne pas être recherché par la police secrète!

Fait numéro trois. Si vous tirez le diable par la queue mais souhaitez néanmoins ne pas manquer la totalité du concert, arrivez à l'entracte (impossible de préciser à quel moment il aura lieu, aussi agissez en conséquence). Il y a toujours des gens qui s'en vont au premier entracte, pour telle ou telle raison (ils ont mal à la tête, le reste du programme ne les intéresse pas, ils ont rendez-vous au kolkhoze, etc.). Ils seront généralement contents de vous céder leur place. Installez-vous près des marches donnant accès à la salle ou dans le hall d'entrée, et posez poliment la question aux gens qui quittent la salle. Lorsque nous étions étudiants, nous avons occasionnellement pratiqué cette méthode. Maintenant, nous le faisons régulièrement.

Addendum au fait numéro trois. Bienheureuse Bulgravie où il règne une telle confiance en l'honnêteté des spectateurs. Dans notre beau pays de France, si vous voulez aller faire un tour dehors pendant l'entracte, munissez-vous de contremarques, faute de quoi on ne vous laissera pas rentrer.

Fait numéro quatre. Il peut se faire que certains orchestres autorisent le public à assister à leur dernière répétition (la «générale»). Les musiciens y sont encore en tenue de ville, car l'atmosphère y est très détendue mais l'exécution est de haut niveau (sans l'intensité magique du concert, toutefois). Comme cette répétition est la dernière, il n'y a pratiquement plus de corrections à effectuer mais, parfois, le chef arrête l'orchestre pour mettre au point un détail ou un autre. Ce spectacle peut se révéler fascinant, tout spécialement si vous pouvez entendre ce que dit le chef à ses musiciens.

Applaudir ou non ?

La première fois que vous assisterez à un concert, vous serez surpris de constater que personne n'applaudit après la fin du premier morceau.

« Qu'est-ce qui peut bien se passer ? allez-vous vous demander, c'était pourtant une excellente interprétation.» Eh bien! vos auteurs se souviennent que pareille mésaventure leur est arrivée lorsqu'ils avaient une huitaine d'années (ils étaient bien embarrassés d'avoir applaudi) et qu'ils en avaient conclu que c'était là un des usages les plus stupides qu'ils connaissaient.

Pourquoi personne n'applaudit

Explication. Les gens qui ont lu le programme savent que l'exécution du morceau n'est pas entièrement terminée: seul un *mouvement* (une section) l'est. Alors, ils attendent. Il est réellement embarrassant de commencer à applaudir et à clamer son enthousiasme pour découvrir brutalement que la musique continue et que 1 864 personnes dardent sur vous des regards réprobateurs.

Bien que nous ne soyons pas d'accord avec cette habitude d'attendre, nous nous sentons moralement obligés de vous recommander de l'observer. Voici quelques indices qui vous permettront de deviner que la musique est réellement terminée:

✔ Le chef a abaissé ses mains et reste immobile. (S'il ne veut pas que vous applaudissiez, il peut parfois vous le faire comprendre en gardant ses mains levées et en attendant patiemment, ou en se tournant et en regardant directement dans les yeux ceux qui applaudissent, voire en s'exclamant: «Pas encore!»).

✔ Tous les musiciens ont posé leur instrument.

✔ Tout le monde autour de vous commence à applaudir.

✔ Les lumières de la salle se rallument.

✔ Les exécutants quittent la scène en emportant leur instrument.

✔ Toute l'assistance s'est levée et quitte la salle de concert.

✔ Les gens du nettoyage arrivent et commencent à balayer la scène.

Naturellement, il y a des indices plus directs qui vous montrent que le morceau est réellement et entièrement terminé. Par exemple, regardez le programme, il vous indique, juste au-dessous du nom de chaque morceau, le nombre de mouvements qu'il comporte. (**Rappelez-vous:** la plupart des symphonies ont quatre mouvements et la plupart des concertos, trois.)

Plus sur cette règle stupide de ne pas applaudir

En réalité, ne pas applaudir entre les mouvements est toujours un sujet brûlant dans les cercles de musique classique américains. Si les gens ne le font pas, c'est qu'ils ont pour cela deux raisons: d'abord la pression de leurs alter ego; ensuite le sage précepte universellement accepté depuis quelques dizaines d'années et qui est le suivant:

Une symphonie (un concerto, une suite…) forme un tout. Les mouvements ont des liens les uns avec les autres comme les différentes phrases d'un paragraphe concourent toutes à en former le sens. Applaudir entre les mouvements créerait une discontinuité dans l'esprit des auditeurs, et vous risqueriez, parvenu à la fin, d'oublier comment le morceau a commencé.

Voici pourquoi cette règle nous semble malvenue:

✔ Les auditeurs, se retenant de tousser au cours de l'exécution, ont besoin d'un certain répit pour se libérer entre chaque mouvement et profitent massivement de cette courte interruption. Du point de vue de l'orchestre, c'est quand même mieux que s'ils se mettaient à tousser *pendant* le mouvement, mais néanmoins ces toux détruisent la continuité de la musique de la même façon que le feraient des applaudissements.

✔ Il arrive que des instrumentistes aient besoin de se réaccorder entre deux mouvements et se mettent à tripoter bruyamment à qui mieux mieux leurs chevilles, clapets, embouchures, tuyaux, mouillent leurs lèvres, etc. Et cela dans toutes les tonalités possibles, bien sûr.

✔ **Plus important:** Quelquefois, un des mouvements est si emballant que vous avez vraiment envie d'applaudir. Prenez un concerto, par exemple, ce combat entre un soliste et un orchestre. Nous défions quiconque de trouver un morceau de musique qui vous laisse dans un état d'exaltation aussi incontrôlée que le premier mouvement du *Concerto pour piano n° 1* (ou de celui pour violon) de Tchaïkovski, au point qu'il semble peu naturel à de nombreux auditeurs de réfréner leurs applaudissements à cet instant. Ils ont envie de se mettre debout pour exprimer leur enthousiasme et de caracoler dans la salle pour clamer leur satisfaction.

Mais que se passe-t-il au lieu de cela? Une cacophonie de raclements de gosiers, et c'est *toux*.

Dans notre pays, les gens vont au concert un peu comme ils iraient à la messe, et dans un esprit de recueillement qu'il ne faut pas troubler par des manifestations déplacées.

Autrefois, lorsque la musique classique était aussi de la musique populaire, il était d'usage d'exprimer son approbation (ou sa désapprobation) de l'interprétation qu'on venait d'entendre pendant le cours de l'exécution du morceau. Les concerts étaient de grandes manifestations chaleureuses auxquelles chacun participait à sa façon, exécutants comme spectateurs, tout comme on le fait maintenant dans les concerts de rock. (C'est parfois encore le cas à l'opéra, tout au moins dans certains théâtres des pays latins.)

À notre avis, l'une des raisons du déclin de la popularité des concerts de musique classique depuis le siècle dernier est qu'on ne s'y amuse plus. Beethoven ne s'est jamais attendu à ce que les auditeurs de ses compositions restent silencieux d'un bout à l'autre de leur exécution. S'il revenait parmi nous, il aurait des raisons de penser qu'il est devenu sourd.

Heureusement, ces usages se modifient lentement et on permet de plus en plus à l'auditoire de s'exprimer. Les chefs qui, depuis des dizaines d'années, restaient silencieux sur leur estrade se mettent à parler (quand ils ont quelque chose à dire). Nous espérons que cette tendance se confirmera et même se développera afin que rien ne vienne nous empêcher de faire retentir nos applaudissements à chaque passage qui le mérite.

Avec qui venir et qui laisser chez soi avec le chien

On devrait intéresser les enfants à la musique classique le plus tôt possible. Mais si vous craignez qu'ils ne se mettent à pleurer, à pousser des hurlements ou à s'agiter pendant le concert, sans doute vaut-il mieux vous contenter de les emmener à des concerts spécialement conçus pour eux ou de leur faire entendre des CD à la maison.

Les programmes des concerts ne se ressemblent pas. Certains réunissent plusieurs petites pièces, alors que d'autres ne sont formés que de longues compositions. Pour choisir celui ou celle qui vous accompagnera au concert, confrontez la durée des morceaux à ses capacités d'attention soutenue. Il y a de plus en plus d'orchestres qui proposent des concerts pour les familles. De nos jours, il suffit de chercher un peu pour trouver le concert qui convient à chacun.

Quel concert choisir, ou éviter, pour y inviter l'élu(e) de votre cœur

Pour ceux qui s'aiment, un concert est un merveilleux événement.

Si vous voulez impressionner celle ou celui avec qui vous avez rendez-vous par la qualité de votre goût et de votre culture et la profondeur de vos sentiments, vous ne pouvez pas trouver mieux qu'une soirée de musique classique. Mais ne l'emmenez pas entendre n'importe quoi si vous ne voulez pas refroidir ses sentiments à votre égard. Vous devez observer quelques précautions:

✔ **Quel type de formation allez-vous écouter?** S'il s'agit d'un grand orchestre, vous ne risquez pas grand-chose. S'il s'agit d'un petit ensemble à cordes (violons, altos, violoncelles, contrebasses), il y a de grandes chances pour que la musique se révèle suave et mélodieuse. Un ensemble de cuivres? Alors ce seront la puissance, la force et le triomphe qui domineront. Un groupe de harpes? Cherchez autour de vous et vous apercevrez quelqu'un vêtu de blanc, déployant ses grandes ailes. Mais, dans ce cas, sans doute êtes-vous déjà mort.

✔ **De quel style ou de quelle époque est la musique que vous allez écouter?** Cette question revêt une importance exceptionnelle. Vous pouvez vous aider de la chronologie musicale de l'annexe B pour savoir à quelle époque appartiennent les compositeurs qui vont être joués. Cela vous donnera une petite idée du style de musique que vous allez entendre. La musique baroque est expressive, mais d'une façon très contrôlée. La musique de la période classique est aimable et gracieuse, mais plutôt réservée quant à l'expressivité des sentiments. La musique romantique est luxuriante, somptueuse et très expressive. La musique moderne ou contemporaine soulignera votre curiosité, votre ouverture d'esprit, et vous réservera certainement de magnifiques surprises.

✔ **Cette musique est-elle associée à une histoire ou à un événement?** Parfois, certains morceaux ont connu des circonstances de composition ou de première exécution particulières qui y sont restées attachées. Le programme rappellera toujours ces événements. Cependant, ce n'est peut-être pas ce type de circonstance qui convient le mieux pour entretenir la flamme de l'élu(e) de votre cœur. Certains morceaux sont à éviter soigneusement, tout spécialement si vous ne connaissez pas encore très bien ses sentiments. L'emmener d'entrée de jeu écouter un requiem peut être mal interprété... Voici quelques partitions qui peuvent légitimement susciter votre méfiance:

- *Méditation de Médée et Danse de la vengeance.* Cette pièce de Samuel Barber composée en 1946, remarquable par son caractère brutal, dépeint un personnage mythique connu pour ses sentiments extrêmes, puisque Médée, pour se venger de Jason, finit par tuer ses propres enfants.

- *Le Sacre du Printemps.* Cette composition de Stravinsky, écrite pour les Ballets russes de Serge Diaghilev, date de 1913. À cette époque, elle fut perçue comme une œuvre révolutionnaire. Elle est dissonante, violente et si suggestive: une jeune vierge est sacrifiée aux dieux et obligée de danser jusqu'à en mourir. Contrôle parental recommandé, comme on dit à la télévision...

- Deuxième suite d'orchestre de *Daphnis et Chloé* de Maurice Ravel (1912). Délicieuse pièce pour chœur et orchestre qui fut à l'origine, comme le *Sacre*, un ballet. Elle s'attache à décrire une nature aimable et gracieuse. Mais cette nature comporte des scènes... très naturelles comme la «Danse générale» (traduisez: «orgie») qui la termine. À classer X, sans hésitation! Ici la musique est très suggestive (particulièrement les gémissements d'extase poussés par le chœur), ce qui pourrait embarrasser votre compagne (ou peut-être lui donner des idées – à vous d'en prendre le risque). Quant à nous, c'est un de nos morceaux préférés. Allez donc savoir pourquoi...

- *Symphonie fantastique* d'Hector Berlioz, composée en 1830. Autre chef-d'œuvre qui constitue l'une des pierres angulaires du répertoire de tous les orchestres. On y raconte l'histoire d'un homme dévoré par une passion qui le conduit, sous l'empire de la drogue, à rêver de mettre à mort sa bien-aimée. À réserver pour après le mariage.

Mais, selon la chaleur de vos relations, ces morceaux peuvent être tout particulièrement recommandés.

Coup d'œil sur le programme

Les feuillets qui vous sont offerts ou vendus sous le nom de *programme* constituent un des points clés qui vous permettront de mieux apprécier le concert auquel vous allez assister. Vous trouverez normalement les éléments suivants dans tout programme qui se respecte :

- ✔ La liste des pièces musicales que vous allez entendre, avec le détail de leurs mouvements (les différentes sections entre lesquelles vous êtes censé ne pas applaudir, voir plus haut).
- ✔ Une explication sur chacune des compositions et quelques informations historiques et biographiques sur leur auteur.
- ✔ La biographie du chef d'orchestre et du ou des solistes éventuels.
- ✔ Parfois les noms des membres de l'orchestre.

Nous allons vous présenter deux types de programmes de concert qui nous semblent représentatifs de ce que vous pourriez rencontrer dans une salle de concert, de nos jours.

Le concert type

Pour de mystérieuses raisons, la grande majorité des orchestres symphoniques ont adopté une structure constante et éprouvée par l'usage pour 90 % de leurs concerts. C'est une forme si répandue que la quasi-totalité de la population des amateurs de concerts s'attendent à la retrouver :

OUVERTURE

CONCERTO

– *ENTRACTE* –

SYMPHONIE

Comme on le voit, trois morceaux sont inscrits au programme, avec une pause entre les deux premiers. On peut comparer cette structure à celle d'un repas : hors-d'œuvre, plat principal et dessert. À cela près qu'ici le dessert est presque deux fois plus gros que les hors-d'œuvre et qu'il faut trois bons quarts d'heure pour le consommer. Mais, à part ça, c'est exactement la même chose.

Une *ouverture*, comme nous l'avons expliqué au chapitre 3, est une courte introduction destinée à ouvrir votre appétit de musique. Il s'agit souvent d'une véritable *ouverture* empruntée à quelque longue pièce musicale, opéra ou ballet. Cela peut être tout simplement une page brève indépendante (pas plus d'un quart d'heure). C'est un bon moyen de commencer un concert, car cela donne une chance aux retardataires de ne pas manquer le plat de résistance.

Comme nous l'avons dit au chapitre 3, un *concerto* est une forme musicale dans laquelle un soliste placé devant l'orchestre joue une partie prépondérante, qui met en valeur sa musicalité et sa virtuosité. C'est de loin la pièce la plus brillante de tout concert, et beaucoup de gens vont entendre un concert symphonique uniquement pour assister aux exploits du soliste, généralement un instrumentiste connu.

Après l'entracte vient la *symphonie*. C'est la pièce la plus importante du concert par sa durée. Elle comprend le plus souvent quatre mouvements et dure de 35 à 45 minutes, ce qui correspond tout à fait à la moitié d'un concert. Cependant, certaines symphonies ont des proportions telles qu'elles occupent la totalité d'un concert – par exemple la *Symphonie n° 8* de Gustav Mahler, dite «*Symphonie des mille*»).

Voici l'exemple d'une page de programme respectant cette structure :

L'ORCHESTRE PHILARMONIQUE DE PÉTAOUCHNOK

Viktor Zakouski, direction
Roberto Pernambuco, violon

Gioachino Rossini (1792-1868)
Ouverture du *Barbier de Séville*

Nicolò Paganini (1782-1840)
Concerto pour violon et orchestre n° 2, en la mineur
I. Allegro maestoso
II. Adagio
III. Rondo

– ENTRACTE –

Felix Mendelssohn Bartholdy (1809-1847)
Symphonie n° 4, en la majeur, «Italienne»
    I. Allegro vivace
    II. Andante con moto
    III. Con moto moderato
    IV. Saltarello : Presto

Le nom de l'orchestre apparaît toujours en bonne place sur la première page du programme. À la suite du nom de l'orchestre se trouve celui du chef d'orchestre, et éventuellement celui du soliste qui est ce soir-là en représentation. Dans notre exemple, Roberto Pernambuco n'est probablement pas natif de Pétaouchnok mais invité par le directeur musical de l'orchestre pour épicer la saison symphonique de son orchestre.

La musique elle-même

La première œuvre inscrite au programme est l'ouverture du *Barbier de Séville* de Rossini. La page du programme ne vous dit pas grand-chose sur Rossini mais, si vous tournez la page, vous trouverez la description de chacun des morceaux joués en même temps qu'une courte biographie de leur auteur. En l'occurrence, Gioachino Rossini (1792-1868), compositeur italien d'opéras qui ne sont pas forcément très joués, mais dont les ouvertures continuent d'être exécutées et sont très populaires.

Si vous vous souvenez de ce que vous avez lu au chapitre 3, vous savez qu'une ouverture est une pièce brève, d'une durée d'environ 10 minutes. Vous pouvez aussi augurer d'après son titre que c'est une ouverture brillante. Et vous aurez raison !

Le concerto qui suit est de Paganini. La biographie vous apprend qu'il a vécu de 1782 à 1840, qu'il a été le plus grand virtuose du violon de tous les temps et qu'il a écrit de nombreuses pièces dont la « pyrotechnie » permet aux solistes actuels de briller d'un vif éclat.

Vous aurez remarqué que ce concerto est découpé de façon classique en trois mouvements. Toujours au chapitre 3, vous avez appris que leur succession respecte le schéma général vif, lent, vif. Les trois lignes écrites en italien sous le titre vous en apprennent davantage. Presque tous les compositeurs écrivent sur leur partition, au début de chaque mouvement, quelques mots indiquant la rapidité d'exécution (le *tempo*) et le caractère de ce qui va suivre. *Allegro maestoso* indique quelque chose de vivant et de majestueux. *Adagio* signifie sage, calme. *Rondo* se réfère à une forme musicale particulière où un thème principal apparaît périodiquement, comme un refrain, et qui adopte généralement une allure décidée et vive. (Vous trouverez à l'annexe C un glossaire des termes italiens qui figurent habituellement dans les programmes.)

Après l'entracte vient une symphonie. Le titre de 99 % des symphonies est tout simplement *Symphonie* suivi d'un numéro et d'une indication de tonalité. Ici, la symphonie porte le numéro quatre et sa tonalité est *la* majeur. (Il n'est pas nécessaire de savoir ce que ça signifie pour goûter la musique, mais si vous voulez en savoir davantage, sautez au chapitre 11.) Cette symphonie, à la différence de bien d'autres, porte un surnom : « *L'Italienne* », ce qui vous renseigne en partie sur son caractère et son inspiration.

Le programme indique que Mendelssohn est un compositeur allemand, dont le talent fut inversement proportionnel à la longévité – puisqu'il mourut à trente-huit ans. La symphonie respecte le découpage habituel en quatre mouvements : *Allegro vivace* (rapide et vif), *Andante con moto* (avec allant et animé), *Con moto moderato* (avec un mouvement modéré) et *Saltarello : Presto* (le *saltarello* est une danse italienne particulièrement rapide et entraînante, comme le confirme l'indication de tempo : *presto*).

Si vous prenez le temps de réfléchir à la présentation de ce concert, vous remarquerez que les responsables de l'Orchestre philharmonique de Pétaouchnok ont mûrement réfléchi à la composition de leur programme. Tous les morceaux qu'on y entend ont trait à l'Italie. Les deux premiers ont pour auteur un compositeur italien et le dernier porte un titre qui se réfère directement à la patrie de Dante. Il en résulte une impression de cohérence thématique bien que ces trois œuvres soient de nature très différente, ce qui ajoute à l'intérêt que peut présenter ce concert.

Autre sorte de programme

Voyons maintenant un type de programme qui ne respecte pas le schéma précédent : Ouverture – Concerto – *Entracte* – Symphonie. Ce concert ne contient aucune de ces trois formes musicales et n'a rien à voir avec l'Italie. La seule chose qu'on y retrouve, c'est l'entracte.

Remarquez que l'Orchestre national de Saint-Glinglin va donner trois fois le même concert. L'auditoire va être sensiblement différent pour chacune de ces manifestations et, si cela a de l'importance pour vous, achetez votre billet en conséquence. Le vendredi et le samedi soir, l'assistance se situera probablement dans une tranche d'âge plutôt jeune et sérieuse, alors que celle du dimanche sera sans doute d'humeur plus joyeuse. Le dimanche après-midi, l'auditoire comporte généralement davantage d'enfants, de personnes âgées et de spectateurs qui n'aiment pas conduire la nuit. L'atmosphère du dimanche est sans doute plus calme et probablement moins formaliste.

Si un programme n'indique pas de date pour la mort d'un compositeur, c'est bien évidemment qu'il s'agit de musique contemporaine. Philippe Hersant, le premier auteur inscrit au programme, est né en 1948. Presque toujours, lorsqu'un orchestre professionnel joue un morceau récent, celui-ci est placé en tête du programme. À cela, il y a une bonne raison : beaucoup d'auditeurs rechignent à entendre de la musique « classique contemporaine », car ils pensent qu'elle ne va pas leur plaire. Ils risqueraient de quitter la salle sans l'écouter si elle était placée en dernière position : ils imaginent *a priori* que cette pièce va être dissonante, discordante et dépourvue de lignes mélodiques identifiables. Ils ont parfois raison, mais ils ont souvent tort ! En l'occurrence, *Stances* nous semble une partition tout ce qu'il y a de plus mélodieuse et séduisante. Bref, si l'on place l'œuvre contemporaine au tout début du concert, personne ne la manquera, quitte à ce que certains la considèrent un peu comme la cuillère d'huile de foie de morue qu'enfants ils devaient avaler au début du repas.

Le second morceau est un cycle de *lieder* (mélodies allemandes, voir au chapitre 3) avec orchestre : plusieurs lieder regroupés sous un même titre. L'auteur en est Gustav Mahler, compositeur post-romantique de symphonies et de lieder. Les cinq titres du cycle sont reproduits dans l'ordre, mais, malheureusement pour celui qui ne pratique pas la langue de Goethe, dans leur langue originelle. Les notes présentes sur les autres pages du programme traduiront non seulement le titre mais aussi le texte complet de chacune des mélodies. Il peut être utile de lire cette traduction pour mieux comprendre l'œuvre et l'apprécier. Les lire au cours de l'interprétation risquerait de distraire votre attention de la musique elle-même, et de vous faire perdre tout le bénéfice du concert. En outre, vous n'êtes pas venu au concert pour autre chose qu'écouter de la musique.

Vendredi 20 décembre à 20 h 30
Samedi 21 décembre à 18 heures
Dimanche 22 décembre à 17 heures

L'Orchestre national de Saint-Glinglin présente:
UNE SURPRISE POUR NOËL

Sous la direction de Patricia Pfeffermühle
avec Andreas Weltschmerz, baryton

Stances   Philippe Hersant (né en 1948)

Kindertotenlieder   Gustav Mahler (1860-1911)

I. Nun will die Sonn' so hell aufgeh'n
II. Nun seh' ich wohl, warum so dunkle Flammen
III. Wenn dein Mütterlein
IV. Oft denk' ich, sie sind nur ausgegangen
V. In diesem Wetter

Andreas Weltschmerz, baryton

– ENTRACTE –

Suite d'orchestre n° 3 de *Casse-Noisette*   Piotr Ilitch Tchaïkovski
                                                          (1840-1893)

I. Ouverture miniature
II. Marche
III. Danse de la fée Dragée
IV. Trepak (danse russe)
V. Danse arabe
VI. Danse chinoise
VII. Danse des mirlitons
VIII. Valse des fleurs

Après l'entracte vient la «Suite d'orchestre n° 3» de *Casse-Noisette*, de Tchaïkovski. Là encore, nous pouvons remarquer l'habileté du programmateur qui a placé cette suite en seconde partie de concert. Aucun siège ne restera vide après l'entracte.

Comme nous l'avons vu au chapitre 3, une *suite* n'est rien d'autre qu'une succession de danses extraites du ballet qui porte le même nom. Cette fois, les titres sont indiqués dans la langue du pays.

Entrée d'un personnage important

Une fois installé dans la salle de concert et après avoir tranquillement lu votre programme, regardez la scène. Le siège vide, à gauche de l'estrade du chef d'orchestre est celui du *premier violon solo*, que les Allemands appellent *Konzertmeister*, les Américains *concertmaster* et les Anglais *leader*.

Cet important personnage a plusieurs tâches essentielles. C'est le chef des instruments à cordes. Disons, pour simplifier, que c'est lui qui détermine à quel moment ces musiciens tirent ou poussent leur archet, autrement dit combien de notes ils doivent «regrouper» dans un même coup d'archet, en fonction du *phrasé* souhaité. C'est lui qui donne l'impulsion à son pupitre (groupe des premiers violons), comme doit le faire tout chef de pupitre des cordes (seconds violons, altos, violoncelles et contrebasses). C'est également l'agent de liaison entre le chef et les instrumentistes à cordes, celui qui traduit en termes techniques les intentions musicales du chef.

Le premier violon solo est également le meneur de l'orchestre et son représentant auprès du chef d'orchestre. C'est lui qui, en entrant sur scène après tous ses collègues, donne le signal du commencement des festivités : les instrumentistes qui «préludaient» (jouaient quelques traits périlleux pour se mettre en bouche et en doigts) s'arrêtent, le hautbois solo donne le *la* et tout l'orchestre s'accorde. C'est lui, aussi, qui recueille les remerciements du chef au nom de tous les musiciens, à la fin du concert, et qui donne le signal de la fin des saluts et du retour en coulisse.

La hiérarchie dans l'orchestre

Qui se douterait que le métier de musicien est un métier à risque ? Et pourtant, dans un orchestre, certains exécutants sont plus « exposés » que d'autres selon qu'ils ont ou non à jouer des solos. Ces postes à responsabilité s'obtiennent à l'issue de concours particulièrement sévères. Il existe, en effet, une hiérarchie entre les instrumentistes d'un même orchestre :

✔ Des postes de « solistes », auxquels sont confiés les solos d'orchestre et qui mènent leur pupitre (le groupe de musiciens jouant du même instrument qu'eux).

✔ Des postes de « cosolistes », assistants des solistes et placés à leur côté.

✔ Des postes de « musiciens du rang ».

Quelques solistes particulièrement exposés et expérimentés, notamment les premiers violons solos, peuvent jouir d'un statut particulier et d'un grade plus flatteur de *supersoliste*.

On s'accorde...

Dès qu'il entre en scène, le violon solo semble n'avoir qu'une seule tâche : accorder l'orchestre. C'est un travail qui paraît très simple, au point que beaucoup de gens se demandent où est le problème. Car il semble que tout ce qu'il ait à faire soit de traverser la scène pour gagner sa place sous les applaudissements du public, de se tourner vers l'orchestre et de diriger sa main vers le hautbois.

Et c'est tout. Montrer le hautbois du doigt.

Le musicien qui joue de cet instrument se trouve placé au milieu de la section des vents, elle-même située au centre de l'orchestre. Au signal, il agrippe son instrument et joue une seule note. Pas n'importe laquelle : un *la*. Et pas n'importe quel *la* : le la_3, qui sert en quelque sorte d'étalon et dont la fréquence est officiellement de 440 Hz. (C'est d'ailleurs pourquoi certains l'appellent le « *la* 440 ».)

440 quoi ?

Avant le début du concert, tous les musiciens doivent accorder leur instrument sur une note bien particulière, le *la₃*, dont la *fréquence* est fixée à 440 Hz. Le *hertz* (abréviation Hz) est l'unité qui mesure la fréquence d'un phénomène vibratoire de quelque nature qu'il soit : son, onde radio, rayon lumineux... Autrefois, on parlait de *périodes par seconde*, ce qui expliquait plus clairement ce que signifie hertz : un nombre de vibrations par seconde.

Comment peut-on s'assurer de la précision de l'accord ? Jadis, tous les musiciens s'accordaient à l'oreille : cette habileté particulière était une des qualités nécessaires au bon exercice de leur profession. De nos jours, ceux qui nourrissent quelques doutes sur l'exactitude de leur ouïe disposent de petits appareils électroniques précis.

Cette fréquence de 440 vibrations par seconde n'a pas toujours été le standard officiel. À l'époque baroque, c'est-à-dire il y a environ trois siècles, c'était sur un *la* à 415 Hz que l'on s'accordait (430 Hz à l'époque classique). Il en résulte que la musique écrite à cette époque pour les sopranos et les ténors est actuellement plus difficile à interpréter. Les notes élevées du chœur dans le *Messie* de Haendel sont plus ardues pour les exécutants actuels qu'elles ne l'étaient en 1742.

Mais on ne s'arrête pas là. Bien des orchestres ont pris l'habitude de s'accorder à 442 Hz, écart très léger mais cependant perceptible par des oreilles exercées. Ceux qui agissent ainsi prennent prétexte de ce que le son semble ainsi plus brillant.

On tord, on tourne, on tire et on pousse

L'accord de tout l'orchestre ne s'effectue pas au hasard ; il y a une succession de phases à respecter. Le hautbois a le rôle d'initiateur de ces opérations, parce que c'est l'instrument le plus long et le plus difficile à accorder. Il est en effet plus aisé aux autres instruments de s'adapter à sa justesse que l'inverse, et le hautbois solo a tout loisir, en coulisse, de s'accorder avec une justesse parfaite au *la* choisi. Il a également vérifié, avant d'entrer sur scène et de porter la bonne parole à ses camarades, que son *la* correspondait à celui du soliste éventuel de concerto (plus encore dans le cas d'un piano, instrument dont l'accord prend des heures et ne peut donc s'improviser à l'entrée du soliste...).

Le hautbois présente en outre l'avantage de produire la note la plus pure de l'orchestre, c'est-à-dire la plus facile à percevoir et la plus stable. C'est le premier violon qui va la recevoir en premier et accorder son propre instrument, avant que les vents s'accordent, généralement sur un *si* bémol. Cela fait, les violons vont pouvoir s'accorder sur leur chef de pupitre, suivis par les autres pupitres de cordes. L'accord des cordes est plus long que celui des vents ou des bois parce qu'ils ont quatre cordes à accorder.

Pour réaliser cet accord, chaque exécutant va s'efforcer de jouer exactement la même note que son chef de pupitre. Ceux qui ont un instrument à cordes tournent les chevilles qui tendent les cordes de leur instrument. Pour sa part le timbalier agit sur la pédale pour tendre plus ou moins la peau qui résonne. Les vents poussent ou tirent certaines parties de leur instrument afin de raccourcir (pour jouer plus haut) ou d'allonger (pour jouer plus bas) le tuyau. D'autres ajustent la position de leurs lèvres sur l'embouchure. Lorsque tout le monde s'est accordé, l'orchestre se tait et le calme règne sur l'assistance.

C'est alors que paraît le chef d'orchestre. Tout le monde applaudit.

Pourquoi donc? Il n'a encore rien fait!

Entrée du chef d'orchestre

N'ayez pas honte de vous demander à quoi sert le chef d'orchestre. Les novices en musique se posent la question. Les auditeurs se posent la question. Même les musiciens de l'orchestre se posent parfois la question.

Chefs d'orchestre nous-mêmes, nous allons vous expliquer le pourquoi et le comment de la fonction.

Un orchestre professionnel est un groupe d'individus bien entraînés possédant un diplôme de haut niveau délivré par un conservatoire ou une école de musique. Chacun d'eux est un véritable artiste, avec ses goûts et ses connaissances musicales. Mettez ensemble une cinquantaine de ces individus dans une pièce, et nous vous garantissons que vous aurez cinquante opinions différentes sur la façon dont on doit interpréter telle ou telle composition. Il ne peut en résulter que du chaos et des conflits de personnes. Dans de telles conditions, le travail du chef d'orchestre est à la fois musical et politique.

La musique étant un art vivant, les interprètes la perçoivent chacun différemment, sans que personne ne soit réellement dans l'erreur. Écoutez différents CD de la même œuvre et vous comprendrez ce que nous entendons par là. Certaines interprétations seront plutôt lentes, d'autres plutôt rapides. Certaines seront jouées *forte*, d'autres *piano*. Enfin certaines soulèveront l'enthousiasme, alors que d'autres vous feront somnoler.

Dans la musique pour orchestre, ces différences tiennent essentiellement à la personnalité du chef. C'est cet homme (parfois cette femme) qui a la responsabilité de choisir la vitesse (le *tempo*), l'équilibre instrumental, le niveau sonore, la durée des notes, le phrasé et le climat dramatique. L'ensemble de ces paramètres détermine ce qu'on appelle l'*interprétation*.

Pourquoi « interpréter » ?

Mais, vous demandez-vous, est-ce que le compositeur n'a pas spécifié tous ces paramètres ?

Pas exactement. Un compositeur peut écrire *allegro* au début d'un mouvement, ce qui signifie *vivant, rapide*. Rapide, mais comment ?

Certains compositeurs poussent fort loin le souci du détail et indiquent exactement le tempo auquel ils veulent que soit jouée leur œuvre. Pour cela, ils utilisent un *métronome*, petit instrument inventé par Maelzel à l'époque de Beethoven et dont la Figure 4-1 montre une image. On peut le régler entre 30 et 200 battements par seconde, et à chaque oscillation il fait entendre un clic sonore.

Figure 4-1 : Le métro-nome permet de définir un tempo d'exécution précis.

Pourquoi, dans ces conditions, alors que beaucoup de compositeurs, depuis Beethoven lui-même, ont indiqué un tempo précis et chiffré au début de chacune de leurs œuvres, faut-il que le chef d'orchestre intervienne pour modifier éventuellement cette indication ?

Excellente question. Nous pouvons lui apporter au moins trois réponses :

✔ Même les meilleurs musiciens n'ont pas une notion absolument infaillible du tempo. À la prochaine occasion, demandez donc à un bon violoncelliste de jouer à 120 battements à la minute. Il s'approchera de la mesure exacte mais ne tombera pas absolument juste. Aussi, dans un groupe important de musiciens comme celui qu'on trouve dans un orchestre, une spécification chiffrée risque-t-elle de donner lieu à des interprétations voisines mais différentes. Le chef est là pour unifier le tempo.

Petite astuce de tempo qui n'est pas exportable : 120, c'est exactement le tempo de *La Marseillaise*.

✔ Les compositeurs savent bien que différents facteurs peuvent contribuer à modifier ce tempo. Les salles de concert ont toutes leur acoustique propre, entraînant une réverbération différente du son. La pression barométrique elle-même peut jouer un rôle dans ces variations. Un tempo absolument juste dans une salle très résonnante comme le Concertgebouw d'Amsterdam paraîtra trop lent dans l'acoustique plutôt sèche du *Cafetorium* de la Robert Louis Stevenson Elementary School de Farfalloo, État du Wyoming. C'est le rôle du chef d'ajuster le tempo pour obtenir une écoute satisfaisante.

De tout cela, il est résulté qu'au siècle dernier les chefs se sont sentis autorisés à prendre quelques libertés avec les indications métronomiques figurant sur les partitions, les considérant plus comme un simple point de départ que comme une obligation, voire les ignorant complètement. Les symphonies de Beethoven, par exemple, sont souvent jouées de nos jours à un tempo plus lent que celui spécifié par l'auteur lui-même. La tradition et les diverses théories fondées sur la surdité du malheureux compositeur ou sur l'inexactitude de son métronome ont conduit des générations de musiciens à montrer leur désaccord avec les spécifications de Ludwig.

✔ La plupart des compositeurs ne demandent pas que leur musique soit jouée tout du long *exactement* au tempo indiqué. Un orchestre n'est pas un ordinateur, et il faut tolérer des écarts de vitesse destinés à renforcer l'expressivité de tel ou tel passage.

C'est au chef qu'il convient d'expliquer tout cela à ses musiciens.

Une petite remarque encore pour justifier la présence du chef d'orchestre : selon la puissance de l'instrument et l'acoustique de la scène, les musiciens n'entendent souvent qu'eux-mêmes ou leurs voisins immédiats (surtout dans le cas d'un *forte*). Difficile, dans ce cas, de jouer à cent comme un seul homme !

Battre la mesure

C'est avec sa *baguette*, toujours tenue de la main droite, que le chef accomplit cette tâche. Lorsque vous le voyez agiter cette baguette de haut en bas et de droite à gauche, c'est qu'il indique les différents temps de chaque mesure (Figure 4-2). Il découpe ainsi la musique en petits intervalles servant de repères aux musiciens. La baguette dessine également les grandes articulations de la musique, les changements de tempo, etc. À la main gauche reviennent les indications expressives, les nuances, les phrasés.

Ici encore, vous pourrez constater des différences appréciables dans les gesticulations du chef, de celui (toujours vivant) qui, du temps qu'il officiait à l'Opéra de Paris, avait été surnommé «le chef de la ligne 25» (ligne d'autobus Pantin-Opéra) à celui (aujourd'hui décédé) auquel son état de santé ne permettait plus qu'une grande économie de mouvements. D'aucuns n'utilisent même pas de baguette. C'est le cas, entre autres, des pianistes ou des violonistes qui conduisent en même temps l'orchestre, ou encore celui des chefs de chœur.

Autrefois, quand leur effectif était plus réduit, les orchestres n'avaient pas de chef. Le rôle de «conducteur» était tenu par le premier violon, l'équivalent de notre violon solo actuel, ou parfois par le claveciniste qui donnait le signal du départ en levant la main comme le violoniste son archet. Et tout le monde suivait.

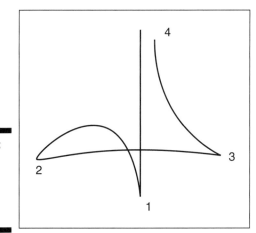

Figure 4-2 : Comment battre une mesure à quatre temps.

L'écriture de la musique devenant plus complexe, il est devenu nécessaire de confier la direction de l'orchestre à un musicien particulier ne jouant d'aucun instrument et se bornant à diriger ses confrères (souvent le compositeur). Un des premiers à inaugurer cette méthode a été Jean-Baptiste Lully (1631-1687). Il se tenait debout face à l'orchestre, muni d'un gros bâton avec lequel il frappait le sol pour indiquer le rythme de l'interprétation.

L'usage de ce gros bâton présentait deux inconvénients. D'abord, le bruit. Cela fut aussi à l'origine de la mort de Lully qui, un jour, emporté par son élan, frappa sur son pied au lieu de taper sur le sol. La blessure s'infecta, la gangrène s'y mit et la fin fut proche.

Ultérieurement, ce gros bâton fut remplacé par une partition musicale roulée. On avait gagné sur les deux fronts: c'était silencieux et peu dangereux en cas d'accident!

Finalement, au XIXe siècle, le rouleau de papier fut remplacé par une baguette de bois. Le chef pouvait la manier du bout des doigts, ce qui lui permettait d'effectuer de gracieuses figures aériennes.

Des compositeurs chefs d'orchestre comme Richard Wagner (1813-1883) et Gustav Mahler (1860-1911) furent à l'origine d'un stéréotype qui connut (et connaît toujours) un grand succès: celui du directeur musical égocentrique, un peu fou, caractériel et dictatorial.

Le mythe du chef Superman s'est perpétué jusqu'à nos jours, et il est soigneusement entretenu par certains imprésarios et par certains chefs eux-mêmes.

Que faut-il savoir pour diriger orchestre?

Jouer le rôle de chef d'orchestre demande réellement une grande force de volonté. Vous vous tenez debout face à une centaine de musiciens compétents et entraînés, dont la plupart connaissent la musique au moins aussi bien que vous. Vous devez convaincre ces artistes de suivre *votre* interprétation personnelle de telle ou telle composition. Et il faut le faire plus par conviction que par diktat. Sinon, il n'est pas nécessaire d'être un surhomme pour conduire un orchestre. Cela ne nécessite qu'une incroyable somme d'étude et de travail.

Un chef doit connaître particulièrement bien la théorie et l'histoire musicales, comprendre chaque instrument et chaque style de musique, être capable d'analyser une œuvre jusque dans ses plus infimes détails, être familiarisé avec la musique de l'Europe occidentale et parler plusieurs langues dont l'indispensable espéranto moderne : l'anglais. Il doit également avoir une oreille parfaite et être diplomate. Enfin, comme si toutes ces qualités ne suffisaient pas, il ne peut pas ignorer les détails administratifs du fonctionnement d'un orchestre afin de pouvoir répondre sans erreur à toutes les questions de nature artistique qui lui sont quotidiennement posées.

Quelques citations du chef d'orchestre Eugène Ormandy

Eugène Ormandy (1899-1985), chef d'origine hongroise, fut l'un des plus célèbres directeurs musicaux de l'Orchestre de Philadelphie. Les musiciens de son orchestre ont soigneusement recueilli certains de ses propos, traits d'esprit et diatribes. N'oublions pas, toutefois, que ce qui compte chez un chef d'orchestre, c'est plus la qualité de la musique qu'il dirige que la verdeur de ses propos.

✔ « J'ai l'impression que vous pensiez que c'était moi qui dirigeais. Mais ce n'était pas le cas. »

✔ « Pourquoi insistez-vous toujours pour jouer pendant que j'essaie de diriger ? »

✔ « Ce n'est pas aussi difficile que je le craignais, mais c'est quand même plus difficile que ça. »

✔ « À chaque concert, je ressens des doutes quant au tempo à adopter. Il est clairement indiqué 80… euh ! 69. »

✔ « C'était vous qui jouiez ? C'était drôlement bien ! »

✔ « Nous ne pouvons pas ressentir l'équilibre sonore pour le moment parce que le soliste est encore dans l'avion. »

✔ « Avec nous, ce soir, William Warfield. C'est un homme merveilleux. Sa femme aussi. »

✔ « Bizet était encore un tout jeune homme quand il composa sa *Symphonie*. Aussi jouez-la doucement. »

✔ « Je ne dis jamais ce que je pense mais je réussis toujours à exprimer quelque chose de semblable. »

✔ « Je ne voudrais pas vous faire peur mais, malheureusement, je dois le faire. ».

Les chefs d'orchestre s'améliorent avec l'âge jusqu'au moment de leur mort, pour peu qu'ils continuent de développer une grande exigence d'écoute. Certains musiciens pensent qu'ils continuent même à s'améliorer après. C'est du moins ce qu'on peut penser quand on les entend dire : « Un bon chef d'orchestre est un chef d'orchestre mort. »

Une fois installé sur son estrade, le chef se dresse et lève sa baguette. L'orchestre lui accorde toute son attention et le concert peut commencer.

Chapitre 5

Visite guidée du CD d'accompagnement

Dans ce chapitre, nous allons vous présenter quelques exemples choisis parmi les chefs-d'œuvre représentatifs des différents styles de la musique classique, depuis le baroque jusqu'au début du XXᵉ siècle.

Le CD qui accompagne ce livre contient des extraits d'œuvres musicales que nous considérons comme quelques-uns des plus authentiques chefs-d'œuvre musicaux de toute l'histoire de l'humanité. Grâce à lui, vous allez avoir l'occasion de définir vos préférences en matière de styles musicaux.

Si, en écoutant telle ou telle plage de ce CD, vous n'aimez pas ce que vous entendez, passez à une autre plage. Nous ne souhaitons pas vous soumettre à la torture, nous voulons seulement vous permettre de définir expérimentalement vos goûts musicaux. N'abandonnez pas pour autant la plage qui vous a déplu. Laissez passer un peu de temps et revenez-y une semaine ou deux plus tard. Vous constaterez souvent que ce qui vous a déplu à la première écoute finira par vous plaire peut-être plus encore que ce qui vous a séduit de prime abord.

Les commentaires que nous formulons à propos de telle ou telle plage sont hautement subjectifs et reflètent une prise de position personnelle. De votre côté, vous êtes entièrement libre d'être d'un avis différent.

Note. Tout au long de nos explications, vous trouverez des indications de minutage chiffrées comme, par exemple, **1:34**. Cela vous permettra de repérer le passage que nous vous signalons sur l'afficheur de votre lecteur de salon. Si vous vous servez du lecteur de CD de votre ordinateur, le même type d'affichage existe généralement avec le logiciel utilisé pour la lecture des CD audio. À titre d'exemple, la Figure 5-1 vous montre comment se présente la fenêtre d'un lecteur de CD sous Windows. Vous pouvez voir le numéro de la plage et le minutage compté depuis son début.

Figure 5-1 : Comment se présente la fenêtre d'un lecteur de CD sous Windows.

1 Haendel : *Water Music, suite n° 2 :* *« Alla Hornpipe »*

Ce mouvement est sans doute le morceau de musique instrumental le plus connu de Georg Friedrich Haendel (1685-1759). Ce compositeur fut l'un des grands maîtres de l'époque baroque et ce mouvement est un parfait exemple du type de musique qu'on appréciait alors, à la fois fringante et dansante.

0:01. Le morceau commence par une mélodie familière, sorte de *hornpipe* (air de marin), jouée par le basson et le hautbois, accompagnés par le clavecin.

0:17. Entrée de la trompette, qui reprend le thème précédent. À **0:23**, les cors reprennent le même thème.

0:35. Après une brève alternance des cuivres, c'est au tour des cordes de faire leur entrée. Sans regarder le compteur de votre lecteur de CD, essayez de repérer auditivement cet instant. La couleur musicale se modifie immédiatement. Violons, altos, violoncelles et contrebasses occupent maintenant le centre de la scène.

0:43. Les trompettes, puis les cors et ensuite l'orchestre tout entier reprennent le thème jusqu'à aboutir à une conclusion.

1:03. Mais que se passe-t-il? Tout semble recommencer, les musiciens répétant ce qu'ils viennent de jouer, note pour note. C'est une reprise.

2:04. Voici maintenant quelque chose de nouveau: une section contrastante, ou, comme le disent les musiciens, une section médiane. Comment s'opère ce contraste? D'abord, la mélodie est différente. Ensuite, la musique est plus calme, principalement parce que les cuivres ne jouent plus. Enfin, cette section est écrite dans une *tonalité mineure*, créant ainsi une impression très différente de celle de l'ouverture précédente. (Pour en savoir davantage sur les tonalités majeures et mineures, voyez le chapitre 11.)

2:59. Maintenant, nous entendons à nouveau l'air de hornpipe, cette fois avec une différence notable: ici, ce sont les *cordes* qui remplacent les cuivres. Point n'est besoin d'avoir l'oreille particulièrement entraînée pour percevoir le changement. La musique donne l'impression de renouvellement alors que c'est le même thème qui réapparaît.

3.14. À partir de cet endroit jusqu'à la fin, on va retrouver exactement la même séquence d'événements (plus précisément, celle que nous avons décrite entre **0:17** et **1:03**).

Avec un peu de recul, nous pouvons distinguer les composantes de cette structure musicale. Appelons A le thème du marin (le hornpipe) et B la section contrastante. On peut schématiser ainsi l'ensemble du mouvement:

A (répété) – B – A

Ce type de structure est très important dans l'histoire de la musique. Après l'époque de Haendel, il s'est développé pour former la *forme sonate*, que nous avons découverte au chapitre 3 et que nous retrouverons un peu plus loin, dans ce même chapitre, à propos de la *Cinquième Symphonie* de Beethoven (plage 4 du CD).

Vous avez maintenant compris pourquoi les musiciens se réfèrent à la section contrastante comme à une section médiane. Ils savent, dès qu'ils l'ont entendue, que, tôt ou tard, le thème A va revenir.

2 Bach : *Le Clavier bien tempéré, Livre 2 : Prélude et Fugue en ut majeur*

Nous avons dit à la section précédente que Haendel fut un grand maître de l'époque baroque. Eh bien, Jean-Sébastien Bach (1685-1750), lui, fut *le* plus grand.

Bach et Haendel ont vécu exactement au même moment puisqu'ils sont nés la même année. Mais ils ne se sont jamais rencontrés et ils ont chacun développé une personnalité et un style d'écriture entièrement différents.

Leur plus grosse différence réside dans l'emploi qu'ils ont fait du *contrepoint* (plusieurs lignes mélodiques jouées en même temps). Bach l'a utilisé bien plus souvent que Haendel et nulle part on ne le remarque autant que dans ce morceau.

Anciennement, les instruments à clavier (comme le piano actuel) étaient accordés de telle manière qu'on ne pouvait y jouer qu'un nombre très restreint de tonalités, car pour avoir la majorité des intervalles parfaitement justes il fallait en sacrifier un ou deux, qui du coup étaient affreusement faux. C'est un peu la même chose que pour nos années civiles : afin que les journées fassent 24 heures exactement, on doit ajouter tous les quatre ans un 29 février. (Voyez le chapitre 6 pour en savoir plus sur les tonalités.)

Mais au cours de la vie de Bach, les théories sur l'accord des instruments à clavier connurent une évolution profonde. Pour la première fois, on se mit à accorder les instruments à clavier en « trichant » de manière infime sur l'écart entre certaines notes, ce qui supprima les intervalles horribles et rendit possible le jeu dans n'importe quelle tonalité. Pour illustrer cette avancée technique, Bach composa un livre de 24 préludes et fugues, dans les douze tonalités majeures et mineures. Il réitéra l'exploit dans un second livre. Aujourd'hui, ces 48 préludes et fugues apparaissent comme l'un des ensembles pour clavier les plus aboutis qu'on ait jamais composés.

Nous allons maintenant passer à l'écoute du *Prélude et Fugue n° 1* du second livre. Comme c'est le premier du livre, il est écrit en *ut* majeur, la plus simple de toutes les tonalités puisqu'il n'y a ni dièse ni bémol, seules les touches blanches étant utilisées.

Dans cet enregistrement, vous allez entendre le son d'un *clavecin*, un instrument à clavier antérieur au piano. C'est pour cet instrument que Bach écrivit quelques-unes de ses plus belles pièces.

0:00. Voici le début du prélude proprement dit. On peut le comparer à l'ouverture des grandes portes d'un grand immeuble.

À notre avis, l'une des choses qui crée cette impression est l'utilisation d'une *note pédale*, une note grave qui continue de résonner alors que d'autres notes viennent s'enrubanner autour. Si vous écoutez attentivement, vous remarquerez que cette première note dure treize secondes. C'est cette note (un *ut*) qui donne toute son assise à la musique et lui confère ce caractère monumental.

Vous allez entendre le contrepoint (l'entrelacs de lignes mélodiques) au fur et à mesure qu'il progresse. La mélodie semble avoir le don d'ubiquité, apparaissant parfois dans les notes aiguës, parfois dans les notes basses, à d'autres moments entre les deux (ce sont les *voix intérieures*).

Au chapitre 6, vous découvrirez que le clavecin est un instrument qui n'est pas sensible au toucher de l'exécutant. Qu'une touche soit enfoncée doucement ou brutalement, la note entendue et son volume sonore seront les mêmes. Une des façons qu'a le claveciniste de simuler un volume sonore plus élevé est d'utiliser des *accords arpégés* : au lieu de jouer les trois ou quatre notes d'un accord simultanément, il va les jouer l'une après l'autre, d'un mouvement rapide, en commençant généralement par la plus grave. C'est cette succession qui donne l'impression recherchée. Vous pouvez entendre cet effet à **1:00** ainsi que, de façon plus marquée, sur la dernière note du prélude, à **2:10**.

Lorsque le prélude se termine, vous pourriez penser que le morceau est fini, mais comme le savent bien les musiciens, c'est maintenant que va arriver la partie la plus intéressante : la *fugue*.

Il est facile de comprendre l'articulation d'une fugue en se représentant quatre chanteurs chantant le même air décalés et d'une voix différente. Il appartient au claveciniste de rendre chacune de ces voix avec seulement ses deux mains, ce qui n'est pas une tâche spécialement facile.

2:23. La voix 1 chante quelque chose de nouveau, toute seule, sans accompagnement.

2:28. Maintenant, la voix 1 commence à chanter quelque chose de différent tandis que la voix 2 entame la mélodie précédente de la voix 1, mais un peu plus haut.

2:33. Là, ça commence à se compliquer. Les voix 1 et 2 continuent, chacune de son côté, tandis qu'apparaît la voix 3 reprenant le thème initial. Essayez de déterminer à quel moment elle intervient. Comme c'est elle qui « chante » les notes les plus graves, cela ne devrait pas être trop difficile.

2:37. Nous ne sommes pas au bout de nos peines. Voici l'entrée de la voix 4. Vous ne pouvez pas la manquer parce que c'est elle qui « chante » les plus notes les plus aiguës.

À partir d'ici, les quatre voix continuent leur petit bonhomme de chemin, chacune de son côté sans, toutefois, que ce mélange ne donne lieu à aucune cacophonie. C'est cela l'essence du contrepoint, la spécialité de Bach et c'est ce qui donne tout son intérêt à la fugue. Quelles que soient les difficultés d'interprétation d'une fugue, sa composition est mille fois plus ardue.

Vous voilà maintenant suffisamment familiarisé avec l'architecture d'une fugue pour pouvoir reconnaître les fragments appartenant à telle ou telle voix.

À **3.29**, Bach fait usage d'une des techniques habituelles de la fugue : près de la fin, les entrées des voix se rapprochent en rapide succession, à environ une seconde l'une de l'autre.

Après l'avoir entendue en entier, vous ne pourrez qu'admirer la complexité qui préside à son architecture d'ensemble. Du coup, vous comprendrez pourquoi beaucoup de gens considèrent que l'œuvre de Bach est une des merveilles du monde, à l'instar de la cathédrale de Chartres, des pyramides d'Égypte de la Grande Muraille de Chine.

3 Mozart : Concerto pour piano n°22, en mi bémol, troisième mouvement

Ce concerto n'est pas le plus connu des 27 que composa Wolfgang Amadeus Mozart (1756-1791) pour le piano, mais c'est sans doute l'un des « meilleurs » (si tant est qu'on puisse quantifier la qualité des concertos de Mozart !). Si nous l'avons choisi, c'est parce que nous pensons que c'est l'un de ceux dans lesquels on perçoit le mieux tout ce qui fait le charme et la grandeur de Mozart : élégance, raffinement, chaleur et enjouement.

Ce mouvement est le finale du *Concerto pour piano n° 22, en mi bémol*. C'est un *rondo* (voir ou revoir le chapitre 3), ce qui signifie que le thème principal revient régulièrement, comme un refrain, en alternance avec des thèmes secondaires.

0:00. Le piano commence immédiatement par exposer un thème auquel nous donnerons le nom de thème A. C'est une ligne mélodique simple, joyeuse et chantante. On a un peu l'impression d'entendre les appels de cor d'une chasse lointaine. À notre avis, c'est ce que souhaitait Mozart, comme vous allez bientôt vous en convaincre.

0:09. Réapparition du thème A mais, cette fois, à l'orchestre.

0:20. Ici, vous découvrez que l'air que vous venez d'entendre n'est que la première partie du thème. Le piano raconte maintenant la suite.

0:29. Alors que le piano exécute un trille (deux notes voisines jouées très vite en alternance), les cors jouent quatre notes rapides. (C'était bien une chasse à courre!) Une seconde plus tard, ils sont imités par les clarinettes.

0:32. Le piano joue alors une volée de notes de transition, histoire de revenir au thème principal.

0:39. À nouveau la première partie du thème A, mais cette fois, au lieu de se faire simplement l'écho de ce thème comme la première fois, l'orchestre «décolle» et se livre à quelques fantaisies.

0:59. Petit ajout, maintenant, au thème principal: deux clarinettes, dont l'une accompagne l'autre, viennent papillonner autour du thème, se livrant à quelques fantaisies. Un cor se met de la partie.

1:07. Un basson solo vient se joindre aux autres vents, puis ce sera une flûte, quatre secondes plus tard. Enfin, l'orchestre tout entier fait sa rentrée, comme s'il disait: «Bon, assez de fantaisies comme ça! Reprenons le chemin du rondo.»

1:22. Accalmie. Plus rien. Enfin, *presque* plus rien. Car si vous prêtez attentivement l'oreille, vous allez entendre quelques accords joués par les cordes, sorte de figure d'attente, comme si les violons disaient au piano: «Nous sommes prêts. Quand tu voudras… »

1:25. Le piano a entendu l'invite. Il revient, un peut timidement, au début, puis, à…

1:36. … il reprend les petites phrases du basson et de la flûte (que nous avons déjà entendues vers **1.07**).

Permettez-nous de faire une petite pause (qui va durer exactement 37 secondes). Pourquoi expliquons-nous chaque détail? Tout d'abord, parce que nous voulons démonter sous vos yeux le mécanisme du concerto. Ensuite, parce que cette construction se répète plus tard dans ce mouvement. Lorsque vous souhaitez apprendre un morceau de musique, que ce soit pour le jouer au piano ou pour diriger un orchestre, ce type de décomposition peut vous être d'un grand secours.

1:47. Il va maintenant se produire un changement subtil. Depuis le début du mouvement, nous étions dans la tonalité de *mi* bémol majeur, confirmée par chaque entrée d'instrument, chaque thème, chaque phrase musicale. Soudain, pour la première fois, nous sentons que nous allons sortir de la sécurité et du confort dans lequel nous nous étions installé.

Anciennement, si un compositeur voulait changer de tonalité, il ne le faisait pas brutalement mais procédait graduellement, au moyen d'une suite de transitions musicales, de façon à ne pas heurter l'oreille de ses auditeurs.

Écoutez bien ce qui se passe entre **1:45** et **1:46** et vous percevrez un étrange accord qui signale le prochain changement de tonalité. Le concerto va négocier un virage en introduisant une *modulation*. Celle-ci se poursuit pendant un bon moment. L'auditeur moyen a l'impression que le piano «fait des gammes», un peu au hasard, sans trop savoir où il va, pendant 45 secondes. Mais derrière cette façade se dissimule la progression tonale nécessaire à la transition. Nous sommes presque arrivés…

2:23. Ça y est! Un nouveau thème apparaît dans cette nouvelle tonalité, thème que nous appellerons B. Les théoriciens de la musique vous diraient que ce thème est écrit dans le ton de la dominante, en relation avec le thème A (en l'occurrence en *si* bémol majeur).

2:32. Le piano ayant terminé l'exposition du thème B, c'est la clarinette qui va le reprendre et le développer, soutenue par un enveloppement de notes au piano. Les deux instruments semblent se répondre, prenant le dessus chacun à son tour. Les cordes de l'orchestre soutiennent discrètement les deux «chanteurs». La clarinette s'efface enfin, laissant le champ libre au piano.

3:19. Nous voilà partis dans une autre direction. Une gamme descendante des cors nous ramène dans la tonalité originale.

3:24. Voici reparaître, d'abord au piano, comme à **0:00**, le thème A dans sa tonalité originale. Si vous avez compris le mécanisme du rondo, vous savez ce qui va arriver. (Du temps de Mozart, tout le monde le savait.) À **3:32**, l'orchestre joue de nouveau ce qu'il nous avait fait entendre à **0:09**.

3:39. Pas pour longtemps. Assez brutalement, l'orchestre change de tonalité par une progression ascendante. Parvenu là où il voulait nous amener, il se calme, cédant la première place au piano qui fait sa rentrée sur un trille soutenu auquel succède un second trille, un peu plus haut.

4:07. Le piano se calme et les vents en profitent pour faire entendre une note persistante. Le piano ralentit puis tout le monde s'arrête progressivement. Que va-t-il se passer ?

4:17. Tout simplement l'entrée du thème C, bien plus lent que ses prédécesseurs. C'est une sorte d'oasis de tranquillité au milieu d'un mouvement vif et agité ou Central Park au milieu de New York, l'œil du cyclone en somme.

Mozart a choisi pour ce thème une ligne mélodique qui évoque une sérénade pour vents, pièce qui se jouait à l'extérieur, dans un parc, en musique de fond. Pas de cordes dans la première partie de ce thème, uniquement des vents.

4:45. Le piano revient, imitant le thème, suivi par les cordes. Ce segment est l'exacte répétition de la mélodie que nous venons d'entendre.

5:10. Les vents n'ont pas dit leur dernier mot, ils reviennent pour exposer la seconde moitié du thème C. À **5:40**, le piano, soutenu par les cordes, reprend ce thème.

6:16. Les cordes exécutent des *pizzicatos* (les cordes ne sont plus frottées par l'archet, mais pincées par les doigts de l'exécutant) semblant inviter le piano à les accompagner de la même façon tandis que les vents jouent de longs accords qui semblent suspendus dans les airs. Progressivement, un crescendo nous conduit à…

6:49. … où s'amorce une cadence. Comme vous l'avez appris au chapitre 3, le soliste va trouver ici l'occasion de faire étalage de sa virtuosité. Pas longtemps puisque, après quelques notes de transition…

7:00. … nous voilà revenus au thème A dans toute sa gloire, réexposé d'abord par le piano puis repris par l'orchestre.

7:17. La petite fantaisie du basson revient, reprise, comme au début, par la flûte qui, cette fois, a choisi une tonalité différente. Sans doute pour nous emmener dans une autre direction. Le piano, à son tour, change de tonalité, donc de direction. Pendant quelques secondes, nous ne savons plus très bien où nous en sommes et où nous allons atterrir.

8:03. Fausse alerte. Après toutes ces modulations, nous voilà revenus dans la tonalité originale. Mais nous sommes passés du thème A au thème B, que nous n'avions plus entendu depuis six minutes.

8:45. Arrivée en force de l'orchestre qui nous amène, à **8:49**, à un accord particulier qui, traditionnellement, signale l'arrivée de la seconde cadence.

Celle-ci est la cadence principale et, du temps de Mozart, c'était au soliste de l'improviser sur le vif. De nos jours, cet usage s'est un peu perdu et seuls quelques brillants solistes en sont encore capables. Le soliste se contente habituellement de jouer une cadence toute faite.

9:48. Dernière apparition du thème A. Il est maintenant si connu que Mozart ne s'est pas cru obligé de répéter la première phrase comme il l'avait fait à **0:11**.

10:33. Reviennent alors les petites variations, d'abord jouées par la clarinette (comme au début, à **0:59**) puis par le basson et la flûte (comme à **1:07**). Cette fois le piano se fait, lui aussi, entendre.

10:50. À nouveau l'orchestre fait taire tout ce petit monde. Ça sent l'écurie… Il n'y en a plus pour bien longtemps.

10:55. Ah! encore une petite chose: vous souvenez-vous de l'accompagnement entendu à **1:22**? Eh bien, il est ici de retour! Deux petites phrases au piano et…

11:04. « Bon, eh bien, cette fois c'est terminé pour de bon!» affirme bruyamment l'orchestre.

Ainsi, vous avez maintenant une idée de la structure de cette belle musique. Les thèmes sont ainsi organisés: A – B – A – C – A – B – A. C'est l'exemple d'un parfait rondo.

◢ *Beethoven: Cinquième Symphonie, premier mouvement*

Cette symphonie – et surtout son premier mouvement (pom pom pom pooooom…) – est l'un des thèmes musicaux les plus connus, et ce, pour une bonne raison. Dans ce mouvement, Beethoven fait montre d'une remarquable intensité dramatique où domine un sentiment de colère et c'est, en outre, la quintessence de la *forme sonate*.

Si vous vous souvenez de ce que vous avez lu au chapitre 3, vous vous souvenez qu'il s'agit d'une structure en trois parties:

1. **Exposition.** Le compositeur présente successivement deux thèmes.

2. **Développement.** Ces thèmes sont repris sous des formes variées.

3. **Réexposition.** Les deux thèmes réapparaissent.

Ici, nous aurons en outre une *coda*, sorte de péroraison qui clôt le mouvement.

Exposition

0:00. Le mouvement commence avec fureur, les cordes et la clarinette faisant entendre un thème bref de quatre notes qui constitue la base de tout le mouvement. C'est «le destin qui frappe à la porte».

Richard Wagner a imaginé la façon dont Beethoven aurait pu décrire ce thème: «Mes quatre notes doivent être appuyées et insistantes. Pensez-vous que je les aurais écrites à la légère ou parce que je ne parvenais pas à me décider sur ce qui devait suivre? Bien sûr que non! Ce thème rayonnant doit être compris comme un spasme horrible et extatique. Il faut presser ces notes de sang jusqu'à en extraire la dernière goutte avec suffisamment de force pour arrêter les vagues de la mer et révéler le fond de l'océan, pour arrêter les nuages dans leur course, pour dissiper la brume et découvrir le ciel d'un bleu pur et la face brûlante du soleil lui-même. Voilà quel est le sens de ces quatre notes et pourquoi elles doivent être affirmées avec force.»

Quel pathos!

0:08. Les quatre notes se sont envolées de l'orchestre tel un éclair lancé par les violons et les altos. C'est ensuite l'entrée de l'orchestre, qui amène un peu de détente en modulant le thème aux violons. Cela s'achève sur une note tenue.

0:20. Réapparition des quatre notes, la dernière prolongée comme au début. Montée progressive de tout l'orchestre, qui brode sur le thème. Fin abrupte sur deux accords.

0:46. Les cors annoncent alors fièrement l'entrée du second thème qui est écrit dans une nouvelle tonalité, laquelle sera conservée jusqu'à la fin de l'exposition. Ce thème commence avec les trois mêmes notes brèves, mais se poursuit avec trois notes longues.

0:48. Entrée des violons qui développent ce nouveau thème sur un ton lyrique, soutenus par la clarinette puis par la flûte. Si vous écoutez attentivement, vous pouvez percevoir les quatre notes du thème en arrière-plan, aux contrebasses. Tout l'orchestre participe maintenant à l'exposition du thème.

1:23. Trois fois ce thème sera affirmé avec force par l'orchestre tout entier. Puis le silence s'établit. C'est la fin de l'exposition.

1:28. Réapparition du thème initial annonçant la reprise de l'exposition. Tout ce qui précède est répété à l'identique, ce qui devrait vous permettre d'identifier avec plus de précision les différentes phases composant l'exposition. À la fin de cette reprise, les éléments de l'exposition seront gravés dans votre mémoire auditive et vous n'en goûterez que mieux les délices du développement.

Développement

2:50. Commence maintenant le développement: les cors clament avec force les quatre notes, qui passent ensuite aux cordes.

2:55. Apparaît alors aux cordes un mouvement rapide, tranquille au début. Au cours du développement, le compositeur s'amuse avec les thèmes exposés précédemment. Il les «désosse», les fragmente, les présente sous des éclairages différents. Ici, ce sont les quatre notes qui vont constituer l'ossature du développement. La façon dont Beethoven s'est servi et resservi de ce thème est réellement prodigieuse. Avec aussi peu de matière, il est parvenu à explorer de nouvelles voies sans donner l'impression de ressasser la même idée.

3:09. La musique enfle progressivement jusqu'à un petit sommet d'intensité. À la dernière seconde apparaît une modulation dans une tonalité différente.

3:14. Nouvelle montée de l'orchestre, progressivement soutenue par les timbales.

3:27. Cette fois, on parvient à la conclusion. Les nuages se dissipent et on voit apparaître le ciel bleu.

3:35. Jusqu'ici, le seul thème qui a été développé a été celui des quatre notes. Puis les violons exposent la tête du second thème, ce qui dans l'exposition était un appel de cor. En réalité, c'est tout ce que nous entendrons de ce thème. Il n'y a pas de place pour le lyrisme dans ce tourbillon.

3:45. Entrée des cors. Modulation. Apaisement progressif jusqu'à l'irruption soudaine, à **4:05,** de tout l'orchestre sur le thème de quatre notes.

4 :09. À nouveau apaisement… à nouveau irruption de l'orchestre sur le motif de quatre notes, menant à la…

Réexposition

4:20. Réexposition du premier thème. Mais cette fois, à **4:36**, tous s'arrêtent de jouer sauf le hautbois, qui entre sur une note tenue et exécute une sorte de brève *cadence*, plutôt inattendue à cet endroit-là (vous saurez tout sur les *cadences* au chapitre 3). Une «oasis dans le désert», comme la décrivit un jour le grand chef d'orchestre allemand Wolfgang Sawallisch.

4:48. L'ensemble de l'orchestre revient en force dans une montée qui se termine sur deux accords puissants signalant que le second thème est près d'arriver.

5:09. Le calme revient alors que des instruments à vent énoncent ce second thème, suivis par les cordes. Petit problème : comme vous l'apprendrez au chapitre 9, les anciens *cors naturels* ne pouvaient jouer que quelques notes, dans une seule tonalité. Or, ici, nous avons changé de tonalité par rapport à l'exposition et les cors ne peuvent pas jouer ces nouvelles notes. Beethoven les a donc remplacés ici par les bassons.

Certains chefs modernes remplacent ces bassons par des *cors d'harmonie* modernes, dont les possibilités de modulation sont plus grandes que les cors naturels de l'époque. Dans cet enregistrement, c'est la partition originale de Beethoven qui a été suivie, d'où les bassons.

Ce qui va suivre est presque identique à l'exposition initiale, quoique dans une tonalité différente. La réexposition se terminera dans un *forte* suivi des quatre notes jouées plusieurs fois par tout l'orchestre.

Coda

5:54. Au moment où vous pensiez que le premier mouvement allait s'achever, un changement intervient, annonciateur de la *coda* qui terminera réellement le mouvement. Le thème des quatre notes fait de nombreuses apparitions.

5:59. Les violons se fraient un passage dans la masse orchestrale par une progression tonale ascendante. Pendant un moment, l'orage se calme, suffisamment longtemps pour qu'on entende les quatre notes égrenées calmement par un basson.

6:05. Et cela recommence. Beethoven reprend le thème avec fureur, dans un mouvement ponctué d'accords rageurs.

7:00. C'est l'éclatement. Les quatre notes retentissent par deux fois de toute la force de l'orchestre. Le premier thème essaie bien de se faire entendre, mais il est vite étouffé par quelques accords impérieux de l'orchestre qui terminent le mouvement avec force et même brutalité.

5 Brahms : _Quatrième Symphonie, troisième mouvement_

Johannes Brahms (1833-1997) a été l'un des champions de l'autocritique. Il ne publiait jamais un morceau tant qu'il ne le jugeait pas parfait. De ce fait, il ne publia sa _Première Symphonie_ que lorsqu'il eut 43 ans et il n'en écrivit que quatre.

Cette dernière symphonie est sans doute la plus austère et la plus intense des quatre, sauf en ce qui concerne son troisième mouvement. Il s'agit d'un charmant _Allegro giocoso_ qui éclaire l'œuvre d'un rayon de soleil. Lors de sa première audition, ce mouvement déchaîna un tel enthousiasme que l'orchestre dût le reprendre.

Ce mouvement présente la particularité d'être le seul dans lequel Brahms a utilisé le triangle.

0:00. Le mouvement s'ouvre sur une entrée tapageuse, _fortissimo_, de l'orchestre, annonciatrice du climat général. Écoutez bien ce rythme et retenez-le, car il reviendra par la suite. Il est répété deux fois, comme un appel, puis un accord retentit en **0:04**.

0:06. Cet accord engendre une petite course rapide, vivifiante, comme s'il avait accumulé de l'énergie.

0:10. C'est maintenant une fanfare des cuivres qui fait entendre une succession de _triolets_ (trois notes par temps), lesquelles feront d'autres apparitions plus tard dans le mouvement.

0:19. Soudain, le calme s'établit, laissant place à un motif de transition (un motif conduisant à une nouvelle idée musicale) ; mais écoutez les voix des cordes graves, imitant le rythme du tout début : elles vous empêchent de vous abandonner complètement à la tranquillité.

0:34. Au sommet de ce _crescendo_, le thème initial semble revenir, toujours aux cordes. La ligne mélodique est ici renversée. Alors que les contrebasses jouent le thème en descendant, les violons le jouent en montant, ne changeant de sens qu'au dernier moment. En ne modifiant qu'une ou deux notes, Brahms arrive à faire cohabiter le thème et son inverse dans une parfaite harmonie.

0:38. Accord *fortissimo* de l'orchestre, au milieu duquel on entend nettement le triangle.

0:43. Brusquement, tout se calme dans un murmure frémissant.

0:53. Voici maintenant le second thème, plus calme et plus lyrique que le premier. Il est tout d'abord énoncé par les violons auxquels les bois vont faire écho (avec accompagnement de triangle), mais dans un rythme différent. Le lyrisme tranquille des violons est remplacé par des notes brèves, jouées *staccato*, comme des gouttes de pluie. Une transition mélodique terminée par un accord puissant annonce à **1:28** le retour du premier thème.

1:33. Celui-ci est maintenant ponctué par le triangle et soutenu par les vents, créant ainsi une plaisante opposition, comme si les uns disaient « Oui » et les autres « Non ».

1:41. La dispute entre les partisans du « Oui » et ceux du « Non » s'échauffe.

1:52. La dispute n'est pas terminée. Après une reprise sur un ton mystérieux, en mineur, du premier thème par les violoncelles, ponctué par des accords menaçants, les violons se mettent de la partie et jouent, sur un mode mineur également, le thème de transition qui était apparu en **0:18**, suivis peu après par les bois.

2:18. Maintenant, les bois reprennent le premier thème en l'inversant, soutenus par les cordes à l'unisson. Tout se calme progressivement dans un *diminuendo*.

2:47. Un coup de triangle annonce l'entrée des bois, sur le début du premier thème.

3:03. Entrée des cors chantant une belle mélodie soutenue par de discrets pizzicati aux cordes. C'est précisément celle que la fanfare des cuivres nous avait fait entendre à **0:09** (celle qui est écrite en triolets). À présent, elle est comme désamorcée, les triolets se sont détendus et la mélodie sonne plus dépouillée, plus reposante.

3:29. Soudain, ce thème revient dans tout son éclat initial, sous la forme d'une fanfare, avec ses triolets à nouveau vigoureux, identique à ce que vous aviez entendu de **0:09** à **0:38**.

4:16. À nouveau, voici le magnifique thème déjà entendu à **0:50**, mais repris par tout l'orchestre (à **4:27**). Le rythme en est changé; il consiste désormais principalement en triolets nous rappelent la fanfare des cuivres (ingénieux, non?). Montée progressive, *staccato*. Les gouttes de pluie se sont changées en accords assénés avec force à partir de **4:45**.

4:51. Long crescendo menant au motif initial du premier thème.

5:25. Retour des «Ouuui», «Noooon», «Ouuui», «Noooon», ponctués par le triangle.

À partir de **5:55**, les deux thèmes vont brièvement s'entrecroiser pour parvenir à une rapide conclusion sur quatre accords saluant le triomphe du premier thème.

Le plus intéressant dans ce mouvement de symphonie est la manière dont Brahms a entremêlé ses deux thèmes, pourtant si différents, et a tissé entre eux des liens intimes – une rigueur d'autant plus admirable qu'il s'agit de l'une de ses pages les plus légères. La musique de Brahms est comme un puzzle magistral, assemblé de manière à ce que l'on perçoive non seulement la beauté de chaque pièce, mais également celle du tableau dans son ensemble.

6 Dvořák: *Sérénade pour cordes, quatrième mouvement*

Après les deux tourmentes symphoniques que nous venons de traverser, voici une oasis de tranquillité. Compositeur bohémien qui vécut de 1841 à 1904, Antonín Dvořák a une personnalité lumineuse qui se manifeste particulièrement bien dans cette somptueuse *Sérénade pour cordes*. Lorsqu'il était éloigné de sa patrie, la nostalgie le prenait et on ressent clairement cette impression ici.

Bien que ce morceau soit solidement structuré, nous n'allons pas vous ennuyer avec une analyse minutieuse, préférant vous laisser apprécier la beauté de cette musique qui se déroule, tranquille et pittoresque. Nous nous contenterons donc de vous signaler les endroits les plus marquants.

De même que l'extrait de la *Water Music* de Haendel qui se trouve sur la plage 1 du CD, cette pièce a une structure de type A – B – A.

0:00. La sérénade s'ouvre par l'exposition du thème A aux violons. La mélodie se déroule tranquillement, une idée musicale en amenant une autre, par une montée progressive jusqu'au sommet d'intensité (**1:11**) ; après quoi elle diminue doucement.

1:31. Les violoncelles jouent les premières notes du thème A, avec les violons en écho.

2:02. Changement de tonalité sur un *crescendo* puis reprise du thème aux violoncelles à partir de **2:06** avec quelques broderies mélodiques.

2:49. Soudain apparaît le thème B, dont les petites notes légères et vives tranchent avec les longues lignes du thème A. On y reconnaît le parfum d'une danse bohémienne. Ce thème est ponctué par quelques accords bien rythmés.

3:07. Les violons chantent dans l'aigu une mélodie calme qui se superpose à ce thème.

Montée lente préludant à la réapparition du thème A, à **3.38**, d'abord aux violoncelles puis, à **4:04**, aux violons.

4:45. Sommet expressif du mouvement ; puis, comme auparavant, la musique s'efface.

5:07. Dernière apparition du thème. La sérénade s'éteint tranquillement.

7 *Tchaïkovsky : Symphonie n° 6, quatrième mouvement*

Si vous avez lu au chapitre 2 la section consacrée à Tchaïkovski, vous savez combien son existence fut tourmentée. Nulle part il n'a mieux exprimé ses frustrations que dans cette *Sixième Symphonie* surnommée, non sans raison, « *Pathétique* ».

Lorsque nous avons entendu pour la première fois le quatrième mouvement de cette symphonie, nous n'avons pas saisi cela. Nous l'avons réécouté et réécouté, toujours sans comprendre. Nous étions trop jeunes.

Lorsque nous avons réécouté ce mouvement une fois adulte, il nous a bouleversés. Quelque chose s'était produit en nous entre-temps : la *vie.* Quiconque a aimé et pleuré des êtres aimés comprend instantanément les émotions qui traversent cette œuvre.

0:00. Sur la partition, on peut lire *Adagio lamentoso*: «Lent et sur le ton d'une plainte». La tonalité mineure du thème traduit ce cri d'une âme blessée. Le thème initial sonne comme une gamme descendante (des notes aiguës vers les notes graves). Les deux pupitres de violons de l'orchestre s'en partagent l'exposition: chacune jouant successivement une note.

0:18. Tchaïkovski nous conduit à un petit sommet d'intensité, d'où s'échappe une longue et langoureuse mélodie de flûtes et de basson, qui diminue pour faire place à un court silence.

1:08. Les cordes reprennent à l'unisson la plainte, conduisant à un long solo du basson, qu'elles soutiennent discrètement.

2:22. Nouvel arrêt puis entrée des cors, dans leur registre grave, sur une succession de notes jouées deux par deux, comme un battement de cœur: «boum-boum, boum-boum, boum-boum».

2:27. Apparaît une seconde plainte, très différente de la première: elle est écrite dans une tonalité majeure. Elle commence calmement et tendrement, évoquant le souvenir d'un amour défunt. Comme la plainte initiale, elle est écrite selon une gamme descendante, ce qui est fréquent dans la musique de Tchaïkovski.

Elle se compose de cinq notes – dont la première est répétée – qui vont resurgir à trois reprises, de plus en plus fort et de plus aigu: successivement à **2:59**, avec les trombones imitant les cordes; à **3:24**; à **3:51**. Finalement, à **4:27**, on atteint un sommet d'intensité – *fff* ou *fortissississimo* («très, très fort»), alors que les timbales font leur apparition et que l'énergie des cuivres vous souffle littéralement.

4:42. Un silence annonce l'entrée de la seconde plainte, jouée d'abord *fortissimo*, puis répétée de plus en plus doucement.

5:10. Une montée poignante annonce le retour du premier thème.

6:06. La petite montée d'intensité que nous avons déjà entendue en **0:18** donne le signal d'une longue montée en puissance, construite sur les répétitions de plus en plus intenses de la mélodie descendante.

7:15. L'émotion atteint son paroxysme, exprimée par l'orchestre dans son entier. La musique semble de plus en plus exténuée et finalement…

7:50. … elle semble mourir. Un coup sourd de tam-tam (que vous risquez de n'entendre qu'au casque) signe cet arrêt de mort, et les trombones entonnent une incantation funèbre.

8:27. À nouveau un battement de cœur, cette fois aux contrebasses, qui annonce le retour de la seconde plainte, maintenant en mineur.

8:59. Tout baisse : l'intensité sonore, les lignes, le registre des instruments (de plus en plus graves) : l'orchestre s'efface progressivement en même temps que les plaintes qu'il émettait. Après quelques soubresauts, le cœur s'arrête.

La *Symphonie « Pathétique »* est l'œuvre la plus autobiographique de Tchaïkovski, et certainement l'une des ses réussites les plus marquantes. Rarement l'angoisse aura été traduite en sons d'une manière aussi poignante. Une semaine après la création de l'œuvre, le compositeur décédait.

8 *Debussy : La Mer, « Dialogue du vent et de la mer »*

À l'opposé des grands romantiques, certains compositeurs du début du siècle s'attachèrent à traduire des *impressions* plutôt que des *émotions*. Claude Debussy (1862-1918) fut l'un d'eux. Sa démarche se rapproche de celle de Monet ou de Renoir en peinture, ce qui valut à sa musique d'être décrite comme « impressionniste ».

Nous considérons *La Mer* comme son chef-d'œuvre en la matière. En trois mouvements, ce poème symphonique traduit les différentes atmosphères que traverse la mer au cours d'une journée à l'aide de moyens purement musicaux : un kaléidoscope de mélodies, de couleurs instrumentales et d'harmonies. Le dernier mouvement (plage 8 du CD d'accompagnement) est intitulé « Dialogue du vent et de la mer » et c'est le plus passionnant.

Nous croyons utile de préciser que les impressions que *vous* allez ressentir en écoutant cette musique peuvent très bien différer de celles que *nous* avons ressenties. Nous sommes persuadés que c'est exactement ce que voulait Debussy.

0:00. C'est un jour de grand vent et le ciel est nuageux. La musique s'ouvre sur un roulement des timbales et de la grosse caisse préludant à l'entrée des violoncelles et des contrebasses qui exposent un thème menaçant. Sur sa partition, Debussy a noté *Animé et tumultueux*. Le thème menaçant se répète plusieurs fois.

0:12. Sur un léger coup de cymbales, le calme revient et le vent fait son entrée sous la forme d'un appel lointain.

0:23. Répétition du thème menaçant, puis de l'appel lointain, cette fois un peu plus haut.

0:33. Des notes graves, rapides, répétées aux violoncelles et aux contrebasses, accompagnées d'un crescendo: la tempête couve.

0:47. Une trompette avec sourdine lance un avertissement qu'elle répète plus fort et d'une manière plus pressante.

1:05. Le vent balaie la mer dont les vagues se chargent de franges d'écume.

1:20. Un coup de cymbales traduit cette agitation, soutenu par un roulement de timbales qui s'achève sur un coup sec annonçant un calme tout relatif.

1:26. C'est alors que les bois, soutenus par les cordes imitant le friselis des vagues, énoncent le premier véritable thème du mouvement. Un thème inquiet et ondoyant que nous appellerons le «thème des bois».

1:53. La flûte et les violoncelles font entendre la seconde partie de ce thème, qui commence par deux notes rapides dont la première est particulièrement accentuée. (Rappelez-vous ce motif, vous aurez d'autres occasions de l'entendre!) Debussy utilise ici une technique employée auparavant par Beethoven (voir la section sur la *Cinquième Symphonie* plus haut dans ce chapitre): il fait un grand crescendo, mais évite *in extremis* d'atteindre le sommet d'intensité.

2:09. Le vent réapparaît, amenant à nouveau une frange d'écume sur les vagues.

2:28. On se sent maintenant emporté sur les flots. De petites vagues nous entourent tandis que, à l'occasion, une vague plus grosse vient s'écraser contre notre embarcation. Debussy utilise ici des mouvements ascendants et descendants rapides aux violons pour évoquer les petites vagues et une note de cymbale çà et là pour suggérer les vagues plus fortes.

Sur cet arrière-plan de tempête, on peut entendre la combinaison de deux thèmes: un appel de cor sur le motif de deux notes rapides dont la seconde est accentuée et l'appel de la trompette avec sourdine solitaire entendu en **0:47.**

3:04. On atteint ainsi un paroxysme particulièrement saisissant, souligné par l'entrée simultanée de la grosse caisse, des timbales, de la cymbale, des trombones et du tuba, bientôt suivis par le tam-tam.

Puis le calme revient progressivement.

3:28. Une mélodie calme et majestueuse, jouée par quatre cors et soulignée par un discret accompagnement des cordes, évoque la toute-puissance de la mer. (Retenez également ce thème, il reviendra plus tard sous un autre visage.) Ce thème alterne avec un friselis languide des violons.

4:00. Pendant un temps, Debussy semble nous dire: «Eh bien! n'est-ce pas délicieux de se trouver ainsi en mer?»

4:174. Sursaut. On dirait qu'il va se passer quelque chose.

4:24. Fausse alerte, le calme persiste et on entend le thème des bois – ou plutôt une variante tranquille.

5:07. Le glockenspiel entre en jeu.

5:27. L'orchestre amorce un long crescendo qui s'enfle calmement jusqu'à la reprise du thème des bois, plus fort qu'auparavant, avec un contre-chant aux trompettes.

6:03. Les cors, trompettes et cordes pincées font entendre un avertissement; la mélodie solitaire de trompette avec sourdine revient, plus rapide et plus inquiète.

6:18. Retour d'autres thèmes entendus précédemment: celui des violoncelles avec ses deux notes rapides et celui de la trompette solitaire mais, cette fois, aux flûtes et aux hautbois.

6:40. Un long trémolo des cordes annonce le retour de la tempête.

6:52. Les moutons réapparaissent au sommet des vagues et nous nous sentons à nouveau emportés par la mer. Les cordes font entendre le bruit rythmé des petites vagues et les battements des timbales entretiennent un climat d'inquiétude. Montée progressive de l'ensemble de l'orchestre.

7:11. Voici qu'apparaît à nouveau aux cors le thème symbolisant la toute-puissance de la mer que nous avons déjà entendu à **3:28**. Cette fois, il est plus fort et domine sans effort la masse orchestrale.

7:28. Un brutal coup de cymbales souligne la puissance et la splendeur de la mer. Le vent balaie frénétiquement sa surface, les vagues s'écrasent alentour et la musique nous emporte dans une conclusion frémissante où percent les appels de la trompette.

9 *Stravinsky: Le Sacre du Printemps: depuis l'« Introduction » jusqu'au « Jeu de rapt »*

Comme vous avez pu le lire au chapitre 2, la première du *Sacre du Printemps*, en 1913, causa un scandale qui est resté célèbre. Le public fut doublement choqué: d'abord par la nouveauté de cette musique, ensuite par sa brutalité et par l'impression de chaos qui s'en dégageait.

Si vous n'avez encore jamais entendu cette œuvre, vous allez être saisi et, vous aussi, vous allez vous demander ce qui se passe. Mais ne fuyez pas. Persévérez. La plupart des spécialistes de la musique considèrent que c'est la pièce la plus importante de musique «classique» qui ait été écrite au XXᵉ siècle. Il vous faudra sans doute plusieurs écoutes pour l'apprécier. Patience: pour tout vous dire, quant à nous, il nous fallu un moment pour en arriver là.

Si vous commencez à apprécier réellement cette œuvre, n'hésitez pas à acheter le CD qui la contient toute entière. Vous allez découvrir un monde totalement nouveau.

Depuis sa première exécution, la puissance dramatique de cette œuvre a été largement reconnue. Conçue comme un ballet, elle a été utilisée à maintes reprises comme musique de film. Walt Disney lui-même lui a fait place dans *Fantasia*.

Le Sacre du Printemps est sous-titré «*Tableaux de la Russie païenne*». Il est divisé en plusieurs sections. Nous aurions souhaité pouvoir les placer toutes sur le CD d'accompagnement, mais ce n'était malheureusement pas possible. Pour vous mettre en appétit, nous avons choisi les trois premières: «Introduction», «Danse des adolescentes» et «Jeu de rapt».

« Introduction »

0:00. Un basson solitaire ouvre l'œuvre. Jamais aucun compositeur n'avait écrit dans d'une tessiture aussi élevée pour cet instrument.

Les musiciens s'amusent de cette singularité en chantonnant les paroles suivantes sur le thème: «Je ne suis pas un cor anglais (*bis*). C'est bien trop haut pour moi. Je ne suis pas un cor anglais.» Pour nous, cette longue plainte étranglée suggère les premiers pleurs de l'être humain.

0:10. Entrée d'une autre voix : le cor.

0:20. Seconde phrase. Entrée des clarinettes et de la clarinette basse.

0:32. Le basson répète la plainte, à laquelle répond une autre ligne mélodique, qui, cette fois, est réellement confiée au cor anglais. La mélodie se prolonge sur une note soutenant l'entrée d'autres bassons.

1:16. Les pizzicatos des cordes nous font entendre les appels d'oiseaux et d'autres animaux évoquant une forêt au printemps.

1:49. Sur un trille aux violons, la musique devient plus chaleureuse. Pour la première fois, nous commençons à ressentir une pensée harmonique (des accords) sous la mélodie. On entend davantage de cris d'oiseaux, interrompus par le chant isolé du cor anglais, et des appels de la clarinette et de la flûte.

2:26. Duo joueur du hautbois et de la flûte alto (une flûte plus longue que la normale et donc plus grave) ; puis entrée d'une petite clarinette (un modèle plus aigu et strident que la clarinette «normale»).

2:40. Naissance d'une pulsation aux contrebasses. La musique commence à s'animer d'un rythme nouveau qui constituera l'ossature de toute l'œuvre en étant repris dans les mouvements qui suivront. Les appels des oiseaux et des autres animaux s'y mêlent et ce mélange de voix crée une certaine cacophonie.

Soudain, à **3:04**, tout se tait pour faire place à la plainte initiale du basson.

3:05. Les pizzicatos des violons annoncent l'imminence d'un événement.

3:27. Murmure. C'est le calme qui précède la tempête…

Danse des adolescentes

3:37. Nous n'avons jamais entendu des adolescentes produire un tel vacarme ! Sur une pulsation rythmique forcenée des cordes, les cors se font entendre à contretemps, imprévisibles. Ce passage est *vraiment* très connu et admiré.

3:46. Le cor anglais répète le motif que les violons jouaient juste avant ce déchaînement, soutenu par un accompagnement bondissant des bassons.

3:50. Les cordes reviennent avec la même férocité, en même temps que les accents déplacés et imprévisibles des vents.

3:56. Autre section contrastante, cette fois avec le thème du cor anglais et quelques invités surprise – notamment les trompettes.

4:13. Reprise de l'intense pulsation rythmique des cordes, exactement comme au début de ce mouvement.

4:22. Toujours soutenus par la pulsation des cordes, à un niveau cependant moins élevé, les bassons font leur entrée et jouent quelques notes bruyantes, bientôt rejoints par les hautbois dans un registre aigu. Lorsque les vents se taisent, les cordes intensifient leur pulsation.

4:50. Halte soudaine de cette rythmique qui fait place à un puissant accord des cors et des trombones ponctué par les timbales.

4:54. Le mouvement initial reprend tandis que les trompettes jettent un appel déchirant et dissonant et que les bois font entendre un trille. Suit une période de flottement dont quelques instruments profitent pour faire entendre une note ici ou là. Les cordes reprennent leur pulsation, cette fois en pizzicatos, un peu comme le tic-tac d'une horloge. Le mouvement rythmique enfle de plus en plus jusqu'à la fin du mouvement.

Jeu de rapt

6:41. Soudain, le rythme effréné des trois dernières minutes s'évanouit. On se trouve dans l'œil du cyclone. On a l'impression d'assister au déroulement d'une scène de chasse préhistorique. Un long crescendo mène à un paroxysme.

7:39. À partir de là, on s'achemine vers une conclusion abrupte, jouée *fortissimo*, à **8:05** : Stravinsky est entré avec fracas dans l'ère de la modernité.

Troisième partie
Guide de terrain de l'orchestre

Dans cette partie...

Dans la troisième partie, vous allez étudier les cordes, les cuivres, les percussions et tout ce qui compose un orchestre dans le monde de la musique classique.

Mais ce n'est pas tout. Bien qu'ils ne fassent pas strictement partie de l'orchestre (dans lequel ils interviennent presque toujours comme solistes), nous allons commencer par vous parler des instruments à clavier.

Lorsque vous écoutez un orchestre, vous vous laissez porter par la passion, la majesté, l'intensité dramatique de ce que vous entendez. Du coup, vous oubliez complètement que vous ne faites qu'entendre un tas de gens dont les uns soufflent, les autres frottent, d'autres encore tapent sur ou dans des morceaux de bois, de cuivre ou de ferraille.

Chapitre 6

Claviers et c^{ie}

Dans votre vie quotidienne, vous avez plus de chances de voir des instruments à clavier que n'importe quel autre type d'instrument. Des claviers, il y en a partout.

L'église qui est au coin de la rue possède un orgue. Le gamin du voisin a un synthétiseur (et de trop bruyants haut-parleurs, hélas !). L'étrange dame entourée de sa meute de chats qui habite une maison branlante, là-bas, sur la colline, dont les volets sont toujours clos, a un clavecin. Et il serait bien étonnant qu'un autre de vos voisins n'ait pas un piano.

Le piano

> *Le piano que baise une main frêle*
> *Luit dans le soir rose et gris vaguement,*
> *Tandis qu'un très léger bruit d'aile,*
> *Un air bien, bien faible et bien charmant*
> *Rôde discret, épeuré quasiment,*
> *Par le boudoir longtemps parfumé d'Elle.*

Paul Verlaine, *Romances sans paroles* – V.

La meilleure façon d'apprendre ce qu'est un piano, c'est de s'en servir. Peut-être en avez-vous un. Si ce n'est pas le cas, sans doute votre voisin en a-t-il un. C'est quelqu'un de très intéressant et, en dépit des nains de jardin qui parsèment sa pelouse, c'est une personne au goût raffiné et c'est pour ça qu'il possède un piano.

À la prochaine occasion, demandez-lui donc si vous pouvez voir son piano. Ou bien profitez de ce qu'il est en train de tondre sa pelouse pour vous mettre subrepticement à la fenêtre et regarder l'instrument.

Sur n'importe quel piano, vous noterez plusieurs choses. D'abord, il a en général 88 touches (parfois, seulement 85). Tout de suite une précision technique: les touches blanches sont appelées *touches blanches* et les touches noires, *touches noires*. Vous avez saisi?

Naturellement, certains experts appellent les touches blanches des notes *naturelles* et les touches noires, des *dièses* ou des *bémols*. Mais il n'est pas réellement nécessaire de connaître ce genre de détail.

Appuyez sur la touche la plus à gauche du clavier. On dit que le piano est un instrument sensible à l'attaque (à la pression), ce qui signifie que l'intensité du son que vous entendez dépend de la force avec laquelle vous appuyez sur une touche. Si vous caressez la touche, vous percevrez un son étouffé. Si vous tapez dessus d'un doigt rageur, c'est une note intense et brutale qui viendra frapper votre oreille. Évitez quand même de faire l'expérience avec un marteau, surtout s'il s'agit de votre propre piano.

Après cette première note, appuyez sur la touche immédiatement à sa droite. Puis sur la suivante, en n'utilisant que les touches blanches, de la gauche vers la droite. Ce faisant, vous *montez la gamme*. Ces notes ne sont pas anonymes. Depuis l'origine des temps, les compositeurs ont éprouvé le besoin de leur donner un nom, car c'est le seul moyen qui permette d'écrire de la musique et de l'exécuter.

Comment appelle-t-on les notes?

Les Anglo-Saxons désignent les notes au moyen des sept premières lettres de l'alphabet: *A, B, etc., jusqu'à G*. Les Latins (dont nous faisons partie) ont fait montre d'une créativité supérieure et utilisent depuis le début du XIe siècle les noms proposés alors par Guy d'Arezzo, tirées des premières lettres de l'*Hymne à saint Jean Baptiste*:

Ut queant laxis Resonare fibris Mira gestorum Famuli tuorum Solve polluti Fabii reatum Sancte Ioannes

Soit : *ut, ré, mi, fa, sol, la, si*. Et comme abondance de biens ne nuit pas, une de ces notes a même deux noms : *do* et *ut*, c'est la même chose (mais *do* est plus facile à chanter). La correspondance s'établit de la manière indiquée par la Figure 6-1.

Figure 6-1 :
Les notes du
clavier de
piano.

Qu'est-ce qu'une octave ?

La totalité de cette suite de notes se répète d'*ut* à *si* jusqu'à atteindre l'extrémité du clavier. Toutes les notes *ut* sont identiques, à ceci près qu'elles sont chaque fois plus aiguës. C'est comme si on avait affaire à une famille dans laquelle les notes graves correspondaient au grand-père, basse noble, et qu'on suive de proche en proche toutes les générations, aux voix de plus en plus jeunes, donc de plus en plus aiguës, jusqu'à atteindre celle du petit dernier, piaillant comme un oiseau criard. Tout ce petit monde chantant ensemble, il n'y aurait aucune dissonance (enfin, pas trop…).

Une octave est donc la distance entre deux notes de même nom. De l'une à l'autre, il y a huit notes, d'où le nom d'octave, pour les mêmes raisons qui font qu'un octogone a huit angles (donc huit côtés), un octosyllabe, huit pieds, un octopode, huit tentacules et que le mois d'octobre est le… euh… dixième mois de l'année (il ne faut jamais généraliser hâtivement).

Les touches noires

De la même façon que pour les touches blanches, la répartition des touches noires du clavier se répète identiquement d'un bout à l'autre du clavier en deux groupes de chacun deux ou trois touches. Pour les pianistes débutants, c'est un point de repère commode.

Le rôle des touches noires est de faire entendre une note à mi-chemin de celles des deux touches blanches qui l'entourent. Chaque touche noire a deux noms, selon qu'on se repère par rapport à sa voisine de droite (dans ce cas, c'est un *bémol*) ou à sa voisine de gauche (là, c'est un *dièse*). Par exemple, *do* dièse et *ré* bémol représentent la même note, donc se jouent sur la même touche.

Comment fonctionne un piano

Il existe deux types de pianos: les *pianos à queue* et les *pianos droits*. Pour des raisons d'encombrement, de prix mais aussi de qualité sonore, c'est surtout dans les salles de concert qu'on trouve les premiers, alors que les pianos droits se rencontrent principalement dans les appartements privés. La Figure 6-2 présente un spécimen de chacune des deux espèces. Les fabricants de pianos sont appelés *facteurs de pianos*, ce qui a donné lieu, on s'en doute, à de nombreuses plaisanteries dont le niveau se situe à peine au-dessus de celui de l'almanach Vermot.

Dans les deux cas, on peut soulever le couvercle supérieur, favorisant alors la répartition du son. Dans le cas d'un piano droit, étant donné l'exiguïté du couvercle, ça ne change pas grand-chose, mais pour le piano à queue, c'est différent. Dans un concert, vous verrez toujours le couvercle ouvert à 45° en appui sur une béquille.

À l'intérieur du piano, vous trouvez beaucoup de cordes. À certaines notes correspond une seule corde (les notes basses, à gauche), à d'autres (du médium à l'aigu), trois. Entre les deux se trouve un *no man's land* de transition où les notes n'ont que deux cordes. Cette diversité du nombre de cordes est nécessaire pour que le volume sonore soit homogène d'un bout à l'autre du clavier.

Toutes ces cordes exercent une traction très élevée, ce qui fait que le cadre du piano doit être extrêmement résistant. Il est donc généralement métallique. (Il n'y a guère que sur les anciens pianos ou les pianos actuels de bas de gamme qu'il est en bois.)

Figure 6-2 :
Un piano à
queue (en
haut) et un
piano droit.

Les cordes sont attachées à un crochet métallique à une extrémité et
viennent s'enrouler autour d'une cheville à l'autre extrémité. C'est en
tournant ces chevilles au moyen d'une clé spéciale qu'on *accorde* le piano.

Sous l'action de la touche, un marteau recouvert de feutre dur vient frapper la corde puis s'en écarte légèrement afin de ne pas amortir ses vibrations. Lorsqu'on relâche la touche, le marteau retombe et un *étouffoir*, sorte de petit tampon de feutre mou, vient étouffer le son émis par la corde.

Les pédales

Comme les voitures à boîte de vitesses automatique, la plupart des pianos n'ont que deux pédales dont le rôle est à peu près similaire: la pédale de droite prolonge le son comme l'accélérateur augmente la vitesse de la voiture, et la pédale de gauche diminue son éclat comme le frein d'une voiture diminue sa vitesse.

La pédale de droite (*pédale forte*) soulève les étouffoirs. Dans ces conditions, lorsque le doigt quitte la touche, le son continue à se faire entendre, ce qui provoque une sorte de halo sonore renforçant l'intensité auditive.

Sur les pianos à queue, lorsqu'on appuie sur la pédale de gauche (la *pédale douce*), on déplace légèrement le mécanisme des marteaux qui, dès lors, ne frappent plus que sur une ou deux cordes. (Pour les notes qui n'ont qu'une corde, ils frappent quand même dessus, mais plus tout à fait en face.)

Certains pianos possèdent une troisième pédale, située entre les deux pédales normales. Elle sert à prolonger certains sons à l'exclusion des autres. Supposez que vous vouliez *tenir* une note (continuer à la faire entendre) tout en continuant à jouer les autres. Vous allez simultanément appuyer sur la pédale du milieu et sur la note que vous voulez prolonger. Lorsque vous relâcherez la note, elle continuera à résonner alors que les autres cesseront d'être entendues dès que les doigts quitteront leurs touches.

Dans quels morceaux peut-on entendre le piano?

La réponse est immédiate: principalement dans les concertos pour piano, mais aussi dans les pièces écrites spécialement pour cet instrument (certaines sonates, par exemple).

Sur la plage 3 du CD d'accompagnement se trouve un superbe extrait de concerto pour piano : le finale du _Concerto n° 22_ de Mozart.

Voici quelques-uns de nos concertos pour piano préférés :

- **Wolfgang Amadeus Mozart :** _Concertos n° 21_ et _n° 23._
- **Ludwig van Beethoven :** _Concerto n° 4_ et _Concerto n° 5, «L'Empereur»._
- **Johannes Brahms :** _Concerto n° 2._
- **Piotr Ilitch Tchaïkovski :** _Concerto n° 1._
- **Edvard Grieg :** _Concerto en la mineur._
- **Frédéric Chopin :** _Concerto n° 2._
- **Serguëï Rachmaninov :** _Concertos n° 2_ et _n° 3._
- **Béla Bartók :** _Concertoz n° 2_ et _n° 3._
- **Maurice Ravel :** _Concerto pour piano en sol majeur._
- **George Gershwin :** _Concerto en fa._

Et voici quelques-unes de nos pièces préférées pour piano seul :

- **Joseph Haydn :** _Sonates pour piano n° 59_ et _n° 60._
- **Ludwig van Beethoven :** _Sonates pour piano «Waldstein», « Appassionata », « Clair de lune »_ et _«Pathétique»._
- **Franz Schubert :** _Impromptus_ op. 90 et op. 142.
- **Robert Schumann :** _Kinderszenen (Scènes d'enfant) – Carnaval._
- **Frédéric Chopin :** _Préludes_ op. 28.
- **Claude Debussy :** _Préludes – Children's Corner._
- **Isaac Albéniz :** _Iberia._
- **Béla Bartók :** _Suite «En plein air»._

Pour en savoir plus sur le piano, courez acheter _Le Piano pour les Nuls_ !

Le clavecin

Le clavecin a un _toucher_ distinct de celui du piano : l'intensité du son produit ne dépend pas de la force avec laquelle on enfonce la touche. Historiquement, c'est le prédécesseur du piano (voir la Figure 6-3). Son existence semble remonter plus loin que le XVe siècle.

Figure 6-3 :
Clavecin
équipé
de deux
claviers.

À l'époque baroque et jusqu'au début de la période classique (voir le chapitre 2), c'était le principal instrument à clavier utilisé. Beaucoup de musique a été écrite pour cet instrument par des compositeurs tels que Bach, Haendel et Vivaldi, et on pourrait difficilement la jouer sur d'autres instruments.

Certains compositeurs modernes se sont intéressés à cet instrument. Citons parmi eux Manuel de Falla et Francis Poulenc.

Le clavecin n'a pas le son plein, rond et puissant du piano. Son mécanisme est très différent. Au lieu de marteaux en feutre, ce sont des *sautereaux*, sortes de languettes armées d'un bec, qui viennent pincer la corde à la façon d'un ongle. Il en résulte un son cliquetant, métallique et un peu grêle, non dépourvu de charme. On parle souvent du *ferraillement* d'un clavecin, mais ce terme n'a rien de péjoratif.

Curiosité: les touches d'un clavecin sont le plus souvent (sauf sur certaines copies modernes comme celle que montre la Figure 6-3) inversées par rapport à celles d'un piano : ce sont les touches blanches qui représentent les dièses et les bémols, et les touches des notes naturelles sont noires.

Dans quels morceaux peut-on entendre le clavecin ?

Sur la plage 2 du CD d'accompagnement, vous trouverez un prélude et une fugue extraits du *Clavier bien tempéré* de Jean-Sébastien Bach, qui vous donnent un très bel exemple de ce qu'on peut faire avec un clavecin.

Si vous voulez d'autres échantillons sonores de musique pour clavecin, voici quelques pièces dont nous vous recommandons l'écoute :

- **Jean-Sébastien Bach :** *Concerto pour clavecin et orchestre à cordes en ré mineur – Concerto italien*, pour clavecin seul.
- **Padre Antonio Soler :** *Fandango*.
- **François Couperin :** *Les Barricades mystérieuses – Passacaille – Les Folies françaises, ou Les Dominos – Le Tic-Toc-Choc, ou Les Maillotins*.
- **Georg Friedrich Haendel :** *Suite n° 5, en mi majeur*, G 145-148 (avec les variations dites de «*L'Harmonieux Forgeron*»).
- **Domenico Scarlatti :** 555 *Sonates*. (Posez par terre et triez, mais elles sont toutes admirables.)
- **Jean-Philippe Rameau :** *Le Rappel des oiseaux – L'Entretien des Muses – Les Cyclopes – La Poule*.
- **Francis Poulenc :** *Concert champêtre* pour clavecin et orchestre.
- **György Ligeti :** *Hungarian Rock*.

L'orgue

À chaque mariage religieux, vous entendez jouer un orgue. (La plupart du temps, vous avez droit à la «Marche nuptiale» tirée du *Songe d'une nuit d'été* de Felix Mendelssohn.)

L'orgue à tuyaux (à ne pas confondre avec l'orgue électronique, l'orgue Hammond, l'orgue de cinéma ou l'orgue de Barbarie) est souvent qualifié de «roi des instruments», souveraineté qu'il doit autant à sa puissance sonore qu'à la variété et à la richesse des sons qu'il est capable de produire. À cet effet, il possède un très grand nombre de tuyaux de dimensions très variables (de quelques centimètres à plusieurs mètres), les uns en façade (c'est la *montre*), la plupart dissimulés dans le *buffet* en bois, très souvent richement décoré. Le timbre des sons produits dépend, entre autres, de la forme des tuyaux et du matériau (métal ou bois) dont ils sont faits.

Tous ces tuyaux doivent être alimentés par de l'air sous pression. De nos jours, il est produit par une pompe mue par un moteur électrique silencieux mais, dans l'ancien temps, on requérait des jeunes garçons du voisinage pour actionner d'énormes soufflets dissimulés derrière l'instrument.

Figure 6-4 :
Montre et chamades de l'orgue baroque du couvent de São João de Tarouca (Portugal).

Aux commandes de l'orgue

Un orgue comporte le plus souvent plusieurs claviers (de deux à cinq) et un pédalier. Chaque touche de clavier peut actionner plusieurs tuyaux, chacun d'eux ayant son propre timbre et sa propre tessiture. La série de tuyaux correspondant à un timbre particulier, pour toute l'étendue du clavier, s'appelle *jeu* ou *registre*. L'art de combiner ces jeux pour obtenir, selon le morceau, le timbre le plus éclatant, le plus doux ou le plus chantant s'appelle la *registration*. Ça n'a l'air de rien, comme cela, mais lorsque vous vous trouvez devant cent dix jeux, comme au grand orgue de la cathédrale Notre-Dame de Paris, c'est tout un art !

Il existe plusieurs familles de jeux. Dans les jeux à bouche, l'air est mis en vibration par une fente dans la partie inférieure du tuyau, un peu comme sur une flûte à bec. À cette famille appartiennent notamment les jeux de base, les «fonds» (qui jouent à peu près le rôle des cordes dans l'orchestre) : principal, flûte, bourdon, gambe... Dans les jeux à anche, c'est une petite languette de métal qui produit le son, et le pavillon du tuyau amplifie ce son. Les anches sont des jeux plus corsés, plus individualisés, et sont volontiers employés comme solistes, de même que l'on a un solo de hautbois ou de cor à l'orchestre. Quelques jeux à anche: le hautbois, la bombarde, la trompette, la voix humaine.

Les jeux sont désignés par leur nom suivi d'un chiffre et d'une apostrophe. Ce chiffre indique la longueur en pieds du tuyau le plus grave de ce jeu, le do_1. On parlera ainsi de la bombarde de 32' (généralement le jeu le plus grave et le plus puissant du pédalier) ou du piccolo de 1' (un petit jeu strident et très aigu). Plus la longueur du tuyau le plus grave d'un jeu est grande, plus la tessiture de ce jeu est grave. La longueur «standard» est 8'. Les jeux de 16' et 32' sont des jeux graves, ceux de 4', 2' ou 1' des jeux aigus.

Pour mettre en action un jeu particulier, l'organiste tire un tirant ou presse un domino placé près du clavier correspondant. Un système mécanique, pneumatique ou électrique dirige alors l'air vers le groupe de tuyaux correspondant au jeu choisi, qui se met donc à «parler». Si, ensuite, on appuie sur une touche du clavier, l'air est libre de passer au travers d'un des tuyaux du groupe.

La *console* d'un orgue ressemble un peu, par le nombre et la complexité de ses commandes, tirants, dominos, touches, au cockpit d'un Airbus A320. Mais le bruit qui en sort est plus mélodieux. Sur les orgues de facture ancienne, l'organiste fait face à la tuyauterie et tourne donc le dos à l'assistance. Avec les transmissions d'abord pneumatiques, maintenant électriques entre le clavier et les arrivées d'air, la console est souvent mobile et l'organiste peut la déplacer de manière à voir son public.

Nous avons signalé plus haut l'existence d'un pédalier. À la différence des pédales du piano, les «pédales» d'un orgue commandent chacune une note, tout comme le font les touches du clavier. Elles ont d'ailleurs une disposition qui rappelle directement celle des touches, à cette différence qu'elles sont toutes de la même couleur, celle du bois dont elles sont faites.

Il n'y a donc pas que dans la boxe qu'il est souhaitable d'avoir un bon jeu de jambes; c'est également le cas de l'organiste. De son temps, Jean-Sébastien Bach s'était acquis une grande réputation non seulement par la qualité de ses compositions mais aussi par celle de ses interprétations et, en particulier, par son habileté à exploiter le pédalier.

L'un des problèmes qui se pose à l'organiste est le rapide changement de jeux qui peut être nécessaire non seulement d'une pièce à l'autre, mais aussi, souvent, à l'intérieur d'une même pièce. Étant donné le nombre de jeux à tirer et à pousser, il faut beaucoup de dextérité. Il existe plusieurs solutions pour venir à bout de cette difficulté. La plus simple consiste à se faire aider par un assistant. On peut aussi profiter de l'existence de plusieurs claviers et présélectionner une registration différente pour chacun d'entre eux. Il suffit alors de changer de clavier pour que l'orgue fasse entendre des sons complètement différents. Mais cela reste limité. Enfin, sur les orgues récents ou récemment restaurés, un système électronique ou informatique permet de présélectionner avec un simple bouton différentes registrations programmées à l'avance.

Dans quels morceaux peut-on entendre l'orgue ?

Si l'orgue est votre tasse de thé, voici quelques sources auxquelles vous abreuver :

- **Jean-Sébastien Bach :** *Toccata et Fugue en ré mineur – Passacaille et Fugue en ut mineur.*

- **Georg Friedrich Haendel :** *Concerto en fa majeur «Le Coucou et le Rossignol»*

- **Felix Mendelssohn :** *Sonate pour orgue n° 4, en sol mineur.*

- **César Franck :** *Pièce héroïque.*

- **Charles-Marie Widor :** *Symphonie n° 5.* (Bien qu'intitulée «symphonie», cette œuvre est écrite pour un orgue seul. Sa «Toccata» est particulièrement impressionnante.)

- **Louis Vierne :** *Symphonie pour orgue n° 3* – «Naïades» et «Carillon de Westminster», extraits des *24 Pièces de fantaisie.*

- **Léon Boëllmann :** *Suite gothique* pour orgue.

- **Camille Saint-Saëns :** *Symphonie n° 3 avec orgue.* (Celle-ci est une véritable symphonie pour orchestre.)

- **Jehan Alain :** *Litanies.*

- **Maurice Duruflé :** *Prélude et Fugue sur le nom d'Alain.*

- **Thierry Escaich :** *Concerto pour orgue et orchestre.*

L'harmonium

L'harmonium est un instrument à clavier mis au point au début du XIXe siècle par le Français Victor Mustel sur la base d'expériences menées dans le dernier quart du siècle précédent. Le son est produit par de l'air passant au travers d'anches libres (comme sur un accordéon). L'harmonium n'occupe qu'une place restreinte au sein du répertoire classique et s'est imposé davantage comme substitut de l'orgue d'église. Quelques compositeurs l'ont cependant associé aux instruments de l'orchestre symphonique, tel Arnold Schoenberg dans l'arrangement pour ensemble de chambre de deux valses de Johann Strauss.

Dans quels morceaux peut-on entendre l'harmonium ?

- ✔ **Gioachino Rossini :** *Petite Messe solennelle* pour solistes, chœurs, harmonium et piano.
- ✔ **Franz Liszt :** *Dante-Symphonie*.
- ✔ **Antonín Dvořák :** *Bagatelles* op. 47, pour deux violons, violoncelle et harmonium.
- ✔ **Gustav Mahler :** *Symphonie n° 8*.

Le synthétiseur

Arrivé trop tard sur le marché de la musique classique, le synthétiseur n'apparaît pratiquement jamais dans les concerts symphoniques. Mais certains compositeurs contemporains en ont fait usage.

Les touches en matière plastique des synthétiseurs, agissant au moyen de commandes électroniques, sont capables de commander un très grand nombre de timbres divers qui, le plus souvent, n'ont pas d'équivalent dans le domaine des instruments traditionnels. Dans la musique rock ou pop, c'est l'instrument roi, et il a conduit nombre de musiciens au chômage car sa nature lui permet de se passer d'un exécutant humain en recevant ses instructions d'un ordinateur. Par un effet pervers, il a aussi transformé de simples chanteurs en *rock stars*.

Les ondes Martenot

Cet instrument électronique est l'invention d'un Français, Maurice Martenot, en 1928. Les sons, produits par deux générateurs, sont contrôlés au moyen soit d'un clavier chromatique, soit d'un ruban permettant d'obtenir des glissandos. Sa grande richesse sonore a été exploitée par de nombreux compositeurs tels que Darius Milhaud, Arthur Honegger, Florent Schmitt ou Olivier Messiaen. Edgard Varèse composa également à son intention, comme à celle d'un instrument électronique aux possibilités moins étendues, le théréminovox.

Le célesta

Inventé en 1886 par Auguste Mustel, le célesta ressemble à un grand glockenspiel à clavier (voir le chapitre 6, «Claviers et c^{ie}»), avec un timbre plus enveloppé, plus moelleux. On peut citer trois compositions dans lesquelles il intervient: la *Musique pour cordes, percussion et célesta* de Béla Bartók, *L'Apprenti sorcier* de Paul Dukas et la «Danse de la fée Dragée», extraite du ballet *Casse-Noisette* de Tchaïkovski. Des compositeurs comme Debussy et Ravel l'utilisent régulièrement dans leurs œuvres orchestrales.

Chapitre 7

Des cordes très attachantes

· ·

Dans ce chapitre :

▶ Le violon, l'alto, le violoncelle et la contrebasse

▶ Comment font-ils pour mouvoir tous leur archet en même temps ?

▶ Quelques plaisanteries classiques (elles aussi !) sur les cordes et ceux qui en jouent

· ·

*U*ne corde bien tendue et qui vibre peut créer un des sons les plus agréables qui soient. Lors d'un concert d'orchestre, ce sont les vibrations des cordes qui donnent une âme aux violons, altos, violoncelles, contrebasses, harpes, guitares… et aussi au piano ou au clavecin. (Cependant, les cordes de ces deux derniers instruments étant mises en vibration par l'intermédiaire des touches d'un clavier, ils sont classés parmi les instruments à clavier, et non parmi les instruments à cordes.)

Demandez à un grand violoniste si vous pouvez jouer quelques notes sur son instrument, et il entamera probablement une prudente retraite, d'abord tout doucement, son violon derrière lui, plaisantant calmement jusqu'à ce qu'il soit hors de votre portée et prenne alors ses jambes à son cou. La raison en est simple : il y a environ 175 façons de casser un violon, avant même d'en *jouer*. Et si le violoniste en question a la chance de posséder un instrument de grand prix, que ce soit un stradivarius ou l'œuvre d'un luthier plus récent, il ne prendra pas le moindre risque. Les violons, comme tous les instruments à cordes, sont extrêmement délicats, fabriqués avec minutie au moyen de pièces de bois minces, soigneusement ajustées et vernies. Ils contiennent de nombreuses pièces telles que chevilles, chevalet, sillet, touche, âme, qui, toutes, ne demandent qu'à se briser, se fendre ou s'effondrer. Si un tel désastre survenait, l'instrumentiste, à son tour, se briserait, se désagrégerait ou s'effondrerait comme son cher instrument.

Le violon

Depuis les origines de la musique classique, les instruments à archet (la famille du violon et celle de sa rivale, la viole, tombée en désuétude et cantonnée dans l'interprétation de la musique baroque) ont joué un rôle de premier plan dans la musique instrumentale. Peu à peu, les violons ont pris une place cruciale dans l'orchestre symphonique : c'est l'instrument le plus présent (souvent une trentaine d'instrumentistes, répartis en deux groupes : violons I et violons II), et c'est souvent à eux qu'est confiée la ligne mélodique.

Alors qu'un piano compte près de 200 cordes réparties sur 88 touches, un violon n'en possède que quatre. Elles sont tendues d'une extrémité à l'autre de l'instrument, attachées en haut à des *chevilles* et, en bas, au *cordier*. En haut, elles s'appuient sur le *sillet* et, au milieu, sur un petit morceau de bois appelé le *chevalet*, qui est situé un peu plus bas que la *touche* (voir la Figure 7-1). Les quatre cordes résonnent à vide sur les notes *sol, ré, la, mi* (de la plus grave à la plus aiguë).

Figure 7-1 :
Un violon et
son archet.

À l'origine, les cordes étaient faites de boyau de chat, tout comme les cordes des raquettes de tennis. Ce matériau est, en effet, réputé pour donner un son très agréable à entendre (sauf, peut-être, par les survivants de cette estimable race d'animaux domestiques).

De nos jours, très peu de violonistes emploient encore des cordes en boyau de chat, en partie parce que le son qu'elles produisent ne leur semble pas assez puissant, et en partie parce que la SPA les regarderait d'un œil méprisant. Aussi l'usage de cordes métalliques est-il de plus en plus répandu, sauf dans l'exécution de musique ancienne avec instruments d'époque.

L'archet

Outre les cordes, chaque violoniste se sert d'un accessoire essentiel appelé *archet*, avec lequel il frotte les cordes de son instrument pour en tirer un son (ou un grincement, dans le cas d'un débutant). Ce nom vient du fait qu'à l'origine les archets étaient bien plus incurvés, et leur forme se rapprochait alors de celle d'un arc. Les fabricants d'archets sont des *archetiers*.

Ici encore la gent animale a beaucoup donné, car c'est en crin de cheval qu'est réalisée la partie «frottante» de l'archet. Cette matière a la propriété d'offrir un son de qualité, surtout lorsqu'elle est en contact avec un boyau de chat. Nous ignorons comment a été découverte cette intéressante particularité.

Pour améliorer la qualité d'un archet et son pouvoir de faire vibrer les cordes, les violonistes frottent les crins de cheval avec de la *colophane*, poudre crayeuse enrobée dans un liant, qui se présente d'habitude sous la forme d'un petit bloc cylindrique de la taille approximative d'une pièce de deux euros.

Le savoir-faire nécessaire à la fabrication d'un bon violon relève de pratiques ésotériques, magiques et alchimiques mariant la qualité des matériaux à une grande habileté manuelle du *luthier*. Choix et séchage des bois, cote des pièces, vernissage, vieillissement… et chance se combinent pour donner un chef-d'œuvre ou un crincrin. Il en résulte que le prix d'un bon violon atteint des sommes faramineuses. Beaucoup de musiciens doivent choisir entre acheter une maison et acquérir un violon de qualité. Les meilleurs violons ont été fabriqués il y a plus de trois cents ans par le fameux luthier de Crémone Antonio Stradivarius (1644-1737) ou par son rival le Vénitien Giuseppe Guarneri del Gesù (1698-1744). Ils peuvent atteindre aujourd'hui plusieurs millions d'euros. Les instruments fabriqués par Stradivarius à partir de 1700 sont considérés comme les meilleurs, et chacun de ceux qui sont parvenus jusqu'à nous porte un nom.

L'accord du violon

Pour accorder un violon, on tourne une des quatre chevilles fixées au *chevillier* afin d'ajuster la tension des cordes. Plus celle-ci est élevée et plus le son sera aigu. Certaines cordes disposent aussi d'une vis de réglage à l'autre extrémité, sur le cordier, afin de pouvoir ajuster plus finement leur tension.

L'accord du violon se fait d'après un *la* exact obtenu, par exemple, par un diapason. Dans un orchestre, c'est sur le premier hautbois que s'accordent les autres instrumentistes. (Ce processus a été expliqué au chapitre 4.) Une fois accordée la corde de *la*, les trois autres cordes sont accordées d'après elle.

Le jeu du violon

Imaginez que vous êtes sur la scène, dans une salle de concert bondée, baignant dans un puissant éclairage, revêtu de votre uniforme de concertiste (généralement un habit de soirée), votre violon parfaitement accordé et prêt à jouer la *Sonate «à Kreutzer»* de Beethoven, accompagné au piano par le grand Vladimir Horowitz. Il y a là de quoi être doublement étonné parce que, premièrement, vous n'avez jamais pris une seule leçon de violon et, deuxièmement, Vladimir Horowitz est mort depuis plusieurs années. Peut-être s'agit-il tout simplement d'un cauchemar ?

À ce moment, la question qui se pose à vous est probablement celle-ci: «Comment diable joue-t-on de cet engin de torture?»

Pour comprendre comment on peut jouer de la musique avec une corde, le plus simple est de vous livrer à une expérience. Commencez par prendre un élastique.

Accrochez cet élastique à un point fixe (une poignée de porte ou de fenêtre, par exemple) et attrapez l'autre extrémité avec votre petit doigt replié en forme de crochet. Tendez-le modérément et, avec l'autre main, donnez-lui une pichenette. Écoutez le son qu'il produit.

Sans modifier la position de votre petit doigt (donc la distance qui le sépare du point d'accrochage de l'élastique), appuyez avec le pouce le plus exactement possible au centre de l'élastique tendu. Donnez-lui une nouvelle pichenette. La note que vous allez entendre sera la même, mais plus haute, à l'octave supérieure. (Vous pouvez également vérifier qu'en tendant davantage l'élastique, vous obtenez un son plus aigu; et qu'en le tendant plus encore, vous avez toutes les chances de le recevoir dans l'œil.)

Lorsque vous accordez votre violon, vous accordez des cordes *à vide*, c'est-à-dire à leur longueur maximale. Vous pourrez donc obtenir des notes plus aiguës si vous diminuez cette longueur en appuyant d'un doigt (de la main gauche) la corde sur la touche, cette partie noire qui s'étend du chevillier presque jusqu'au chevalet. Seule vibrera alors la partie de la corde située entre votre doigt et son point d'accrochage au-delà du chevalet, sur le cordier.

Tout l'art du violoniste consiste à trouver la place *exacte* où il doit placer son doigt sur la corde pour produire une note juste. Alors que, sur un piano, les notes sont déjà toutes faites (pour peu que l'accordeur ait bien fait son travail), sur un violon, c'est le musicien qui fabrique sa note. Si l'on ajoute que la pression exercée par l'archet est fondamentale dans l'obtention d'un joli son, on comprend pourquoi il est tellement difficile de *bien* jouer du violon et combien le travail de l'apprenti violoniste peut être pénible pour son entourage.

C'est de cette façon qu'on joue de tous les instruments à cordes. Sur certains, comme la guitare, le travail est facilité par la présence de frettes, le plus souvent métalliques, qui repèrent la position de chaque note.

Il arrive que le violoniste pince une corde avec son doigt. C'est ce qu'on appelle le *pizzicato* (dont nous parlerons un peu plus loin) mais, presque toujours, c'est avec l'archet qu'il va frotter la corde, produisant ainsi un son long et soutenu. Et s'il frotte deux cordes en même temps, il les fera résonner ensemble.

Le vibrato

En réalité, le violoniste ne laisse pas son doigt strictement immobile sur la touche de son instrument pendant toute la durée de la note mais il le déplace très légèrement d'un mouvement périodique ou, plus exactement, il fait varier la pression de ses doigts sur la corde, ce qui modifie très légèrement la longueur de la corde et donc la hauteur du son produit. C'est ce qu'on appelle le *vibrato* et cet effet ajoute beaucoup de chaleur au son ainsi produit, le rapprochant de celui de la voix humaine.

Tous les bons violonistes utilisent le vibrato, particulièrement dans la musique romantique. L'excès de vibrato produit un effet contraire, signe de mauvais goût de la part de l'exécutant et, pour cette raison, on l'appelle communément *degueulando*.

L'incommensurable légèreté de l'archet

L'archet peut être tiré ou poussé et c'est tout un art que de choisir entre ces deux mouvements ainsi que de savoir quelle partie de l'archet utiliser pour cela. Si on veut obtenir un son léger, éthéré, semblant venir de nulle part, on se servira de la partie de l'archet située près de sa pointe. En revanche, si on veut que le son soit fort, robuste, voire «croustillant», on attaquera la corde avec la partie de l'archet située près du talon.

La prochaine fois que vous irez au concert ou que vous en regarderez un à la télévision, vous remarquerez que tous les archets des violonistes de l'orchestre sont animés d'un même mouvement, dans la même direction. Ce n'est pas par hasard: le chef d'attaque de chaque groupe a écrit (ou fait écrire par un copiste) cette indication sur les partitions de ses collègues pour chaque note d'un morceau.

Si vous percevez parfois un manque d'unanimité dans les mouvements des archets, c'est pour l'une des trois raisons suivantes:

- Le chef de pupitre n'a pas porté les indications voulues sur les partitions de ses collègues.
- Certains des musiciens lisent mal les indications ou les interprètent de travers.
- Le chef d'attaque a demandé à ses collègues de jouer selon la technique de «l'archet libre» à cet endroit, pour qu'il n'y ait aucun à-coup dans le son de notes longues ou dans une longue phrase (par exemple pour produire une nappe sonore étale sous un solo d'instrument à vent). C'est un peu le même procédé que de faire respirer à tour de rôle les membres d'un chœur chantant une mélodie ou des valeurs très longues et qui doivent sembler ininterrompues.

Les pizzicatos

Selon que vous voulez faire valoir votre connaissance de la langue italienne ou adopter un profil plus modeste, vous préférerez le pluriel *pizzicati* ou *pizzicatos* pour ce mot signifiant tout simplement «pincé» – les grammairiens autorisent les deux formes. Il s'agit, comme nous l'avons dit plus haut, d'une autre façon de faire sonner un violon, non plus avec l'archet, mais avec le gras du doigt. Le son ainsi obtenu est très différent mais très agréable, particulièrement lorsque tous les violons de l'orchestre jouent ensemble de cette façon. Le meilleur exemple en est sans doute la *Pizzicato-Polka*, de Johann Strauss. Vous en trouverez aussi une bonne illustration dans le troisième mouvement de la *Symphonie n° 4* de Tchaïkovski.

La technique de l'archet libre

C'est Leopold Stokowski (1882-1977), chef de l'orchestre de Philadelphie, qui a été à l'origine de cette technique. Il était convaincu que la section des cordes sonnerait mieux si chaque instrumentiste était libre de choisir le mouvement d'archet qui lui semblait personnellement le meilleur. C'est pourquoi, au milieu de ce siècle, les archets de l'orchestre de Philadelphie se déplaçaient dans tous les sens. Cette technique a contribué au rayonnement mondial de l'orchestre.

Mais elle ne présente pas que des avantages. Elle est cause, par exemple, d'un manque certain d'unanimité chez les instrumentistes d'un même pupitre de l'orchestre. Et le spectacle de ce désordre dans les mouvements de bras des exécutants donne une fâcheuse impression de chaos. Sans compter les risques de collision entre musiciens voisins.

Par ailleurs, le choix des coups d'archet résulte d'une volonté musicale, de la manière dont on veut articuler la mélodie, la déclamer en quelque sorte. Pour que ce *phrasé* (souvent décidé par le chef d'orchestre) soit perceptible par l'auditeur, il faut bien entendu que tous les musiciens l'adoptent de manière unanime.

C'est pourquoi la technique de l'archet libre a fait long feu et n'est plus réservée qu'à des intentions musicales très précises.

À la plage 9 du CD d'accompagnement se trouve un autre exemple de pizzicato, tiré du ballet d'Igor Stravinsky *Le Sacre du Printemps*, à 3 min 5 s du début.

Dans quels morceaux peut-on entendre le violon ?

Les sanglots longs
Des violons
De l'automne
Blessent mon cœur
D'une langueur
Monotone

Paul Verlaine, *Chanson d'automne.*

Si, comme le poète, vous voulez bercer votre cœur par les violons, voici quelques concertos que nous vous recommandons chaleureusement :

- Jean-Sébastien Bach: *Concerto pour deux violons en ré mineur.*
- Antonio Vivaldi: *Les Quatre Saisons* (quatre concertos pour violon).
- Wolfgang Amadeus Mozart: *Concerto pour violon n° 5, en la majeur.*
- Ludwig van Beethoven: *Concerto pour violon en ré majeur.*
- Felix Mendelssohn: *Concerto pour violon en mi mineur.*
- Édouard Lalo: *Symphonie espagnole pour violon et orchestre, en ré mineur.*
- Johannes Brahms: *Concerto pour violon en ré majeur.*
- Max Bruch: *Concerto pour violon n° 1, en sol mineur.*
- Jean Sibelius: *Concerto pour violon en ré mineur.*
- Piotr Ilitch Tchaïkovski: *Concerto pour violon en ré majeur.*

Comme vous le voyez, la plupart des compositeurs emploient la tonalité de *ré, sol, la* et *mi,* majeur ou mineur, pour écrire leurs concertos. Ce n'est pas par hasard: ces tonalités ouvrent d'extraordinaires possibilités pour l'instrumentiste, en raison de l'existence de cordes correspondant à ces notes sur l'instrument.

Voici de belles sonates pour découvrir le violon de manière plus intime:

- Jean-Sébastien Bach: *Sonates* et *Partitas pour violon seul.*
- Ludwig van Beethoven: *Sonate pour violon et piano n° 9, en la majeur,* op. 47, dite *Sonate «à Kreutzer».*
- Johannes Brahms: *Sonate pour violon et piano n° 1, en sol majeur,* op. 78.
- César Franck: *Sonate pour violon et piano en la majeur,* op. 78.

Pour les inconditionnels de musique symphonique, voici quelques-uns des grands solos dont les compositeurs ont gratifié cet instrument:

- Robert Schumann: *Symphonie n° 4, en ré mineur* (2ᵉ mouvement, «Romance»).
- Nikolaï Rimski-Korsakov: *Schéhérazade – Capriccio espagnol* (2ᵉ mouvement, «Alborada»).
- Camille Saint-Saëns: *Danse macabre.*
- Richard Strauss: *Also sprach Zarathustra* (*Ainsi parlait Zarathoustra*) – *Tod und Verklärung* (*Mort et Transfiguration*) – *Ein Heldenleben* (*Une vie de héros*).

Voici enfin quelques pages de concert pour violon et orchestre très appréciées par les amateurs de violon, des partitions à la séduction immédiate où l'instrument fait la preuve de ses qualités mélodiques autant que de sa virtuosité :

- **Camille Saint-Saëns :** *Havanaise – Introduction et Rondo capriccioso.*
- **Ernest Chausson :** *Poème.*
- **Pablo de Sarasate :** *Fantaisie sur « Carmen » – Airs bohémiens.*
- **Max Bruch :** *Fantaisie écossaise.*
- **Maurice Ravel :** *Tzigane.*
- **Béla Bartók :** *Rhapsodies pour violon et orchestre n° 1 et n° 2.*

Les autres instruments à cordes frottées

Tout ce que nous venons de dire pour le violon peut s'appliquer, à quelques détails près, aux autres instruments de la famille des cordes frottées : l'alto, le violoncelle et la contrebasse.

Les principales différences qui existent entre ces instruments et le violon proviennent de leur taille et de l'étendue de leur registre. Plus gros est l'instrument et plus grave il sonnera : le violon joue plus haut que l'alto, qui joue plus haut que le violoncelle, qui joue plus haut que la contrebasse.

L'alto

Dans les mots croisés, l'alto est souvent défini avec raison par ces deux mots : gros violon. D'autres sources en donnent une définition différente, comme vous pourrez le lire dans l'encadré qui suit.

Le son de l'alto est très différent de celui du violon. Ce n'est plus à un chant d'oiseau qu'on peut le comparer mais plutôt à un chant plus profond, car les notes hautes sont moins déchirantes et les notes basses plus sensuelles.

L'alto est l'instrument à cordes dont il est le plus difficile de jouer correctement. Comme sa taille est plus grande que celle du violon, les doigts de l'instrumentiste doivent se déplacer davantage entre les notes, ce qui le conduit, parfois, à se livrer à d'incroyables contorsions.

Quelques plaisanteries sur les altistes

Comme l'alto est un instrument difficile à maîtriser, il existe très peu de grands altistes dans le monde. Mais ce n'est pas la seule raison. Beaucoup de violonistes, qui ne sont pas au top niveau de leur art, se rendant compte qu'ils n'ont aucune chance de parvenir au premier plan, se réfugient dans un domaine où la compétition est moins vive du fait d'un plus petit nombre de compétiteurs.

La combinaison de ces deux facteurs a donné lieu à de nombreuses plaisanteries sur cette honorable corporation. Les altistes eux-mêmes ne sont pas les derniers à en rire.

Ces plaisanteries sont parfois grossières, souvent méchantes, et ne valent pas toujours le papier sur lequel elles sont écrites. Aussi sommes-nous heureux et fiers de vous en présenter quelques-unes.

Q : Quelle différence y a-t-il entre un violon et un alto ?
R : Un alto met plus de temps à se consumer.

Q : Quelle différence y a-t-il entre un alto et un oignon ?
R : Vous ne pleurez pas quand vous épluchez un alto.

Q : Vous mourez de soif dans le désert et rencontrez deux altistes portant chacun une caisse de bière, un bon altiste et un mauvais. Auquel demandez-vous à boire ?
R : Au mauvais. L'autre est un mirage.

Q : Comment fait-on pour que trois altistes jouant ensemble soient parfaitement accordés ?
R : On en tue deux.

Q : Quelle différence y a-t-il entre un alto et un trampoline ?
R : Vous enlevez vos chaussures pour sauter sur un trampoline.

Q : Pourquoi l'alto s'appelle-t-il *Bratsche* en allemand ?
R : C'est le bruit que cela fait quand on marche dessus.

À l'occasion d'un voyage en avion, un de nos amis décide d'entamer la conversation avec son voisin de siège. « Je connais une bonne plaisanterie sur les altistes, commence-t-il, voulez-vous en profiter ?

– Je dois vous prévenir que je suis moi-même altiste, lui répond son voisin.

– Ah bon ! Alors, je vais vous la dire lentement. »

Dans quels morceaux peut-on entendre l'alto ?

La plupart du temps, les altos ne jouent qu'une partie d'accompagnement dans l'orchestre. Les concertos pour alto sont rares, et les altistes capables de les jouer plus rares encore. Voici néanmoins quelques-unes des œuvres à signaler :

✔ **Georg Philipp Telemann:** *Concerto pour alto en sol majeur.*

✔ **Wolfgang Amadeus Mozart:** *Symphonie concertante pour violon, alto et orchestre en mi bémol majeur.*

✔ **Richard Strauss:** *Don Quichotte.*

✔ **Hector Berlioz:** *Harold en Italie.*

✔ **William Walton:** *Concerto pour alto.*

✔ **Béla Bartók:** *Concerto pour alto.*

✔ **Paul Hindemith:** *Trauermusik* (*Musique de deuil*) **pour alto solo et cordes** *– Der Schwanendreher* (concerto pour alto).

Voici quelques œuvres de musique de chambre où l'alto est à l'honneur:

✔ **Robert Schumann:** *Märchenbilder* (*Contes de fée*) *pour alto et piano,* op. 113.

✔ **Johannes Brahms:** *Sonates pour alto et piano,* op. 120 (existent également dans une version pour clarinette et piano) *– Deux Lieder pour voix d'alto, alto et piano,* op. 91.

✔ **Paul Hindemith:** *Sonate pour alto et piano,* op. 25, n° 1.

✔ **Claude Debussy:** *Sonate pour flûte, alto et harpe.*

Le violoncelle

Ah, le violoncelle… nous ne pouvons rien écrire sur cet instrument sans soupirer. Quel magnifique instrument, quel son riche, ample et généreux! De tous les instruments à cordes, le violoncelle (voir la Figure 7-2) est celui qui sonne le plus près de la voix humaine. «C'est la voix de papa dans le corps de maman», dit un jour un violoncelliste célèbre.

Les Américains, qui n'aiment pas les mots de plus de deux syllabes, l'appellent simplement *cello*. C'est le seul instrument dont on doit absolument jouer assis, comme vous pourrez l'observer en regardant un orchestre. Il est trop gros pour être tenu à bout de bras et trop petit pour qu'on se tienne debout à son côté, comme on le fait avec la contrebasse.

En raison de sa taille, le violoncelle a une tessiture plus grave que le violon et l'alto. Il est donc rare qu'on lui confie la ligne mélodique dans un ensemble orchestral. Pendant des siècles, les compositeurs l'ont relégué en même temps que la contrebasse dans le rôle d'accompagnateur, pour soutenir la mélodie des violons.

Figure 7-2:
Un violon-
celle sans
son archet.

Dans le quatuor à cordes (composé, rappelons-le, de deux violons, un alto et un violoncelle), c'est lui qui jouera les notes les plus graves, ne serait-ce que parce que c'est lui qui «peut le faire».

Par bonheur, certains compositeurs ont découvert la beauté du son du violoncelle, ce qui les a incités à écrire pour lui des œuvres dans lesquelles il tient le devant de la scène, accompagné par les autres instruments, ou seul, comme dans les six *Suites* de Bach. D'où un certain nombre de sonates et de concertos à ne manquer sous aucun prétexte.

Peut-être à cause de l'effet bénéfique de la pratique constante d'un instrument aussi chaleureux, les violoncellistes sont généralement des gens bien dans leur peau, heureux de vivre et d'une humeur facile. Et lorsque dans une œuvre orchestrale ils ont (trop rarement, hélas!) une mélodie à jouer, voyez comme ils s'épanouissent.

Dans quels morceaux peut-on entendre le violoncelle?

Si vous aimez le violoncelle, vous ne pouvez pas faire autrement qu'écouter au moins une des œuvres suivantes:

- **Jean-Baptiste Bach:** les six *Suites pour violoncelle seul.*

- **Franz Schubert:** *Sonate pour arpeggione et piano.* Composée à l'origine pour un instrument aujourd'hui tombé dans l'oubli, elle est interprétée d'ordinaire au violoncelle.

- **Antonín Dvořák:** *Concerto pour violoncelle en si mineur.*

- **Joseph Haydn:** *Concerto pour violoncelle n° 1, en ut majeur.*

- **Luigi Boccherini:** *Concerto pour violoncelle n° 9, en si bémol majeur.*

- **Piotr Ilitch Tchaïkovski:** *Variations sur un thème rococo* pour violoncelle et orchestre.

- **Johannes Brahms:** *Sonates pour violoncelle n° 1, en mi mineur, et n° 2, en fa majeur – Concerto pour violon et violoncelle en la mineur,* op. 102.

- **Gabriel Fauré:** *Élégie pour violoncelle et orchestre.*

- **Camille Saint-Saëns:** *Le Carnaval des animaux* («Le Cygne»).

- **Claude Debussy:** *Sonate pour violoncelle et piano.*

- **Zoltán Kodály:** *Sonate pour violoncelle et piano – Sonate pour violoncelle seul.*

- **Henri Dutilleux:** *Tout un monde lointain* (concerto pour violoncelle).

Mentionnons aussi les œuvres orchestrales dans lesquelles le violoncelle tient une partie importante:

- **Joseph Haydn:** *Symphonie n° 102, en si bémol majeur* (2e mouvement, «Adagio»).

- **Claude Debussy:** *La Mer,* 1er mouvement.

- **Gioachino Rossini:** ouverture de *Guillaume Tell.*

- **Richard Strauss:** *Don Quichotte.* (Dans cette œuvre, le violoncelle solo personnifie le Chevalier à la triste figure.)

La contrebasse

Comme disait le clown suisse Grock: «C'est la grand-mère du p'tit violon.» Il s'agit en effet d'un instrument de haute taille, dépassant celle d'un homme moyen (voir la Figure 7-3) et dont on joue debout ou assis sur un grand tabouret. La contrebasse est capable de jouer les notes les plus graves, et c'est elle qui assure le soutien harmonique de la ligne mélodique jouée par l'orchestre.

Figure 7-3: la Contrebasse, la « grand-mère » de la section des cordes.

Dans quels morceaux peut-on entendre la contrebasse ?

Les compositions pour contrebasse sont extrêmement rares mais valent la peine d'être entendues. Voici quelques points de repère :

- **Karl Ditters von Dittersdorf**: *Concerto pour contrebasse en mi majeur.*

- **Domenico Dragonetti**[1]: *Concerto pour contrebasse en sol majeur* (composé en réalité par un contrebassiste français nommé Édouard Nanny d'après des thèmes de Dragonetti).

- **Serge Koussevitzky**[2]: *Concerto pour contrebasse en fa dièse.*

---

1. Dragonetti (1763-1846) fut un virtuose de la contrebasse qui connut un grand succès à Saint-Pétersbourg, Londres et Vienne. Il était capable de jouer sur son instrument la plupart des œuvres de musique de chambre.
2. Koussevitzky (1874-1951) est plus connu en tant que chef d'orchestre que comme compositeur. Il dirigea de 1926 à 1949 l'orchestre de Boston.

Voici enfin quatre œuvres dans lesquelles la contrebasse tient une partie importante :

✔ **Ludwig van Beethoven :** *Symphonie n° 9*, 4e mouvement.

✔ **Camille Saint-Saëns :** *Le Carnaval des animaux* (« L'Éléphant »).

✔ **Gustav Mahler :** *Symphonie n° 1*, 3e mouvement.

✔ **Igor Stravinsky :** suite d'orchestre de *Pulcinella*.

La harpe

La harpe est un instrument magique, céleste, éolien, qui produit un son à la fois doux et liquide, et l'entendre dans une composition orchestrale crée un effet d'enchantement.

La harpe possède 47 cordes (voir la Figure 7-4). Comme les autres instruments, elle doit être accordée avant chaque utilisation, ce qui n'est pas une mince affaire car, à la différence du piano, ici, c'est l'instrumentiste lui-même qui procède à ce minutieux travail.

Pour cet accord, on utilise une clé spéciale, ressemblant à celle dont on se sert pour le piano et grâce à laquelle on agit sur la tension des cordes au moyen de chevilles placées dans le haut de l'instrument.

Mais tout n'est pas dit. Maintenant que la harpe est accordée, comment en joue-t-on ?

Pour permettre à la harpiste (cet instrument est le plus souvent joué par une femme) de se repérer dans son rideau de cordes, toutes les cordes de *do* sont colorées en rouge, et toutes les cordes de *fa* en bleu. Ces deux cordes servent de repères pour les autres notes.

Comme pour le piano et l'orgue, on retrouve ici des *pédales*, au nombre de sept. Mais elles jouent un rôle bien différent. Chaque pédale correspond à une des sept notes de la gamme : pédale de *do*, pédale de *ré*, pédale de *mi*… et dispose de trois positions verrouillées : en haut, en bas et au milieu. Un ressort la rappelle en position haute et on la pousse du bout du pied dans l'une des trois positions possibles.

Lorsque les sept pédales sont en position médiane, les 47 cordes correspondent exactement aux touches blanches du piano ; nous sommes dans la tonalité de *do* majeur avec un registre de six octaves et demie.

Pédales

Figure 7-4 :
Une harpe.

Pour changer de tonalité, on verrouille les pédales correspondant aux *altérations* (dièses ou bémols) de cette tonalité. Pour jouer une note isolée qui est diésée ou bémolisée, on fait de même, mais on libère immédiatement après la pédale. Par exemple, pour jouer un *la* dièse, la harpiste appuiera son pied droit sur la pédale de *la* pour la placer en position basse. Ce faisant, la taille de la corde vibrante est légèrement raccourcie, ce qui élève la note du demi-ton nécessaire.

Pour revenir au *la* naturel, la harpiste doit relâcher la pédale de *la* et la placer en position médiane (si elle la plaçait en position haute, c'est un *la* bémol qu'elle obtiendrait).

Il peut sembler déroutant d'avoir à *enfoncer* une pédale pour *monter* une note, mais c'est un peu comme le gouvernail d'un bateau que l'on pousse vers la droite pour aller à gauche: on finit par s'y faire.

L'effet le plus connu de la harpe est le *glissando*. Ce mot italien signifie simplement « en glissant ». Pour l'obtenir, la harpiste fait glisser ses doigts le long des cordes d'un bout à l'autre, généralement des notes basses vers les notes hautes. Ceux qui ont vu les films des Marx Brothers se souviennent certainement de Harpo (pourquoi pensez-vous qu'il s'appelle ainsi ?) pratiquant un double *glissando*, dans un sens puis dans l'autre.

Dans quels morceaux peut-on entendre la harpe ?

Trois compositions vous ouvriront immédiatement les oreilles au monde merveilleux de la harpe :

- ✔ **Wolfgang Amadeus Mozart :** *Concerto pour flûte et harpe en ut majeur.*
- ✔ **Maurice Ravel :** *Introduction et Allegro pour harpe et cordes.*
- ✔ **Claude Debussy :** *Sonate pour flûte, alto et harpe.*

Dans le monde de la musique orchestrale, voici quelques échantillons intéressants :

- ✔ **Hector Berlioz :** *Symphonie fantastique* (2e mouvement, « Un bal »).
- ✔ **Gustav Mahler :** *Symphonie n° 5* (2e mouvement).
- ✔ **Nikolaï Rimski-Korsakov :** *Schéhérazade.*
- ✔ **Piotr Ilitch Tchaïkovski :** suite d'orchestre de *Casse-Noisette* (« Valse des fleurs »).
- ✔ **Claude Debussy :** *Prélude à « L'Après-midi d'un faune » – La Mer*, en particulier sur la plage 8 du CD d'accompagnement, à 5 mn 11 s.
- ✔ **Béla Bartók :** *Concerto pour orchestre* (3e mouvement, « Élégie »).

La guitare

De tous les instruments de musique classique, la guitare est certainement le plus prisé par ceux qui ne connaissent pas la musique classique. On en trouve dans tous les magasins qui vendent de la musique, dans chaque école et probablement dans plus de foyers que tout autre instrument. Si vous n'en avez pas chez vous, votre voisin, lui, en a probablement une.

Rien ne vous empêche de vous lancer à votre tour dans l'apprentissage de la guitare. Dans ce cas, nous vous recommandons chaudement d'écouter la

«Leçon de guitare sommaire» de Bobby Lapointe, dont voici les préliminaires:

« Une guitare… est un instrument en forme de guitare qui comporte six cordes. Si l'on partage la guitare en deux par le milieu (ce qui n'est pas à conseiller), on obtient deux moitiés de guitare… et… trois cordes d'un côté et trois cordes de l'autre.

« Ces trois cordes du haut s'appellent par conséquent les basses… en guitare classique. En guitare sommaire on ne les appelle pas: on les ignore! La grosse difficulté de la guitare sommaire est d'éviter de toucher à ces cordes du haut qu'on appelle les basses. Pour ce: ne tripotons pas la guitare avec tous les doigts… »

(À déclamer avec la voix chaude et l'accent languedocien inimitable de Bobby.)

Sillets

Figure 7-5:
Une guitare
sur laquelle
on distingue
nettement
les frettes.

La guitare classique possède six cordes (et n'a pas l'électricité). Les notes que ces cordes jouent à vide ne sont pas régulièrement espacées, ce qui rend l'accord assez difficile. Peut-être est-ce pour cela qu'on entend un si grand nombre de guitares mal accordées ?

À la différence des violons, altos, violoncelles et contrebasses, la *touche* de l'instrument (là où l'exécutant appuie sur la corde de sa main gauche) n'est pas lisse mais crantée par des frettes donnant la position exacte de chaque note (voir la Figure 7-5).

Généralement, on ne joue pas une note isolée sur une guitare mais plusieurs à la fois. Pour cela, il est nécessaire de contorsionner sa main gauche pour appuyer sur plusieurs cordes en même temps pendant que la main droite les pince.

Dans quels morceaux peut-on entendre la guitare ?

Certains disent que la guitare classique est l'un des instruments les plus difficiles à jouer réellement bien. Les guitaristes classiques que nous connaissons s'en tirent plutôt bien.

Voici quelques-uns des classiques de la guitare classique :

- **Antonio Vivaldi :** *Concerto pour guitare en ré majeur* (écrit à l'origine pour le luth), RV 93.

- **Luigi Boccherini :** neuf *Quintettes pour guitare, deux violons, alto et violoncelle.*

- **Heitor Villa-Lobos :** *Concerto pour guitare.*

- **Joaquin Rodrigo :** *Concierto de Aranjuez – Fantasia para un gentilhombre.*

La viole

Cet instrument ancien à archet exista sous différentes formes à partir du XIIIe siècle (elle remplaça la vièle). Deux grandes lignées se dessinèrent au sein de cette famille pléthorique : la *viola da braccio* (« viole de bras »), posée sur l'épaule à la manière d'un violon, et la viole de gambe (de l'italien *gamba*, « jambe »), tenue verticalement, entre les jambes ou au sol. La viole prit son essor dans l'Italie de la Renaissance, puis se répandit en Europe centrale, en France et surtout en Angleterre, où s'imposa son utilisation au sein de *consorts* (ensembles instrumentaux) aux XVIe et XVIIe siècles.

La famille des violes connut son apogée à partir du XVe siècle mais fut progressivement supplantée par celle des violons, ne subsistant qu'au travers de la contrebasse. La viole baryton, instrument monumental doté de cordes sympathiques (vibrant sans être jouées, par proximité avec les cordes frottées par l'archet), survécut localement au XVIIe siècle, inspirant de nombreuses pièces à Joseph Haydn.

L'intérêt croissant pour la musique ancienne a récemment favorisé le regain des violes et, grâce au film d'Alain Corneau *Tous les matins du monde*, le cinéma a attiré l'attention sur la rivalité entre deux des plus grands compositeurs pour la viole de gambe, le mystérieux monsieur de Sainte-Colombe et son célèbre élève Marin Marais.

La viole d'amour

Instrument à archet en usage principalement aux XVIIe et XVIIIe siècles, doté en général de sept cordes et sept autres vibrant par sympathie, la viole d'amour fut utilisée notamment par Antonio Vivaldi et Jean-Sébastien Bach. Aux XIXe et XXe siècles, quelques compositeurs d'opéras l'ont utilisée, tels Giacomo Meyerbeer (*Les Huguenots*), Gustave Charpentier (*Louise*) et Giacomo Puccini (*Madame Butterfly*). Paul Hindemith lui a offert un concerto et le Brésilien Heitor Villa-Lobos en fait usage dans son œuvre pour orchestre *Amazonas*.

Le cymbalum

Instrument populaire hongrois à cordes frappées, de la famille des cithares, le cymbalum a la forme d'un trapèze posé sur quatre pieds. D'origine turque, il fut propagé par les Tsiganes hongrois à partir de la fin du XVIIIe siècle et introduit dans l'orchestre symphonique par Franz Liszt et Ferenc Erkel, l'autre grand compositeur hongrois du XIXe siècle. Son modèle de concert moderne remonte à la fin du XIXe siècle. Sous cette forme, il a séduit des compositeurs comme Béla Bartók (*Rhapsodie pour violon et orchestre n° 1*), Zoltán Kodály (*Háry János*), Igor Stravinsky (*Renard*, *Ragtime*) et plus récemment György Kurtág, Mauricio Kagel ou Henri Dutilleux (*Mystère de l'instant*, pour cordes, cymbalum et percussions).

Voir jouer du cymbalum, c'est-à-dire deux baguettes en forme de cotons-tiges géants qui s'agitent au-dessus d'une forêt de cordes tendues de gauche à droite et de droite à gauche, est toujours très spectaculaire.

Les (presque) oubliés

Nous ne pouvons pas passer en revue tous les instruments à cordes que vous pouvez rencontrer dans le monde de la musique classique.

Citons simplement le *luth*, l'ancêtre de la guitare moderne, qui trouva son plus grand virtuose en l'Allemand Sylvius Leopold Weiss (1686-1750) ; la *mandoline*, instrument convenant très bien à une ambiance méditerranéenne, qui accompagne les sérénades amoureuses dans les opéras *Don Giovanni* de Mozart et *Otello* et *Falstaff* de Verdi (Antonio Vivaldi a composé un charmant concerto pour deux mandolines, Sergueï Prokofiev en fait usage dans *Roméo et Juliette* et Gustav Mahler dans ses *Symphonies n° 7* et *n° 8*) ; le *banjo*, qui eut son heure de gloire au cours des Années folles (vers 1925) ; la *cithare*, instrument à cordes frappées d'origine populaire, que l'on entend dans la valse de Johann Strauss *Histoires de la forêt viennoise* (cet instrument rare y est toutefois souvent remplacé par trois violons solos) ; le *sitar* (rien à voir avec la précédente), instrument typique de l'Inde et le *ukulele*, dont Marilyn Monroe se révèle une grande virtuose dans le film *Certains l'aiment chaud* (rarement employé à l'orchestre, nous le confessons !).

Chapitre 8

Les bois

● ●

Dans ce chapitre :

▶ Hautbois, saxophones et flûtes

▶ Comment souffler dans un instrument à vent

▶ La physique de l'air en vibration

● ●

> *Grands bois, vous m'effrayez comme des cathédrales*
> *Vous hurlez comme l'orgue ; et dans nos cœurs maudits…*
>
> Charles Baudelaire, *Les Fleurs du mal.*

Les instruments à vent de l'orchestre se divisent en deux groupes : les bois et les cuivres. On désigne communément sous ces noms, d'une part, les instruments eux-mêmes ; d'autre part, ceux qui en jouent, tout comme on appelle *violon* le violoneux et son crincrin. Ce chapitre parlera des bois et nous aborderons les cuivres au chapitre 9.

Ah, le timbre magnifique des bois ! Qui peut résister au son doré d'une flûte, voletant pareil à la voix d'un ange ? Ou à la riche et plaintive sonorité d'un hautbois s'élevant par-dessus le chuchotement de l'orchestre ? Ou à la voix suave et agile de la clarinette, gambadant adroitement de note en note ? Ou encore à la majesté changeante du basson ? Qui, parmi nous, en vérité, pourrait s'estimer pleinement heureux s'il n'entendait le son des bois, au plus profond de son cor(ps) ?

(Ne répondez pas à ces questions.)

On range dans la catégorie des *bois* : la flûte, le hautbois, la clarinette, le basson, le saxophone et les instruments qui en dérivent. Dans l'ancien temps, ces instruments étaient tous réalisés en bois mais, aujourd'hui, seuls les hautbois et les bassons sont encore construits ainsi. Les flûtes sont le plus souvent construites en métal, parfois en argent, en or ou même en platine ; les clarinettes, traditionnellement en ébène, peuvent être faites de matières plastiques l'imitant habilement, et les saxophones sont en laiton.

Un instrument à vent crée une note en faisant vibrer une colonne d'air, celle qui se trouve dans l'instrument lui-même. En appuyant sur l'une des clés, on bouche un ou plusieurs trous, ce qui modifie la longueur de la colonne d'air, donc la note produite. C'est le même principe que pour les cordes vibrantes (voir le chapitre 7).

Vous est-il déjà arrivé de souffler dans une bouteille de soda vide? Dès que vous soufflez dans son embouchure, l'air qui est contenu dans la bouteille entre en vibration et produit une note. Si vous recommencez après avoir versé un peu d'eau dans la bouteille, le son que vous obtiendrez sera plus aigu, ce qui s'explique par le fait que vous avez ainsi diminué la hauteur de la colonne d'air. C'est sur ce principe que sont construits les instruments à vent, et tout particulièrement les bois.

La flûte

À la différence des autres instruments de la famille des bois, on ne souffle pas directement dans la flûte mais *transversalement*[1]. La Figure 8-1 montre une flûte de ce type, appelée pour cette raison *flûte traversière*. Une de ses extrémités est bouchée, l'autre libre. Elle produit un son doux, argentin.

Figure 8-1:
Une flûte tra-
versière.

---

1. Ce n'est pas tout à fait exact: il existe plusieurs sortes de flûtes dont on joue en soufflant à l'extrémité. Les plus connues sont la flûte à bec et la flûte de Pan.

La hauteur de la note obtenue dépend du ou des trous qui sont bouchés avec les doigts. En bouchant tous les trous, on obtient la colonne d'air la plus longue, et donc la note la plus grave. Lorsqu'on en débouche un, on crée une fuite d'air, raccourcissant alors la hauteur de la colonne vibrante, d'où l'obtention d'une note plus aiguë.

En réalité, cela est le modèle théorique de base. Une flûte réelle est plus compliquée ; elle possède un mécanisme complexe de clés destiné à ouvrir ou à boucher plusieurs trous à la fois. Cela permet de jouer plus juste, mais également d'obtenir un nombre de notes largement supérieur au nombre de doigts que possède l'instrumentiste… Il en va de même sur la plupart des instruments à vent, où les notes sont produites par des combinaisons complexes de trous ouverts et de trous bouchés.

Dans quels morceaux peut-on entendre la flûte ?

Vous avez certainement déjà eu l'occasion d'entendre le son de la flûte mais, si vous n'en êtes pas sûr, voici l'occasion de lever le doute.

À la plage 3 du CD d'accompagnement, dans le finale du *Concerto pour piano n° 22* de Mozart, on entend un court passage à la flûte à 1 min 13 s. Sur la plage 7, dans le dernier mouvement de la *Symphonie n° 6* de Tchaïkovski, on entend à 1 min 2 s trois flûtes jouant ensemble.

Parmi les assez nombreux concertos pour flûte qui ont été écrits, nous vous recommandons les suivants :

- **Antonio Vivaldi :** *Concertos pour flûte op. 10 n° 1* (« La Tempête de mer »), *n° 2* (« La Nuit ») *et n° 3* (« Le Chardonneret »)
- **Wolfgang Amadeus Mozart :** *Concerto pour flûte n° 1, en sol majeur* et *Concerto pour flûte et harpe en do majeur*, K 299.
- **Gabriel Fauré :** *Fantaisie pour flûte et orchestre de chambre.*

De nombreuses sonates ont été écrites pour flûte, essayez donc celles-ci :

- **Jean-Sébastien Bach :** *Sonate pour flûte et clavier n° 1, en si mineur.*
- **Francis Poulenc :** *Sonate pour flûte et piano.*

En outre, la flûte apparaît en soliste dans les œuvres orchestrales suivantes:

- **Jean-Sébastien Bach:** *Suite pour orchestre n° 1, en si mineur* (avec la célèbre «Badinerie»).
- **Claude Debussy:** *Prélude à «L'Après-midi d'un faune»*.
- **Felix Mendelssohn:** musique de scène du *Songe d'une nuit d'été*.
- **Maurice Ravel:** deuxième suite *de Daphnis et Chloé*.

Le piccolo

Piccolo est un mot italien qui signifie «petit». Le *piccolo* est le petit frère de la flûte, et fait environ la moitié de sa taille. Il sonne donc à l'octave supérieure. Les notes élevées du piccolo sont brillantes et se perçoivent facilement par-dessus la masse orchestrale. En revanche, ses notes «graves» (tout est relatif) sont douces et faibles.

Le *Concerto pour piccolo ut majeur* de Vivaldi, RV 443, est un bel exemple d'utilisation de ce petit instrument. Il a probablement été écrit à l'origine pour une très petite flûte à bec parce que le piccolo, tel que nous le connaissons, n'avait pas encore été inventé à cette époque. Voici trois autres compositions intéressantes pour cet instrument:

- **Gioachino Rossini:** ouverture de *La Pie voleuse*.
- **Modest Moussorgski:** *Une nuit sur le mont Chauve*.
- **Sergueï Prokofiev:** suite de *Lieutenant Kijé*.

Il existe d'autres modèles de flûte et en particulier une *flûte alto en sol*, plus grande et qui sonne plus bas. Elle est rarement utilisée, et c'est dommage car elle donne un son riche, soyeux dans le registre grave. Vous en aurez une idée en écoutant *Le Sacre du Printemps*, d'Igor Stravinsky, vers le début de la seconde partie. Enfin, on connaît une *flûte basse* (si longue que son extrémité est recourbée) et même une *flûte tierce*.

Le hautbois

Comme la flûte, le hautbois produit un son en faisant vibrer une colonne d'air. Mais au lieu de souffler dans un simple trou, l'instrumentiste fait ici vibrer une *anche* (voir la Figure 8-2).

Anche

Figure 8-2 :
Un hautbois.

Le *hautboïste* (c'est ainsi qu'on appelle celui qui joue du hautbois) et le *bassoniste* passent leur temps à *tailler* des anches dans du bambou. Presque tous ces instrumentistes préfèrent fabriquer eux-mêmes leurs anches, et ce talent est jugé aussi nécessaire pour l'exercice de leur profession que le jeu de l'instrument proprement dit. La qualité du son obtenu dépend en grande partie de la façon dont est taillée l'anche du hautbois. Le hautboïste a d'ailleurs toujours avec lui plusieurs anches de rechange et il réserve les meilleures aux grandes occasions.

Comment on joue du hautbois

Pour devenir un virtuose du hautbois, il suffit de parcourir sans accroc les trois étapes suivantes :

1. Insérez une anche fraîchement préparée dans l'extrémité appropriée du hautbois après vous être assuré qu'elle était bien humidifiée.
2. Placez vos lèvres autour de l'anche.
3. Soufflez.

Selon le nombre d'années que vous avez passées à étudier la technique de l'instrument, ou bien vous allez entendre un son, ou bien vous aurez l'impression d'être devenu sourd. Le hautbois est l'un des instruments les plus difficiles à jouer. On dit que le hautbois et la trompette sont à égalité en ce qui concerne l'énorme écart qui existe entre un mauvais son et un bon. Lorsque c'est un débutant qui en joue, on entend un son rauque, nasal, qui s'approche davantage du cri du canard ébouillanté que d'une suave mélodie.

Les recettes de tante Berthe. Aujourd'hui: comment fabriquer une anche chez soi

Ingrédients:

1 cuillerée à café d'eau

1 petite longueur de fil à coudre

1 mince tube de liège

3 à 5 grattoirs ou cutters

1 morceau de bambou

1. Coupez une section dans le bambou.

2. Humidifiez cette tranche et repliez-la.

3. À l'aide du fil, recourbez les extrémités du bambou le long du tube de liège.

4. Coupez cette sorte d'anche double à la bonne longueur.

5. Avec un grattoir ou un cutter, grattez la nouvelle extrémité des deux moitiés jusqu'à ce qu'elles aient l'épaisseur (ou plutôt la minceur) requise. Attention: elles ne doivent être ni trop minces ni trop épaisses.

6. Répétez ces gestes des centaines de milliers de fois pendant une période de vingt ans jusqu'à ce que vous obteniez un résultat pleinement satisfaisant.

Si vous n'êtes pas plus bricoleur que cela, optez pour la version simplifiée: coincez deux brins d'herbe entre vos deux pouces et soufflez (vous avez certainement déjà essayé dans vos jeunes années). Ça ne marche pas à tous les coups, mais avec de véritables anches de hautbois non plus!

Lorsque c'est un virtuose qui s'en empare, le hautbois produit un des sons les plus beaux qu'on puisse entendre: clair, vibrant, doux, plaintif et rond à la fois.

Le hautbois solo jouit d'un prestige particulier au sein de l'orchestre symphonique: c'est lui qui est chargé, avant le début du concert, de donner le *la* sur lequel tous ses camarades s'accordent. Autant dire qu'il aura soigneusement réglé le sien en coulisse, afin de ne pas compromettre tout l'édifice…

Dans quels morceaux peut-on entendre le hautbois ?

Sur le CD d'accompagnement, allez à la plage 5 et vous pourrez entendre la fameuse cadence de hautbois du premier mouvement de la *Symphonie n° 5* de Beethoven à 4 min 29 s (une « oasis dans le désert », comme la décrivit un jour le grand chef d'orchestre allemand Wolfgang Sawallisch).

Si vous voulez avoir d'autres exemples, voici quelques références :

- ✔ **Jean-Sébastien Bach :** *Concerto pour violon et hautbois en ut mineur*, BWV 1060.
- ✔ **Wolfgang Amadeus Mozart :** *Concerto pour hautbois en ut majeur.*
- ✔ **Ralph Vaughan Williams :** *Concerto pour hautbois.*
- ✔ **Richard Strauss :** *Concerto pour hautbois.*
- ✔ **Robert Schumann :** *Trois Romances pour hautbois et piano*, op. 94.
- ✔ **Ludwig van Beethoven :** *Trio en ut majeur pour deux hautbois et cor anglais*, op. 87.

Guettez les apparitions du hautbois dans les pièces orchestrales suivantes :

- ✔ **Franz Schubert :** deuxième mouvement de la *Symphonie n° 9, en ut majeur.*
- ✔ **Georges Bizet :** deuxième mouvement de la *Symphonie en ut.*
- ✔ **Johannes Brahms :** deuxième mouvement du *Concerto pour violon*, juste après le début, et deuxième mouvement de la *Symphonie n° 1.*
- ✔ **Johann Strauss fils :** ouverture de *La Chauve-souris.*
- ✔ **Richard Strauss :** *Don Juan.*
- ✔ **Maurice Ravel :** *Le Tombeau de Couperin.*
- ✔ **Gioachino Rossini :** ouverture de *L'Échelle de soie.*

Le cor anglais

Le cor anglais est un cousin plus grave du hautbois qui utilise, comme lui, une anche double. Il n'a rien d'anglais, d'ailleurs : son nom vient de sa forme. Son corps étant plus long que celui du hautbois, il formait autrefois un angle, d'où le nom de cor... *anglé* ! Aujourd'hui le cor anglais est rectiligne, seul son bocal (le petit tube de métal sur lequel on fixe l'anche) est incurvé. Et, à la différence du hautbois, son extrémité est renflée, un peu comme une poire, mais son *doigté*, c'est-à-dire la façon dont on pose les doigts sur les clés pour produire telle ou telle note, est le même, ce qui fait que les hautboïstes peuvent très facilement passer d'un instrument à l'autre.

Vous pouvez entendre un des solos de cor anglais les plus connus à la plage 9 du CD d'accompagnement, dans *Le Sacre du Printemps* d'Igor Stravinsky, plus précisément à 1 min 44 s.

Voici quelques compositions pour orchestre dans lesquelles le cor anglais joue un rôle important:

- ✒ **Hector Berlioz:** ouverture du *Carnaval romain*.
- ✒ **César Franck:** deuxième mouvement de la *Symphonie en ré mineur*.
- ✒ **Antonín Dvořák:** deuxième mouvement de la *Symphonie n° 9, «Du Nouveau Monde»*.
- ✒ **Jean Sibelius:** *Le Cygne de Tuonela*, extrait des *Quatre Légendes pour orchestre*, op. 22.

La famille du hautbois ne s'arrête pas à ces deux instruments. On y trouve encore le *hautbois d'amour* et le *heckelphone*. Le hautbois d'amour, qui doit son joli nom à son timbre particulièrement chaud, est l'alto de la famille, c'est-à-dire qu'il se place entre le hautbois (le soprano) et le cor anglais (le ténor). Il était très en vogue à l'époque baroque, notamment chez Bach qui l'utilisa dans de très nombreuses cantates, dans sa *Messe en si mineur* et dans ses deux *Passions*. Il est ensuite passé de mode pour réapparaître au XXᵉ siècle. Vous pouvez l'entendre par exemple dans le *Boléro* de Maurice Ravel, juste après la petite clarinette, dans le premier mouvement de la *Sinfonia domestica* de Richard Strauss (une charmante cantilène évoquant, selon le compositeur, «la rêverie innocente et les jeux insouciants de l'enfant»), et dans *Gigues*, la première des trois *Images pour orchestre* de Claude Debussy.

Quant au heckelphone, une sorte de hautbois baryton inventé en Allemagne au début du XXᵉ siècle par les frères Heckel (on l'aurait parié), il est accordé une octave plus bas que le hautbois. Richard Strauss l'a utilisé dans *Elektra*, *Salomé*, la *Symphonie alpestre*, et Igor Stravinsky dans *Le Sacre du Printemps*.

La clarinette

Extérieurement, la *clarinette* ressemble à un gros hautbois, mais elle produit un son plus rond car, à la différence de ce dernier, elle utilise une anche simple. La Figure 8-3 montre à quoi ressemble cet instrument.

Figure 8-3 :
Une clari-
nette.

À la différence des hautboïstes et des bassonistes, les clarinettistes achètent leur anche tout faite, quitte à l'améliorer un peu en la grattant ou en la coupant légèrement à l'extrémité, car la qualité du son de cet instrument est beaucoup moins sensible à celle de l'anche.

Les instruments transpositeurs

Les clarinettistes ont la chance (!) de disposer d'un instrument *transpositeur*, c'est-à-dire qui fait entendre une note différente de celle qui a été jouée.

Pas de panique, nous allons tout vous expliquer.

Les habitués du traitement de texte vous diraient que la flûte, par exemple, est un instrument WYSIWYG : la note que vous obtenez correspond à celle que vous avez jouée (ce n'est pas le seul instrument de l'orchestre de ce type). Il n'en est pas de même avec la clarinette. Quand vous pensez jouer un *sol*, c'est un *fa* que vous entendez.

Et il ne s'agit là que du type de clarinette le plus répandu. Au départ, la clarinette n'étant pas très douée pour jouer dans différentes tonalités (il lui manquait toute la tringlerie qui, aujourd'hui, permet de fermer ou d'ouvrir plusieurs trous d'un seul doigt), plutôt que de devoir adopter des doigtés barbares, on préférait changer d'instrument. Si le morceau était en *ut* majeur, on jouait la clarinette en *ut* (celle qui ne transpose pas). S'il était en *la* majeur, pas de problème : on prenait la clarinette en *la*, on continuait de jouer en *ut* et c'est la clarinette qui s'occupait de faire tout le travail (enfin presque). Il y avait ainsi une clarinette ou presque pour chaque tonalité.

Avec les progrès techniques (la quincaillerie mentionnée plus haut), l'instrument voyait ses possibilités multipliées, et la facture s'est stabilisée sur un nombre réduit de modèles. Mais en évitant soigneusement la clarinette en *ut* (pourquoi faire simple quand on peut faire compliqué?). Il existe aujourd'hui des clarinettes en *si* bémol, en *la*, en *mi* bémol, en *fa*, ce qui veut dire que chacune transpose d'une quantité différente. Sur la clarinette en *si* bémol, lorsque l'on joue un *do*, on entend un *si* bémol. Sur celle en *la*, quand on joue un *do*, on obtient un *la*. Et ainsi de suite. Comme on peut facilement l'imaginer, il y a là de quoi rendre fou le plus serein des exécutants.

Par bonheur, un musicien eut une brillante idée. Pourquoi ne serait-ce pas le compositeur qui ferait cette transposition? Pour compenser le décalage vers le bas, le compositeur écrit les notes de la partition plus haut, et le musicien n'a plus qu'à jouer ce qui est écrit.

Les clarinettistes n'ont donc plus à se livrer à une gymnastique intellectuelle compliquée, quel que soit le type de clarinette qu'ils utilisent. Tout le monde, depuis le compositeur jusqu'au chef d'orchestre, s'est mis d'accord pour accepter des partitions inexactes puisque la ou les parties de clarinettes sont écrites dans une «mauvaise» tonalité. Soit dit en passant, les clarinettes sont loin d'êtres les seules à semer la pagaille: la flûte en *sol*, le hautbois d'amour, le cor anglais, les saxophones, le cor et la plupart des trompettes utilisent le même procédé.

Dans quels morceaux peut-on entendre la clarinette?

La clarinette est un instrument agile et gracieux, doté d'un son aimable et doux qui se mélange sans difficulté à celui de n'importe quel autre instrument de l'orchestre. Elle se montre d'un caractère très accommodant, comme ceux qui en jouent.

Vous pourrez entendre un beau passage de clarinette dans le finale du *Concerto pour piano n° 22* de Mozart, à 59 s de la plage 3 ou dans le *Sacre du Printemps* d'Igor Stravinsky, à 1 min 14 s de la plage 9 du CD d'accompagnement, où elle évoque l'appel d'un oiseau.

Voici quelques autres références:

   ✔ **Wolfgang Amadeus Mozart:** *Concerto pour clarinette en la majeur*, K 622, et *Quintette pour clarinette en la majeur*, K 581.

   ✔ **Carl Maria von Weber:** *Concerto pour clarinette n° 1, en fa mineur,* op. 73.

- **Franz Schubert:** *Le Pâtre sur le rocher*, mélodie pour soprano, clarinette et piano D 943.

- **Johannes Brahms:** *Sonates pour clarinette et piano*, op. 120, n° 1 (en *fa* mineur) et n° 2 (en *mi* bémol majeur).

- **Claude Debussy:** *Première Rhapsodie pour clarinette et orchestre.*

- **Béla Bartók:** *Contrastes*, pour clarinette, violon et piano (écrits pour le clarinettiste de jazz Benny Goodman).

- **Aaron Copland:** *Concerto pour clarinette.*

- **Francis Poulenc:** *Sonate pour clarinette et piano.*

La clarinette joue un rôle important dans de nombreuses œuvres orchestrales, par exemple:

- **Carl Maria von Weber:** ouverture du *Freischütz*.

- **Giuseppe Verdi:** ouverture de *La Force du Destin*.

- **Zoltán Kodály:** *Danses de Galánta*.

La clarinette «normale» se décline en deux modèles: celle en *si* bémol et celle en *la*, et l'on choisit l'une ou l'autre pour plus de facilité selon que l'on joue des tonalités chargées de bémols ou de dièses. Mais la famille ne s'arrête pas à ces deux membres, loin de là!

Au sommet de la pyramide se trouve la *petite clarinette*, qui sonne en *mi* bémol, soit une quarte au-dessus de celle en *si* bémol. Sa sonorité assez stridente fait qu'elle passe difficilement inaperçue. On peut l'entendre notamment dans le dernier mouvement la *Symphonie fantastique* d'Hector Berlioz (où elle interprète une paraphrase grotesque de l'«idée fixe» qui hante le compositeur depuis le début de la symphonie) ou dans le *Boléro* de Ravel (juste après le basson).

Le cor de basset sonne en *fa*, soit une quarte plus bas que la clarinette en *si* bémol. Il se distingue par son pavillon métallique recourbé. Il fut mis à l'honneur par Mozart (*Gran Partita*, *Requiem*, *La Flûte enchantée*), Felix Mendelssohn (*Konzertstück pour clarinette et cor de basset n° 1*, op. 113), et plus récemment Richard Strauss (*Elektra*, *Le Chevalier à la rose*).

La clarinette basse, en *si* bémol, sonne à l'octave inférieure de la clarinette «normale». On l'entend dans de nombreuses partitions. Elle joue par exemple, conjointement au contrebasson, le thème du balai dans *L'Apprenti sorcier* de Paul Dukas. Elle est si grosse, avec son pavillon métallique et son large tuyau, qu'elle repose par terre sur une pique.

La clarinette contrebasse, encore plus grave, est beaucoup plus rare. Nous vous épargnons le détail des nombreux autres rejetons de cette famille pléthorique!

Le saxophone

Le nom du *saxophone* (qui est représenté sur la Figure 8-4) vient de celui de son inventeur, Adolphe Sax, qui l'a créé vers 1840. Il a acquis une grande popularité aux États-Unis depuis quelques dizaines d'années, particulièrement par l'emploi qui en est fait dans la musique de jazz. En raison de sa jeunesse, on le trouve assez peu dans la musique classique.

Figure 8-4 :
Un saxo-
phone.

Bien que le saxophone soit construit en laiton, on le classe parmi les bois en raison de son étroite ressemblance avec la clarinette. Beaucoup de clarinettistes sont aussi capables d'en jouer correctement.

Il existe au moins six tailles différentes de saxophones. Ce sont des instruments transpositeurs, comme les clarinettes. Le type le plus répandu est le *saxophone alto*. C'est celui dont joue le président Clinton.

Quelques compositeurs courageux se sont aventurés à composer des concertos pour saxophone :

- **Alexandre Glazounov** : _Concerto pour saxophone_, op. 109.
- **Claude Debussy** : _Rhapsodie pour saxophone et orchestre._
- **Vincent d'Indy** : _Choral varié pour saxophone et orchestre._
- **Jacques Ibert** : _Concertino pour saxophone et onze instruments._

On peut l'entendre aussi dans quelques œuvres orchestrales :

- **Georges Bizet** : _L'Arlésienne._
- **Modest Moussorgski** : le « Vecchio Castello » (le « Vieux Château ») dans les _Tableaux d'une exposition_ (orchestration de Maurice Ravel).
- **Darius Milhaud** : _La Création du monde._
- **Heitor Villa-Lobos** : _Bachianas brasileiras nos 2._
- **Maurice Ravel** : _Boléro._

Le basson

Les bois sont généralement réputés pour la diversité des sons qu'ils produisent. Le basson (voir la Figure 8-5) en est un bel exemple. Cet instrument est en effet capable de sonner de façon complètement différente selon son registre.

Dans le registre suraigu, par exemple, le son qu'il produit peut être tendu et rauque, comme vous pourrez le constater en écoutant le tout début du _Sacre du Printemps_ d'Igor Stravinsky à la plage 9 du CD d'accompagnement.

Figure 8-5 :
Un basson.

Dans le registre médium, au contraire, il a une sonorité fondante, pleine, douce (quand l'exécutant est un vrai pro, cela va sans dire). Enfin, dans son registre grave, il est puissant et lourd. C'est la voix du grand-père dans le conte musical de Sergueï Prokofiev _Pierre et le loup_. Il peut aussi paraître lugubre comme dans le passage pour deux bassons du dernier mouvement de la *Symphonie pathétique* (n° 6) de Tchaïkovski, qui se trouve à 2 min 9 s de la plage 7 du CD d'accompagnement.

Les concertos pour basson sont rares. Celui de Mozart, en *si* bémol majeur, est l'un des plus beaux qui aient été écrits[2]. Weber en a composé un, lui aussi. Citons également les *Sonates pour basson et clavecin* de Telemann en *mi* mineur, *ré* majeur et *fa* mineur.

Enfin, le basson fait des apparitions remarquées dans les pièces orchestrales suivantes :

- **Hector Berlioz :** quatrième mouvement de la *Symphonie fantastique*.
- **Paul Dukas :** *L'Apprenti sorcier*.
- **Nikolaï Rimski-Korsakov :** deuxième mouvement de *Schéhérazade*.
- **Maurice Ravel :** *Boléro* (il intervient en n° 2, après la flûte).

Le basson est flanqué d'un grand frère, le contrebasson, qui sonne une octave plus bas. Son tuyau est si long qu'il est replié sur lui-même. Alors que le basson est en bois (souvent en palissandre, qui lui donne sa belle couleur rouge), le contrebasson est métallique. Inutile de dire, avec tout cela, qu'il repose par terre, sur une pique solide. Habitué à soutenir modestement tout l'édifice sonore de l'orchestre, le contrebasson est rarement mis à l'honneur. C'est Maurice Ravel qui lui a offert sa plus belle heure de gloire, lorsqu'il émerge dans un halo sonore au début du *Concerto pour la main gauche* (pour piano) : c'est LE solo que tout contrebassonniste rêve de jouer… Ravel lui donne de nouveau la parole dans *Les Entretiens de la Belle et de la Bête* (extrait de *Ma Mère l'oye*), où il prête sa voix à… la Bête (ceux qui ont répondu la Belle ont perdu : elle est représentée par la douce clarinette).

Et l'on aurait envie de citer tout l'opéra, mais c'est un autre sujet, si vaste qu'il vaut tout un livre… *L'Opéra pour les Nuls*, promis pour bientôt aux éditions First !

---

2. Ce qui n'empêche pas certains esprits irrévérencieux de le surnommer *Concerto pour pet d'éléphant*.

Chapitricule : la voix

L'homme a chanté depuis l'aube des temps et sa compagne n'a jamais été capable de le faire taire.

Notre mission, qui consistait à vous présenter les instruments à vent qu'on rencontre dans la musique classique, serait incomplète si nous n'évoquions pas la voix humaine. Presque tous les compositeurs ont écrit pour ce magnifique instrument.

Au Moyen Âge, la voix était seule utilisée dans le chant grégorien, les prières chantées et toute la musique religieuse en général. Les solistes bénéficiaient de l'acoustique somptueuse des cathédrales médiévales ou, plus modestement, des chapelles des monastères. De nos jours, on continue de chanter *a cappella*, ce qui signifie « sans accompagnement instrumental ».

À l'époque de la Renaissance (entre 1400 et 1650), on recourait encore souvent à la voix, mais les ancêtres de nos modernes instruments à cordes ou à vent commençaient à faire leur apparition. C'était la fin du monopole de la voix humaine.

Toutefois, celle-ci a continué de régner dans le domaine de l'opéra, depuis cette époque jusqu'à nos jours. Dans d'autres domaines, que seraient la musique de rock ou les comédies musicales de Broadway sans les chanteurs ?

Restant dans le monde de la musique classique, nous vous proposons les œuvres suivantes qui constituent autant d'exemples significatifs de son utilisation (un choix tout à fait parcellaire et arbitraire, que nous assumons totalement !) :

- **Claudio Monteverdi:** *Il combattimento di Tancredi e Clorinda* (*Le Combat de Tancrède et Clorinde*).

- **Jean-Sébastien Bach:** *Passion selon saint Matthieu.*

- **Franz Schubert:** *Die Winterreise* (*Le Voyage d'hiver*).

- **Giuseppe Verdi:** *Requiem.*

- **Henri Duparc:** mélodies (*Chanson triste, La Vie antérieure, Invitation au voyage, Phydilé*).

- **Gabriel Fauré:** *Requiem.*

- **Gustav Mahler:** *Lieder eines fahrenden Gesellen* (*Chants d'un compagnon errant*).

- **Richard Strauss:** *Vier letzte Lieder* (*Quatre Derniers Lieder*).

- **Heitor Villa-Lobos:** *Bachianas Brasileiras* n°s 5 (la voix est ici utilisée en vocalise, c'est-à-dire sans parole, comme un instrument).

Chapitre 9

Les cuivres

Le son de la trompette est si délicieux
Dans ces soirs solennels de célestes vendanges
Qu'il s'infiltre comme une extase dans tous ceux
Dont elle chante les louanges.

Charles Baudelaire, *Les Fleurs du mal.*

En soufflant dans leur instrument, les musiciens des pupitres de cuivres produisent un son éclatant, le plus puissant de tous les instruments de l'orchestre. Ces instrumentistes se distinguent généralement par un sens de l'humour développé (mais pas toujours du meilleur goût), un physique solide et une forte personnalité.

À notre connaissance, trois raisons expliquent cet état de fait :

✔ Il faut une force physique considérable pour jouer de ces instruments ou même – dans le cas du tuba – les tenir. On doit souffler avec force une grande quantité d'air dans leur embouchure, un peu à la façon dont on pratique le bouche-à-bouche sur un noyé. Un de nos amis tromboniste fait régulièrement du kayak, histoire de se maintenir en souffle. Il s'agit donc souvent de gaillards costauds. Mais, peu à peu, les femmes grignotent ce pré carré masculin (voire machiste)…

✔ Il faut une personnalité affirmée pour jouer d'un instrument qui domine tous les autres. Ce n'est pas un métier pour les timides ou les tourmentés.

✔ Il faut un certain sens de l'humour pour rire d'une grosse erreur ou d'une fausse note, qui forcément aura du mal à passer inaperçue (ce qu'on appelle communément un *canard* ou un *couac*). Et ce genre de mésaventure arrive fréquemment aux cuivres, même aux meilleurs. Même si tout l'auditoire l'a entendu, après tout, ce n'est pas la fin du monde.

C'est pourquoi il est juste de dire que les cuivres sont parmi les gens les mieux dans leur peau et les plus sereins, à l'exception, peut-être, du Dalaï Lama, des surfeurs et des habitants de Saturne.

Les problèmes des cuivres

Les chefs d'orchestre adressent constamment deux sortes de remarques aux cuivres :

- ✔ **Ils jouent trop fort.** C'est la conséquence logique de la taille de leurs instruments et de la nature de ceux-ci. Demander à un tromboniste ou à un trompettiste de jouer doucement, c'est comme vouloir casser une noisette avec un marteau-pilon.
- ✔ **Ils jouent trop tard.** On leur reproche fréquemment d'attaquer leurs notes avec du retard. C'est une autre conséquence logique de la structure de leur instrument. Un cuivre est constitué par un long tuyau enroulé sur lui-même. Si on déroulait un cor d'harmonie, on obtiendrait cinq mètres de tuyau. Lorsqu'on souffle à un bout, il faut un certain temps pour que l'air parvienne à l'autre extrémité. Pour compenser ce temps de propagation, les bons instrumentistes tentent d'anticiper leurs notes, ce qui n'est pas facile du tout.

Comment fonctionnent les cuivres

Ce qui différencie les cuivres des bois, ce n'est pas tant le matériau dont ils sont faits (nous avons vu au chapitre 8 que les saxophones, par exemple, étaient fabriqués en laiton) que la manière dont est produit le son. Les cuivres ont tous une *embouchure*, généralement en métal, dont le choix constitue une des pierres d'achoppement d'un jeu de qualité.

L'exécutant doit appuyer fermement ses lèvres sur l'embouchure et les faire vibrer en soufflant un filet d'air mince mais puissant. Les vibrations des lèvres se communiquent à la colonne d'air, qui la propage dans le tuyau. Bien souffler est tout un art, et il faut des années d'entraînement pour y parvenir.

Pour jouer les notes basses, les lèvres doivent être relâchées, détendues, alors que pour les notes aiguës, elles, doivent être serrées. Certains musiciens sont meilleurs dans le registre grave ; d'autres, dans les notes aiguës.

POUR RÉUNIONS MONDAINES

Le crachin et le crachat

Souffler dans un tuyau produit des effets secondaires. Le plus flagrant est la condensation de l'humidité contenue dans le souffle du musicien, qui finirait par produire, si on n'y portait remède, un son glouglloutant.

Pour éviter cet ennui, les musiciens doivent périodiquement démonter certaines parties de leur tuyauterie afin d'évacuer les gouttes sur le plancher, si bien qu'à la fin d'un concert, le territoire des cuivres a tendance à se transformer en piscine.

Le cor

L'instrument qui sonne de la manière la plus noble est incontestablement le cor, qui produit un son profond, rond et sombre mais puissant et élégant. Les anglophones l'appellent *French horn*, s'inspirant sans doute des mêmes raisonnements qui leur font traduire *filer à l'anglaise* par *to take French leave*. Nos ancêtres n'ont rien à voir avec la naissance de cet instrument.

Ce type d'instrument (sous une forme moins élaborée, dite *cor de chasse*) était couramment usité dans les chasses royales et continue de l'être dans les chasses à courre.

Le cor naturel

UN SOUFFLE DU PASSÉ

Autrefois, on utilisait le *cor naturel*, sorte de tuyau enroulé en une seule spire pourvu d'une embouchure à une extrémité et d'un pavillon à l'autre, ne comportant aucune pièce rapportée, ni valve, ni soupape, ni piston. Le seul moyen qu'on avait de changer la note produite était de faire varier la pression des lèvres.

Il était difficile, dans ces conditions, de produire beaucoup de notes, et seuls les excellents instrumentistes arrivaient à en produire 16. Pas question, alors, d'interpréter le *Vol du bourdon*[1] !

On eut alors l'idée de modifier la longueur de la colonne d'air vibrante à l'aide de rallonges appelés *tons*. On pouvait ainsi obtenir d'autres groupes de 16 notes.

_____

1. Célèbre pièce virtuose de Rimski-Korsakov.

Le cor moderne (cor d'harmonie)

Cette méthode est maintenant abandonnée au profit des *pistons* (voir la Figure 9-1), sur lesquels l'instrumentiste peut appuyer pour raccourcir ou allonger la colonne d'air.

Figure 9-1 :
Cor d'harmo-
nie moderne.

La présence de ces additifs mécaniques ne simplifie pas le « jeu de lèvres » de l'exécutant, car c'est toujours par ce moyen que le corniste réussit à produire un large éventail de notes et qu'il en ajuste finement la hauteur, comme il le faisait avec l'ancien cor naturel. On comprend donc qu'il soit facile de faire des couacs en jouant du cor, que ce soit le matin ou le soir, dans les plaines comme au fond des bois.

Dans quels morceaux peut-on entendre le cor ?

Vous pourrez écouter cet instrument dans la *Water Music* de Haendel qui constitue la plage 1 du CD d'accompagnement. À 23 s, on entend une fanfare étincelante dans laquelle on perçoit nettement la présence des cors. Plus loin, c'est à la plage 4 (*Symphonie n° 5* de Beethoven) qu'on entend le célèbre appel de cor (à 44 s). Plus loin encore, c'est dans le troisième mouvement de la *Symphonie n° 4* de Brahms que se trouve une courte mélodie d'un grand lyrisme confiée au cor (plage 5, à 3 min 11 s). Pour terminer, citons également la *Symphonie n° 6* de Tchaïkovski (plage 7, à 6 min 17 s) et *La Mer*, de Debussy (plage 8, à 3 min 29 s).

Plusieurs compositeurs se sont laissé séduire par le son puissant du cor et ont écrit pour cet instrument :

- **Wolfgang Amadeus Mozart :** *Concerto pour cor n° 3, en mi bémol*, K 447.

- **Ludwig van Beethoven :** *Sonate pour cor et piano en fa majeur*, op. 17.

- **Robert Schumann :** *Konzertstück pour quatre cors et orchestre en fa majeur*, op. 86 – *Adagio et Allegro pour cor et piano en la bémol majeur*, op. 70.

- **Johannes Brahms :** *Trio pour violon, piano et cor en mi bémol majeur*, op. 40.

- **Richard Strauss :** *Concerto pour cor n° 2, en mi bémol.*

- **Francis Poulenc :** *Sonate pour cor, trompette et trombone.*

Outre les morceaux signalés plus haut et qu'on peut trouver sur le CD d'accompagnement, citons les œuvres orchestrales suivantes :

- **Carl Maria von Weber :** ouverture du *Freischütz.*

- **Felix Mendelssohn :** «Notturno» du *Songe d'une nuit d'été.*

- **Johannes Brahms :** *Symphonie n° 1.*

- **Piotr Ilitch Tchaïkovski :** deuxième mouvement de la *Symphonie n° 5.*

- **Richard Strauss :** *Till Eulenspiegels lustige Streiche* (*Les Joyeuses Équipées de Till l'espiègle*).

- **Maurice Ravel :** *Pavane pour une infante défunte.*

La trompette

En matière de puissance sonore, la trompette (Figure 9-2) est indubitablement la reine de l'orchestre. C'est aussi l'instrument qui a le registre le plus aigu, ce qui l'aide à dominer la masse orchestrale. Mais toute médaille a son revers, et c'est aussi pour cette raison qu'on entend facilement ses fausses notes.

Pistons

Figure 9-2 :
Une trom-
pette.

La *Symphonie n° 5* de Mahler s'ouvre sur douze longues mesures de trompette solo. D'autres œuvres du même compositeur, de Richard Wagner, de Richard Strauss ou d'Anton Bruckner font la part belle à cet instrument. C'est l'instrument le plus agile de la famille des cuivres.

À l'instar du cor, la trompette des origines ne pouvait produire qu'une poignée de notes. Dans la musique militaire, où cet instrument tient une part prépondérante, vous pourrez remarquer la simplicité de la ligne mélodique.

Les trompettes modernes sont plus polyvalentes. Comme pour les clarinettes, il en existe de plusieurs tailles. Comme les cors, elles sont dotées de pistons (ou, en Allemagne, de palettes) sur lesquels agissent les doigts de l'exécutant pour raccourcir ou rallonger le tuyau et obtenir toute une série de notes. Leur mécanisme d'action est différent mais l'effet obtenu est identique.

Le coup de langue

Comme les autres instruments de la famille des cuivres, la trompette peut produire un son continu, mais en outre, grâce à l'artifice du *coup de langue*, elle est capable de répéter rapidement une série de notes dans un brillant staccato. Le coup de langue consiste à articuler les notes comme si on disait rapidement « ta-ta-ta » dans l'embouchure tout en appuyant les lèvres contre celle-ci.

Les sourdines

On peut modifier le timbre de n'importe quel instrument à vent en plaçant une _sourdine_ sur son pavillon. Mais ce n'est guère que sur la trompette qu'on utilise cet accessoire.

Il existe toutes sortes de sourdines, et les sons qu'elles produisent vont d'un simple étouffement à une note bourdonnante ou rauque. Celle qui est le plus utilisée donne l'impression que le son provient d'un point éloigné. Enfin, il ne faut pas oublier la sourdine «wa-wa», très utilisée dans les formations de jazz.

Dans quels morceaux peut-on entendre la trompette ?

C'est toujours dans la _Water Music_ de Haendel (plage 1 du CD d'accompagnement) que vous trouverez un bel exemple de trompette (à 16 s). Si vous en voulez un autre, rendez-vous à la plage 9, à 6 min 33 s, du côté du _Sacre du Printemps_ de Stravinsky.

Voici les concertos pour trompette les plus connus :

- **Jean-Sébastien Bach :** _Concerto brandebourgeois n° 2._
- **Antonio Vivaldi :** _Concerto pour deux trompettes en ut majeur_, RV 537.
- **Joseph Haydn :** _Concerto pour trompette en mi bémol majeur._
- **Johann Nepomuk Hummel :** _Concerto pour trompette_ (en _mi_ majeur, parfois transposé en _mi_ bémol majeur).
- **Henri Tomasi :** _Concerto pour trompette._
- **André Jolivet :** _Concerto pour trompette._
- **Bernd Alois Zimmermann :** _Concerto pour trompette «Nobody Knows de Trouble I've Seen»._

Si vous voulez entendre une trompette dominer un orchestre, écoutez :

- **Jean-Sébastien Bach :** «Gloria» de la _Messe en si mineur._
- **Ludwig van Beethoven :** ouverture _Leonore 3._
- **Giuseppe Verdi :** «Tuba mirum» du _Requiem._

> ✔ **Gustav Mahler:** Premier mouvement de la *Symphonie n° 5*.
>
> ✔ **Richard Strauss:** *Also sprach Zarathustra* (Ainsi parlait Zarathoustra).

Nous vous présentons à présent trois cousins de la trompette, qui apparaissent plus rarement dans l'orchestre symphonique mais sont en général joués par les trompettistes.

Le cornet à piston

Instrument de la famille des cuivres, proche de la trompette mais avec un pavillon plus évasé, le cornet à pistons eut son heure de gloire dans le second quart du XIXe siècle, avant la mise au point définitive de la trompette à pistons. Il fut en vogue principalement dans la musique française, italienne et russe, les Allemands recourant plus volontiers aux trompettes à palettes. Il fut encore largement utilisé au XXe siècle par des compositeurs aussi divers que Debussy, Stravinsky, Prokofiev ou Messiaen, attirés par son timbre plus doux que celui de la trompette. C'est un membre essentiel des fanfares.

On peut l'entendre par exemple dans le *Requiem* et dans la «Marche hongroise» de *La Damnation de Faust* de Berlioz, dans *Petrouchka* et dans *L'Histoire du soldat* de Stravinsky, dans *Lieutenant Kijé* de Prokofiev.

Le bugle

Le bugle est issu du clairon militaire, dont il conserve le tube conique et le large pavillon. Très utilisé dans les fanfares, il apparaît parfois au sein de l'orchestre symphonique, par exemple dans les *Pins de Rome* de Respighi. La basse de la famille des bugles est le tuba (voir plus bas).

Le cor de postillon

Ce type de cor relativement simple était joué par les postillons pour sonner le départ, l'arrivée ou l'approche d'une voiture. Aujourd'hui, le cor de postillon est joué plutôt par les trompettistes. Mozart lui offrit une brève apparition dans sa *Sérénade «Posthorn»* (du nom allemand de cet instrument) et Mahler l'utilise dans sa *Symphonie n° 3*. De nombreux compositeurs ont imité sa sonorité, en particulier Jean-Sébastien Bach dans une œuvre pour clavecin, le *Capriccio sur le départ du frère bien-aimé*, qui comprend un air et une fugue dans le style d'un cor de postillon.

Le trombone

Il n'existe pas de fanfare sans au moins un trombone (voir la Figure 9-3). Cet instrument a une tonalité chaude et peut jouer des notes plus graves que la trompette, ce qui lui confère une certaine majesté.

Figure 9-3 :
Le trombone.

Sa structure n'a guère évolué depuis quelque cinq cents ans. L'instrument utilisé par les trombonistes de la Renaissance (la *sacqueboute*) est pratiquement identique à celui qu'on rencontre dans nos orchestres actuels.

La coulisse

La caractéristique essentielle du trombone est d'être équipé d'une coulisse, moyen très efficace de faire varier dans de grandes proportions la longueur de la colonne d'air vibrante. Lorsque la coulisse est tirée au maximum, l'instrument joue une note grave. Lorsque l'instrumentiste la rapproche de lui, la note est plus aiguë.

Tout l'art du tromboniste consiste à trouver l'exacte position de la coulisse qui lui permet de jouer juste. En cela, son jeu peut se comparer à celui des instruments à cordes comme le violon ou le violoncelle.

Il y a deux façons d'utiliser la coulisse : soit en arrêtant de souffler lorsqu'on déplace la coulisse, soit en continuant de souffler. Cette dernière façon de jouer produit un *glissando* qu'on peut comparer à celui de la harpe avec, cependant, une notable différence: alors que la harpe fait entendre une suite de notes distinctes, le glissando du trombone fait varier progressivement la hauteur du son produit, sans aucune discontinuité. De ce fait, le trombone est très utilisé dans les orchestres de jazz.

Dans quels morceaux peut-on entendre le trombone?

Les concertos pour trombone sont extrêmement rares. Nous pouvons néanmoins en citer trois:

- **Nikolaï Rimski-Korsakov:** *Concerto pour trombone et fanfare.*
- **Félicien David:** *Concertino pour trombone.*
- **Darius Milhaud:** *Concertino d'hiver pour trombone et cordes.*
- **Jan Sandström:** *Motorbike Concerto.*

Vous pourrez aussi entendre le trombone dans les pièces orchestrales suivantes:

- **Wolfgang Amadeus Mozart:** «Tuba mirum» du *Requiem.*
- **Maurice Ravel:** *Boléro.*
- **Nikolaï Rimski-Korsakov:** ouverture de *La Grande Pâque russe.*
- **Gioachino Rossini:** ouverture de *Guillaume Tell* (la tempête).
- **Heitor Villa-Lobos:** *Bachianas Brasileiras n°s 2.*
- **Richard Wagner:** la «Chevauchée des Walkyries», extraite de l'opéra *La Walkyrie*

Le tuba

On peut se demander pour quelle raison on désigne sous le même nom le simple petit tuyau de plastique recourbé qui permet de respirer en ayant la tête sous l'eau et cet instrument majestueux (pour ne pas dire «imposant»).

La meute des tubas

Dans une fanfare, le tuba fait généralement des «pom-pom» qui soutiennent la ligne mélodique jouée par des instruments à la fois plus légers et plus agiles. Le jeu du tuba demande au joueur un «coffre» hors norme, étant donné la quantité d'air qu'il faut y insuffler.

Dans son principe, il produit ses notes à la manière du cor d'harmonie, au moyen d'une embouchure et de pistons.

Le tuba existe en deux tailles : le tuba basse, celui qui soutient tout l'édifice sonore de l'orchestre avec les contrebasses ; et le «petit tuba», ou *euphonium*, plus agile, auquel sont confiés plus volontiers les solos (par exemple celui des *Tableaux d'une exposition*, voir plus bas). L'euphonium sonne à l'octave supérieure (plus aiguë) du tuba basse.

L'interprétation de la *Tétralogie* de Richard Wagner demande la présence de quatre tubas spéciaux (appelés comme il se doit «tubas Wagner», *Wagner-Tuben* en allemand) afin de produire un son voisin de celui du cor d'harmonie mais en plus puissant.

Dans quels morceaux peut-on entendre le tuba ?

Les concertos pour tuba sont encore plus rares que ceux pour trombone. Néanmoins, nous vous en avons déniché deux :

- ✔ **Ralph Vaughan Williams :** *Concerto pour tuba.*
- ✔ **John Williams :** *Concerto pour tuba.*

Heureusement, les compositeurs ont été plus généreux avec cet instrument dans leurs œuvres orchestrales. Voici quelques partitions où le tuba se distingue :

- ✔ **George Gershwin :** *Un Américain à Paris.*
- ✔ **Igor Stravinsky :** «Le Paysan et son ours», extrait de *Petrouchka*.
- ✔ **Modest Moussorgski :** «Bydlo», extrait des *Tableaux d'une exposition* (orchestration de Maurice Ravel).

Chapitre 10

Les percussions

· ·

Dans ce chapitre :

▶ Tambour, timbale et autres caisses résonnantes

▶ Pourquoi les questions de budget ont une incidence sur le jeu des percussionnistes

▶ Fouet, crécelle et cloche de vache

· ·

Rien n'est plus dangereux dans un orchestre que les percussionnistes, car ils viennent aux répétitions lourdement armés et prêts à faire feu. Les percussionnistes font leur musique en tapant, battant, martelant, fouettant ou cinglant des choses les unes avec ou contre les autres. Tambours, gongs, cymbales, xylophones, glockenspiels, triangles, tambourins, castagnettes, fouets, cloches de vache et crécelles font partie de leur arsenal. Même le piano est parfois considéré comme un instrument à percussion à cause de ses marteaux (en feutre, n'exagérons rien!). Ce livre, lui-même, tenu à bonne hauteur et lâché sur un plancher, peut se transformer en instrument à percussion.

Tous les percussionnistes ont à portée de main un ensemble de baguettes et de mailloches parfaitement proportionnées qu'ils ont, pour la plupart, confectionnées eux-mêmes et qu'ils transportent dans un petit sac. Ils sont fiers de leurs créations et n'arrêteront pas de vous en parler si vous les laissez faire. (Le seul moyen de les neutraliser est de lancer concomitamment un hautboïste sur le sujet de la taille de ses anches.)

Si vous devez assister à un concert où la partie de percussion est particulièrement importante, ne manquez pas de choisir une place d'où vous pourrez voir les percussionnistes. Leur agilité autour de leurs instruments est un véritable spectacle.

Beaucoup d'orchestres au budget serré n'engagent pas autant de percussionnistes qu'il en faudrait pour que soient respectées les indications du compositeur. Afin que l'œuvre soit néanmoins interprétée comme il convient, les instrumentistes doivent alors se démener comme de beaux diables, virevoltant d'un instrument à l'autre. C'est excellent pour leur condition physique.

Vous pouvez entendre de nombreux instruments à percussion utilisés de manière particulièrement séduisante et variée en écoutant deux œuvres de Béla Bartók, la *Musique pour cordes, percussion et célesta* et la *Sonate pour deux pianos et percussions*. Vous y découvrirez les sonorités incroyables qu'on peut obtenir de bêtes morceaux de bois ou de peaux tendues…

Les timbales

Comme vous pouvez le voir sur la Figure 10-1, une *timbale* ressemble à un chaudron dépourvu d'anses. A la différence des autres instruments du même type (les *peaux*), les timbales sont conçues pour être accordées. Si vous avez vu le film de Stanley Kubrick *2001 : l'Odyssée de l'espace*, peut-être vous rappelez-vous l'introduction monumentale dans laquelle les timbales jouent un grand rôle. Il s'agit d'une œuvre de Richard Strauss, *Ainsi parlait Zarathoustra* (*Also sprach Zarathustra* en langue originale). On y distingue nettement l'alternance de deux notes. Cet effet est très utilisé, et c'est pour cette raison que les timbales vont toujours au moins par paire, plus fréquemment par trois ou quatre. D'ailleurs, aucun compositeur n'a jamais rien écrit pour une seule timbale.

Vous pouvez entendre immédiatement des timbales en vous reportant à 7 min 11 s sur la plage 9 du CD d'accompagnement où se trouve un extrait du *Sacre du Printemps* d'Igor Stravinsky.

L'accord d'une timbale s'effectue en tendant plus ou moins la membrane qui la recouvre. Sur les anciens instruments, ce réglage s'effectuait au moyen de plusieurs clefs disposées sur le pourtour de la peau, ce qui rendait les ajustements longs et délicats. De nos jours, un mécanisme commandé par une pédale centralise les réglages. En appuyant sur cette pédale, on tend la membrane, obtenant une note plus élevée ; en relevant le pied, la tension diminue et la note baisse. Cette technique permet d'obtenir des *glissando* du son (un passage progressif d'une note à une autre, comme en glissant), un effet étrange que Béla Bartók fut le premier à exploiter, dans sa *Musique pour cordes, percussions et célesta* (en particulier dans le troisième mouvement).

La qualité de la baguette avec laquelle le timbalier frappe sur son instrument détermine la nature du son produit. Plus dure est la baguette et plus sec sera le son. La nature de la peau influe elle aussi sur la sonorité. Plus pratiques, les peaux artificielles ont cours aujourd'hui le plus souvent, mais quelques irréductibles continuent d'utiliser des peaux animales naturelles, qui donnent un moelleux incomparable à leur jeu.

Figure 10-1 :
Une timbale.

Roulement de timbales, svp

En frappant rapidement sur la membrane avec deux baguettes, on produit un effet de roulement. Souvent, cet effet s'accompagne d'un crescendo annonciateur d'un paroxysme orchestral. *«Roulement de timbales»* est par ailleurs le surnom d'une symphonie de Haydn, la n° 103 pour être exact. Elle doit cette appellation à son solo de timbales initial, un effet tout à fait inédit à l'époque. Une autre symphonie de Haydn fait référence à ce noble instrument, au moins dans les pays de langue allemande : la n° 94, appelée chez nous *«La Surprise»*. En fait de surprise, il s'agit d'un accord *fortissimo* au beau milieu de la mélodie la plus anodine qui soit, dans le deuxième mouvement. Cet accord est renforcé par un formidable coup de timbale, d'où le nom allemand de l'œuvre : *«Mit dem Paukenschlag»* (*«Avec le coup de timbale»*). D'après les mauvaises langues, cette «surprise» avait pour but de réveiller les dames assoupies par le premier mouvement.

Dans quels morceaux peut-on entendre les timbales ?

- **Ludwig van Beethoven :** *Concerto pour violon* (1er mouvement) – *Symphonie n° 9* (notamment les 2e mouvements et 3e).

- **Hector Berlioz :** *Symphonie fantastique* (en particulier dans le 4e mouvement, «Marche au supplice»).

- **Johannes Brahms :** *Un requiem allemand* (2e mouvement).

- **Antonín Dvořák :** *Symphonie n° 9, «Du Nouveau Monde»*.

- **Béla Bartók :** *Musique pour cordes, percussions et célesta* (avec des effets spectaculaires de roulements et de glissando) – *Concerto pour violon et orchestre n° 2* (2e mouvement).

- **Igor Stravinsky :** *L'Oiseau de feu*.

- **Francis Poulenc :** *Concerto pour orgue, orchestre à cordes et timbales*.

- **Bohuslav Martinů :** *Concerto deux orchestres à cordes, piano et timbales*.

Tous les compositeurs ont utilisé un jour ou l'autre les timbales ; la palme de l'excentricité revient à Hector Berlioz, qui réclame seize timbales et dix timbaliers dans sa *Grande Messe des morts*.

La grosse caisse

C'est elle qui fait le plus de bruit dans l'orchestre. Lorsqu'elle retentit, peu importe ce que jouent les autres instruments, car vous ne les entendez plus. Ce n'est pas tout à fait le bruit d'un tremblement de terre, mais ça n'en est pas loin. Bien qu'un son sourd et fort (peut-on encore parler ici de «son» et ne vaudrait-il pas mieux dire «bruit»?) soit toujours écrasant, lorsqu'il se fait entendre à un niveau moins élevé, il donne une impression d'inquiétude.

Dans quels morceaux peut-on entendre la grosse caisse ?

- **Ludwig van Beethoven :** *La Bataille de Vittoria, ou La Victoire de Wellington*.

- **Giuseppe Verdi :** «Dies iræ» du *Requiem*.

- **Piotr Ilitch Tchaïkovski :** *Ouverture 1812*.

- **Johann Strauss :** *Unter Donner und Blitz* (*Sous le tonnerre et les éclairs*).

✔ **Jean Sibelius:** *En saga.*

✔ **Paul Dukas:** *L'Apprenti sorcier.*

✔ **Sergueï Prokofiev:** *Lieutenant Kijé.*

Les cymbales

Lorsque vous entendez la grosse caisse, les *cymbales* ne sont pas loin. Depuis toujours, ces instruments, aux sonorités pourtant très différentes, se complètent. (Dans les fanfares militaires, une paire de cymbales était même posée au sommet de la grosse caisse, et les deux instruments étaient actionnés en même temps grâce à un mécanisme.) Les cymbales sont constituées de deux plaques métalliques circulaires, de forme concave, munies en leur centre d'une lanière pour les tenir.

Il en existe de plusieurs tailles. Les plus petites produisent un son brillant, scintillant, alors que les grandes font entendre un «clang» lourd, solennel, donnant à penser que quelque chose de grave vient de se produire. Les deux sont capables de produire un bruit de crash métallique terrifiant.

Pour jouer des cymbales, on en prend ordinairement une dans chaque main et on les frappe vivement mais pas trop brutalement l'une contre l'autre. C'est lorsqu'on les écarte ensuite légèrement que le son se développe.

Alors que le rôle des timbales est de vous annoncer que quelque chose de terrible va arriver, celui des cymbales vous signale que *c'est arrivé.* La conjugaison des deux est donc absolument appropriée pour ponctuer une scène dramatique. Les cymbales continuent de vibrer, donc de produire un son, bien après qu'on les a frappées.

Les cymbales vont le plus souvent par paire, mais on peut éventuellement n'en utiliser qu'une en la suspendant à un support et en la frappant avec des baguettes, des balais métalliques ou une mailloche. On obtient alors un son qui évoque le bruit des vagues. C'est de cette façon que Claude Debussy les a utilisées dans *La Mer.* Vous entendrez cet effet sur la plage 8 du CD d'accompagnement.

Dans quels morceaux peut-on entendre les cymbales ?

✔ **Joseph Haydn :** *Symphonie n° 100, « Militaire ».*

✔ **Piotr Ilitch Tchaïkovski :** *Symphonie n° 4* (finale).

✔ **Richard Wagner :** Prélude de *Lohengrin* – Ouverture des *Maîtres chanteurs*.

✔ **Modest Moussorgski :** *Une nuit sur le mont Chauve.*

✔ **Igor Stravinsky :** *Petrouchka.*

En ce domaine, la *Grande Messe des morts* de Berlioz bat à nouveau tous les records, puisqu'elle requiert pas moins de dix joueurs de cymbales.

La caisse claire

Dans toute fanfare qui se respecte, qu'elle soit civile ou militaire, vous trouverez plusieurs caisses claires. On les désigne souvent à tort sous le terme générique de *tambours.*

La caisse claire se présente sous la forme d'un cylindre d'environ 36 cm de diamètre et d'une vingtaine de centimètres de haut, généralement en cuivre, recouvert des deux côtés d'une membrane, plus épaisse du côté où on frappe avec des baguettes. Ce qui donne à la caisse claire son timbre particulier, s'appelle – précisément pour cette raison – le *timbre.* C'est une sorte de corde de boyau tendue sous la peau inférieure, dont la tension détermine la sonorité.

On peut désaccoupler le timbre du fût, obtenant ainsi un son complètement différent, plus sourd et plus doux. C'est ce que fait le percussionniste lorsqu'il ne se sert pas de son instrument. Faute de quoi, les vibrations engendrées par l'orchestre feraient résonner le timbre à des moments souvent inopportuns.

Dans quels morceaux peut-on entendre la caisse claire ?

✔ **Gioachino Rossini :** Ouverture de *La Pie voleuse.*

✔ **Nikolaï Rimski-Korsakov :** *Schéhérazade.*

✔ **Sergueï Prokofiev :** *Lieutenant Kijé.*

✔ **Maurice Ravel :** *Boléro.*

✔ **Béla Bartók :** *Concerto pour orchestre* (2ᵉ mouvement, « Jeu de couples ») – *Sonate pour deux pianos et percussions* (le début du 2ᵉ mouvement est un exemple fascinant de « mélodie » fabriquée à partir d'une caisse claire avec timbre, d'une caisse claire sans timbre et d'une cymbale).

Le xylophone

Si cet instrument n'existait pas, les dictionnaires de musique seraient vides à la lettre *X* (le *xylorimba*, compagnon d'occasion, disparaîtrait sans doute, puisque c'est une forme dérivée du xylophone). L'étymologie de son nom annonce clairement qu'il est composé de lames de bois sur lesquelles on frappe avec deux baguettes pour obtenir un son assez mat, d'une hauteur dépendant des dimensions des lames de bois. Celles-ci sont généralement faite de palissandre, de noyer, d'érable ou encore d'un résineux comme le pin ou l'épicéa, cependant plus fragile. Contrairement à d'autres instruments du même type comme le *balafon* africain ou le marimba, le xylophone est dépourvu de résonateurs placés sous les barres et destinés à renforcer les sonorités obtenues.

L'un des meilleurs exemples d'utilisation du xylophone se trouve dans la *Danse macabre* de Camille Saint-Saëns où il symbolise le bruit des ossements de squelettes qui s'entrechoquent. (On le retrouve dans *Le Carnaval des animaux* du même auteur, plus précisément dans « Les Fossiles », puisque cette pièce contient une parodie de la *Danse macabre*.)

L'exécutant utilise plusieurs sortes de baguettes, selon la sonorité qu'il désire obtenir. Les plus courantes sont composés d'une petite boule de bois, de caoutchouc dur, d'ébonite ou de matière plastique emmanchée sur un petit tube cylindrique. On joue généralement avec une baguette dans chaque main, mais les virtuoses de l'instrument sont capables d'en tenir deux dans chaque main, faisant ainsi retentir de véritables accords de trois, voire de quatre notes. Ce n'est évidemment pas à la portée des débutants.

Dans quels morceaux peut-on entendre le xylophone ?

- **Gustav Mahler :** *Symphonie n° 6.*

- **Claude Debussy :** *Iberia.*

- **Béla Bartók :** *Musique pour cordes, percussions et célesta* (3ᵉ mouvement) – *Sonate pour deux pianos et percussions* (3ᵉ mouvement).

- **Zoltán Kodály :** *Háry János* («Entrée à la cour de l'empereur»), à l'unisson avec le jeu de timbres.

- **Maurice Ravel :** *Ma Mère l'Oye* («Laideronnette, impératrice des Pagodes»).

- **Aram Khatchatourian :** *Les Comédiens* («Galop») – *Gayaneh* («Danse des jeunes filles à la rose»).

Instruments voisins du xylophone

Le grand frère du xylophone s'appelle le *marimba* et il est originaire issu du balafon africain. Il est surtout utilisé dans la musique exotique comme celle des Caraïbes ou du Brésil.

Le *glockenspiel* (voir la partie gauche de la Figure 10-2) est appelé également *jeu de timbres* ou, dans sa version réduite et portative, *carillon.* Il ressemble au xylophone, mais il est plus petit et les barres qui le composent sont faites de métal, ce qui lui confère une sonorité de clochettes. En fait, son nom est un mot allemand qui signifie littéralement «jeu de cloches».

C'est dans *La Flûte enchantée* de Mozart que l'on trouve l'emploi le plus significatif de cet instrument. Papageno, l'oiseleur, en joue pour conjurer les forces du Mal.

Il existe une forme mécanisée du glockenspiel inventée par le Français Victor Mustel à la fin du XIXᵉ siècle, dans laquelle les marteaux qui viennent frapper les lames de métal sont commandés par un petit clavier ressemblant à un piano miniature. Dans sa forme avec baguettes ou à clavier, le glockenspiel est très répandu dans la musique française du XXᵉ siècle. Debussy et Ravel, notamment, ont fait un usage abondant de ses sonorités cristallines. On l'entend aussi dans *L'Apprenti sorcier* de Dukas.

Figure 10-2:
Un glocken-
spiel à côté
d'un triangle.

Et puisque nous parlons de Victor Mustel, signalons qu'on lui doit la mise au point d'un instrument plus connu, l'harmonium, et l'invention d'un autre instrument à clavier, le *célesta* (voir le Chapitre 6, «Claviers et Cie»).

Le triangle

A la différence du cor anglais (qui n'a d'anglais que le nom), du mal de Naples (qui entache probablement à tort la réputation des habitants de cette aimable cité lacustre) et des cordes (qui sont le plus souvent faites de fils métalliques), le *triangle* est réellement un triangle. Mais c'est un triangle ouvert, c'est-à-dire qu'il existe une coupure à l'une des extrémités de sa base, comme on peut le voir sur la partie droite de la Figure 10-2 (cette coupure lui permet de vibrer).

Pour en jouer, on le frappe délicatement avec une petite baguette métallique. Il produit alors un «ding» argentin (ce qui ne veut pas dire que le triangle soit principalement utilisé dans la musique sud-américaine).

En le frappant d'un rapide aller et retour de la baguette, on obtient une sorte de roulement qui n'est pas sans évoquer la sonnerie des anciens réveille-matin. C'est de cette façon que John Williams l'a utilisé dans l'ouverture de la musique du film *La Guerre des étoiles*. Il fait également une apparition significative dans les deux premières minutes de l'œuvre de Richard Strauss *Ainsi parlait Zarathoustra*.

Pour que ses vibrations ne soient pas étouffées, on tient le triangle d'une main, suspendu par un fil attaché à sa pointe supérieure, tandis qu'on le frappe avec la baguette métallique tenue par l'autre main. Les percussionnistes qui doivent (pour les raisons que nous avons expliquées au début de ce chapitre) jouer de plusieurs instruments l'un après l'autre, voire simultanément, préfèrent l'attacher à un support fixe afin d'avoir les coudées plus franches.

La plage 5 du CD d'accompagnement (troisième mouvement de la *Symphonie n° 4* de Brahms) illustre l'emploi du triangle, mais c'est sans doute dans le *Concerto pour piano n° 2* de Franz Liszt qu'il fait l'une de ses apparitions les plus remarquées. Utilisé occasionnellement à l'opéra au début du XVIIIe siècle, le triangle prit son essor grâce à la mode de la musique «turque», par exemple dans l'opéra de Mozart *L'Enlèvement au sérail* (notamment dans l'ouverture). Dans la *Pizzicato-Polka* de Johann Strauss, il tient tête à tout un orchestre de cordes en pizzicatos (pincées). La «Danse d'Anitra», dans *Peer Gynt* d'Edvard Grieg, combine ces deux aspects : caractère exotique du triangle et accompagnement de cordes en pizzicatos.

Le tambour de Basque

Le *tambour de Basque* (dont le nom anglais est *tambourine*, mais qu'il ne faut surtout pas confondre avec le *tambourin*) est un petit tambour très plat, tendu d'une seule membrane faite de plastique ou de peau de chèvre, pourvu à sa périphérie de petits disques métalliques (les *cymbalettes*) qui s'entrechoquent quand on le secoue (voir la Figure 10-3).

Contrairement à ce qu'on pourrait penser, il n'est pas si facile que ça de jouer correctement du tambour de Basque et même de le prendre en main en silence sans que les cymbalettes ne se mettent à tinter.

En outre, il est utilisé pour scander des rythmes souvent compliqués qui demandent beaucoup de finesse et de virtuosité à l'instrumentiste. Il existe plusieurs façons de le faire retentir, soit en frottant la membrane du pouce, produisant ainsi un roulement sourd accompagné du cliquetis des cymbalettes, soit en le tapotant des doigts, soit encore en le secouant pour accentuer le bruit des cymbalettes. Le son qui en résulte imite parfaitement le bruit des cymbalettes des chevaux qu'on entend dans une promenade en traîneau.

Si vous voulez vous livrer à une petite incursion dans le monde du tambour de Basque, écoutez *Schéhérazade* de Rimski-Korsakov, l'ouverture *Le Carnaval romain* de Berlioz ou la suite n° 2 de *Daphnis et Chloé* de Ravel (le mouvement appelé «Danse bohème»). Cet instrument est souvent associé à la musique espagnole, et à ce titre vous pouvez l'entendre par exemple dans *España* de

Chabrier, *Iberia* de Debussy, *Alborada del gracioso* et la *Rapsodie espagnole* de Ravel ou le *Capriccio espagnol* de Rimski-Korsakov.

Figure 10-3 :
Un tambour
de Basque.

Le tam-tam et le gong

Le *gong*, originaire d'Extrême-Orient, est un grand disque, généralement en bronze, à bord courbé vers l'intérieur, souvent renflé en son centre, presque toujours suspendu à un support, et sur lequel l'exécutant frappe avec une grosse mailloche. On obtient alors une note qui dépend des dimensions du gong : *la*, *do*, etc. Pratiquement pas utilisé dans la musique classique, du fait de son introduction tardive en Europe, le gong fait des apparitions de plus en plus fréquentes dans la musique des XXe et XXIe siècles.

Le *tam-tam*, venu lui aussi d'Extrême-Orient, est constitué par une plaque vibrante ressemblant à un gong. A la différence de ce dernier, il ne produit pas de hauteur de note identifiable.

Le tam-tam fait une apparition remarquée dans la *Symphonie n° 5* de Chostakovitch, dans *Le Sacre du Printemps* de Stravinsky et dans *Fanfare for the Common Man (Fanfare pour l'homme de la rue)* d'Aaron Copland.

Les castagnettes

Alors que le tam-tam évoque l'Asie, les *castagnettes* sont indissociables de l'Espagne. C'est l'instrument avec lequel les danseurs de flamenco accompagnent leur danse. Il est constitué d'une paire de pièces de bois (rarement d'ivoire), attachées ensemble à une extrémité et dont les deux faces sont évidées, ce qui donne à l'instrument l'aspect d'une châtaigne, d'où son nom. On joue des castagnettes en les tenant d'une seule main, ce qui permet à un seul exécutant d'en utiliser deux à la fois.

On trouve des castagnettes dans presque toute la musique espagnole. Dans l'orchestre, la forme de l'instrument diffère notablement de celle des authentiques castagnettes : il s'agit, en effet, de deux demi-castagnettes montées sur un socle en bois, ce qui permet une utilisation plus facile. Citons deux œuvres dans lesquelles elles dépeignent parfaitement l'atmosphère ibérique : la *Rapsodie espagnole* de Maurice Ravel et la musique du ballet *El Sombrero de tres picos* (*Le Tricorne*) de Manuel de Falla.

Le fouet

Contrairement à ce qu'on pourrait penser, le fouet est un instrument constitué de deux lames de bois articulées à l'une de leurs extrémités par une charnière.

Il y a fort peu de compositions dans lesquelles le fouet joue un rôle distinctif. Même dans celles d'Aaron Copland, qui s'est plu à écrire de la musique descriptive du Far West, il est absent. Aussi, rendons grâce à Maurice Ravel qui ouvre le premier mouvement de son *Concerto pour piano en sol* sur un claquement de fouet percutant.

Gustav Mahler l'a utilisé dans sa *Cinquième Symphonie*, et Benjamin Britten dans son *Young Person's Guide to the Orchestra* (*Guide de l'orchestre à l'intention des jeunes personnes*).

La crécelle

La crécelle est constituée par un manche en bois terminé par une sorte de roue dentée. A l'extrémité du manche, tourne un assemblage de bois portant une ou plusieurs languettes de bois ou de métal. En agitant d'un mouvement circulaire cet instrument, on produit le son caractéristique d'un rapide cliquetis.

Il n'est évidemment pas question de nuancer le bruit ainsi obtenu, qui n'a d'ailleurs aucun caractère musical. La seule chose qu'on puisse faire est de tourner l'instrument plus ou moins vite, ce qui fait varier l'intensité du son.

C'est dans *Till Eulenspiegels lustige Streiche* (*Les Joyeuses Equipées de Till l'espiègle*) de Richard Strauss qu'on entend le mieux la crécelle. Elle y est supposée illustrer le pied de nez fait par le héros.

Les cloches

Instruments rarissimes dans l'orchestre symphonique, les cloches d'église ont été introduites par Berlioz dans la *Symphonie fantastique* (finale).

Etant donné leur coût, leur poids et la difficulté de les acquérir, les compositeurs leur préfèrent raisonnablement les cloches tubulaires, tubes métalliques accordés et suspendus à un cadre, frappés à l'aide d'un marteau. Apparues à l'opéra, les cloches tubulaires font partie intégrante des percussions de l'orchestre moderne, où elles sont recherchée pour certains effets particuliers. Elles ont souvent un rôle tout à fait figuratif, sonnant par exemple les douze coups de minuit dans l'ouverture de *La Chauve-souris* de Johann Strauss et dans le passage correspondant au sein de cet ouvrage, ou imitant, avec le glockenspiel et de nombreux autres instruments, le carillon de Vienne dans *Háry János* de Kodály.

Instrument bucolique s'il en est, la *cloche de vache* n'a guère tenté les compositeurs. Une fois de plus, c'est Gustav Mahler qui la sauve de l'oubli en l'utilisant dans ses *Sixième* et *Septième Symphonies*.

Les crotales (ou cymbales antiques)

Ces minuscules cymbales accordées apparaissent régulièrement dans la musique française du XXe siècle et dans la musique contemporaine. Elles furent prisées notamment par Debussy, qui les introduit par exemple dans son *Prélude à «L'Après-midi d'un faune»*.

Percussions diverses et variées

Comme nous l'avons mentionné plus haut, l'imagination des compositeurs est, en matière de percussions, quasi infinie. Le régisseur par ailleurs tout à fait honorable d'un éminent orchestre français fut considéré d'un œil suspect par l'employé auquel il venait acheter des bouteilles de gaz, non sans en avoir frappé un certain nombre de sa mailloche afin de vérifier leur accord et leur qualité sonore…

L'ouverture du *Baron tzigane* de Johann Strauss nécessite une paire d'éperons, le fameux chœur de Gitans du *Trouvère* de Verdi deux enclumes accordées sur deux notes différentes. La musique de la première moitié du XXᵉ siècle a fait preuve d'une originalité encore plus grande, avide qu'elle était de nouvelles sensations sonores. George Antheil utilise des hélices d'avion (*Ballet mécanique* pour le film homonyme de Fernand Léger), George Gershwin des Klaxon (*Un Américain à Paris*) et Edgard Varèse des sirènes (*Amériques*). Un « classique » de la musique française a été la *machine à vent*, sorte d'énorme mécanisme à ailettes actionné par une manivelle, que l'on entend notamment dans *Daphnis et Chloé* de Ravel. Le pompon est détenu par Erik Satie qui, dans son ballet *Parade*, recourt entre autres à une machine à écrire, des bouteilles d'eau accordées, une roue de loterie, deux sirènes, un revolver… et même une machine à écrire.

Plus récemment, on a vu fleurir toutes sortes d'instruments, de la bassine d'eau au sifflet de police, en passant par les hélicoptères (si si, de vrais hélicoptères) dans le colossal opéra de Karlheinz Stockhausen[1] *Licht* (*Lumière*) et par toutes les percussions exotiques en provenance d'Amérique du Sud, d'Extrême-Orient ou d'Afrique.

A noter que, de fait, les percussionnistes ayant l'esprit large, c'est souvent à eux que l'on confie les instruments les plus bizarres – l'harmonica de « L'Aquarium », dans *Le Carnaval des animaux* de Saint-Saëns, les appeaux de la polka de Johann Strauss *Im Krapfenwald* ou les instruments jouets de la *Symphonie des jouets* de Leopold Mozart, le papa de…

---

1. Compositeur allemand né en 1928.

Quatrième partie
Dans les coulisses du cerveau d'un compositeur

« Hé George reposons-nous! je t'ai apporté un sandwich au bleu d'Auvergne. Aimes-tu le bleu, George? »

Dans cette partie...

*J*usqu'à présent, nous nous étions bien gardés d'aborder les problèmes techniques, mais, cette fois, il faut y passer.

Dans cette partie, nous allons voir comment s'effectue le processus de la création et de l'interprétation musicales, de la plume du compositeur jusqu'à l'oreille de l'auditeur. Nous verrons ce que sont ces petites mouchetures qui couvrent les feuilles de papier à musique et ce qu'elles signifient. Allons-y! Il n'y en a que pour deux petits chapitres.

Chapitre 11

Ce sacré solfège

- -

Dans ce chapitre :

▶ Le rythme : comment l'attraper ?

▶ Les partitions : comment les lire ?

▶ Notes, intervalles et accords : comment assembler tout cela ?

- -

Savez-vous quelle est la chose la plus importante dans la musique ? C'est que personne ne sait comment elle agit sur nos émotions. Des études ont montré que la musique rapide pouvait accroître notre rythme cardiaque, d'autres ont prouvé que diffuser de la musique douce dans un supermarché augmentait les ventes de 20 %. En réalité personne ne sait quels sont les mécanismes qui entrent en jeu.

Le mieux que l'on puisse faire dans ces conditions, c'est de *décrire* chacune des composantes de la musique et d'indiquer quel est son rôle. C'est ce que nous allons faire dans ce chapitre. Une fois que vous aurez compris comment est structurée la musique, vous pourrez l'apprécier davantage et, pour peu que vous soyez doué, vous pourrez à votre tour en composer. Savoir de quoi est faite la musique ne vous privera en rien de l'aspect magique que revêt l'écoute et des sensations que celle-ci vous apporte.

Tout au long de ce chapitre, nous allons définir quelques-uns des termes techniques couramment utilisés en musique et vous présenter des concepts aussi abstrus que la mélodie et le rythme. Si, à n'importe quel moment, vous trouvez que ça devient trop ardu, nous vous donnons la permission de fermer les yeux et de respirer profondément jusqu'à ce que ça aille mieux, de sauter à un autre chapitre ou de mettre un CD classique dans votre lecteur pour vous étonner de ce qu'on arrive à faire avec toute cette imbuvable technique.

C'est à cet endroit que les professeurs de musique du monde entier commencent à rire doucement : « Ces deux types-là s'imaginent qu'ils vont apprendre la musique à des débutants en un seul chapitre ? Sans professeur du tout ? Ils sont dingues ! »

Ils ont raison. Mais vous le saviez déjà.

Le rythme est le moteur de la musique

Toute musique, qu'elle soit classique, moderne, pop, rock, futuriste ou autre, a un rythme. Certains rythmes sont plus faciles à percevoir que d'autres, mais vous pouvez tous les ressentir jusque dans leurs composantes élémentaires : les notes elles-mêmes. Pour comprendre ce qu'est le rythme, vous devez le *voir* ; et pour le voir, vous devez avoir quelques notions sur la manière dont on écrit une *partition*.

Diviser pour régner

Lorsque vous écrivez un morceau de musique, la première chose que vous faites sur votre papier à musique, c'est de répartir le temps en tranches. De la même façon que vous divisez l'espace qui vous entoure en kilomètres, mètres, centimètres, etc. vous pouvez diviser le temps au moyen de ce qu'on appelle la *mesure* et chaque mesure en intervalles élémentaires appelés *temps*.

Ici, il y a une petite difficulté de vocabulaire, car nous utilisons le même mot pour désigner un concept général (*Ô temps suspends ton vol…*) et un découpage de ce concept (une mesure à quatre temps). En général, le contexte suffit à lever toute ambiguïté.

Représentez-vous le temps comme un continuum sans fin. Les compositeurs le traduisent sous la forme que montre la Figure 11-1. Cette série de cinq lignes parallèles est ce qu'on appelle une *portée musicale* ou, plus simplement, une *portée* et cela permet de repérer facilement les notes (nous y reviendrons un peu plus loin). La portée va du début d'un morceau jusqu'à sa fin.

Pour que cette portée prenne un sens, il faut la diviser régulièrement par des traits verticaux symbolisant l'écoulement du temps, de la même manière que sur un mètre on repère les centimètres par une graduation (voir de nouveau la Figure 11-1). L'espace entre deux traits verticaux est appelé *mesure*. C'est l'équivalent en temps de ce que sont les centimètres sur votre mètre à ruban.

Figure 11-1 :
Portée musicale divisée en mesures.

Barres de mesure

Prenons des mesures

On peut décomposer chacune de ces mesures en unités élémentaires régulièrement espacées, appelés des *temps*. Temps et mesures sont liés de façon indissociable. Chaque note a une durée correspondant à un certain nombre, entier ou fractionnaire, de temps. Une fois que vous avez compris cette notion, vous avez compris ce qu'est le rythme.

Avant de commencer à écrire sa nouvelle œuvre, un compositeur doit d'abord décider combien il y aura de temps dans la mesure. Cette décision est cruciale parce qu'elle a un grand retentissement sur la façon dont sonnera l'œuvre. Les mesures les plus usitées sont celles à deux, trois et quatre temps.

Dans une valse, la mesure est à trois temps : Poum-pa-pa, Poum-pa-pa, Poum-pa-pa... [1]. De nombreux chansons populaires françaises comme *À la claire fontaine* ou *Frère Jacques*, sont à deux temps. *Au clair de la lune* est à quatre temps.

Le plus souvent, le temps est représenté par une valeur de note appelée *noire*. Et on la représente très logiquement par une sorte de petit rond pourvu d'une queue et dont l'intérieur est – devinez... – noir !

La Figure 11-2 vous montre deux mesures à quatre temps, où chaque temps est représenté par une noire.

Figure 11-2 :
Une mesure
à quatre
temps.

Dans leur inlassable quête pour améliorer la présentation des partitions, les moines du Moyen Âge eurent l'idée d'indiquer au début de chaque morceau de musique le nombre de temps qu'il y avait dans chaque mesure. Au cours des siècles, cette notation fut abrégée et devint ce que l'on voit sur la partie droite de la Figure 11-3. On dit, dans ce cas, qu'on a affaire à une mesure à 4/4 (à quatre quatre). Le chiffre du haut représente le nombre de temps par mesure, celui du bas la note de base utilisée (4 représentant la noire parce que, comme nous le verrons plus loin, il faut 4 noires pour faire la valeur de note la plus longue, la ronde.) Dans notre mesure à 4/4, il y a donc quatre temps par mesure et chaque temps vaut une noire.

_____
1. N'oublions pas l'autre forme de valse, à mille temps, inventée par Jacques Brel...

Figure 11-3 :
Notation
pour une
mesure à 4/4.

Premier exercice de lecture musicale

Bien que vous n'ayez encore lu que quelques paragraphes de ce chapitre, vous allez néanmoins déchiffrer maintenant votre première partition. Vous êtes prêt ? Alors, jetez un coup d'œil à la Figure 11-4. Vous remarquez le chiffrage 2/4 en tête de la portée. Vous savez à présent ce qu'il signifie : chaque mesure comporte deux noires ou l'équivalent.

Figure 11-4:
Ah vous
dirais-je,
Maman...

Vous reconnaissez les paroles, n'est-ce pas, à défaut de l'air ?

Que signifie cette sorte de tortillon au beau milieu de la portée ? C'est ce qu'on appelle un *silence* et plus précisément, ici, un *soupir*. Le soupir a la même durée qu'une noire mais on n'entend rien : c'est un repos. La présence de tels repos dans une mélodie est nécessaire car les chanteurs doivent bien respirer de temps en temps.

Voici un autre exercice dans lequel on peut voir des suites de noires entrecoupées de soupirs (Figure 11-5). Nous n'allons pas vous dire tout de suite de quoi il s'agit, mais, pour vous mettre sur la voie, essayez de voir à quel rythme ça correspond. Trois temps « actifs » et un temps de repos. Pensez à l'époque de Noël...

Figure 11-5 :
Quel est cet
air ?

Alors, vous y êtes ? Eh oui ! C'était *Vive le vent* (en anglais : *Jingle Bells*).

Des notes plus longues

Évidemment, un univers de musique qui aurait pour seul rythme de la noire serait bien limité, simpliste et, pour tout dire, ennuyeux. Pour pouvoir noter toute la variété des rythmes, les musiciens ont inventé des notes aux durées différentes. L'une d'elles vaut deux fois plus que la noire, c'est-à-dire deux temps dans une mesure à 2/4, à 3/4 ou à 4/4. Les Français lui ont donné logiquement le nom de *blanche* puisqu'elle est représentée comme une noire, mais avec l'intérieur vide.

Sachant cela, vous n'aurez aucun mal à déchiffrer le rythme de la musique d'avant-garde que vous propose la Figure 11-6. (Si vous ne connaissez pas cette chanson, ce n'est pas grave.)

Figure 11-6 :
Des noires et des blanches.

Sans trop d'angoisse, nous devrions maintenant être capables d'appréhender le concept d'une note encore plus longue, valant quatre noires, ou encore deux blanches, et qu'on appelle la *ronde*. Elle est dessinée sous forme de petit cercle vide et dépourvu de queue, comme on peut le voir sur la Figure 11-7.

Figure 11-7 :
Des noires, des blanches et une ronde.

Des notes plus courtes

Inversement, on peut diviser notre unité de base, la noire, en deux parties égales, ce qui va nous donner une *croche*, qui vaut donc un demi-temps. Pour les distinguer des noires et rappeler qu'elles en valent la moitié, on les écrit souvent par paires en joignant leur queue par un trait oblique ou horizontal, comme on le voit sur la Figure 11-8.

Figure 11-8 :
Des noires et
des croches.

Vous aurez remarqué que la dernière croche, dans la dernière mesure, se trouve toute seule. Quand la croche est toute seule, pour la distinguer de la noire, on la pourvoit d'un petit crochet. Le petit zigouigoui qui est placé juste après elle est un *demi-soupir*, un silence qui a la même durée qu'une croche. Ainsi, la mesure est complète : quatre fois un demi, ça fait bien deux.

Pourquoi s'arrêter en si bon chemin ? Après la croche vient la *double croche* (valant une demi-croche, soit un quart de noire), la *triple croche* (un huitième de noire) et la *quadruple croche* (un seizième de noire). Pour indiquer leur durée, on ajoute une barre de liaison supplémentaire par rapport à la valeur supérieure (ou un crochet dans le cas d'une note isolée), parallèle aux premières : deux barres pour la double croche, trois pour la triple croche et quatre pour la quadruple croche. N'est-ce pas simple ?

Jetez un regard sur la Figure 11-9. Vous y verrez deux exemples de doubles croches : une isolée et quatre groupées.

Figure 11-9 :
Des doubles
croches.

Le point

On peut affiner en ajoutant 50 % à la durée d'une note. Pour représenter cette majoration, on écrit un petit point à droite de la note. On parle alors de *note pointée* (comme c'est curieux!). La Figure 11-10 vous présente un résumé des notes et silences divers que nous venons de voir. Vous remarquerez qu'à chaque note correspond un silence de durée égale, ce qui permet de tomber toujours sur un compte juste dans une mesure, quelles que soient les notes qui s'y trouvent.

Figure 11-10 : Tableau des notes et des silences.

Nous ne vous donnons que quelques exemples de divisions de la noire. Lorsque vous composerez de la musique, vous aurez tout loisir de combiner toutes ces valeurs entre elles… pourvu qu'à la fin le compte soit bon!

Presque toute la musique qu'on peut écrire se contente de ces quelques symboles. Encore que l'on puisse introduire quelques subtilités, pour peu qu'on ait l'idée de diviser les temps par trois au lieu de le faire par 2, 4 ou 8. Mais cela est une autre histoire…

Rendez-vous au point d'orgue[2]

Il existe un symbole musical particulier qui vous permet de prendre beaucoup de liberté avec la mesure en allongeant artificiellement la durée d'une note, c'est le point d'orgue. Voici comment il se représente:

Un point d'orgue se place au-dessus d'une note, n'importe où dans un morceau de musique. Vous avez le droit de vous y arrêter et d'y rester autant que vous le voulez (ou autant que le chef d'orchestre vous le permet, si vous jouez dans un orchestre).

Voici l'exemple de l'un des points d'orgue les plus connus. Vous le connaissez certainement. Pouvez-vous l'identifier?

C'est l'ouverture de la *Cinquième Symphonie* de Beethoven (vous pouvez l'entendre sur la plage 4 du CD d'accompagnement). On a souvent parlé à ce propos du «destin qui frappe à la porte». Durant la dernière guerre, ces quatre notes ont été le symbole de la victoire car leur rythme correspond à la lettre *v* (comme *victory* ou *victoire*) de l'alphabet morse et la BBC (British Broadcasting Corporation, la radio de Londres) les avait adoptées comme indicatif. Quoi qu'il en soit, il ne s'agit jamais que de trois croches suivies d'une blanche surmontée d'un point d'orgue!

Bon. Maintenant que vous avez saisi ce qu'est le rythme, vous êtes capable de déchiffrer le rythme d'à peu près n'importe quel fragment musical. Vous avez compris comment on disposait les notes de gauche à droite, le long de la portée. Reste maintenant à apprendre comment les répartir ensuite sur la partition, du haut vers le bas.

La hauteur de note

La *hauteur* de note, c'est ce qui vous permet de distinguer une note grave d'une note aiguë. La note la plus à gauche d'un piano est la plus grave, et celle qui est le plus à droite est la plus aiguë.

_____

2. Cette expression vient d'une plaisanterie courante dans les orchestres d'amateurs. On l'utilise à l'intention des exécutants qui n'arrivent pas à suivre. Comme la durée d'un point d'orgue est indéterminée, tout le monde finira, tôt ou tard, par s'y retrouver.

Expérience en vue d'améliorer la race humaine

Pour vous aider à bien saisir ce concept de hauteur, nous allons vous demander de participer à une petite expérience. Pour cela, vous avez besoin d'une voiture, si possible équipée d'un compte-tours.

Placez un de vos amis sur le siège du passager et demandez-lui de prendre ce livre en main (après avoir attaché sa ceinture, bien sûr). Allez sur une autoroute. Maintenant accélérez doucement.

Lorsque le moteur tourne plus vite (ce que vous vérifierez en regardant le compte-tours), vous allez remarquer que son bruit devient plus aigu. Ralentissez, le bruit devient plus grave ; le compte-tours indique une diminution du régime moteur.

Si vous roulez pendant un certain temps à vitesse constante, le bruit ne change plus de hauteur : votre moteur émet une note soutenue. Essayez de rouler à vitesse constante à différentes allures. Chaque fois, la note émise par le moteur changera de hauteur : plus grave aux vitesses lentes ; plus aiguë aux vitesses élevées.

La leçon à tirer de cette expérience est que la hauteur d'une note dépend de sa *fréquence*.

Douze demi-tons

Rappelons que les notes de la gamme sont *do* (ou *ut*), *ré, mi, fa, sol, la, si* et qu'elles sont disposées comme le montre la Figure 11-11.

Si vous regardez un clavier de piano (ou d'orgue) pour la première fois, vous aurez peut-être l'impression d'une forêt inextricable de touches identiques. En fait, tout cela est très ordonné : deux touches noires entourées de trois touches blanches, puis trois touches noires entourées de quatre touches blanches, et on recommence… La succession des sept touches blanches forme la gamme diatonique de *do* majeur, la succession des douze notes (blanches plus noires) forme la gamme chromatique.

Figure 11-11 :
Une octave,
de do à do.

DO RÉ MI FA SOL LA SI DO

Les touches blanches reçoivent les noms *do* à *si* en commençant par la touche la plus à gauche du groupe de trois. Une touche noire placée immédiatement au-dessus d'une touche blanche correspond au demi-ton supérieur par rapport à cette touche blanche; on l'appelle *dièse*. Une touche blanche placée immédiatement au-dessous d'une touche blanche correspond an demi-ton inférieur par rapport à cette touche blanche; on l'appelle *bémol*[3]. Une touche noire étant toujours placée entre deux touches blanches, elle est fatalement le dièse de l'une et le bémol de l'autre. Par exemple, *ré* dièse et *mi* bémol correspondent à la même touche (entre *ré* et *mi*) et donc à la même note. Une note qui n'est ni dièse ni bémol est dite *naturelle*. Entre *mi* et *fa*, entre *si* et *do*, il n'y a qu'un demi-ton. Il n'y a donc pas de place pour une touche noire intermédiaire!

Un problème se pose: comment choisir entre l'appellation «dièse» et l'appellation «bémol» pour les touches noires? Doit-on dire que la touche noire située entre *la* et *si* est un *la* dièse ou que c'est un *si* bémol? *A priori*, les deux noms sont justes car ils sont rigoureusement synonymes. Il faut s'y faire: chaque touche noire a deux identités, et c'est le contexte musical qui invite à choisir une dénomination plutôt que l'autre.

Alors, pensez-vous, il n'existe que douze notes différentes en tout et pour tout dans la musique? Vous avez raison. Et c'est l'un des miracles de cet art: une telle variété d'émotions avec un matériau de base si réduit. Mais les plus grands tableaux ne naissent-ils pas des trois couleurs primaires?

---

3. D'où l'expression familière pour inviter quelqu'un à «y aller mollo»: «Mets-y un bémol!»

Clés pour la notation musicale

Avant d'aller plus loin, nous devons vous donner un avertissement : la lecture de cette section risque de modifier votre existence pour toujours d'une façon réelle et tangible. À partir de maintenant, lorsque vous verrez des notes sur une partition, vous serez capable de les nommer et vous saurez ce qu'elles représentent.

Chacune des lignes horizontales de la portée représente un emplacement bien défini du clavier (ou de n'importe quel autre instrument, mais il est plus facile de s'imaginer les touches d'un piano que de se construire une représentation mentale des pistons d'un cor ou d'un tuba). Il a été décidé arbitrairement, il y a de cela bien longtemps, que la deuxième ligne en partant du bas s'appellerait *sol*. Pour s'en rappeler, on dessine un symbole rondouillard et contourné, plus ou moins centré sur cette ligne et qu'on appelle *clé de sol*. La Figure 11-12 vous montre comment on la place. À sa droite, vous pouvez voir une ronde (qui, souvenez-vous, vaut quatre temps) posée sur la même ligne et qui représente donc un *sol*.

Figure 11-12 :
La clé de *sol* dans toute sa gloire.

SOL

Il est maintenant facile de placer les autres notes sur la portée en sachant qu'on peut les disposer soit sur une ligne, soit sur un interligne. La Figure 11-13 représente ce qu'on obtient.

Figure 11-13:
Emplacement des notes de la gamme en clé de *sol*.

ré   mi   fa   sol   la   si   do   ré   mi   fa   sol

Vous avez probablement remarqué qu'un piano a davantage de notes, la configuration d'une octave se répétant à gauche ainsi qu'à droite. Alors, comment fait-on pour les représenter puisqu'il n'y a pas assez de lignes sur notre portée ? La première idée qui vient à l'esprit serait d'allonger la portée par le haut et par le bas pour aboutir à quelque chose qui ressemblerait à ce que montre la Figure 11-14.

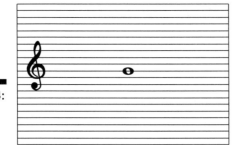

Figure 11-14:
La portée
infinie
(fragment).

Il est probable que ça marcherait, mais on aurait beaucoup de mal à s'y retrouver et ça prendrait beaucoup trop de place sur les feuilles de papier à musique. Pourquoi ne pas se limiter à écrire les lignes supplémentaires seulement pour les notes qui en ont besoin? Partant de cette brillante idée, on aboutit à quelque chose de plus agréable à l'œil et de moins encombrant que représente la Figure 11-15.

Figure 11-15 :
Avec un petit
tour de
passe-passe,
on arrive à
une présen-
tation bien
plus aérée.

La première des *lignes supplémentaires inférieures*, celle qui est située juste au-dessous de la portée normale, est importante car elle correspond à un point de référence: le «*do* du milieu», aussi appelé *do₃*.

Il est plus difficile de lire les notes situées hors portée au-delà d'un certain nombre de lignes supplémentaires. Pour limiter l'utilisation de ces positions particulières, on a créé d'autres *clés*. La plus employée est la clé de *fa*, qui se représente comme l'indique la Figure 11-16 et sur laquelle nous avons placé notre point de référence, le *do₃*. Comme on le voit, cette clé permet une mise en place plus facile des notes graves et c'est la raison pour laquelle, sur les partitions de piano par exemple, elle est utilisée pour l'accompagnement ou, plus généralement, pour ce qu'on doit jouer à la main gauche.

Figure 11-16 :
La clé de *fa*
est utilisé
pour les
notes plus
graves.

Il existe peu d'instruments, en dehors du piano et des autres instruments à clavier, qui aient besoin de deux clés pour écrire les notes qu'ils sont capables de faire entendre. Sur les partitions de piano, on réunit toujours les deux portées (une pour chaque main) par un trait vertical et une accolade, comme le montre la Figure 11-17, où l'on voit en outre que le do_3 se situe à une place « convenable » dans les deux clés.

Figure 11-17 :
Les deux
portées utili-
sées dans
les partitions
pour instru-
ments à
clavier.

Exercice de lecture de la musique

Regardez l'exemple de la Figure 11-18. Nous allons vous expliquer comment lire les notes d'après leur position. Pour cela, nous allons commencer par prendre quelques points de référence, c'est-à-dire des notes faciles à repérer. Nous en avons déjà rencontré quelques-unes (revoyez-les sur la Figure 11-17, au besoin) :

- le do_3
- le *fa* défini par la clé de *fa* (fa_2 pour les intimes)
- le *sol* défini par la clé de *sol* (alias sol_3, comme vous l'avez certainement deviné).

Figure 11-18.

Au moyen de ces repères et en comptant sur vos doigts, si besoin, essayez d'identifier les notes présentes sur la Figure 11-18. Ah! il vous manque quelque chose. Nous avons oublié de vous dire ce que signifient les signes cabalistiques situés devant certaines notes. Celui qui se présente comme un signe égal doublement barré (#) est un *dièse* et il signifie que la note immédiatement à sa droite doit être *élevée* d'un demi-ton. De la même façon, celui qui ressemble à un petit *b* est un *bémol* et il signifie que la note immédiatement à sa droite doit être *baissée* d'un demi-ton. La Figure 11-19 vous montre un exemple simple d'utilisation de ces *altérations*.

Figure 11-19 :
Dièses et
bémols.

Vous êtes maintenant en possession de tous les éléments pour nommer les notes présentes sur l'exemple de la Figure 11-18. Au cas où vous ne seriez pas très sûr de vous, la Figure 11-20 vous donne la réponse.

Figure 11-20 :
L'exemple de
la Figure
11-18, après
décodage.

Altérations de passage

Le monde des dièses et des bémols est fascinant. Les compositeurs les utilisent continuellement et ils ont même développé un système d'écriture pour les cas où ils écrivent une musique dans laquelle une certaine note est constamment diésée ou bémolisée. La Figure 11-21 montre ce que nous voulons dire. Dans cet exemple, le *fa* dièse apparaît quatre fois.

Figure 11-21 :
Le *fa* dièse apparaît quatre fois dans cet exemple.

Ici, la note *fa* naturel ne sera jamais jouée. Partout où on lit un *fa*, il est précédé d'un dièse. Il serait lassant d'avoir à répéter ce dièse tout au long de la partition et cela ne ferait que rendre la lecture de celle-ci plus chargée. On a donc décidé de préciser une fois pour toute, juste après la clé (ici, de *sol*) que partout à la suite le *fa* serait diésé. On obtient alors ce que montre la Figure 11-22 (un *fa* dièse à la clé).

Figure 11-22 :
Indication de tonalité pour tout ce qui suit.

Les dièses ou bémols à la clé permettent de connaître la tonalité dans laquelle est écrite la mélodie (ou la cacophonie, après tout pourquoi pas ?) qui suit. Il suffit pour cela d'un petit tour de passe-passe que nous vous révélerons dans quelques paragraphes (patience, il n'y a plus longtemps à tenir !) En l'occurrence, ici, nous sommes dans la tonalité de *sol* majeur (nous reviendrons bientôt sur cette question des *majeur* et *mineur*) puisque nous avons *un* dièse à la clé, le *fa*.

La Figure 11-23 vous montre quelques indications de tonalité fréquemment utilisées. Dans le premier cas, on a un bémol à la clé (tonalité de *fa* majeur), dans le deuxième, on a deux dièses à la clé (tonalité de *ré* majeur) et dans le troisième, on a... rien du tout à la clé (tonalité de *do* majeur).

Figure 11-23 :
Trois exemples d'indications de tonalité.

En quelle tonalité est-ce écrit ?

Attention! nous allons maintenant aborder un passage dangereux: celui de la théorie musicale. Attachez vos ceintures et ne vous penchez pas par la fenêtre!

Les dièses ou bémols inscrits à la clé forment ce qu'on appelle l'*armature*, grâce à laquelle l'œil averti (que vous serez bientôt) détermine instantanément la tonalité du morceau.

Illustrons cette notion de *tonalité* par un exemple. Placez-vous devant le clavier d'un piano (ou de tout autre instrument à clavier) si vous en avez un à votre disposition. Appuyez sur le *do₃* (ou tout autre *do*, mais celui-là est plus agréable à entendre). Chantez la note. Vous chantez naturellement un *do*.

Maintenant, en partant de cette note, chantez les quatre mesures reproduites à la Figure 11-7, qui représentent le début d'*Au clair de la lune*. Vous pouvez le jouer sur le clavier du piano. C'est facile, il n'y a que des notes naturelles.

La première note est un *do* et la dernière, le même *do*. La note *do* est celle sur laquelle on se sent «arrivé à bon port», où l'on a envie de s'arrêter. Vous pouvez en conclure que ce morceau est écrit dans la tonalité de *do* (en l'occurrence dans celle de *do* majeur, comme nous le verrons un peu plus loin).

Tous les morceaux que vous pouvez jouer en n'utilisant que les touches blanches du piano sont très probablement écrits dans la tonalité de *do*. Tout morceau *qui se termine sur un do* est généralement écrit dans la tonalité de *do*.

Supposons maintenant que vous ayez du mal à chanter à cette hauteur, que ce soit trop grave pour votre voix. La première idée qui vous vient à l'esprit est de tout décaler d'un «cran» vers la droite et de commencer non plus sur le *do₃* mais sur le *ré₃*.

Pourquoi pas ? Sitôt dit, sitôt fait. Revenez au piano et rejouez les mêmes notes en appuyant uniquement sur les touches blanches, mais en les décalant toutes d'un cran (d'une touche) vers la droite.

Figure 11-24 :
Au clair de la lune… un peu bizarre.

Mauvaise surprise ! Ce que vous entendez n'a plus rien à voir avec l'air précédent. Plusieurs notes sonnent faux. Vous ne reconnaissez plus votre air préféré.

C'est tout à fait normal parce que, en commençant sur un *ré* au lieu de commencer sur un *do*, vous avez *transposé* toute la mélodie et, allant de *ré* en *ré*, vous êtes maintenant dans la tonalité de *ré*. Malheureusement pour vous, la tonalité de *ré* comporte deux dièses à la clé (*fa* et *do*) ! Vous ne pouvez plus vous contenter des seules touches blanches.

Essayez donc avec un *fa* dièse (la touche noire juste après le fa) : *ré – ré – ré – mi – faaaaa # – miiiii – ré – fa # – mi – mi – ré.* C'est mieux, non ?

Figure 11-25 :
Au clair de la lune transposé dans la tonalité de *ré*.

Une affaire de tons et de demi-tons

Ce qui fait qu'on reconnaît une mélodie, ce sont les écarts de hauteur relatifs entre ses notes successives (on appelle ces écarts les *intervalles*). Les mélodies s'organisent selon deux intervalles de base : le *demi-ton* et le *ton*. Ce sont comme les briques à partir desquelles on construit tous les autres intervalles.

Le demi-ton est l'intervalle entre deux touches successives du clavier, par exemple entre une touche blanche et la touche noire qui la suit (*do*/*do* #, *si* bémol/*si*, etc.). Les touches blanches que ne séparent pas une touche noire sont elles aussi distantes d'un demi-ton (*mi*/*fa* et *si*/*do*).

Le ton est, vous l'avez deviné, la somme de deux demi-tons. C'est l'intervalle qui sépare deux touches blanches entre lesquelles se trouve une touche noire (par exemple *do*/*ré* ou *ré*/*mi*). En revanche, si l'on veut bâtir un ton à partir de *mi*, on se retrouve sur une touche noire : *fa* dièse. Vous commencez à flairer le pourquoi du comment des tonalités et des dièses et bémols à la clé ? Étudions cela de plus près avec notre fameux *Au clair de la lune*.

La mélodie de base, en *do* majeur, repose sur deux tons entiers : le ton *do*/*ré* et le ton *ré*/*mi*. Si l'on veut transposer en *ré* majeur, et donc commencer sur la note *ré*, il faut conserver les mêmes écarts entre les notes. Si l'on s'en tient aux touches blanches, c'est-à-dire aux notes naturelles, l'édifice s'effondre : on a bien un ton entre *ré* et *mi*, mais entre *mi* et *fa* il n'y a qu'un demi-ton. Solution miracle : hausser le *fa* du demi-ton qui lui manque, ce qui donne un *fa* dièse. Comme le problème se représentera de la même manière à chaque occurrence du *fa*, autant le mettre une bonne fois pour toutes à la clé. Pour les mêmes raisons, il faudra mettre un dièse à tous les *do*. (Si vous ne nous croyez pas sur parole, essayez de trouver la fin de la mélodie par vous-même sur le clavier : sur le mot *plus*, dans « Je n'ai plus de feu », vous serez contraint au *do* dièse !) C.Q.F.D. : en *ré* majeur, il y a deux dièses à la clef : *fa* et *do*.

Petit exercice : essayez de jouer *Au clair de la lune* en partant de n'importe quelle note du clavier. Pas facile ? Voici quelques trucs pour vous aider.

Comment déterminer la tonalité au premier coup d'œil

Selon la tonalité dans laquelle on se trouve, le nombre de dièses et de bémols est variable et on peut en avoir jusqu'à sept *à la clé*. Dièses *ou* bémols, mais jamais un mélange des deux. Pourquoi ? Tout simplement parce que, comme nous l'avons vu plus haut, il y a une équivalence entre ces deux types d'altération et que les mélanger serait inutile et ne servirait qu'à compliquer la lecture des notes.

Pour réussir à déterminer la tonalité au premier regard, il faut auparavant apprendre deux formules magiques.

Formule magique n° 1

Ordre des dièses : *fa – do – sol – ré – la – mi – si*.

Formule magique n° 2

Ordre des bémols : le même à l'envers (*si – mi – la – ré – sol – do – fa*).

Franchement, ce n'est pas pire que la liste mnémotechnique des sept rois de Rome (que nous vous rappelons pour le plaisir et parce que nous sommes larges d'esprit : Ro – Nu – Tu – An – Tar – Ser – Tar) !

Si le morceau a des dièses à la clé, ils sont forcément dans l'ordre indiqué ci-dessus. On prend le dernier écrit, on lui ajoute un demi-ton et, par magie, on obtient le nom de la tonalité majeure correspondante. Exemple : le morceau a quatre dièses à la clé, à savoir : *fa, do, sol* et *ré*. On prend le dernier (*ré* dièse), on lui ajoute un demi-ton et on obtient : *mi* majeur.

Si le morceau a des bémols à la clé, même procédé, mais le « truc » est différent. Il suffit de prendre l'avant-dernier bémol de l'armature et on obtient directement le nom de la tonalité majeure correspondante. Exemple : le morceau à quatre bémols à la clé, à savoir : *si, mi, la* et *ré*. On prend l'avant-dernier (*la* bémol), on est donc en *la* bémol majeur.

Mais, direz-vous, que faire lorsqu'il n'y a qu'*un* bémol à la clé, c'est-à-dire *si* ? On déroule de nouveau dans sa tête la liste de l'ordre des bémols comme un cycle sans fin. Avant *si* viendrait *fa*. Mais attention ! ce *fa* n'est pas véritablement à la clé, il n'apparaît que dans notre calcul. La tonalité est donc de *fa* majeur, *fa* naturel.

Et lorsque l'armature est vierge de dièses et de bémols, nous sommes en *do* majeur, mais ça vous le saviez déjà.

Vous pouvez appliquer ce procédé à l'inverse pour déterminer l'armature du morceau que vous voulez jouer ou chanter. Par exemple, vous essayez de jouer *Au clair de la lune* en partant du *la* du clavier. *La* majeur est une tonalité à dièses (il n'y a pas de bémols dans son nom et ce n'est ni *fa* ni *do*). Vous retranchez un demi-ton à *la*, ce qui donne *sol* dièse. Vous courez consulter l'ordre des dièses parce que vous ne le connaissez pas encore par cœur (honte à vous !). Le *sol* arrive en troisième position. Il y a donc trois dièses à la clé, à savoir *fa, do* et *sol*.

Vous souhaitez à présent interpréter la mélodie en partant de *ré* bémol (vous recherchez les grands défis intellectuels et artistiques). Que dit l'ordre des bémols ? *Ré* se présente en quatrième position. En vertu de la formule magique présentée plus haut, il vous faut mettre à la clé ces quatre bémols plus un, soit *si, mi, la, ré* et *sol* (on vous avait prévenu !)

Vous voilà prêt à jouer *Au clair de la lune* à partir de n'importe quelle touche du clavier.

Méthode pour trouver en quelle tonalité est écrite un morceau

Quelques très rares musiciens ont reçu en naissant un don précieux : ils sont capables de nommer instantanément n'importe quelle note en l'entendant, sans voir sur quel instrument et comment elle a été jouée. On dit qu'ils ont *l'oreille absolue*.

Si vous ne faites pas partie de ces heureux élus, nous allons vous indiquer une méthode infaillible pour y parvenir néanmoins. Cette méthode est fiable à 99,9999 %. Voici ce que vous devez faire : attendez que la musique soit terminée et écoutez très attentivement la dernière note, celle sur laquelle on se sent bien, qui donne une sensation de repos. Précipitez-vous alors sur un piano[4]. Cherchez par tâtonnement quelle est la note que vous venez d'entendre. Presque invariablement, cette note sera la *tonique*, c'est-à-dire la note correspondant à la tonalité dans laquelle est écrit le morceau.

Si vous disposez de la partition (la feuille de papier à musique sur laquelle est noté le morceau), déterminer sa tonalité est chose facile. Les musiciens expérimentés y arrivent du premier coup d'œil, même sans recourir à la méthode scientifique présentée plus haut, dite *de l'armature*. Une fois de plus, nous allons vous donner un truc. Allez immédiatement à la dernière note et lisez-la. S'il y a tout un accord (plusieurs notes jouées en même temps), prenez la plus grave. Il y a de grandes chances pour que ce soit la tonique.

À titre d'exercice, essayez de dire dans quelle tonalité sont écrits les trois extraits musicaux reproduits sur la Figure 11-26. Si vous ne vous souvenez pas bien du nom des notes, revoyez la Figure 11-23.

---

4. Cette méthode est difficile à pratiquer telle quelle, reconnaissons-le, lorsqu'on écoute de la musique en voiture !

Figure 11-26: Pouvez-vous dire en quelle tonalité sont écrits ces trois extraits?

Réponse : de haut en bas : *fa*, *si* et *mi* bémol.

À quoi servent les tonalités ?

Lorsque tous deux, nous avons commencé à apprendre à jouer du piano, nous nous sommes vite aperçus que la musique qui contenait beaucoup de dièses ou de bémols était plus difficile à jouer que celle qui n'en avait pas ou peu. Nous nous demandions pour quelle raison le compositeur avait eu l'idée saugrenue de compliquer les choses à plaisir plutôt que de tout écrire en *do* majeur.

Depuis lors, nous avons compris que ce n'était pas gratuit et qu'il y avait à cela d'excellentes raisons :

✔ **Lorsque la musique est destinée à être chantée**, la transposition est nécessaire pour que la mélodie *puisse* être chantée, c'est-à-dire qu'elle corresponde à l'étendue du registre vocal du chanteur ou de la chanteuse.

✔ **Lorsque la musique est destinée à certains instruments,** On sait, comme nous l'avons vu dans les chapitres précédents, que chaque instrument de l'orchestre ses propres limitations. Par exemple, pour les clarinettes, les trompettes ou les saxophones en *si* bémol, c'est-à-dire sonnant un ton plus bas que ce qui est noté, la tonalité de *ré* écrite correspond à la tonalité de *do* entendue.

✔ **Certains musiciens reconnaissent immédiatement à l'oreille les subtiles différences qui existent d'une tonalité à une autre** (notamment ceux qui possèdent l'oreille absolue). Nous sommes à peu près sûrs que vous ne pourriez pas dire quelles petites différences existent entre un morceau joué dans sa tonalité originale et le même, joué une heure plus tard, dans une autre tonalité. Mais certains musiciens professionnels en sont capables. Il existe un *je ne sais quoi* qui fait, par exemple, que la tonalité de *fa* dièse majeur est plus brillante qu'une autre.

✔ **S'il n'y avait pas de touches noires sur le piano, vous n'auriez plus de points de repère** et vous trouveriez devant une forêt de touches blanches toutes identiques, ne sachant jamais où vous en êtes, à moins de faire des marques indélébiles sur le bord du clavier (au prix d'un piano à queue, ce serait du gâchis!).

Mais, comme vous allez bientôt le découvrir, ce qui compte plus que tout, ce n'est pas tant la tonalité elle-même que les écarts relatifs entre les notes d'une ligne mélodique: les *intervalles*.

Saut dans l'inconnu des intervalles

On appelle *intervalle* la distance entre deux notes mesurée en tons et demi-tons (à savoir ici en «touches de piano»). Déterminer l'intervalle entre deux notes est très facile. On compte tout d'abord le nombre de notes de la plus grave à la plus aiguë (y compris les notes extrêmes), par rapport à l'ordre des notes de la gamme *(do – ré – mi – fa – sol – la – si – do)*. Par exemple, l'intervalle *do-mi* compte trois notes *(do – ré – mi)*, c'est une *tierce*. Puis on affine en comptant le nombre exact de demi-tons, c'est-à-dire d'intervalles entre deux touches qui se suivent sur le clavier du piano. *Do/do #* (ou *ré* bémol), *do #/ré*, *ré/ré #* (ou *mi* bémol), *ré #/mi*: cela fait 4 demi-tons, ce qui correspond à une tierce *majeure*. Dans le cas de l'intervalle *do-mi* bémol, on est toujours en présence d'une tierce *(do – ré – mi* = trois notes), mais celle-ci compte un demi-ton de moins que la précédente: *do/do #*, *do #/ré* et *ré/mi* bémol, cela n'en fait que trois. Cette tierce est dite *mineure*.

À quoi cela sert-il, direz-vous? À peu près à la même chose que de savoir identifier un clair-obscur, une perspective ou une symétrie dans un tableau: à affiner la perception, donc à développer l'émotion. Une fois que vous saurez reconnaître les intervalles à l'oreille il vous sera facile d'identifier les intervalles caractéristiques utilisés par vos compositeurs favoris (classique, rock, pop, country ou autre). Vous commencez à comprendre ce qui fait qu'une musique sonne différemment d'une autre. «Tiens, encore un machin de Schubert!» direz-vous. Ou bien: «C'est encore John Williams qui a écrit la musique de ce film. Voulez-vous parier que les deux premières notes forment un intervalle de quinte?»

Nous allons utiliser des airs très connus pour illustrer ce qui va suivre au sujet des intervalles. Comme des milliers d'étudiants en musique, vous ne pourrez plus jamais admirer l'arrivée de la mariée au son de la *Marche nuptiale* de Mendelssohn, sans penser immédiatement : « *Voici venir la quarte.* »

La seconde

L'intervalle de *seconde* est très courant. C'est celui qui sépare deux notes dont les noms se suivent (*do* et *ré*, par exemple).

La seconde mineure est le plus petit intervalle possible entre deux notes. Elle ne comporte qu'un demi-ton. On la trouve entre une touche blanche et une touche noire adjacente (par exemple *do/ré* bémol ou *sol #/la*) ou entre deux touches blanches sans touche noire au milieu (*mi/fa, si/do*). On en trouve un peu partout dans toutes sortes de musiques, par exemple au début de la *Lettre à Élise* de Beethoven. Nous prendrons comme exemple la première mesure de la *Valse favorite* de Mozart, autre morceau que tous les apprentis pianistes ont, un jour ou l'autre torturée (Figure 11-27).

Figure 11-27 :
Un bel exemple d'intervalle de seconde mineure.

La seconde majeure comporte deux demi-tons, c'est-à-dire un ton. On la trouve par exemple entre deux touches blanches séparées par une touche noire (*do/ré* ou *sol/la*) ou entre *mi* et *fa #*, ou *si* bémol et *do*… Libre à vous d'en faire l'inventaire sur le clavier !

Pouvez-vous chanter le début de *Douce Nuit* (voir la Figure 11-28) et vous arrêter à « ce » ? Si oui, vous venez tout juste de chanter deux intervalles de seconde majeure, l'un ascendant (*dou – ou*), l'autre descendant (*ou – ce*). Si cette mélodie vous échappe, vous pouvez aussi essayer les troisième et quatrième notes d'*Au clair de la lune* ou d'*Une souris verte*. Ou encore les deux premières notes de la célèbre « Barcarolle » des *Contes d'Hoffmann*, de Jacques Offenbach.

Figure 11-28 :
L'intervalle
de seconde
majeure.

La tierce

Un intervalle de tierce représente une distance de trois notes, par exemple *do/mi* ou *fa #/la*. Elle est mineure ou majeure, selon le nombre de tons et de demi-tons qu'elle englobe. (Toujours les mêmes unités de mesure! Vous commencez à les connaître.)

La tierce mineure est formée d'un ton et demi, ou de trois demi-tons si vous préférez. Si vous partez de *do*, vous montez d'un ton (*ré*), mais au lieu d'aller au ton suivant (*mi*) vous bifurquez en route, au *mi* bémol. La Figure 11-29 représente le début du final d'une sonate pour piano de Haydn. On y trouve une belle tierce mineure descendante entre *la* et *fa* dièse (nous sommes ici dans la tonalité de *ré* majeur).

Figure 11-29 :
Le bon
«papa
Haydn» nous
offre un bel
exemple de
tierce
mineure.

La tierce majeure ne mégote pas ainsi: elle est formée de deux bons gros tons bien entiers.

Voici déjà un exemple fameux de tierce majeure *descendante*: le début de la *Cinquième Symphonie* de Beethoven: «Pom-pom-pom-poooom» (*la – la – la – fa*), entre les deux dernières notes. Pour vous le remettre en mémoire, écoutez ce mouvement sur la plage 4 du CD d'accompagnement.

La Figure 11-30 vous donne un exemple de combinaison entre une tierce majeure et une tierce mineure : les trois premières notes du thème principal du *Beau Danube bleu*, célèbre valse de Johann Strauss (à ne pas confondre, surtout, avec Richard ; ils ne sont ni de la même famille ni de la même veine d'inspiration). Attention nous sommes en *ré* majeur et tous les *fa* sont dièses (tous les *do* aussi, d'ailleurs, mais il n'y en a pas dans notre exemple).

Figure 11-30 :
Tierce majeure et tierce mineure

La quarte

Vous allez aimer cet intervalle. C'est un des plus accrocheurs, des plus faciles à chanter qui soit. Les chants de Noël en sont remplis : *Il est né, le divin enfant*, par exemple, commence par les notes *do – fa – fa,* soit un intervalle de quarte entre les deux premières. Ou bien *Mon beau sapin (O Tannenbaum*, en version originale) dont la Figure 11-31 vous montre l'exemple. Sans oublier le début de *La Truite*, de Franz Schubert, ni la fanfare des trompettes de l'opéra *Aida*, de Giuseppe Verdi. Et – nous allions l'oublier – notre hymne national, *La Marseillaise*, commence, lui aussi, par *do – do – do – fa*.

Figure 11-31 :
L'intervalle de quarte est l'un des plus accrocheurs.

Mon beau sa- pin roi des fo- rêts...

Toutes les quartes citées précédemment concernent le modèle de base, la quarte *juste* (formée de deux tons et demi). C'est la plus fréquente et la plus mélodieuse (au moins à nos oreilles de Terriens occidentaux ; peut-être un Martien ou un Saturnien pense-t-il tout à fait autrement).

Il existe toutefois un autre spécimen de quarte, formé de trois tons entiers (d'où son autre nom: le *triton*). À l'époque médiévale, on l'appelait «l'intervalle du diable» à cause de la dissonance qu'il produit et il était totalement banni de la musique religieuse.

De nos jours, de tels interdits n'ont plus cours. Aussi Leonard Bernstein n'a-t-il pas craint de l'utiliser dans l'air «Maria» de *West Side Story* (Figure 11-32).

Figure 11-32 : Merci, Leonard, pour ce bel exemple de triton !

La quinte

Si on trouve la quarte partout, la quinte n'est pas en reste. La Figure 11-33 vous en donne un exemple extrait du chant de Noël *Trois anges sont venus ce soir*. Il s'agit d'une quinte juste, à savoir trois tons et demi (ou sept demi-tons).

Figure 11-33: Exemple d'intervalle de quinte juste.

Comme à présent plus rien ne vous échappe, vous remarquerez certainement que la première mesure de *Trois anges sont venus ce soir* est incomplète. Elle ne contient qu'un seul temps (une noire), alors que la mesure devrait en compter quatre. Cela ne signifie pas que son auteur ne sache pas compter jusqu'à quatre. Il s'agit de ce que l'on appelle une *levée*, une note ou un groupe de notes donnant son élan à la mélodie, avant la première mesure véritable (et complète, celle-là).

L'un des compositeurs qui utilise le plus l'intervalle de quinte juste est John Williams, auteur de nombreuses musiques de films, qui en a semé dans à peu près toutes ses compositions. Les deux premières notes de *La Guerre des étoiles* en sont une bonne illustration. Autres exemples : *Superman, E.T.* (lorsqu'ils enfourchent leur bicyclette) et *Rencontres du troisième type* (dont les deux dernières notes forment une quinte juste ascendante).

Si vous préférez les quintes descendantes, écoutez du même auteur, le thème au violon solo de *La Liste de Schindler*.

Il existe également des quintes *diminuées* : trois tons entiers, par exemple, *do – sol* bémol. Vous remarquez désormais que la quinte diminuée fait exactement la même « longueur » que la quarte augmentée ou triton. Selon le nom des notes, on choisira une dénomination plutôt que l'autre. *Do – sol* bémol, c'est une quinte diminuée (on compte cinq notes de *do* à *sol* inclus) ; *do – fa* #, c'est une quarte augmentée (on compte quatre notes de *do* à *fa* inclus). Une fois encore, c'est le contexte musical qui fait pencher d'un côté ou de l'autre de la balance.

Plus rien ne vous effrayant, il faut, pour être complet, évoquer les quintes *augmentées* (quatre tons), par exemple *do – sol* #. Mais là, ça commence à devenir vicieux…

La sixte

Superstar de la pop music, la sixte existe en deux modèles, *majeure* et *mineure* (quatre tons, par exemple *do – la* bémol).

La sixte majeure comporte quatre tons et demi, par exemple *do – la* (sixte majeure ascendante). Le negro-spiritual bien connu *Nobody knows de trouble I've seen* est un bon exemple de sixte majeure descendante (Figure 11-34).

Figure 11-34 : *Nobody knows de trouble I've seen* est un bon exemple de sixte majeure descendante.

No- bo- dy knows de trou- ble I've seen…

Si vous jouez un *do* suivi du *la* bémol supérieur, vous obtiendrez un intervalle de sixte mineure (quatre tons). Mais, évidemment, pour peu que vous donniez au *la* bémol son autre nom de *sol* dièse, vous pouvez aussi appeler cet intervalle *quinte augmentée*. La Figure 11-35 vous montre un exemple de sixte mineure extrait de *Love Story* (la sixte mineure intervient entre les deux premières notes).

Figure 11-35 :
Une sixte mineure dans *Love Story*.

La septième

La septième

Il existe trois types principaux de septième : *majeure*, *mineure* et *diminuée*.

La septième majeure est formée de cinq tons et demi ou, pour faire des comptes plus simples, d'une octave (voir ci-dessous) moins un demi-ton (par exemple *do – si*). Ici, nous tombons dans un domaine moins fréquenté et nous n'avons pas d'exemple à vous citer. Sans doute est-ce parce qu'il s'agit là d'un intervalle qui sonne mal à l'oreille.

Si l'intervalle de septième majeure est rare, il n'en va pas de même pour la septième mineure, plus courte d'un demi-ton : cinq tons ou une octave moins un ton (par exemple *do – si* bémol). Toujours dans *West Side Story*, on en trouve un exemple (les deux premières notes de *There's a place for us*, reproduit sur la Figure 11-36). On en trouve un autre exemple dans le thème musical de la série *Star Trek*.

Figure 11-36 :
Exemple d'intervalle de septième mineure tiré de *West Side Story*.

La septième diminuée est encore plus courte : quatre tons et demi… comme la sixte majeure. Il s'agit d'un intervalle particulièrement plaintif, que l'on rencontre souvent dans le jazz

L'octave

L'octave, c'est tout simplement l'intervalle entre deux notes du même nom. Les deux premières notes de *I'm singing in the rain* et le début de *Somewhere over the rainbow* illustrent cet intervalle (Figure 11-37).

Figure 11-37 :
Le *Magicien d'Oz* et la magie de l'octave.

La gamme

Jusqu'ici, nous avons fait un usage prudent du mot *gamme* car nous en avions différé l'explication. Pour de bonnes raisons. Si vous avez lu tout ce qui précède depuis le début de ce chapitre, vous avez maintenant les connaissances musicales nécessaires pour comprendre sa définition *technique*.

La gamme est, en effet, un moyen de découper une octave en plusieurs intervalles.

Un jour ou l'autre, vous voudrez probablement en savoir davantage sur les différents types de gamme qui existent. Ici, nous ne nous intéresserons qu'à la gamme la plus courante dans la musique occidentale : la gamme *majeure*. La gamme majeure est une gamme diatonique, c'est-à-dire qu'elle est formée d'une succession d'intervalles de seconde. De secondes majeures (tons) et de secondes mineures (demi-tons), pour tout dire. Tous les degrés portent donc un nom de note différent. Cela aide à trancher dans le cas d'homonymie : par exemple, si la gamme fait entendre un *ré* puis la touche noire qui vient juste après lui, impossible d'appeler cette note *ré* # ; ce sera forcément *mi* bémol.

Les différents types de gamme diatonique tirent leurs caractéristiques de la manière dont sont agencés ces intervalles, de la répartition entre secondes majeures et mineures.

Comme nous l'avons déjà évoqué plus haut, le clavier du piano fournit un excellent exemple de gamme majeure: la succession des touches blanches, en partant de *do*, forme en effet la gamme de *do* majeur.

Nous vous rappelons comment localiser les intervalles de seconde majeure et mineure sur le clavier dans la gamme de *do*. Prenons deux touches blanches séparées par une touche noire (les notes *sol* et *la*, par exemple). Elles forment entre elles un intervalle de seconde majeure, représentant un ton. S'il n'existe aucune touche noire entre deux touches blanches (entre *mi* et *fa*, par exemple), elles forment alors un intervalle de seconde mineure, soit un demi-ton.

Dans la gamme de *do* majeur, les tons et demi-tons alternent de la manière suivante:

> ton – ton – demi-ton – ton – ton – ton – demi-ton.

Si vous êtes novice en musique, tout cela doit vous sembler effrayant. Pas de panique, nous vous repassons le film au ralenti. En partant du *do*$_3$ (ou de celui de votre convenance), vous allez rencontrer les intervalles suivants:

Ton (*do-ré*) – ton (*ré-mi*) – demi-ton (*mi-fa*) – ton (*fa-sol*) – ton (*sol-la*) – ton (*la-si*) – demi-ton (*si-do*). Et voilà… retour à la *tonique*, la note qui donne son nom à la gamme en question.

Nous pouvons créer une gamme à partir de n'importe quelle note (touche de clavier), pour peu que nous intercalions des altérations (des touches noires) aux bons endroits afin de respecter le schéma des tons et des demi-tons.

Voici un exemple: en partant de *ré*, vous allez pouvoir jouer une gamme majeure comme celle qu'indique la Figure 11-38.

Pour votre gouverne, sachez que: la gamme majeure n'est pas la seule gamme diatonique utilisée dans la musique occidentale. On recourt également à la gamme mineure (*aux* gammes mineures, devrait-on dire, car il en existe plusieurs types).

Le type de gamme mineure le plus courant suit le schéma suivant:

ton – demi-ton – ton – ton – demi-ton – ton et demi (intervalle de *seconde augmentée*) – demi-ton.

Figure 11-38 :
La gamme de *ré* majeur nécessite deux dièses (touches noires).

RÉ   MI   FA# SOL   LA   SI   DO# RÉ

La gamme la plus simple qui suive ce schéma est celle de *la* mineur : *la – si – do – ré – mi – fa – sol* # *– la*.

Si l'on part de *do*, cela donne : *do – ré – mi* bémol *– fa – sol – la* bémol *– si – do*.

Comme vous pouvez l'entendre, la gamme mineure a un caractère plus triste, plus plaintif que la gamme majeure. Les tonalités mineures sont souvent choisies par les compositeurs pour des musiques dramatiques, mélancoliques ou tragiques, tandis que les morceaux légers, brillants ou enjoués adoptent plus volontiers une tonalité majeure.

Kit de construction d'une mélodie

Toutes les mélodies, qu'elles soient issues du top 50 ou composées par un des musiciens classiques que nous avons étudiés au chapitre 2, sont faites de l'association de gammes et d'intervalles.

La Figure 11-39 vous montre la ligne mélodique du troisième mouvement de la *Quatrième Symphonie* de Brahms, qui se trouve sur la plage 5 du CD d'accompagnement.

Figure 11-39 :
Aimez-vous
Brahms ?

Brahms y a utilisé un fragment de gamme descendante d'*ut* majeur. Bien entendu, cinq notes ne font pas une gamme. D'où le terme de *fragment*.

Accords et harmonie

Si la ligne mélodique était la seule chose importante dans une composition musicale, nous n'aurions sans doute, comme E.T., le petit personnage de Spielberg, qu'un seul doigt. Nous pourrions alors interpréter tout ce qui existe comme musique au monde, note par note, avec ce doigt unique.

Mais la musique, même sur la partition, s'écrit en deux dimensions. À tout moment, vous entendez quelque chose en plus des notes de la ligne mélodique : une ou plusieurs autres notes qui, avec la mélodie, constituent ce qu'on appelle une *harmonie* (voir la Figure 11-40.).

Pour identifier une harmonie, vous avez besoin d'au moins trois notes. Dans la musique de jazz, on en associe souvent davantage : quatre, cinq, six voire plus.

Figure 11-40 :
Sur une par-
tition, on voit
non seule-
ment la ligne
mélodique,
mais aussi
les harmo-
nies qui la
soutiennent.

Mélodie →

Harmonies

L'étude des harmonies s'apparente à celle des mathématiques : la complexité des accords et l'enchevêtrement des notes sont passionnants, mais on ne vient à bout de ces difficultés en un jour. Par bonheur, ce n'est pas absolument nécessaire pour entendre ni même jouer de la musique. Tout ce qu'il faut, c'est en saisir le mécanisme. Nous allons maintenant vous l'expliquer.

Majeur, mineur et... autres

Il existe des dizaines de types d'accords. Laissez tomber votre main n'importe où sur le clavier de votre piano et un musicien professionnel vous dira immédiatement ce que vous avez joué. Il lui faudra peut-être une bonne demi-heure pour y parvenir mais il finira toujours par vous dire : « C'est une septième mineure sur *mi* bémol avec sixte majeure ajoutée. » (Si c'est vraiment ce que vous avez joué, c'est une belle cacophonie !)

Par bonheur pour l'amateur de musique classique, la majorité des accords utilisés peuvent se répartir en deux catégories : *majeurs* et *mineurs*.

Pour construire un accord, vous commencez par choisir la note de base : la *fondamentale*. Prenons un exemple en espérant que vous ayez un piano à disposition et partons d'un *do*. Vous savez déjà que l'accord que vous allez obtenir sera un accord de *do* quelque chose.

Pour déterminer les autres notes de l'accord, vous devez vous rappeler ce que nous avons vu concernant les intervalles. Si vous voulez un *accord parfait majeur*, les deux autres notes seront respectivement la tierce majeure ascendante et la quinte juste ascendante, soit, dans notre exemple, un *mi* et un *sol*. La moitié gauche de la Figure 11-41 vous montre quelles sont les touches du piano utilisées. L'accord ainsi obtenu s'appelle l'*accord parfait de do majeur*.

Figure 11-41 : Accord parfait de do majeur et accord parfait de do mineur.

DO   MI   SOL

DO   MI bémol   SOL

Si vous baissez maintenant d'un demi-ton la note médiane de cet accord, c'est-à-dire que vous ajoutez à la fondamentale *do* sa tierce mineure ascendante, puis la quinte juste ascendante, vous obtenez un *accord parfait mineur*: *do*, *mi* bémol, *sol*. C'est ce que représente la partie droite de la Figure 11-41.

Alors qu'un accord majeur sonne joyeusement, l'accord mineur correspondant introduit une idée de tristesse. Vous rencontrerez à l'occasion d'autres types d'accords: diminués, augmentés, de septième divers et variés, de neuvième, etc. Chacun d'eux sonne différemment, car il contient des notes situées à des intervalles différents. Toutefois, aucun de ces accords n'est utilisé aussi fréquemment que les accords parfaits majeur et mineur.

Amis et relations: progressions harmoniques

Imaginez maintenant une œuvre musicale dont l'harmonie ne changerait jamais. Ce serait d'un ennui prodigieux, comme un roman dont toutes les phrases seraient construites immuablement sur le modèle sujet/verbe/complément.

L'étude de l'harmonie permet au compositeur de varier les accords, de les agencer d'une manière qui flatte l'oreille et souligne les beautés de la mélodie. L'apprenti compositeur étudie en outre l'art de la modulation, c'est-à-dire l'art de passer d'une gamme de base à l'autre, en quelque sorte d'un réservoir de notes à un autre. En général, on s'arrange pour ne pas moduler trop brutalement: un morceau en *do* majeur passera aisément à la tonalité de *sol* majeur par la seule introduction d'un *fa* dièse. En revanche, si le compositeur passe directement de *do* majeur à *si* majeur, par exemple, cela fait un fameux choc sonore (ajout soudain de cinq dièses). Ce n'est pas impossible, mais cela correspondra certainement à un effet précis de surprise ou de peur. Les notes *si* et *do* ont beau être voisines sur le clavier du piano, les gammes qu'elles engendrent sont très éloignées et ont peu de notes en commun.

La transposition

En réalité, il est toujours possible de *transposer* un air dans une autre tonalité, plus grave ou plus aiguë, pour l'adapter à la voix d'un chanteur ou à la tessiture d'un instrument. Transposer, cela signifie changer la tonique (note initiale) de la gamme utilisée. La *hauteur absolue* des notes jouées compte moins, en effet, que leur *écart relatif*. Si l'on interprète dans la tonalité de *ré* majeur un morceau écrit à l'origine en *do* majeur, il sonnera un peu plus aigu, un peu plus clair, mais cela ne changera pas fondamentalement sa mélodie, qui restera parfaitement identifiable. (Vous avez pu auparavant constater ce phénomène avec *Au clair de la lune*.)

Secouez et mélangez

Dans ce long (très long, trop long) chapitre, nous avons étudié les composantes *horizontale* (la ligne mélodique) et *verticale* (l'harmonie et les accords) de toute musique. Avant de vous libérer l'esprit, nous devons vous rappeler que ces deux composantes sont liées. De même que tous ces compositeurs du passé qui ont fait la gloire de la musique classique, si le démon de la création vous titille, vous ne pouvez pas coller n'importe quel accord sous la somptueuse mélodie qui vient de sortir de votre puissante imagination créatrice. Vous devez concevoir et écrire les deux en même temps.

Pour vous en convaincre, examinez n'importe quel air célèbre – classique, rock ou tout autre style populaire – et vous découvrirez qu'une bonne partie de la ligne mélodique a été forgée tout simplement en *égrenant* les notes de l'accord qui la soutient.

Si vous vous reportez au thème du *Beau Danube bleu* (Figure 11-30), vous vous rendrez compte que ses trois premières notes forment l'accord parfait de *ré* majeur (ré – fa # – la). Rien ne vous empêche d'essayer de placer au-dessous un accord de neuvième mineure sur *ré* bémol, ou tout ce qui vous passe par la tête, mais le résultat n'est pas garanti… Johann Strauss, pour sa part, s'en est gentiment tenu à l'accord parfait de *ré* majeur qui semblait s'imposer.

La Figure 11-42 donne en exemple deux célèbres chansons de Georges Brassens faisant dans leur mélodie usage d'accords parfaits (*do* majeur pour *Le Petit Cheval dans le mauvais temps*, et *ré* majeur pour *Le Gorille*). Nous vous signalons deux petites astuces au passage. La mesure du *Petit Cheval*, 2/2, vous est certainement inconnue : cela signifie que l'unité de base est la blanche, et qu'il y a deux temps par mesure. Quant au chiffre 3 placé sous les groupes de trois notes du *Gorille*, c'est ce que l'on appelle un *triolet* : trois croches régulières à caser en l'espace d'une noire, là où normalement n'en rentreraient que deux.

Figure 11-42:
Deux chansons de Brassens dont les mélodies déroulent les notes d'accords parfaits majeurs.

Dans d'autres cas, le compositeur a construit sa ligne mélodique sur les notes de l'accord, mais il lui a donné du corps en insérant d'autres notes (par exemple les *notes de passage*, qui permettent de passer d'une note de l'accord à l'autre en douceur, par intervalles de seconde). Dans l'exemple que montre la Figure 11-43, vous pouvez identifier les notes familières *do*, *mi* et *sol* formant le «squelette» d'une mélodie reposant sur l'accord parfait de *do* majeur, tandis que la note de passage *fa* se glisse entre *mi* et *sol*.

Figure 11-43:
Note de passage.

Votre diplôme de solfège

Si vous nous avez suivi jusqu'ici, bravo! Maintenant, vous avez compris comment le rythme, la hauteur des notes, les intervalles et les gammes s'associent pour former la base de toute mélodie et comment les accords majeurs, mineurs et autres constituent la base de l'harmonie. Désormais, vous comprendrez ce que veulent dire les gens qui parlent de musique et les textes d'accompagnement des programmes de concert et des boîtiers de CD. Peut-être même serez-vous capable d'identifier vous-même les gammes, les accords et les intervalles dès que vous les entendrez.

Chapitre 12

Une fois encore, avec sentiment

Dans ce chapitre :

▶ Comment ils savent avec quelle force ils doivent jouer

▶ Comment ils savent à quelle vitesse ils doivent jouer

▶ Comment ils savent de quel instrument ils doivent jouer

Si vous avez lu tout ce qui précède (que vous êtes encore éveillé et attentif et que vous n'avez pas été tenté d'aller faire un tour au vidéoclub du coin), vous êtes peut-être angoissé à l'idée des difficultés que peuvent éprouver les compositeurs pour écrire leurs œuvres. Ils doivent s'immerger dans l'univers des notes, des rythmes, des accords, des mesures, des dièses, des bémols et des silences. Et malgré cet ensemble de détails, lorsque leur œuvre est jouée, il faut que la musique s'élève, parfois un peu différente de ce qu'ils avaient imaginé. Car le chef et les musiciens qui l'interprètent peuvent en donner une image plus mauvaise que ce qu'aurait souhaité le compositeur. Ou meilleure.

La musique est un art qui implique une collaboration. Le compositeur n'est qu'un des participants d'une longue lignée créatrice qui va de la partition originale à vos oreilles. Le cinéma et le théâtre reposent sur le même principe : un grand scénario peut dégénérer en un film de catégorie B s'il est mal joué ou si les acteurs sont mal dirigés. La différence est que le scénariste touche son cachet quoi qu'il arrive, alors que la grande majorité des compositeurs ont bien du mal à survivre de leur art, et se trouvent souvent dans l'obligation de pratiquer un second métier : certains veinards enseignent ou sont par ailleurs concertistes, mais d'autres classent les partitions chez les éditeurs de musique ou arrondissent leurs fins de mois en composant des musiques alimentaires, jingles publicitaires ou musiques d'ascenseur…

Dans ce chapitre, nous allons voir pourquoi la même œuvre peut paraître complètement différente selon les interprètes qui s'en emparent. Vous allez découvrir comment toutes ces qualités de sensibilité et d'expressivité qui font que la musique est ce qu'elle est peuvent intervenir au moment de l'exécution d'un morceau.

La dynamique du son: doux et fort

La dynamique, c'est le contraste qui existe entre les passages joués doucement et ceux où les instruments se déchaînent. La plupart des compositeurs spécifient avec quelle intensité doit être joué chaque passage de leur œuvre. Pour cela, ils utilisent des notations et des symboles particuliers qu'ils écrivent sur leur partition.

Par bonheur, l'interprétation de ces notations ne présente aucune difficulté. Pour peu que vous sachiez reconnaître les lettres *p* et *f*, vous en viendrez vous-même à bout. *p* signifie *piano*, c'est-à-dire « doucement », alors que *f* signifie *forte*, qu'il est inutile de traduire. Un *m*, dont le sens est *mezzo* («moyen»), peut éventuellement les précéder pour en atténuer la portée. Il en résulte le tableau 12-1.

Tableau 12-1 : notations de dynamique

Notation	Traduction	Signification
ppp	*pianississimo*	extrêmement doucement (*)
pp	*pianissimo*	très doucement
p	*piano*	doucement
mp	*mezzo piano*	un peu plus doucement que la normale (*)
mf	*mezzo forte*	un peu plus fort que la normale (*)
f	*forte*	fort
ff	*fortissimo*	très fort
fff	*fortississimo*	extrêmement fort (*)
		* : assez rarement usité.

L'avantage d'une telle notation utilisant des termes italiens, c'est que, comme le latin, elle est universelle. Les Français, les Allemands ou les Américains la comprennent parfaitement. La musique n'est-elle pas un langage universel?

Les épingles à cheveux italiennes

En général, on ne passe pas brutalement d'un niveau à un autre. Il y a lieu, la plupart du temps, de ménager une transition entre, par exemple, un *piano* et un *fortissimo*. Pour noter cette progression, on fait usage d'un symbole graphique ressemblant à un chevron allongé – ou à une épingle à cheveux anguleuse – orienté dans le sens de la progression. Ainsi, pour augmenter progressivement le volume sonore, on utilisera le symbole ci-dessous :

Ce symbole est celui d'un *crescendo*. Vous pouvez entendre l'effet qu'il produit en écoutant la plage 7 du CD d'accompagnement, où se trouve le dernier mouvement de la *Symphonie «Pathétique»* de Tchaïkovski. Surveillez attentivement la musique à partir de 37 s et prêtez une attention spéciale à ce qui va se passer à 6 mn 57 s.

Le symbole opposé, qui implique une transition depuis un volume sonore élevé vers un niveau plus doux, se note ainsi :

Vous pouvez aussi avoir affaire à une augmentation de l'intensité suivie peu après d'une diminution. Cela se traduira sous cette forme :

Le symbole opposé (diminution suivie d'une augmentation) n'est pas utilisé.

Qu'est-ce qui fait la différence ?

Alors, si un compositeur prend la peine de faire figurer ces symboles sur sa partition, qu'est-ce qui peut bien expliquer que deux chefs différents ne vont pas les interpréter de façon identique ?

Tout est une question d'appréciation. Les concerts de rock, par exemple, ont une conception de ce qu'est un volume sonore normal qui a plus à voir avec un *fortissimo* d'orchestre symphonique qu'avec un *mezzo forte*. Comme le dit le dicton: «Chacun voit midi à sa porte.» La manière dont l'illustre chef d'orchestre H. v. K. se représente un *forte* peut fort bien différer de ce qu'en pense son non moins illustre collègue W. F. (Chut! ne réveillons pas les morts.)

En outre, leur goût personnel intervient, et certains négligeront purement et simplement des indications qui ne leur semblent pas correspondre à l'idée qu'ils se font d'une œuvre. C'est précisément cela qui concourt (avec d'autres détails) à donner de la personnalité aux interprétations.

Le juste tempo

Mais ce n'est pas tout. Les compositeurs indiquent aussi (et surtout) sur leurs partitions à quelle vitesse doit être exécutée leur œuvre. Pour cela ils font usage, ici encore, d'un vocabulaire emprunté à l'italien et dont le tableau 12-2 donne la liste des termes les plus usités.

Tableau 12-2: signification des indications de tempo

Notation	Signification
adagio	calmement
lento	lent
largo	lent et grave
larghetto	un peu plus allant que *largo*
moderato	mouvement modéré, sans aller trop vite
andante	avec allant mais modéré
andantino	un peu plus animé qu'*andante*
allegretto	un peu plus retenu qu'*allegro*
allegro	vivement, avec joie
presto	vite
prestissimo	très vite

Avant que ne fût inventé le métronome (du temps de Beethoven), il régnait un certain flou sur l'étalonnage de ces diverses indications. Ensuite, il devint possible de donner une indication chiffrée, plus précise. Pour en savoir davantage à ce sujet, voyez le chapitre 4.

Con sentimento

Les indications de dynamique et de tempo sont complétées par un certain nombre (en fait un nombre aussi vaste que l'imagination sonore du compositeur) d'indications de phrasé (lié, détaché, piqué, louré…) ou de caractère. Par exemple, *cantabile* signifie «en chantant»; *con brio*: «brillamment»; *vivace*: «avec vivacité»; *con fuoco*: «avec flamme», *con dolore*: «douloureusement», etc. Certaines expressions peuvent venir nuancer les différentes indications, comme *ma non troppo* signifie «mais pas trop».

L'instrumentation et l'orchestration

Ce qui va donner sa *couleur* à une pièce, c'est surtout son *instrumentation* (le choix et l'utilisation des instruments) et, dans le cas d'une musique symphonique, l'*orchestration*, c'est-à-dire l'utilisation judicieuse de la palette orchestrale.

Des goûts et des couleurs

Chaque instrument a sa propre couleur, qui provient principalement de son timbre et de l'étendue des notes qu'il peut jouer. Le même morceau joué à la harpe, à la clarinette ou au violon sonnera très différemment. La trompette, par exemple, convient aux passages triomphants, voire guerriers (écoutez, par exemple, les trompettes d'*Aïda*, de Verdi). La flûte est bien adaptée aux passages expressifs, champêtres (écoutez le *Prélude à «L'Après-midi d'un faune»* de Debussy).

Le compositeur doit avoir une bonne connaissance des couleurs instrumentales pour choisir celle qui convient le mieux à tel ou tel passage. Chopin, qui était un maître du piano, révèle des faiblesses dans l'orchestration de ses deux concertos pour cet instrument, où l'orchestre se contente d'accompagner le soliste en s'efforçant de passer inaperçu. À l'opposé, Maurice Ravel était un orchestrateur de talent et savait utiliser à merveille les instruments de l'orchestre. Ainsi, le premier mouvement de son *Concerto pour piano en sol* s'ouvre sur un coup de fouet, un effet très original qui donne immédiatement sa couleur et son rythme au concerto.

Comment se note l'orchestration

Le plus simplement du monde, si l'on peut dire: au moyen d'une portée pour chaque instrument. La Figure 12-1 montre comment se présente une partition d'orchestre. Vous comprenez maintenant pourquoi la partition d'une symphonie posée sur le pupitre du chef peut prendre des dimensions imposantes.

Figure 12-1 : Comment se présente une partition d'orchestre.

Sur une partition d'orchestre, ce sont les flûtes qui sont notées en premier. Viennent ensuite les hautbois, les clarinettes, les bassons, et ainsi de suite jusqu'aux contrebasses. L'orchestration est un art difficile parce qu'il est impossible d'avoir une idée du résultat avec le seul secours de son piano. Il faut «entendre» mentalement l'effet produit. C'est ce qui explique que la surdité de Beethoven ne l'ait pas empêché d'orchestrer convenablement ses œuvres symphoniques.

Qui est l'orchestrateur ?

Dans certaines partitions particulières (variétés, comédies musicales, musiques de film), le compositeur et l'orchestrateur sont souvent deux personnes différentes. Mais dans la grande majorité des cas, concernant la musique classique, ces deux artistes ne forment qu'une seule et même personne : le paramètre du timbre instrumental constitue en effet un élément aussi fondamental de l'effet sonore produit que le rythme, l'harmonie ou la hauteur de son.

Pour en savoir davantage sur la palette instrumentale de l'orchestre, reportez-vous à la troisième partie de ce livre. N'oubliez pas que lorsque vous entendez un orchestre jouer un morceau, cela sous-entend des pages et des pages couvertes de notes qui ont demandé un effort considérable de la part du compositeur.

Cinquième partie
La partie des dix

Dans cette partie...

Si vous avez réussi à parvenir jusqu'ici sans rien sauter des chapitres qui précèdent, félicitations, vous avez brillamment réussi votre traversée d'une zone semée d'embûches. Et si, par chance, vous avez réellement lu le contenu de ces chapitres, vous voilà prêt à affronter le monde de la musique classique sans peur aucune.

Il est temps, maintenant, de prendre un peu de repos. Cette cinquième partie est principalement destinée à ceux qui ont un peu de temps à perdre. Par exemple, lorsque vous voulez vous évader de la rigueur d'un quelconque... pour les Nuls.

Chapitre 13

Les 10 idées fausses les plus répandues sur la musique classique

Comme c'est le cas pour tout sujet qui passionne les foules (enfin, disons, une petite partie d'entre elles) depuis un millier d'années, diverses rumeurs circulent sur la musique classique. Permettez-nous de nous livrer à une petite campagne de démystification.

La musique classique est ennuyeuse

La musique classique peut être la chose la plus enthousiasmante du monde. Si vous en doutez, ne serait-ce qu'un peu, et que vous ajoutez foi au titre de cette section, tournez donc votre oreille vers le dernier mouvement de la *Quatrième Symphonie* de Tchaïkovski. Quelle musique passionnée, romantique et bouillonnante d'amour de la vie ! Nous parions qu'elle aura un effet net et mesurable sur les battements de votre cœur.

Nous pourrions nommer des dizaines de pièces aussi peu ennuyeuses que cette symphonie. Écoutez les compositions dont l'annexe A donne la liste et dites-nous ce que vous en pensez.

La musique classique est pour les snobs

La musique classique est pour tout le monde, y compris pour les snobs. Mais nous n'éprouvons guère de sentiments amicaux pour ceux-ci. Nous préférons la fréquentation des gens normaux : ceux pour qui écrivent tous les compositeurs.

Dans tout art, il y a des gens qui s'estiment supérieurs aux autres simplement parce qu'ils en savent un peu plus. Ils créent leur propre terminologie et l'utilisent comme un mot de passe qui leur ouvrirait l'entrée d'un club très fermé. Ils se rencontrent à l'occasion de réunions privées dans lesquelles ils étalent leur érudition, s'écoutant parler sans entendre leurs voisins.

Le monde de la musique ne souffre aucune exception. Nous espérons seulement que, dans leur immense supériorité, ces gens pensent de temps en temps à écouter un peu de musique et à en ressentir du plaisir. Faute de quoi, ils n'en retireraient pas la moitié de ce que vous, béotien, vous ressentez.

Tous les concerts de musique contemporaine sont d'un abord difficile

Il vous est sans doute arrivé d'entendre des bribes de « musique du XXᵉ siècle » aussi appelée «musique d'avant-garde ». Il s'agit de musique récente, dont l'auteur est généralement toujours vivant et qui paraît venir d'une autre planète, dissonante, aléatoire et rébarbative. Bien des auditoires sont effrayés à la seule idée d'écouter une musique écrite après 1900.

Nous les comprenons et ils ont toute notre sympathie. Il est vrai que beaucoup de musique résolument et violemment dissonante a été composée au XXᵉ siècle, de même que ce siècle a généré des peintures d'une abstraction radicale. Quelques-unes des partitions écrites de cette manière sont réellement pénibles à entendre.

Mais un grand nombre de pièces modernes sont d'un abord très facile. Elles sont chaleureuses, romantiques, palpitantes, chargées de la même émotion que celle que nous rencontrons dans ce qu'on appelle la musique romantique. Nous serions désolés que vous passiez à côté. Rachmaninov, Sibelius, Richard Strauss, Mahler, Debussy, Ravel, Bartók sont de ce nombre – pour ne citer que les plus célèbres de la première moitié du XXᵉ siècle.

N'oubliez pas que, de son vivant, de nombreuses partitions de Beethoven ont été jugées injouables et inaudibles. Alors, donnez sa chance au XXᵉ siècle, puisque, après tout, nous sommes entrés dans le XXIᵉ.

On n'écrit plus de musique classique

Mais si, le monde de la musique classique est encore bien vivant ! Les conservatoires dispensent des cours de composition et organisent des auditions, et de nouveaux compositeurs ont ainsi récemment fait leur entrée sur la scène musicale.

Bon nombre d'entre eux s'efforcent de créer des œuvres mélodiques et agréables à entendre. Peut-être pour lutter contre la mauvaise réputation qui s'attache à la musique contemporaine. Peut-être aussi parce que, après quelques décennies de radicalisme et de théories de tous poils, les créateurs ont juste envie de laisser parler leur cœur.

N'oubliez pas également que Beethoven a vécu à une époque où des centaines d'autres compositeurs écrivaient de la musique plutôt médiocre. Ce qui n'empêchait pas certains d'entre eux d'avoir meilleure réputation que Ludwig. Ils sont maintenant tombés dans l'oubli. Heureusement pour nous, Beethoven nous reste. Alors, peut-être y a-t-il un nouveau Beethoven à notre porte ?

Force est de reconnaître que la seconde moitié du XXe siècle et les premières années du XXIe ont engendré leur lot de cacophonies et de musiques que l'on peut pudiquement qualifier de « difficiles ». Mais cette période a également vu naître de nombreux joyaux inventifs, séduisants et émouvants. Nous vous indiquons quelques-uns de ces morceaux dans la liste 6 de l'annexe A.

Je dois m'endimancher pour aller au concert

Cette idée reçue empêche bien des gens de bonne volonté, par ailleurs grands amateurs de musique classique, d'aller écouter un concert. S'il vous plaît de revêtir votre habit de cérémonie, libre à vous. Mais ne croyez pas que ce soit une obligation et ne vous laissez pas détourner de la salle de concert par un détail si minime. (À moins, bien sûr, qu'il s'agisse du gala pour les cent ans de la reine d'Angleterre ou les deux cents bougies de la création de l'ONU.)

Je n'ai jamais entendu parler du soliste. Il ne doit pas être fameux

Le monde du concert est grouillant de musiciens surprenants dont seul un petit nombre peut connaître la gloire à un instant donné. Ceux dont les noms sont connus de tout le monde – particulièrement les pianistes, les violonistes et les chanteurs – touchent entre 30 000 et 50 000 euros par concert pour une seule représentation.

Rares sont les organisateurs de concerts qui peuvent se permettre d'engager de tels artistes. C'est pourquoi ils se tournent vers des artistes à la réputation moins tapageuse, moins établie, parfois tout frais émoulus du conservatoire.

Un grand secret : quelques-uns de ces jeunes musiciens jouent bien mieux que certains de leurs glorieux aînés qui vivent sur leur réputation. D'abord, ils sont jeunes et remplis de talent et d'énergie. Ensuite, ils ont besoin d'être meilleurs s'ils veulent se faire un nom. En revanche, certaines des gloires installées ne se donnent plus la peine d'améliorer leur talent. (Pas toutes, heureusement !)

Si un orchestre de votre région engage un soliste dont vous n'avez jamais entendu parler, il y a des chances pour qu'il s'agisse d'un bon artiste. Sinon, pourquoi aurait-il été choisi parmi des centaines d'autres ? Faites confiance aux responsables artistiques des salles et des orchestres qui vous entourent, il y a peu de chances qu'ils choisissent délibérément de vous présenter la lie des conservatoires !

Et puis certains instruments sont moins médiatisés que d'autres. Il y a peu de chance pour que le nom des meilleurs hautboïstes ou cornistes de la planète, généralement confinés dans l'anonymat d'un poste d'orchestre, soit parvenu jusqu'à vos oreilles. Alors, là aussi, laissez-vous tenter par l'aventure !

Autre secret : en ce domaine comme en d'autres, méfiez-vous des artistes qui font trop souvent la une des magazines, ils doivent souvent davantage cette position enviable à leur photogénie plus qu'à leur talent…

La musique classique coûte cher

Il est possible d'écouter de la très bonne musique sans se ruiner. Il suffit souvent d'éviter les stars trop tapageuses, les festivals trop à la mode, les attrape-touristes aux titres trop ronflants, et de faire confiance à des orchestres, à des théâtres et à des organisateurs de concerts qui ont fait leurs preuves et peuvent vous proposer des abonnements très alléchants, des concerts moins courus que d'autres mais au niveau tout aussi excellent, des places de dernière minute à tarif préférentiel… N'hésitez pas, non plus, à profiter des concerts gratuits proposés par certains conservatoires, musées ou autres établissements culturels, à écouter les auditions d'orgue (souvent gratuites elles aussi) des grandes tribunes parisiennes et provinciales, à guetter les concerts de lancement de saison des grandes institutions musicales… Autant d'occasions de toucher l'excellence sans débourser un sou.

Les musiciens professionnels se la coulent douce

Récemment, lors d'une réception, on demandait à un pianiste de nos amis de s'asseoir au piano et de jouer quelque chose. Il s'exécuta mais à regret, et son manque d'enthousiasme surprit l'assistance. Pourquoi un musicien hésiterait-il à jouer ? Après tout, les musiciens font toute la journée un métier qu'ils aiment et qu'ils ont librement choisi.

Tout d'abord, tous les musiciens, loin s'en faut, ne sont pas employés d'un orchestre renommé où ils sont bien payés, ni ne font une carrière de soliste suffisamment brillante pour suffire à leur subsistance. Pour nombre d'entre eux, exercer ce métier est un parcours du combattant, où il faut jongler entre remplacements dans un orchestre, cours donnés dans une lointaine banlieue et « cachetons » divers et pas toujours glorieux… sans compter les heures interminables passées à s'exercer et à enseigner.

Les musiciens professionnels commencent leur apprentissage dès leur plus jeune âge, parfois à trois ou quatre ans. Mais quoiqu'un musicien professionnel ait passé beaucoup plus de temps à se former qu'un avocat ou un médecin, la société ne lui reconnaît pas la même valeur, à moins qu'il soit une star internationale.

On peut donc comprendre qu'un musicien professionnel éprouve la même répugnance à jouer dans une réunion à laquelle il assiste en qualité d'invité qu'un médecin à donner des consultations gratuites dans les mêmes circonstances. (Pensez aux pauvres organistes qui n'ont jamais assisté au mariage de proches au milieu de la foule, parce qu'on leur demande systématiquement s'ils ne voudraient pas assurer la partie musicale de la cérémonie...). Cela dit, il existe aussi de nombreux musiciens toujours prêts à faire un « bœuf », à se laisser aller au plaisir du jazz et des musiques légères lors d'une fête ou d'une réunion entre amis, dévoilant alors un visage beaucoup moins sérieux que celui qu'ils montrent dans leur queue de pie !

Les meilleures places sont au premier rang

Dans 99 % des salles de concert du monde, les places des premiers rangs sont les moins bonnes. Si vous vous asseyez aux premiers rangs d'orchestre, vos oreilles sont au même niveau que le plancher de la scène. Les musiciens qui sont installés sur celui-ci envoient leur délicieuse musique au-dessus de votre tête, en direction des places les moins chères. Le son arrive de manière éparpillée, n'ayant pas encore eu le temps de rebondir sur les murs de la salle et de se fondre. Et dans le cas d'une formation nombreuse, les musiciens des premiers rangs et le chef empêchent de voir les rangs du fond. Mieux vaut souvent prendre du recul et de la hauteur, pour avoir une perception plus riche et plus globale du spectacle.

La musique classique ne peut pas changer ma vie

Cette dernière idée fausse est la plus fausse de toutes. Si les gens connaissaient, comme nous, la vérité, tout le monde serait amoureux de cette musique.

Ce qui fait que la musique classique devient une obsession pour tant de gens, c'est l'incroyable pouvoir qu'elle exerce, comparable à celui de la nature, de la religion ou d'une personnalité charismatique. Si vous succombez à son attrait, vous en serez forcément changé.

Nous souhaitons que ce livre puisse vous aider à ressentir la toute-puissance de la musique classique. Nous souhaitons également que vous ayez le désir d'en savoir plus et de faire d'autres expériences. Et nous espérons que cet art saura vous toucher et vous transformer jusqu'à la fin de vos jours.

Chapitre 14

10 grandes salles de concert en France

Auditorium de Dijon

Inauguré le 20 novembre 1998 avec un concert de l'Orchestre national de France, l'Auditorium de Dijon se distingue par les remarquables performances acoustiques de sa salle de concert. Avec une capacité de 1 611 spectateurs, l'Auditorium de Dijon accueille les formations symphoniques dirigées par les chefs les plus prestigieux. Outre la musique symphonique, l'Auditorium programme des concerts de musique de chambre, de la musique vocale et lyrique, de la chanson, du jazz ainsi que de la danse.

Auditorium de Lyon

Avec ses 2 090 places et une programmation de plus de 100 concerts de niveau international, l'Auditorium de Lyon est l'une des plus grandes salles de concert européennes. Inauguré le 14 février 1975, dédié au compositeur Maurice Ravel, il a été conçu par les architectes Charles Delfante et Henry Pottier. Situé au cœur du quartier des affaires de la Part-Dieu, l'Auditorium reçoit 200 000 auditeurs par an. Programmant de la musique classique autant que du jazz, des ciné-concerts ou des musiques du monde, il accueille l'Orchestre national de Lyon, dirigé successivement par Louis Frémaux, Serge Baudo, Emmanuel Krivine, David Robertson et, depuis 2005, Jun Märkl. L'Auditorium s'enorgueillit en outre de posséder le plus bel orgue de salle en France, un instrument construit par Aristide Cavaillé-Coll en 1878 pour le palais du Trocadéro à Paris, qui passa ensuite au palais de Chaillot construit sur le même emplacement, avant d'être transféré à Lyon en 1977.

Arsenal de Metz

Mélange de classicisme et de modernité technique, l'Arsenal de Metz est une des rares salles conçues spécifiquement pour les activités musicales réalisées en France depuis la construction de la salle Pleyel à Paris, avant la Seconde Guerre mondiale. Inaugurée par Rostropovitch en 1989, cette salle a été construite dans le quartier de la Citadelle. Son architecte, Ricardo Bofill, s'est inspiré de salles du XIXe siècle à l'acoustique légendaire : le Concertgebouw d'Amsterdam, le Rudolfinium à Prague et le Musikverein à Vienne auxquels il a ajouté les acquis de l'informatique. Chaque année, 120 000 spectateurs y assistent à des concerts, mais aussi à des ballets.

Opéra de Nancy

Fleuron de ce que les Nancéens (et bien d'autres) considèrent comme la plus belle place du monde, la place Stanislas, l'Opéra de Nancy et de Lorraine occupe un bâtiment qui, depuis la construction de cet ensemble architectural en 1755, abrita toutes sortes d'administrations. C'est en 1919 seulement que l'architecte Hornecker lui offrit sa destination actuelle, ce qui en fait le contemporain exact du théâtre des Champs-Elysées à Paris, construit par les frères Perret. Le Grand Théâtre (comme les Nancéens continuent de l'appeler) a été rénové en 1994. Sous la direction de Laurent Spielmann, l'Opéra de Nancy et de Lorraine n'a de cesse que de diversifier sa programmation pour ouvrir ses portes à un public toujours plus varié. Les représentations sont confiées à l'Orchestre symphonique et lyrique de Nancy, dont Sebastian Lang-Lessing assure la direction musicale.

Cité de la Musique (Paris)

Située au nord-est de Paris, dans le parc de la Villette, la Cité de la Musique s'inscrit dans le même ensemble architectural que le Conservatoire national supérieur de musique et de danse de Paris et la Grande Halle. Conçue par l'architecte français Christian de Portzamparc, inaugurée en janvier 1995, elle constitue l'un des derniers chantiers du président François Mitterrand. Elle a pour vocation d'inviter à la découverte de la musique et de ses multiples aspects. Outre une salle de concert de 870 places, un centre de documentation et le musée de la Musique, elle abrite l'Ensemble intercontemporain, orchestre dédié à la création contemporaine.

Opéra Bastille (Paris)

Le président Mitterrand décide en 1982 la construction d'un nouvel opéra dans Paris. Il veut un opéra « moderne et populaire » afin de démocratiser la musique classique. Avec le palais Garnier, l'Opéra Bastille devient l'un des deux sites de l'Opéra national de Paris. Carlos Ott, un architecte canado-uruguayen, en signe l'architecture. Les travaux débutent en 1984 avec la démolition de la gare de Paris-Bastille. L'Opéra Bastille est inauguré le 13 juillet 1989. Grande salle (2 700 places) au plafond lumineux, Bastille se réservait au départ à l'opéra, laissant au palais Garnier la danse. Depuis la saison 1991-1992, on réentend des opéras à Garnier et l'on danse aussi à Bastille !

Palais Garnier (Paris)

Commande de Napoléon III, achevé sous la présidence de Mac-Mahon en 1875, le palais Garnier a été construit dans le cadre des transformations de Paris menées à bien par le préfet Haussmann. Sa construction, sous la direction de l'architecte Charles Garnier, s'est étalée sur quinze ans. Son architecture est typique du style éclectique du XIXe siècle. Inauguré sous le nom d'Académie nationale de musique, il a longtemps été l'unique salle de l'Opéra de Paris, jusqu'à la construction de l'Opéra Bastille en 1989. Il occupe une surface de 11 000 m² ; sa scène peut accueillir jusqu'à 450 artistes et sa salle, 1 991 spectateurs. Le plafond de la salle de spectacle a été repeint en 1964 par Marc Chagall, selon les vœux d'André Malraux. Aujourd'hui, il est principalement destiné aux représentations de ballets.

Salle Gaveau (Paris)

Construite en 1906-1907 par l'architecte Jacques Hermant, pour le facteur de pianos Gaveau, la salle Gaveau est, avec ses quelque 1 000 places, de dimensions plus modestes que la salle Pleyel. Elle se destine pour l'essentiel au piano et à la musique de chambre, même si elle accueille des concerts symphoniques, notamment ceux de l'Orchestre Colonne et de l'Orchestre Pasdeloup. Depuis son inauguration en 1907, les plus grands artistes s'y sont produits. De 1992 à 2001, elle a subi une rénovation complète, qui lui a rendu son lustre et son acoustique d'antan.

Salle Pleyel (Paris)

Comme la salle Gaveau, la salle Pleyel a été construite par l'une des plus fameuses manufactures de pianos française, Pleyel. Deux ans après son inauguration en 1927, la salle traversa une grave crise financière qui obligea ses propriétaires à la revendre au Crédit Lyonnais. Les problèmes que traverse à son tour le Lyonnais entraînent la vente de la salle, en 1998, à un entrepreneur privé, Hubert Martigny. Celui-ci en décide la transformation, forçant à l'exil l'Orchestre de Paris, phalange prestigieuse héritière de la Société des Concerts du Conservatoire, réfugié au Théâtre Mogador, et l'Ensemble orchestral de Paris. Après des années de polémique, la salle Pleyel rénovée de fond en comble s'apprête à rouvrir ses portes en 2007 et à accueillir de nouveau ses deux orchestres résidents et les grands cycles de concerts qui faisaient sa fierté.

Halle aux Grains (Toulouse)

Ancien marché aux grains et aux légumes réaménagé au cours des décennies 1970 et 1980, la Halle aux Grains est indissociable, depuis trente ans, de l'Orchestre national du Capitole. Longtemps placé sous la baguette de Michel Plasson, aujourd'hui dirigé par le jeune chef ossète Tugan Sokhiev, l'Orchestre du Capitole se partage entre la Halle au Grains (concerts symphoniques) et le théâtre du Capitole (spectacles lyriques), l'autre salle de concert mythique de la ville rose.

Chapitre 15

Les 10 grands rendez-vous de la musique classique

En France

La Fête de la musique (juin)

Découvrant à l'occasion d'une étude sur les pratiques culturelles des Français que cinq millions de personnes, dont un jeune sur deux, jouent d'un instrument de musique, Jack Lang, alors ministre de la Culture, Maurice Fleuret, directeur de la Musique, et Christian Dupavillon invitent tous les instrumentistes à jouer dans la rue le 21 juin 1982, entre 20h30 et 21h. Depuis lors, la Fête de la musique a lieu chaque année le 21 juin, jour du solstice d'été, nuit liée à la tradition païenne des fêtes de la Saint-Jean. Son succès ne s'est jamais démenti. Mobilisant musiciens professionnels et amateurs, la Fête de la musique connut un succès populaire immédiat. En moins de quinze ans, elle fut reprise dans plus de cent pays, sur les cinq continents.

Le Festival d'art lyrique d'Aix-en-Provence (juillet)

Le Festival d'art lyrique d'Aix-en-Provence est l'un des sommets de l'été lyrique. Les opéras et les concerts sont donnés dans le cadre magnifique de la cour de l'archevêché, à la cathédrale et au cloître Saint-Sauveur, ainsi qu'en d'autres lieux de la ville et des environs. Le premier festival a lieu en 1948, lorsque Gabriel Dussurget organise une dizaine de concerts dans divers lieux de la ville et monte un opéra de Mozart, *Così fan tutte*. Mais c'est avec *Don Giovanni* (toujours de Mozart), joué en plein air l'année suivante, que le festival va prendre son ampleur.

La programmation fait la part belle à Haendel, Lully, Rameau, Haydn, Rossini, Richard Strauss, mais surtout Mozart, joué chaque année. Depuis 1998, c'est Stéphane Lissner qui tient les rênes du festival. Il crée l'Académie européenne de musique qui renforce encore la réputation selon laquelle Aix contribue à la révélation de nouveaux talents. Par la beauté et le charme de son cadre, le Festival d'art lyrique d'Aix-en-Provence est le lieu préféré des mélomanes hédonistes.

Les Chorégies d'Orange (juillet/août)

Créées en 1869, les Chorégies d'Orange sont le plus ancien festival français. Elles se déroulent dans un théâtre antique parfaitement préservé, d'une capacité d'accueil de 8 600 personnes, et qui a le privilège d'avoir conservé son mur de fond de scène, garantie d'une acoustique exceptionnelle.

La vocation première des Chorégies était de promouvoir les auteurs dramatiques de l'époque et de retourner aux sources des grandes tragédies antiques. C'est en 1971 que la vocation lyrique et musicale devint prépondérante, avec la création des Nouvelles Chorégies qui connurent aussitôt un immense succès. Tous les grands noms de l'art lyrique s'y sont produits, conférant à ce lieu un prestige international.

Le Festival de Radio France et Montpellier (juillet)

Le Festival de Radio France et Montpellier a été créé en 1985 à l'initiative de Radio France et de la Ville de Montpellier pour « *concilier classique et inattendu, grands interprètes et jeunes espoirs, accents anciens et sonorités de demain* [...] » (Jean-Noël Janneney, président-directeur général de Radio France, 1985). Dirigé par René Koering, le festival a accueilli les plus grands interprètes, avec la volonté affirmée de remettre au goût du jour les chefs-d'œuvre lyriques et symphoniques oubliés.

Le festival de musique contemporaine Musica (septembre/octobre)

Depuis vingt ans, Musica accueille à Strasbourg compositeurs, musiciens et amateurs de musique contemporaine. Créé par Laurent Bayle à la demande de Maurice Fleuret, alors directeur de la Musique sous le ministère de Jack

Lang, ce festival a pour vocation de défendre la musique contemporaine, un genre bien vivant, mais dont la diffusion périclitait. Laurent Spielmann lui succède à la tête de ce festival, puis, en 1991, Jean-Dominique Marco. Fort de centaines d'œuvres créées, de dizaines de milliers de spectateurs, de musiciens venus du monde entier, ce festival s'est imposé comme l'incontournable rendez-vous européen des oreilles curieuses du genre. Musica aura marqué la relance des festivals de musique nouvelle en France : dans sa foulée sont nés Futurs/Musiques, devenu depuis Sons d'hiver dans le Val-de-Marne, les Musiques à Marseille, le 38ᵉ Rugissant à Grenoble, Résonances à Saint-Nazaire, Musiques en scène à Lyon, Musique d'hiver et d'aujourd'hui à Annecy, etc.

La Folle Journée de Nantes (janvier/février)

Depuis 1995, les Folles Journées de Nantes rassemblent des centaines de musiciens venus du monde entier pour célébrer, le temps d'un week-end d'abord, puis aujourd'hui sur une seule journée, dans l'enceinte du Palais des congrès, un ou plusieurs compositeurs. Créateur en outre du Festival de piano de La Roque-d'Anthéron (qui a lieu chaque année en juillet/août), René Martin est à l'origine de cette manifestation populaire, qui a acquis, en quelques années, une renommée internationale et essaime aujourd'hui dans d'autres pays d'Europe.

Le Festival de La Chaise-Dieu (août)

Avec le Festival de Comminges, créé en 1975, le Festival de La Chaise-Dieu compte parmi les plus grands festivals français axés sur les répertoires de musique baroque et sacrée. Fondé en 1966 par Georges Cziffra, il a lieu, pour ses concerts à grand effectif, dans le cadre d'une ancienne abbaye bénédictine de La Chaise-Dieu (Haute-Loire). Depuis quelques années, le festival s'ouvre sur de nouveaux lieux, notamment Le Puy-en-Velay, Chamalières-sur-Loire, la basilique Saint-Julien de Brioude ou encore l'église Saint-Jean à Ambert.

À l'étranger

Le Festival de Bayreuth, Allemagne (août)

C'est en 1869, dans la préface de la première édition de sa tétralogie *L'Anneau du Nibelung*, que le compositeur Richard Wagner manifeste pour la première fois le désir de faire construire un théâtre à sa seule gloire dévolu, où il réaliserait son idéal artistique. Il veut rompre avec les théâtres à l'italienne, qui sont conçus autant pour le paraître des auditeurs que pour l'efficacité du spectacle. Il imagine un théâtre sans loges, dont les gradins plongent jusqu'à la scène, et une fosse d'orchestre enterrée sous la scène et rendue invisible par deux mantelets de bois. Reste à trouver le financement : Wagner le trouve auprès de son protecteur le roi Louis II de Bavière. Les premières représentations, en 1876, sont un immense succès mais un désastre financier. Bayreuth ferme ses portes jusqu'en 1882, avec la création de *Parsifal*. En 1883, année de la mort de Wagner, le Festival de Bayreuth prend enfin son envol, sous la houlette de sa veuve, Cosima. Il connaît une période trouble sous la direction de Winifred, veuve de Siegfried (l'unique fils de Richard et Cosima) : elle ne fait pas mystère, en effet, de ses liens très étroits avec Hitler et le régime nazi. Après quelques années de fermeture, le festival rouvre ses portes en 1951, dirigé par les deux fils de Siegfried et Winifred, Wieland et Wolfgang. Chaque été, Bayreuth continue d'accueillir les inconditionnels de Wagner, qui reste le seul compositeur à y être programmé.

Festival de Salzbourg, Autriche (août)

Fondé en 1922 par Richard Strauss, Hugo von Hoffmansthal, son librettiste, et le metteur en scène Max Reinhardt, le Festival de Salzbourg sacrifie chaque année au culte de Mozart. Le temps du festival, la ville natale du compositeur vit au rythme des représentations et des concerts lui rendant hommage, même si entre-temps le répertoire s'est considérablement élargi, laissant place aussi bien aux opéras de Richard Strauss, de Verdi ou de Bizet qu'aux créations contemporaines. Les festivaliers se distinguent par leur élégance et il n'est pas rare de les voir se promener en tenue de soirée dans les rues de la ville dès deux heures de l'après-midi.

BBC Proms à Londres, Grande-Bretagne (mi-juillet/mi-septembre)

Avec plus de soixante-dix concerts en cinq semaines, les BBC Proms sont un rendez-vous incontournable de la vie culturelle londonienne. « Proms » est l'abréviation de « Concerts promenades », ainsi nommés parce qu'une partie du public se tient debout dans la grande arène centrale du Royal Albert Hall, où se déroule l'événement. Ces quelque mille places debout, jugées comme les meilleures par les habitués, se vendent pour une poignée de livres, ce qui permet d'accueillir toutes les couches de la population. Le festival, radiodiffusé en direct sur la chaîne BBC 3, culmine lors de la dernière soirée, *Last Night*, grande fête populaire où sont interprétées les pages les plus aimées du répertoire anglais.

Chapitre 16

10 moyens pour aller plus loin

Rien de tel pour apprécier la musique classique que d'aller au concert au moins une fois par an ou de vous brancher sur France Musique ou Radio Classique lorsque vous lavez votre voiture. Nous vivons à une époque où les formes de contact avec la musique se multiplient. Ne vous contentez pas d'écouter la musique, *vivez-la !*

Participez à la vie de votre orchestre

Si vous habitez près d'une ville où réside un orchestre, vous pouvez faire plus que d'assister aux concerts qu'il donne. Par exemple, comme nous l'avons dit au chapitre 4, de plus en plus d'orchestres proposent à leur auditoire des entretiens avant le concert proprement dit – généralement gratuits et d'une durée d'environ 30 à 45 minutes – qui sont incroyablement intéressants.

La plupart des organisateurs de concerts proposent des abonnements qui vous donnent l'occasion d'entendre de la musique classique de façon plus économique que si vous preniez vos billets à l'unité. Selon la taille de l'orchestre ou le type des séries de concerts, cet abonnement peut comprendre de 3 à 25 concerts par saison musicale, généralement de septembre à juin. Vous pouvez souvent choisir le nombre de concerts auxquels vous voulez assister.

Les abonnements présentent un autre avantage : ils sont souvent conçus comme un tout, l'organisateur ayant choisi un thème pour l'ensemble.

Les programmes de ces concerts sont planifiés pour que les abonnés puissent découvrir de nouvelles formes de musique intéressantes. Les organisateurs savent qu'en souscrivant un abonnement à une série de concerts, vous leur faites confiance pour qu'ils vous aident à découvrir d'autres aspects que ceux que vous connaissez (et appréciez) déjà.

Rencontrez les artistes

C'est un secret bien gardé : certains artistes invités (généralement pas les plus grands) sont tout aussi amicaux que vous et moi et ils aiment rencontrer leurs fans. Être de passage pour un jour ou deux dans une ville inconnue où ils ne connaissent personne n'a rien de très attrayant. Ils s'ennuient et aimeraient bien être entourés d'un peu de chaleur humaine.

Pour les rencontrer, pénétrez dans les coulisses à la fin du concert (ou durant l'entracte si le soliste ne joue que pendant la première moitié du concert) et allez le saluer. Invitez-le (la) à prendre un verre. Ne soyez pas inquiet de pas connaître grand-chose en musique. Il (elle) ne connaît pas grand-chose sur vous, de son côté.

Si votre timidité naturelle vous empêche d'établir le contact, songez à vous inscrire à un cercle de groupies... enfin, disons, d'admirateurs de votre orchestre. Il s'agit de gens qui apprécient particulièrement cette formation et qui assistent à ses répétitions et à ses concerts chaque fois qu'ils le peuvent.

Au bout d'un moment, les musiciens de l'orchestre finiront par vous reconnaître. Alors, n'hésitez pas et allez vers eux. Vous constaterez que la plupart d'entre eux ne demandent qu'à lier connaissance et seront heureux que vous preniez plaisir à venir les écouter fréquemment.

Cherchez des CD bon marché

Les éditeurs de CD sortent sans cesse de nouvelles collections bon marché, souvent avec de prestigieux interprètes. Et c'est heureux, car le prix des CD, en France, est plus élevé que dans bien d'autres pays. Nous devons cette « faveur » au fait qu'une TVA normale leur est appliquée et qu'ils ne sont pas, contrairement aux livres, reconnus comme des objets de culture.

Il y a trois catégories de CD bon marché :

✔ **Des CD anciennement à prix normal.** Ils sont interprétés par des artistes très connus mais sont sortis depuis assez longtemps (au moins une dizaine d'années) et donc leur coût de fabrication a été amorti. Parfois, il s'agit même de la reprise en CD de gravures anciennes faites en 33 tours (disques vinyle).

Comme pour les livres qu'on ressort en collection de poche, les droits à verser aux interprètes sont moins élevés, ce qui permet de vendre les disques à meilleur prix.

✔ **Des CD enregistrés par de bons artistes peu connus.** Des formations et des artistes moins prestigieux mais de bon niveau sont très heureux d'être enregistrés et d'avoir ainsi l'occasion de se faire connaître. Comme les cachets qui leur sont versés pour l'enregistrement sont moins élevés que lorsqu'il s'agit de vedettes internationales, le prix de vente de leurs disques est moins élevé.

✔ **Des CD qui ont toujours été bon marché.** Certains éditeurs enregistrent d'obscurs orchestres d'Europe centrale dirigés par des chefs de bonne volonté mais pas toujours au sommet de leur art. La qualité artistique et la qualité technique ne sont pas forcément au rendez-vous, mais vous pouvez avoir de la chance. C'est principalement dans les grandes surfaces que vous pourrez trouver ces disques.

Il existe aussi des magasins où on peut acquérir des CD d'occasion. Autant il fallait se montrer prudent lorsqu'on achetait des microsillons de seconde main à cause des possibilités de bruits de fond dus à l'usure ou à des rayures, autant on peut se montrer plus confiant en ce qui concerne les CD, moins fragiles. Que cela ne vous dispense pas, cependant, de regarder attentivement la face gravée du CD. La présence visible de rayures (rare) ou d'empreintes digitales grasses (hélas, plus fréquente) vous évitera tout achat malheureux.

Surfez sur le net

Si vous avez un ordinateur personnel équipé d'un modem et un abonnement auprès d'un *fournisseur d'accès*, les portes de l'Internet s'ouvrent à vous. Vous trouverez tous les détails techniques dans des ouvrages comme *Internet pour les Nuls* (chez le même éditeur, dans la même collection).

À votre grand étonnement, vous constaterez que, tout au moins sur le plan musical, les sites Web en français sur la musique sont assez nombreux. La Figure 17-1 vous montre la page d'accueil de l'Orchestre de Bretagne tandis que la Figure 17-2 vous présente celle de l'Orchestre de Lyon.

Figure 17-1 :
Page d'ac-
cueil du site
Web de
l'Orchestre
de Bretagne.

Figure 17-2 :
Page d'ac-
cueil du site
Web de
l'Orchestre
national de
Lyon.

Voici quelques adresses de sites Web.

Orchestres

✔ Ensemble intercontemporain : http://www.ensembleinter.com/

✔ Les Arts florissants : http://www.arts-florissants.com/

✔ Orchestre de Bretagne : http://www.orchestre-de-bretagne.com

✔ Orchestre national de Lille : http:// www.onlille.com/

✔ Orchestre national de Lorraine : http://www.orchestrenational-lorraine.fr

✔ Orchestre national de Lyon : http://www.auditoriumlyon.com www.onlille.com/

✔ Orchestre national et Opéra de Montpellier : http://www.opera-montpellier.com

✔ Orchestre des Champs-Élysées : http://www.orchestredeschampselysees.com/

✔ Orchestre de Paris : http://www.orchestredeparis.com

✔ Orchestre philharmonique de Strasbourg : http://www.philharmonique-strasbourg.com

✔ Orchestre national du Capitole de Toulouse : http://www.onct.mairie-toulouse.fr/programmation.php

✔ Orchestre philharmonique de Liège : http://www.opl.be/

✔ Orchestre philharmonique de Luxembourg : http://www.opl.lu/

✔ Orchestre de la Suisse romande : http://www.osr.ch

✔ Chœurs et orchestres de Radio France : http://www.radiofrance.fr/chaines/orchestres/accueil/

Opéras et théâtres

✔ Opéra d'Angers et Nantes : http://www.angers-nantes-opera.com

✔ Opéra de Bordeaux : http://www. opera-bordeaux.com/

✔ Opéra de Lyon : http://www.opera-lyon.com/

✔ Opéra de Marseille : http://www.mairie-marseille.fr/vivre/culture/opera.htm

- Opéra de Massy : http://www.opera-massy.com/
- Opéra de Nancy : http://www.nancy.fr/culturelle/opera.htm
- Opéra de Rennes : http://www.opera-rennes.fr/
- Opéra du Rhin : http://www.opera-national-du-rhin.com
- Opéra de Rouen : http://www.operaderouen.com/
- Opéra national de Paris (Garnier et Bastille) : http://www.opera-de-paris.fr
- Opéra-Comique (Paris) : http://www.opera-comique.com/
- Théâtre du Châtelet (Paris) : http://www.chatelet-theatre.com
- Théâtre des Champs-Élysées (Paris) : http://www.theatrechampselysees.fr
- Liceu de Barcelone : http://www.liceubarcelona.com/
- Monnaie de Bruxelles : http://www.lamonnaie.be
- Scala de Milan : http://www.teatroallascala.org
- Opéra de Monte-Carlo : http://www.opera.mc

Le site http://www.fsz.bme.hu/opera/companies.html offre de nombreux liens vers des opéras du monde entier.

Salles de concert et festivals

- Le Duo de Dijon : http://www.leduodijon.com
- La Cité de la musique (Paris) : http://www.cite-musique.fr
- Festival d'Aix-en-Provence : http://www.festival-aix.com/
- Festival Musica de Strasbourg : http://www.festival-musica.org/
- Festival de Radio France et de Montpellier : http://www.festivalradiofrancemontpellier.com/
- Festival de piano de La Roque-d'Anthéron : http://www.festival-piano.com/
- Festival de Salzbourg : http://www.salzburgfestival.at
- Festival de Bayreuth : http://www.festspiele.de/index.php

Informations générales sur la musique, les instruments, les compositeurs

- Centre de documentation de la musique contemporaine (CDMC) : http://www.cdmc.asso.fr/ (le site le plus complet sur la musique contemporaine et ses interprètes)

- France Diplomatie, galerie de compositeurs : http://www.diplomatie.gouv.fr/culture/galerie_composit/index.html (guide précieux du ministère des Affaires étrangères sur les principaux compositeurs français, de toutes les époques)

- Karadar.com : http://www.karadar.com/Dictionnaire/Default.htm (précieux site avec biographies de compositeurs, listes d'œuvres, livrets d'opéras et galeries photos)

- L'Orgue : http://perso.wanadoo.fr/magnetic-studio/orgue/index.htm (pour tout savoir sur l'orgue et ses interprètes, avec une très belle galerie photo)

- Médiathèque de l'Ircam : http://mac-texier.ircam.fr/index.html (le site le plus complet sur les compositeurs contemporains)

- Musicologie.org : http://www.musicologie.org/ (une mine de renseignements sur les compositeurs et les livres sur la musique)

- La Route des orgues en France : http://www.culture.gouv.fr:80/culture/orgues/ (joli site sur les plus beaux orgues de France et la facture)

- Piano Bleu : http://www.pianobleu.com (tout sur le piano, les pianistes et les compositeurs pour piano)

- Marc-Antoine Charpentier : http://www.charpentier.culture.fr/fr/index2.htm ((très beau site créé par le ministère de la Culture pour le bicentenaire de la mort du compositeur)

Le site de la Cité de la musique recense un grand nombre de sites musicaux à l'adresse : http://www.cite-musique.fr/francais/services/annuaire/index.asp.

Le site http://infopuq.uquebec.ca/~uss1010/oeuvres.html présente le catalogue des œuvres de nombreux compositeurs et offre de nombreux liens vers des sites consacrés à des compositeurs.

Outre les sites Web, il existe des forums consacrés à la musique, de quelque nature qu'elle soit. Le site d'Abeille Musique (distributeur de CD) en rassemble plusieurs, à l'adresse suivante : http://www.abeilleinfo.com/forum/index.php.

Adhérez à un club de CD

Il existe quelques « clubs » (qui n'ont de clubs que le nom, car il s'agit en réalité d'entreprises commerciales) qui proposent à leurs adhérents, sur le même principe que pour les livres, des CD de très bonne qualité. Une fois membre, vous recevez régulièrement un bulletin d'information sur la « sélection du mois ». Sauf avis contraire de votre part, le ou les CD de cette sélection vous sont ensuite envoyés automatiquement. Vous devrez généralement acquérir un certain nombre de CD au cours de l'année. Vous ne trouverez que très rarement des musiques contemporaines ou d'un abord difficile. La plupart des enregistrements proposés concernent des musiques connues et appréciées de tous.

Vous trouverez des publicités pour ces organisations dans la plupart des journaux de programmes télé et magazines du même genre à grande diffusion.

Écoutez la radio et regardez la télévision

En plus de *France Musique* qui appartient au service public, il n'existe guère en France que *Radio Classique* qui diffuse de la musique classique à longueur de journée. Vous pouvez toutefois trouver d'excellentes émissions musicales sur quelques grilles, notamment celle de RCF.

Si vous habitez en Suisse ou à proximité de la frontière, vous aurez de nombreuses occasions d'entendre de la musique sur la seconde chaîne de la Radio suisse romande, *Espace 2*. Pour la Belgique et les alentours, se brancher sur la chaîne Musiq3 de la RTBF.

La chaîne Arte propose de rares mais excellentes émissions musicales, et vous pouvez également, si vous avez le câble et le satellite, savourer une musique généralement grand public sur Mezzo.

Allez voir des films ayant trait à la musique classique

Les compositeurs sont souvent des âmes tourmentées et, de ce fait, sont des héros tout désignés pour bâtir un scénario à rebondissements. Particulièrement ceux de l'époque romantique. En règle générale, il ne faut pas s'attendre à une traduction fidèle de la biographie du compositeur, l'imagination des scénaristes étant là pour dramatiser à plaisir l'action. C'est l'occasion d'entendre de larges extraits de la musique qu'ils ont composée. Ce plaisir est, hélas, souvent gâché par des « arrangements » (pour que la musique colle mieux à l'action) ou par des interprétations de second ordre.

Voici quelques titres choisis parmi les meilleures réussites du genre.

Films sur les compositeurs et les interprètes

✔ **Chronique d'Anna Magdalena Bach** (1967), de Jean-Marie Straub, avec Gustav Leonhardt (Jean-Sébastien soi-même) et Christiane Lang (Anna Magdalena). C'est l'évocation par Anna Magdalena, seconde épouse du compositeur, des trente années qu'elle passa aux côtés de son mari. Signalons que Nikolaus Harnoncourt apparaît également au générique. Ainsi se trouvèrent réunis sur un même plateau les deux maîtres d'œuvre de l'intégrale de référence des cantates.

✔ **Amadeus.** D'après un scénario de Peter Schaffer, ce film de Milos Forman, tourné en 1984, avec Tom Hulce dans le rôle-titre et Elisabeth Berridge (Constance), raconte la vie de Mozart aux prises avec son « rival », Antonio Salieri (joué par Fred Murray Abraham). Ce film est excessif, présentant un Mozart trivial et agité, à l'opposé de l'image d'enfant prodige, perruqué et sage, ou de musicien de cour que l'on en donne habituellement, ce qui lui a assuré un large succès auprès du grand public américain, peu soucieux de vérité historique.

✔ **L'Immortelle Bien-Aimée.** Ici, c'est Beethoven qui est mis en scène. Un de ses amis tente de retrouver cette « immortelle bien-aimée », dédicataire de quelques œuvres du compositeur. Depuis, on s'accorde à reconnaître que ce fut Joséphine de Brunswick (*Recherche de Beethoven* de Brigitte et Jean Massin, 1970).

✔ **Ludwig van B** (*Immortal Beloved*). Réalisé en 1994 par Bernard Rose avec Gary Oldman et Isabella Rossellini. Même sujet que ci-dessus.

✔ **Le Maître de musique.** Il s'agit d'un film belge de Gérard Corbiau réalise en 1987 avec le baryton belge José Van Dam, sur un grand artiste lyrique qui décide d'interrompre sa carrière pour se consacrer à l'éducation musicale de deux élèves.

✔ **Farinelli** (*Il Castrato*) de Gérard Corbiau, réalisé 1994 avec Stefano Dionisi. La vie tumultueuse du célèbre castrat et de son frère, et sa rencontre avec Haendel.

✔ **Tous les matins du monde** d'Alain Corneau, réalisé en 1990. Sur fond de musique baroque, la rivalité de Sainte-Colombe, maître de la viole, et de son disciple Marin Marais. Avec Jean-Pierre Marielle, Gérard et Guillaume Depardieu. La viole de gambe y tient un grand rôle et la bande sonore du film a été enregistrée par Jordi Savall.

✔ **Impromptu.** Film de James Lapine (1990) avec Judy Davis, Hugh Grant et Emma Thompson sur Frédéric Chopin et ses amours avec George Sand.

✔ **La Chanson du souvenir** (*A Song to Remember*). Film tourné en 1945 par Charles Vidor avec Merle Oberon, Cornel Wilde et Paul Muni. Une vision très romancée de la vie de Frédéric Chopin, de son amitié avec Liszt et de ses amours avec George Sand dans le Paris romantique du XIXe siècle.

✔ **Le Bal des adieux** (*The Story of Franz Liszt – Song Without End*) de King Vidor et George Cukor (1959). Avec Dirk Bogarde, Capucine et Geneviève Page. Les scandaleuses amours de Liszt et de la comtesse d'Agoult.

✔ **Lisztomania.** Film tourné en 1975 par Ken Russell, avec Roger Daltrey (le chanteur du groupe pop The Who) dans le rôle de Liszt, et Ringo Starr (le batteur des Beatles) dans le rôle du pape ! L'imagerie fantasmatique de Ken Russell.

✔ **Rossini.** Ce film italien de Mario Bonnard a été réalisé en 1942. C'est une belle évocation de la vie de Rossini, de ses nombreux voyages en Europe, de ses rencontres, notamment avec Beethoven, et de son amour pour la belle Isabella Colbran, son interprète favorite, qui deviendra son épouse.

✔ **Mahler.** Biographie très romancée du compositeur, réalisée par Ken Russell en 1974 avec Robert Powell. Sa vie et ses rêves quelques semaines avant sa mort.

✔ **Music Lovers** (*The Music Lovers*). Film de Ken Russell (1970) qui met en scène le désastreux mariage de Tchaïkovski dont on sait que les goûts se portaient plutôt vers les représentants de son propre sexe. Joué par Richard Chamberlain et Glenda Jackson.

✔ **Passion immortelle** (*Song of Love*). Ce film de Clarence Brown, tourné en 1947, raconte les relations tumultueuses entre Robert et Clara Schuman et entre cette dernière et Brahms. C'est Katherine Hepburn qui tient le rôle de Clara.

✔ **La Symphonie fantastique.** Tourné en 1941 (donc sous l'Occupation) par Christian-Jaque, avec Jean-Louis Barrault (Hector Berlioz), Renée Saint-Cyr (Marie Martin), Lise Delamare (Harriett Smithson), Jules Berry et Bernard Blier, cette vie de Berlioz, qui véhicule tous les poncifs du film sentimental, suscita cependant la colère de Goebbels qui y vit, à juste titre semble-t-il, un hommage au patriotisme national.

✔ **Wagner, the Complete Epic.** Ce film, réalisé en 1983 par Tony Palmer, ne semble pas avoir laissé de grandes traces dans les esprits, peut-être à cause d'une durée de neuf heures. Et pourtant, il était interprété par Richard Burton, Vanessa Redgrave et sir Laurence Olivier.

✔ **Ludwig.** Ce film de Luchino Visconti, réalisé en 1972, retrace le règne de Louis II de Bavière, protecteur des arts et de Richard Wagner, auquel il apporta le soutien nécessaire à la réalisation de ses projets les plus démesurés – notamment la construction du théâtre de Bayreuth.

✔ **Waltzes from Vienna.** Une comédie rare et ancienne d'Alfred Hitchcock, réalisée en 1933, retraçant la rivalité entre Johann Strauss père et Johann Strauss fils à Vienne dans les années 1860, d'après une pièce de Guy Bolton. C'est l'occasion d'entendre abondamment leur musique, notamment *Le Beau Danube bleu* de Strauss fils.

✔ **Le Pianiste.** Drame de Roman Polanski (2001), où Adrien Brody incarne un pianiste juif polonais, Wladyslaw Szpilman, terré dans le ghetto de Varsovie durant la Seconde Guerre mondiale.

Films où la musique tient une place prépondérante

✔ **Mort à Venise** (*Morte a Venezia*). Sur un thème emprunté à Thomas Mann, ce film, réalisé en 1970 par Luchino Visconti, décrit la passion tourmentée d'un chef d'orchestre vieillissant (Dirk Bogarde) pour un bel adolescent, Tadzio. On peut y entendre des extraits des *Troisième* et *Cinquième Symphonies* de Mahler. (En réalité, Mahler est mort à Vienne.)

✔ **Des gens sans importance.** Film français réalisé en 1955 par Henri Verneuil, dans lequel la sérénité du très connu *Canon* de Joachim Pachelbel vient en contrepoint avec la violence de certaines scènes.

✔ **Les Uns et les Autres.** Dans ce film de Claude Lelouch (1981), c'est le *Boléro* de Maurice Ravel qui sert de musique d'ambiance.

✔ **Hanna et ses sœurs.** Film réalisé par Woody Allen en 1986, dans lequel on entend le *Concerto pour deux violons* BWV 1043 et le *Concerto pour clavecin n° 5* BWV 1056 de Jean-Sébastien Bach.

✔ **Out of Africa.** Dans ce film de Sydney Pollack, réalisé en 1986, c'est la quiétude du second mouvement du concerto pour clarinette de Mozart qui vient souligner la beauté des paysages africains.

✔ **L'Honneur des Prizzi.** Ici, c'est l'air « Una furtiva lagrima » de l'opéra *L'elisir d'amore* de Gaetano Donizetti qui est utilisé pour traduire l'amour trahi du personnage. Le film est de John Huston et il a été réalisé en 1985.

✔ **La Déchirure.** Ce film de Roland Joffé, réalisé en 1984, est accompagné d'extraits de l'opéra *Turandot* de Giacomo Puccini.

✔ **The Elephant Man.** Film réalisé en 1980 par David Lynch, qui mêle assez étroitement l'horreur physique d'un personnage difforme et le drame psychologique qu'il subit. Il est soutenu par le célèbre *Adagio pour cordes* de Samuel Barber.

✔ **2001 : L'Odyssée de l'espace.** Dans ce célèbre film de Stanley Kubrick réalisé en 1968, trois musiques très différentes ont été utilisées : *Ainsi parlait Zarathoustra*, de Richard Strauss, *Le Beau Danube bleu* de Johann Strauss et le *Requiem* de György Ligeti.

✔ **Eyes Wide Shut.** Dans cet autre film de Stanley Kubrick, réalisé en 1999, on peut entendre notamment la *Musica ricercata* de György Ligeti, la « Valse » de la *Suite de jazz n° 2* de Chostakovitch et *Nuages gris* de Franz Liszt.

✔ **Barry Lindon.** Stanley Kubrick, encore (1975). Ce film a popularisé une sarabande de Haendel et le *Trio avec piano n° 2* de Schubert, mais on peut y entendre de nombreux autres compositeurs (Mozart, Bach, Paisiello et Vivaldi).

✔ **Orange mécanique.** Stanley Kubrick, toujours (1971). Encore une bande son impressionnante, avec les ouvertures de *La Pie voleuse* et *Guillaume Tell* de Rossini, deux marches de *Pomp & Circumstance* d'Elgar et plusieurs extraits de la *Neuvième Symphonie* de Beethoven.

✔ **Shine.** Film australien (1996) réalisé par Scott Hicks qui met en scène la vie tourmentée du pianiste David Elfgott, retraçant sa dépression nerveuse, sa réinsertion et son triomphe avec le *Troisième Concerto* de Rachmaninov.

✔ **Fantasia.** Dessin animé produit en 1940 par Walt Disney et grâce auquel beaucoup de béotiens ont découvert des œuvres aussi différentes que *L'Apprenti sorcier* de Paul Dukas et *Le Sacre du Printemps* de Stravinsky.

✔ **Apocalypse Now.** Dans ce film sur la guerre du Vietnam, réalisé par Francis Ford Coppola en 1979, la violence de l'action (et, en particulier, le vol des hélicoptères en formation d'attaque) est soulignée par la *Chevauchée des Walkyries* de Richard Wagner.

✔ **Entre ses mains.** Ce beau thriller d'Anne Fontaine (2005), avec Benoît Poelvoorde et Isabelle Carré, présente une bande son originale dont la composition a été confiée à un des jeunes compositeurs français les plus marquants, Pascal Dusapin.

✔ **La Vie privée de Sherlock Holmes.** Ce polar décalé de Billy Wilder (1969) intègre à son scénario l'exécution du concerto pour violon et orchestre de Miklós Rózsa, compositeur hongrois qui fit une grande partie de sa carrière à Hollywood.

✔ **L'Accompagnatrice.** Film de Claude Miller (1992), d'après le roman qui fit connaître Nina Berberova en France. La vie d'une pianiste, accompagnatrice obscure et frustrée d'une célèbre cantatrice.

✔ **La Leçon de piano.** Le drame poignant d'Ada, une jeune musicienne muette dont le mari, épousé sans amour, l'oblige à abandonner son piano sur la plage. Un film de la Néo-Zélandaise Jane Campion, palme d'or à Cannes (1993).

✔ **Merci pour le chocolat.** Thriller de Claude Chabrol, qui se déroule dans la demeure bourgeoise et étouffante d'un pianiste virtuose, André Polonski, et de son épouse Mika, riche p.-d. g. d'une fabrique de chocolat. Sur fond de *Sonate pour piano en si mineur* de Liszt.

Opéras filmés au cinéma

✔ **La Flûte enchantée** (*Trollflöjten*). Ce film, réalisé en 1973 par Ingmar Bergman, est presque exclusivement du théâtre filmé et met en scène une représentation donnée en Suède par une petite troupe. Le plaisir d'y entendre intégralement l'opéra de Mozart est totalement gâché par le fait que *La Flûte* est chantée en suédois, langue aux sonorités liquides, trop différente des sonorités rugueuses de l'allemand auxquelles on est habitué.

✔ **Don Giovanni.** Ici encore, nous avons le film complet d'un opéra, mais cette fois dans des décors naturels (notamment la spectaculaire Rotonde de Palladio, à Vicenza). Réalisé en 1979 par Joseph Losey, il est interprété par de grands chanteurs parmi lesquels se détachent Ruggero Raimondi (rôle titre), José Van Dam (Leporello), Kiri Te Kanawa (Donna Elvira) et Teresa Berganza (Zerlina). L'orchestre est dirigé par Lorin Maazel.

✔ **Carmen.** L'opéra-comique que Bizet écrivit sur l'histoire imaginée par Prosper Mérimée a fait l'objet d'un très grand nombre de films dont aucun n'est à l'abri de la critique, surtout pour ce qui concerne la distribution. Il est rare qu'une diva née en dehors de l'Hexagone soit capable de chanter notre langue sans un accent qui ôte beaucoup au caractère dramatique de son interprétation. S'il faut citer un réalisateur, nous choisirons Francesco Rosi. Mentionnons, à titre de curiosité, *Carmen Jones*, film réalisé avec des acteurs noirs. Don José y est un GI, et Carmen une serveuse.

✔ **Parsifal.** Interprétation très libre et originale, par Hans Jürgen Syberberg, du testament musical et philosophique de Richard Wagner. Réalisé en 1982.

✔ **Tosca.** Mise en scène du célèbre chef-d'œuvre de Puccini, par Benoît Jacquot, avec un trio de stars : Roberto Alagna, Ruggero Raimondi et Angela Gheorghiu. Les images du tournage (en noir et blanc) s'y mêlent à celles de l'opéra proprement dit (des rouges flamboyants). Réalisé en 2001.

✔ **Madame Butterfly.** Autre chef-d'œuvre de Puccini, filmé avec beaucoup d'émotion par Frédéric Mitterrand (1995), avec le précieux concours de l'Orchestre de Paris.

✔ **La Bohème.** Toujours Puccini et, cette fois, la caméra de Luigi Comencini (1988). Avec Barbara Hendricks (Mimì), José Carreras (Rodolfo, seulement pour la voix, en raison de sa maladie) et Luca Canonici (Rodolfo, seulement pour le jeu de scène).

✔ **Pas sur la bouche**. Opérette d'André Barde et Maurice Yvain délicieusement portée à l'écran par Alain Resnais, avec Sabine Azéma, Isabelle Nanty, Audrey Tautou, Pierre Arditi et Lambert Wilson (2003).

Étudiez la musique

Vous serez sans doute surpris de la quantité d'informations intéressantes que vous pouvez trouver dans les quelques pages encartées dans le boîtier des CD. Ces informations concernent généralement la vie du compositeur, les circonstances de la composition de l'œuvre, et on y trouve souvent quelques indications sur les interprètes.

Nombre de livres ont été écrits sur la musique et sur tous ses aspects : historique, technique, didactique, etc. Des ouvrages encore plus nombreux se sont attachés à établir la biographie des compositeurs, parfois rigoureusement, parfois de façon romancée. Plusieurs éditeurs (notamment Fayard, Actes Sud et Jean-Claude Lattès) proposent des biographies très complètes et sérieuses des grands compositeurs. Il existe d'autres collections offrant des ouvrages moins ambitieux, mais tout aussi sérieux et utiles, en particulier « Solfèges », au Seuil, « Pour la musique », chez Jean-Paul Gisserot, et « Découvertes », chez Gallimard. Fayard édite en outre une série de guides, genre par genre (le piano, la musique chorale, la musique symphonique, etc.) et sur de grands « sujets » musicaux (la musique anglaise, l'expressionnisme, la musique et la franc-maçonnerie, etc.), qui peuvent vous être très précieux.

Nous ne saurions trop vous recommander la lecture des écrits des compositeurs eux-mêmes. Les *Mémoires* d'Hector Berlioz, la correspondance et les chroniques musicales de Claude Debussy (chronique réunies sous le titre de *Monsieur Croche, antidilettante*), le journal intime de Robert et Clara Schumann et bien d'autres volumes sont passionnants.

Quelques autres guides et dictionnaires peuvent vous aider. En voici quelques-uns (la liste n'est bien sûr pas exhaustive) :

- **Dictionnaire de la musique** en deux volumes de Marc Honegger. Éd. Bordas, 1970. Une référence en ce qui concerne les compositeurs et leurs œuvres.

- **Science de la musique** en deux volumes de Marc Honegger. Éd. Bordas, 1976. Une référence en ce qui concerne les instruments et leur technique.

- **Dictionnaire des interprètes**, sous la direction d'Alain Pâris, dans la collection « Bouquins », Éd. Robert Laffont.

- **Tout l'opéra**, de Gustave Kobé, dans la collection « Bouquins », Éd. Robert Laffont. Si on l'appelle « le Kobé », ce n'est pas sans raison. C'est l'ouvrage de référence sur l'opéra.

- **Guide illustré de la musique,** en deux volumes, chez Fayard. Un guide très complet donnant toutes les clés de la théorie musicale et de l'histoire de la musique, avec des explications très claires et très visuelles (croquis, tableaux, exemples musicaux).

- **Le Guide classique** (la discothèque idéale en 250 CD) publié par la Fnac. Pour 29 euros vous saurez comment constituer votre discothèque de base. Détaille les interprètes et les références des enregistrements cités.

- **Guide du mélomane averti** de Jean-Bernard Piat, Le Livre de Poche, 1995. Ouvrage très bien documenté, écrit avec esprit, parfois caustique, toujours intéressant. Vivement recommandé.

- **La Musique** de T. Bénardeau et M. Pineau, dans la collection « Repères pratiques », Éd. Nathan, 1995. Des Grecs au rock en passant par la Sacem et le copyright, le tout en 160 pages. Didactique et complet.

Vous trouverez des analyses critiques d'enregistrements de musique classique ainsi que des articles sur la musique, les interprètes, les œuvres, les concerts dans les revues suivantes :

- Le Monde de la musique

- Diapason

- Répertoire-Classica

- Opéra international

- L'Avant-Scène Opéra.

Enfin, nous vous conseillons vivement de regarder deux magnifiques séries didactiques, parues en DVD :

> ✔ Les concerts donnés à New York dans les années 1950 par le chef d'orchestre Leonard Bernstein à la tête de l'Orchestre philharmonique de New York, *Young People's Concerts* : une superbe série d'initiation à la musique, qui rencontra un grand succès. (Cette série est hélas ! difficile à acquérir en France.)

> ✔ Les épatantes *Leçons de musique de Jean-François Zygel*, publiées chez Naïve : introductions à l'univers de différents compositeurs par un éminent pianiste et compositeur.

Si vous voulez compléter vos connaissances sur la musique en suivant un enseignement régulier, le mieux est de vous renseigner auprès de l'école de musique ou du conservatoire le plus proche de chez vous. Il s'en trouve maintenant en France dans beaucoup de villes même d'importance moyenne, qui dispensent des cours d'histoire de la musique ou de culture musicale.

Pourquoi ne pas en jouer vous-même ?

Nous avons gardé le meilleur pour la fin.

Si la passion de la musique vous prend, même sur le tard, il est toujours temps d'apprendre à en jouer. C'est certainement la meilleure façon de développer votre passion. Évidemment, cela demande beaucoup d'efforts, surtout au départ. Et le travail quotidien (ou, au minimum, plusieurs fois par semaine) nécessite de s'imposer une discipline régulière. C'est la condition indispensable si vous voulez progresser.

Lorsque vous choisirez un instrument, pensez à plusieurs facteurs. D'abord le son qu'il produit. Aurez-vous du plaisir à l'entendre ? N'oubliez pas que vous allez l'entendre continuellement pendant que vous apprendrez à vous en servir correctement. La troisième partie de ce livre vous donne des informations sur de nombreux instruments. L'écoute du CD d'accompagnement viendra compléter ces notions.

Si vous vivez dans une chambre de bonne, évitez de choisir l'orgue. Si vous mesurez 1,50 m, méfiez-vous de la contrebasse. Si les murs de votre appartement sont minces, pensez à la réaction de vos voisins si vous optez pour un instrument à percussion.

Ne commencez pas par acquérir un instrument de prix. Il existe des formules de location qui vous permettent de conforter votre choix au moindre coût. Consultez le marchand d'instruments de musique le plus proche de votre domicile. Vous en trouverez toujours dans les villes importantes.

Si vous voulez prendre des leçons de musique, renseignez-vous au préalable sur les prix pratiqués, qui peuvent varier dans d'importantes proportions. Au début, vous n'avez pas besoin d'un professeur de grande réputation.

En dehors des enseignants privés, peut-être est-il possible de suivre certains cours dans votre conservatoire local de musique. Ou, du moins, de demander à certains élèves avancés s'ils accepteraient de vous initier à leur art. Une école de musique ou un conservatoire pourra vous offrir, en plus de l'étude de l'instrument, des cours de théorie musicale, d'histoire de la musique, des ateliers de musique de chambre ou de pratique orchestrale. Il faut savoir, toutefois, que les institutions les plus cotées (les Conservatoires nationaux de région et, *a fortiori*, les deux Conservatoires nationaux supérieurs de musique et de danse de Lyon et Paris) ne recrutent que sur des concours extrêmement sévères et imposent des limites d'âge rigoureuses. Si vous n'avez pas l'intention de faire de la musique votre métier, mieux vaut donc vous tourner vers des établissements plus modestes.

Après quelques mois d'apprentissage suivi, vous devriez être en mesure de vous joindre à un groupe de gens ayant suivi la même progression que vous. Il est toujours plus agréable de faire de la musique à plusieurs. Les débuts seront peut-être laborieux mais tout devrait progressivement s'arranger si chacun y met du sien.

Si un tel programme vous donne quelque inquiétude, rassurez-vous, il existe d'autres moyens de *faire* de la musique. Si vous êtes capable de chanter juste, rejoindre une chorale amateur est un moyen peu onéreux de vous procurer de grandes joies.

Nous savons par expérience que rien n'est plus libératoire et enrichissant que la pratique de la musique. C'est pourquoi nous espérons que les quelques suggestions que nous venons de formuler feront vibrer une corde en vous et vous donneront des idées.

Inscrivez-vous à une croisière musicale

Certaines agences de voyages organisent des croisières maritimes, généralement en Méditerranée, en compagnie d'artistes de renom. Durant la journée, on voyage en mer ou on explore à terre et, en soirée, pendant que le bateau mouille ou navigue à faible vitesse, on écoute un récital privé dans d'excellentes conditions de confort et de bien-être.

Évidemment, ce n'est pas donné, mais ça peut valoir la peine. Renseignez-vous auprès de votre agence de voyage habituelle.

Sixième Partie
Annexes

Dans cette partie...

La partie finale de ce livre est constituée par diverses références :

- ✔ Comment constituer une collection de CD classiques.
- ✔ Chronologie détaillée de la musique classique.
- ✔ Glossaire des principaux termes musicaux.

Annexe A

Constituer
sa première discothèque

- -

*V*ous avez la chance de vivre en un lieu et en un temps où il est facile d'entendre de la musique classique gratuitement (par la radio) ou en payant (concerts, films et musique enregistrée).

Lorsqu'on aime la musique, rien n'est plus agréable que de pouvoir écouter à tout moment le morceau que l'on aime. C'est le miracle du CD. Bien que la musique classique soit le parent pauvre de l'édition phonographique, le choix qui vous est proposé par les disquaires est vaste, et nous allons vous donner quelques indications afin que vous ne vous perdiez pas dans cet océan. Soyez sûr que tous les morceaux que nous allons citer valent la peine d'être écoutés.

Liste 1 : la discothèque de base

Cette première liste est constituée, en grande partie, de morceaux que vous connaissez certainement sans même le savoir. Des musiques qui font partie du patrimoine commun et dont le cinéma, la publicité, la télévision ont fait un usage abondant. Peut-être n'avez-vous pas vraiment besoin de vous les procurer : statistiquement, vous finirez bien par les entendre à la radio ou ailleurs...

- **Bach :** *Concertos brandebourgeois n° 2* et *n° 5 – Toccata* et *Fugue pour orgue en ré mineur.*
- **Beethoven :** *Concerto pour piano n° 5, « L'Empereur » – Symphonies n° 5* et *n° 9.*
- **Bizet :** Suites d'orchestre de *Carmen* et de *L'Arlésienne.*
- **Dukas :** *L'Apprenti sorcier.*
- **Dvořák :** *Symphonie n° 9, « du Nouveau Monde ».*

✔ **Gershwin:** *Rhapsody in Blue — Un Américain à Paris.*

✔ **Grieg:** *Concerto pour piano* – Suites n°s 1 et 2 de *Peer Gynt.*

✔ **Mendelssohn:** *Symphonie n° 4, «Italienne» – Concerto pour violon en mi mineur.*

✔ **Mozart:** *Concertos pour piano n° 21 et n° 23 – Symphonie n° 40.*

✔ **Offenbach/Rosenthal:** *Gaîté parisienne.*

✔ **Rachmaninov:** *Concerto pour piano n° 2.*

✔ **Ravel:** *Boléro.*

✔ **Rimski-Korsakov:** *Schéhérazade.*

✔ **Rodrigo:** *Concerto d'Aranjuez.*

✔ **Rossini:** ouvertures de *Guillaume Tell* et du *Barbier de Séville.*

✔ **Saint-Saëns:** *Le Carnaval des animaux.*

✔ **Schubert:** *Symphonie n° 8, «Inachevée».*

✔ **Smetana:** *La Moldau* (extrait de *Má Vlast*).

✔ **Strauss (Johann):** *Le Beau Danube bleu – La Valse de l'empereur.*

✔ **Tchaïkovski:** Suite de *Casse-Noisette – Concerto pour piano n° 1 – Concerto pour violon.*

✔ **Verdi:** ouvertures de *La Force du destin* et des *Vêpres siciliennes.*

✔ **Vivaldi:** *Les Quatre Saisons — Nisi Dominus – Concerto pour deux mandolines.*

Liste 2: la discothèque de l'amateur

Voici un second choix de partitions pour la plupart très connues et qui exercent généralement un pouvoir de séduction immédiat. Des pages à déguster sans modération!

✔ **Bach:** *Suites pour orchestre n° 2 et n° 3.*

✔ **Barber:** *Adagio pour cordes.*

✔ **Bartók:** *Danses populaires roumaines — 1re Rhapsodie pour violon et orchestre.*

✔ **Beethoven:** *Symphonie n° 3, «Eroica» – Concerto pour violon — Sonates pour piano «Waldstein», «Appassionata», «Clair de lune» et «Pathétique».*

- **Berlioz:** *Le Carnaval romain — Symphonie fantastique.*

- **Bernstein:** Danses symphoniques de *West Side Story.*

- **Borodine:** «Danses polovtsiennes» extraites du *Prince Igor.*

- **Brahms:** *Symphonie n° 2 — Concerto pour violon — Sextuor à cordes n° 1 — Danses hongroises* pour orchestre.

- **Britten:** *Young Person's Guide to the Orchestra.*

- **Chabrier:** *España.*

- **Chopin:** *Polonaise héroïque — Valses.*

- **Chostakovitch:** *Suite de jazz n° 2 — Tahiti Trot.*

- **Corelli:** *Concerto pour la nuit de Noël.*

- **Dvořák:** *Concerto pour violoncelle — Danses slaves* pour orchestre — *Sérénade pour cordes en mi majeur — Trio «Dumky».*

- **Elgar:** *Pomp and Circumstance.*

- **Fauré:** *Requiem.*

- **Franck:** *Symphonie en ré mineur — Prélude, Fugue et Variation* pour orgue.

- **Haendel:** *Water Music — Le Messie.*

- **Haydn:** *Symphonie n° 94, «La Surprise» — Symphonie n° 103, «Roulement de timbales» — Symphonie n° 104, «Londres».*

- **Holst:** *Les Planètes.*

- **Kodály:** Suite de *Háry János — Danses de Galánta.*

- **Lalo:** *Symphonie espagnole.*

- **Liszt:** *Mazeppa* (poème symphonique) — *Les Préludes.*

- **Massenet:** *Méditation de Thaïs.*

- **Milhaud:** *Le Bœuf sur le toit.*

- **Mozart:** *Concerto pour violon n° 5,* en la majeur — Requiem.

- **Orff :** *Carmina Burana.*

- **Piazzolla:** *Libertango — Oblivion — Las cuatro estaciones porteñas (Les Quatre Saisons de Buenos Aires).*

- **Pergolèse:** *Stabat Mater.*

- **Prokofiev:** *Symphonie n° 1, «Classique».*

- **Rachmanimov:** *Vocalise.*

- **Rimski-Korsakov:** *Capriccio espagnol.*

- **Satie:** *Gymnopédies* pour piano, ou dans l'orchestration de Claude Debussy.

- **Schubert:** *Symphonie n° 5,* en si bémol majeur – *Quintette* «La Truite».

- **Schumann:** *Symphonie n° 2.*

- **Sibelius:** *Finlandia* – *« Valse triste »* de *Kuolema.*

- **Tchaïkovski:** *Symphonies n° 4 et n° 6, «Pathétique ».*

- **Wagner:** ouvertures de *Rienzi* et du *Vaisseau fantôme* – «Chevauchée des Walkyries», extraite de *La Walkyrie.*

- **Weber:** ouvertures du *Freischütz et d'Oberon.*

Liste 3 : la discothèque de l'amateur éclairé

Voici une sélection un peu plus «exigeante» pour l'auditeur – n'ayez crainte, c'est très relatif! De prime abord, ces morceaux peuvent vous surprendre par leur longueur, leur caractère intime, leur religiosité ou au contraire par leur modernité ou leur sauvagerie. Mais prenez le temps de vous plonger dans leur univers, et vous y découvrirez mille beautés qui vous raviront.

- **Bach:** *Passion selon saint Matthieu – Passacaille et Fugue pour orgue en ut mineur – Messe en si mineur.*

- **Bartók:** *Suite de danses – Concerto pour orchestre.*

- **Brahms:** *Symphonies n° 3 et n° 4.*

- **Bruckner:** *Symphonies n° 4 et n° 7.*

- **Charpentier:** *Te Deum – Leçons de ténèbres.*

- **Debussy:** *Prélude à «L'Après-midi d'un faune»* – *La Mer.*

- **Dowland:** œuvres pour luth (le choix est vaste!)

- **Falla:** «Trois Danses» extraites du *Tricorne.*

- **Haendel:** *Le Messie – Zadok the Priest.*

- **Lassus:** *Les Lamentations de Jérémie.*

- **Mahler:** *Symphonies n° 1, n° 4 et n° 5 – Lieder eines fahrenden Gesellen (Chants d'un compagnon errant).*

- **Mendelssohn:** *Symphonie n° 5, «Reformation»* – Musique de scène pour *Le Songe d'une nuit d'été.*

- **Moussorgski:** *Tableaux d'une exposition* (orchestration de Maurice Ravel) – *Une nuit sur le mont Chauve.*
- **Paganini:** *Concerto pour violon n° 2 – 24ᵉ Caprice* pour violon.
- **Purcell:** *Musique funèbre de la reine Mary.*
- **Prokofiev:** *Roméo et Juliette.*
- **Ravel:** *Daphnis et Chloé – Rhapsodie espagnole – La Valse.*
- **Saint-Saëns:** *Symphonie n° 3 – Danse macabre.*
- **Sibelius:** *Concerto pour violon – Symphonies n° 1 et n° 2.*
- **Strauss (Richard):** *Till Eulenspiegel – Don Juan – Ainsi parlait Zarathoustra.*
- **Stravinsky:** Suites de *L'Oiseau de feu* et de *Pulcinella.*
- **Tchaïkovski:** *Symphonie n° 5.*
- **Verdi:** *Requiem.*
- **Villa-Lobos:** *Bachianas Brasileiras nᵒˢ 2 et nᵒˢ 5.*
- **Wagner:** prélude et «Mort d'amour» de *Tristan et Isolde.*

Liste 4 : la discothèque de l'amateur avancé

Vous avez maintenant l'oreille exercée et vous sentez prêt (à juste titre) à vous lancer dans l'écoute de partitions réputées plus «difficiles»: des œuvres qui ne s'offrent pas forcément au premier abord, mais dont vous saurez à présent apprécier les trésors subtils.

- **Bartók:** *Musique pour cordes, percussion et célesta – Le Mandarin merveilleux.*
- **Berg:** *Concerto pour violon «À la mémoire d'un ange».*
- **Berlioz:** *Les Nuits d'été.*
- **Bruckner**: *Symphonie n° 7.*
- **Chostakovitch:** *Symphonie n° 5 – Quatuor à cordes n° 8.*
- **Couperin (François):** pièces pour clavecin (un vaste choix de 233 pièces).
- **Debussy:** préludes pour piano.
- **Dupré:** *Le Chemin de la Croix,* pour orgue.
- **Dvořák:** Quatuor à cordes n° 12, «Américain».

✓ **Hindemith**: *Symphonie «Mathis le peintre»*.

✓ **Janequin**: *La Guerre ou La Bataille de Marignan — Les Cris de Paris*.

✓ **Josquin des Prés**: *Messe «Hercules Dux Ferrarie» – Mille Regrets*.

✓ **Liszt**: *Faust-Symphonie*.

✓ **Monteverdi**: *6ᵉ et 7ᵉ Livres de madrigaux — Vêpres de la Vierge*.

✓ **Marais**: pièces pour viole (au choix parmi plus de 500).

✓ **Prokofiev**: *1ᵉʳ Concerto pour violon*.

✓ **Rachmaninov**: *Danses symphoniques*.

✓ **Scarlatti**: sonates pour clavecin (à choisir parmi 555 exemplaires).

✓ **Schubert**: *Impromptus* pour piano — *Quatuor «La Jeune Fille et la Mort»*.

✓ **Schönberg**: *Gurrelieder — Verklärte Nacht (La Nuit transfigurée)*.

✓ **Stravinsky**: *Le Sacre du Printemps*.

✓ **Webern**: *Passacaille op. 1*.

Liste 5: la discothèque de l'amateur curieux

À présent que vous avez acquis une telle culture musicale, que vous savez lire les notes la tête en bas et que plus rien ne vous est étranger des petites histoires de la «grande» musique, vous vous sentez certainement l'âme d'un aventurier. Quoi de plus triste que d'entendre en boucle toujours les mêmes œuvres des mêmes compositeurs? Voici quelques-uns de nos coups de cœur. Laissez-vous tenter, appréciez, et ensuite… épatez vos amis avec vos découvertes!

✓ **Bartók**: *Images hongroises*.

✓ **Boëllmann**: *Suite gothique* pour orgue.

✓ **Britten**: *A Ceremony of Carols*.

✓ **Bruch**: *Fantaisie écossaise* pour violon et orchestre.

✓ **Dohnányi**: *Variations pour orchestre sur un thème enfantin* («Ah vous dirais-je, Maman»).

✓ **Duparc**: mélodies (en particulier *L'Invitation au voyage, Chanson triste, Phidylé, La Vie antérieure*).

✓ **Enesco**: *Suite pour orchestre n° 1*, op. 9/2 – *Rhapsodie roumaine n° 1*, op. 11/1.

✔ **Honegger :** *Pacific 231 — Pastorale d'été.*

✔ **Ives :** *Three Places in New England.*

✔ **Janáček :** *Tarass Boulba.*

✔ **Kabalevski :** *Les Comédiens.*

✔ **Khatchatourian :** suite de *Mascarade.*

✔ **Kodály :** *Sonate pour violoncelle seul — Sonate pour violoncelle et piano —* Chœurs a cappella, notamment *Öregek (Les Vieux), Norvég leányok (Les Filles de Norvège)* et *Hegyi éjszaka (Nuits dans les montagnes).*

✔ **Koechlin :** *Les Bandar-Log* (extrait du *Livre de la jungle*)

✔ **Martinů :** *Concerto pour deux orchestres à cordes, piano et timbales — Mémorial pour Lidice.*

✔ **Nielsen :** *Symphonie n° 3, « Sinfonia espansiva ».*

✔ **Padre Soler :** *Fandango* pour clavecin.

✔ **Poulenc :** *Gloria — Sonate pour flûte et piano — Sonate pour clarinette et piano.*

✔ **Puccini :** *Messa di gloria.*

✔ **Sarasate :** *Airs bohémiens — Fantaisie sur « Carmen ».*

✔ **Suk :** *Scherzo fantastique.*

✔ **Rachmaninov :** *L'Ile des morts.*

✔ **Roussel :** *Le Festin de l'Araignée.*

✔ **Schmitt :** *La Tragédie de Salomé.*

✔ **Szymanowski :** *Concerto pour violon n° 1 — Harnasie.*

✔ **Vierne :** *Symphonie pour orgue n° 3.*

✔ **Weiss :** sonates et pièces pour luth.

✔ **Widor :** Allegro de la *Symphonie pour orgue n° 6.*

Liste 6 : pour en finir avec les a priori

Non, la musique contemporaine n'est pas que grincements de portes et bruits de casseroles… loin de là ! Dans notre époque comme dans les précédentes, en musique comme en peinture, les génies cohabitent avec les petits maîtres, les laborieux et les charlatans. Voici une sélection d'œuvres composées de 1950 à nos jours, et que vous pouvez – à notre humble avis – aborder sans crainte. Il y en a dans tous les styles et pour tous les goûts.

Donc pas de panique: si vous êtes allergique à la musique de Pierre, prenez tout de même la peine d'essayer un peu celle de Paul, vous risquez d'être agréablement surpris… et séduit! Écoutez ces œuvres sans *a priori*, laissez-vous porter par elles et, nous sommes prêts à le parier, la magie opérera.

- **Adams:** *Harmonium — Shaker Loops — Short Ride in a Fast Machine.*
- **Colombier et Henry:** *Messe pour le temps présent* (notamment «Pysché Rock»).
- **Dutilleux:** *Timbres, Espace, Mouvement pour orchestre — Tout un monde lointain* (concerto pour violoncelle et orchestre) – *Citations pour hautbois, clavecin, contrebasse et percussions.*
- **Escaich:** *Concerto pour orgue — Fantaisie concertante pour piano et orchestre.*
- **Florentz:** *Les Jardins d'Amènta.*
- **Góreki:** *Symphonie n° 3.*
- **Henry et Schaeffer:** *Symphonie pour un homme seul.*
- **Kurtág:** *Stele* op. 33 – *Hommage à R. Sch.* pour clarinette, alto et piano.
- **Ligeti:** *Bagatelles pour quintette à vent — Hungarian Rock* pour clavecin — *Requiem.*
- **Lutosławski:** *Concerto pour orchestre – Livre pour orchestre.*
- **Messiaen:** *Turangalîla-Symphonie — Des canyons aux étoiles.*
- **Ohana:** *Llanto por Ignacio Sánchez Mejías.*
- **Pärt:** *Fratres — Cantus in memoriam Benjamin Britten — Tabula Rasa.*
- **Penderecki:** *Requiem polonais.*
- **Reich:** *Music for Pieces of Wood — Desert Music — Different Trains.*
- **Saariaho:** *Du cristal… à la fumée.*
- **Takemitsu:** *The Family Tree — From Me Flows What You Call Time.*

Annexe B

Petite chronologie musicale

*L*e chant grégorien, Mozart, Beethoven… après plusieurs centaines de pages, vous devez commencer à ne plus trop savoir comment dater tous ces événements musicaux. Voici pour vous guider une petite chronologie qui vous permettra de mieux situer les compositeurs et leurs œuvres. (Nous nous sommes volontairement concentrés sur la musique savante occidentale, ce qui ne signifie nullement qu'il ne se passait rien ailleurs…)

Aube de l'humanité. Les hommes commencent à produire des sons musicaux avec leur voix et d'autres instruments primitifs comme des tuyaux, des sifflets, des tambours et des rochers. Un millénaire passe…

Vers 2500 av. J.-C. Sur les îles égéennes de Théra et Cos (Grèce), des statues attestent que l'on jouait de la flûte et de la harpe.

VIIIe siècle av. J.-C. Homère écrit l'*Iliade* et l'*Odyssée*, qui nous renseignent sur les pratiques musicales des Grecs.

VIe siècle av. J.-C. Pythagore écrit la première théorie de la musique, art qui selon lui participe de la marche du cosmos puisqu'elle repose, comme l'astronomie ou la géométrie, sur des proportions mathématiques.

IIIe siècle av. J.-C. Ctésibios, ingénieur à Alexandrie, invente l'hydraule (orgue hydraulique), ancêtre de notre orgue à tuyaux.

Fin du IIIe siècle av. J.-C. Les «fragments d'Euripide» constituent les premiers exemples de notation musicale.

Ier - VIe siècles. Sur le terreau des musiques antiques grecques et romaines et de la psalmodie juive, les premières communautés chrétiennes introduisent la musique chantée (notamment la psalmodie) dans leur culte. Différentes liturgies (et donc manières de chanter) coexistent, chaque grand centre religieux ayant la sienne: liturgies romaine, ambrosienne (Milan), mozarabe (Espagne), byzantine, copte…

Vers l'an 600. Le pape Grégoire Ier (le Grand) entreprend d'unifier la liturgie, au moins dans l'Église d'Occident. Du même coup, il commence à répertorier et à codifier les chants religieux. Le travail est colossal, et sera poursuivi par ses successeurs. Le plain-chant prendra le nom de *chant grégorien* en son honneur. Attention, toutefois : certains centres peuplés d'irréductibles résistèrent et résistent toujours à l'envahisseur – comme Milan, qui n'a jamais renoncé au rite ambrosien.

IXe siècle. Premiers exemples de polyphonies improvisées, avec l'*organum* à la quarte ou à la quinte (une voix chante une mélodie donnée, l'autre entonne exactement la même mais décalée d'une quarte ou d'une quinte). Introduction de l'orgue à l'église.

Fin du IXe siècle. Premières notations neumatiques (petits vermicelles notant grossièrement la mélodie).

Vers 1025. Gui d'Arezzo préconise l'utilisation d'une portée musicale de plusieurs lignes horizontales, indiquant la hauteur des notes de manière beaucoup plus précise que les neumes. C'est aussi lui qui nomme les notes de la gamme d'après les premières syllabes de l'*Hymne à saint Jean-Baptiste* : *ut, ré, mi, fa, sol, la, si.*

Vers 1100. Apparition en Aquitaine de la poésie lyrique en langue d'oc, avec les troubadours. Cette nouvelle chanson profane exprime principalement l'amour courtois.

1137. Mariage d'Aliénor d'Aquitaine avec le roi Louis VII de France. Début de l'influence des troubadours au nord de la Loire, conduisant à la naissance d'une poésie lyrique en langue d'oïl (trouvères).

Vers 1170. Apparition d'une poésie lyrique en Allemagne (*Minnesänger*).

À partir de 1180. À Paris, Pérotin et Léonin (école de Notre-Dame) développent la polyphonie : une voix (la teneur) chante en valeurs longues une mélodie de plain-chant, tandis que les autres brodent autour : ce sont les prémices du motet, qui deviendra le genre majeur de la musique religieuse franco-flamande. L'école de Notre-Dame rayonne jusqu'en Angleterre, en Italie et en Espagne. On commence à noter les valeurs rythmiques, en plus des hauteurs de notes. C'est l'*Ars antiqua.*

1292. Mort d'Adam de La Halle, le dernier troubadour.

1322. Philippe de Vitry publie son traité *Ars nova* (Art nouveau), qui signe le début d'un nouveau style musical : rythmes plus complexes, musiques plus structurées, apparition des instruments dans la musique religieuse, développement de nouveaux genres et notamment de chansons polyphoniques profanes (principalement en France, en Flandre et en Italie). La notation musicale est de plus en plus élaborée, pour suivre ces développements.

1364. Guillaume de Machaut compose sa fameuse *Messe de Nostre Dame*, premier exemple d'une messe composée entièrement par une même main.

xve et xvie siècles. Apogée de l'école franco-flamande, avec des compositeurs comme Guillaume Dufay (1400-1474), Gilles Binchois (1400-1460), Jehan Ockeghem (1428-1495), Josquin des Prés (1440-1521), puis Clément Janequin (1485-1558) ou Roland de Lassus (1532-1594).

1445. Mort d'Oswald von Wolkenstein, le dernier des Minnesänger.

1498. Ottavio Petrucci fonde à Venise la première imprimerie musicale.

Vers 1500. Début de la Renaissance musicale.

1524. Disciple et collaborateur de Martin Luther, Johannes Walter publie le premier livre de chants protestants.

1533. Apparition en Italie du madrigal, chanson polyphonique profane dont la beauté et la complexité rivalisent avec celles du motet religieux.

1525. Naissance de Giovanni Pierluigi da Palestrina, le plus grand compositeur religieux de la Renaissance italienne et de la Contre-Réforme.

1528. Pierre Attaingnant fonde à Paris la première imprimerie musicale française. Il publiera de nombreuses œuvres (chansons, messes, danses et œuvres instrumentales diverses).

1550. Maître de chapelle de la basilique Saint-Marc de Venise, le compositeur franco-flamand Adrian Willaert invente la stéréophonie en faisant se répondre deux chœurs disposés à deux endroits différents. Le procédé sera développé par son élève Andrea Gabrieli et par le neveu de celui-ci, Giovanni Gabrieli.

1552. Pierre de Ronsard publie ses *Amours*, avec supplément musical (*timbres* de Claude Goudimel, Clément Janequin, Pierre Certon et Marc-Antoine Muret sur ses propres poèmes). Il prône l'union des arts et notamment de la poésie et de la musique.

1567. Naissance à Crémone (Italie) de Claudio Monteverdi (1567-1643).

1570. Fondation, à Paris, de l'Académie de poésie et de musique, qui se fixe pour mission de retrouver l'union entre ces deux arts en s'appuyant sur la manière de faire des Grecs (musique mesurée à l'antique).

1576. Fondation, à Florence, de la Camerata Bardi, où l'on réfléchit sur l'art de déclamer en musique (*recitar cantando*, *stile recitativo*), qui sera à l'origine de l'opéra.

1581. Monté à l'occasion du mariage du duc de Joyeuse, le *Ballet comique de la Royne* est le premier exemple de ballet de cour, genre typiquement français.

1587. Claudio Monteverdi publie son premier livre de madrigaux.

1600. À l'occasion du mariage d'Henri IV et Marie de Médicis, on représente à Florence le premier opéra de l'histoire : *Euridice* de Jacopo Peri. À Rome, exécution du premier oratorio connu, *La rappresentazione di Anima e di Corpo* d'Emilio De' Cavalieri.

1607. Monteverdi écrit son premier opéra : *Orfeo*.

1637-1639. Ouverture à Venise des premiers théâtres publics consacrés à l'opéra.

1643. Mort à Venise de Claudio Monteverdi. Naissance à Paris de Marc-Antoine Charpentier (1643-1704).

1646. Grâce à Mazarin, première représentation d'un opéra en France, *L'Egisto* de Francesco Cavalli.

1653. Naissance à Fusignano (Italie) d'Arcangelo Corelli (1653-1713).

1659. Représentation de la pastorale *Pomone* de Pierre Perrin et Robert Cambert, qui passe pour le premier opéra français. Naissance à Londres d'Henry Purcell (1659-1695).

1666. Stradivarius signe ses premiers violons.

1668. Naissance à Paris de François Couperin (1668-1733).

1669. Fondation de l'Académie royale de musique (l'Opéra de Paris).

1670. Création du *Bourgeois gentilhomme*, comédie-ballet de Molière et Jean-Baptiste Lully.

1673. Directeur de l'Académie royale de musique et seul compositeur autorisé à composer des opéras en France, par privilège de Louis XIV, Jean-Baptiste Lully crée sa première «tragédie en musique», *Cadmus et Hermione*.

1678. Naissance à Venise d'Antonio Vivaldi (1678-1741).

1685. En Allemagne: naissance de Jean-Sébastien Bach (1685-1750) à Eisenach et de Georg Friedrich Haendel (1685-1759) à Halle. Naissance à Naples de Domenico Scarlatti (1685-1757).

1687. La mort de Lully met fin à un règne sans partage sur l'opéra français.

1693. Création de la tragédie en musique de Marc-Antoine Charpentier *Médée*.

1709. Invention du piano par Bartolomeo Cristofori (1655-1731).

1717. Haendel écrit la *Water Music*, qui est jouée sur une barge flottant sur la Tamise devant le roi Georges.

1722. Bach écrit le premier livre du *Clavier bien tempéré*.

1725. Anne Danican Philidor, hautboïste à l'Académie royale de musique, fonde à Paris le Concert spirituel, première société française de concerts publics. Les concerts ont lieu les jours de relâche de l'Académie.

1733. À cinquante ans, Jean-Philippe Rameau fait créer son premier opéra: *Hippolyte et Aricie*.

1732. Naissance à Rohrau (Autriche) de Franz Joseph Haydn (1732-1809).

1750. Mort de Jean-Sébastien Bach. C'est à peu près à cette époque que s'ouvre l'époque classique.

1756. Naissance à Salzbourg (Autriche) de Wolfgang Amadeus Mozart (1756-1791).

1770. Naissance à Bonn (Allemagne) de Ludwig van Beethoven (1770-1827).

1778. Inauguration à Milan du théâtre de la Scala.

1782. Naissance à Gênes (Italie) de Nicolò Paganini (1782-1840).

1786. Mozart écrit *Les Noces de Figaro*, d'après Beaumarchais. Naissance à Eutin (Allemagne) de Carl Maria von Weber (1786-1826).

1787. Mozart écrit *Don Giovanni*.

1791. Mozart écrit *Die Zauberflöte* (*La Flûte enchantée*) et meurt la même année.

1792. Naissance à Pesaro (Italie) de Gioachino Rossini (1792-1868). Rouget de Lisle compose le *Chant de guerre pour l'armée du Rhin*, qui deviendra l'hymne national français, *La Marseillaise*.

1795. Fondation du Conservatoire de Paris, qui servira de modèle à de nombreux conservatoires à travers le monde.

1797. Naissance à Lichtental (Autriche) de Franz Schubert (1797-1828).

1798. Joseph Haydn compose son oratorio *Die Schöpfung* (*La Création*).

1801. Naissance à Catane (Italie) de Vincenzo Bellini (1801-1835).

1803. Naissance à La Côte-Saint-André (Isère) d'Hector Berlioz (1803-1869). Création en France du prix de Rome, dont le lauréat obtient une pension de quatre ans à la villa Médicis, à Rome.

1804. Napoléon se fait couronner empereur de France. Beethoven déchire la page de titre de sa *Symphonie n° 3, «Eroica»,* qu'il lui avait originellement dédiée.

1808. Beethoven écrit ses *Symphonies n° 4* et *n° 5*.

1809. Haydn meurt à Vienne. Naissance à Hambourg de Felix Mendelssohn Bartholdy (1809-1847).

1810. Naissance à Zwickau (Allemagne) de Robert Schumann (1810-1856) et à Żelazowa Wola (Pologne) de Frédéric Chopin (1810-1849).

1811. Naissance à Doborján (Hongrie) de Franz Liszt (1811-1886).

1813. Naissance à Leipzig de Richard Wagner (1813-1883) et aux Roncole di Bussetto, près de Parme (Italie), de Giuseppe Verdi (1813-1901).

1815. Franz Schubert compose quelques-uns de ses plus beaux Lieder, notamment *Erlkönig* (*Le Roi des Aulnes*), sur un poème de Goethe.

1816. Johann Nepomuk Maelzel dépose le brevet du métronome.

1818. Naissance à Paris de Charles Gounod (1818-1893). Paganini compose ses *24 Caprices pour violon seul*, dont la difficulté et la poésie bouleversent le jeu du violon.

1819. Naissance à Cologne de Jacques Offenbach (1819-1880).

1823. Schubert écrit son cycle de Lieder *Die schöne Müllerin* (*La Belle Meunière*).

1824. Naissance à Litomysl (Bohême) de Bedřich Smetana (1824-1884). Naissance à Ansfelden (Autriche) d'Anton Bruckner (1824-1896). Beethoven termine sa *Neuvième Symphonie*.

1826. Mendelssohn, âgé de 17 ans, écrit l'ouverture du *Songe d'une nuit d'été*. Mort de Weber.

1827. Mort de Beethoven.

1828. Mort de Schubert. Fondation à Paris du premier orchestre symphonique français, la Société des Concerts du Conservatoire.

1829. Mendelssohn redécouvre la *Passion selon saint Matthieu* de Jean-Sébastien Bach et dirige sa première audition depuis cent ans. Après le succès de *Guillaume Tell* à l'Opéra de Paris, Rossini cesse de composer des opéras.

1830. Première audition de la *Symphonie fantastique* de Berlioz à Paris.

1831. Frédéric Chopin s'installe à Paris.

1833. Naissance à Hambourg de Johannes Brahms (1833-1897).

1835. Naissance à Paris de Camille Saint-Saëns (1835-1921).

1836. Création à l'Opéra de Paris des *Huguenots* de Giacomo Meyerbeer (1791-1864), prototype du grand opéra à la française.

1838. Naissance à Paris de Georges Bizet (1838-1875). Franz Liszt achève ses *Études d'exécution transcendante*, qui adaptent au piano la virtuosité du violoniste Paganini.

1839. Naissance à Karevo (Russie) de Modest Moussorgski (1839-1881).

1840. Naissance à Votkinsk (Russie) de Piotr Ilitch Tchaïkovski (1840-1893). Robert Schumann épouse Clara Wieck et scelle cette union par deux cycles de lieder, *Frauenliebe und -leben* (*L'Amour et la Vie d'une femme*) et *Dichterliebe* (*Les Amours du poète*).

1841. Naissance à Nelahovezes (Bohême) d'Antonín Dvořák (1841-1904). Naissance à Ambert (Puy-de-Dôme) d'Emmanuel Chabrier (1841-1894).

1842. Fondation de l'Orchestre philharmonique de New York et de l'Orchestre philharmonique de Vienne. Naissance à Montaud (Loire) de Jules Massenet (1842-1912). La création de *Nabucco* à la Scala de Milan lance la carrière de Giuseppe Verdi. Wagner écrit *Rienzi*, son premier opéra à connaître le succès.

1844. Naissance à Tikhvine (Russie) de Nikolaï Rimski-Korsakov (1844-1908). Naissance à Lyon de Charles-Marie Widor (1844-1937). Hector Berlioz écrit son *Grand Traité d'instrumentation et d'orchestre moderne*, qui aura une très grande influence.

1845. Naissance à Pamiers (Ariège) de Gabriel Fauré. Adolph Sax dépose le brevet du saxophone.

1849. Naissance à Bergen (Norvège) d'Edvard Grieg (1849-1907). Mort à Paris de Chopin.

1851. Création à Venise de *Rigoletto* de Verdi, d'après *Le Roi s'amuse* de Victor Hugo.

1854. Naissance à Hukvaldy (Moravie) de Leoš Janáček (1854-1928).

1855. Naissance à Paris d'Ernest Chausson (1855-1899).

1856. Mort de Schumann dans un asile d'aliénés près de Bonn.

1858. Naissance à Lucques (Italie) de Giacomo Puccini (1858-1924). Création à Paris d'*Orphée aux Enfers*, premier grand succès d'Offenbach.

1859. Création à Paris du *Faust* de Gounod.

1860. Naissance à Kaliste (Bohême) de Gustav Mahler (1860-1911). Naissance à Camprodon (Espagne) d'Isaac Albéniz (1860-1909).

1861. La création française, à Paris, de l'opéra *Tannhäuser* de Wagner se solde par un échec cuisant doublé d'un scandale.

1862. Naissance à Saint-Germain-en-Laye de Claude-Achille Debussy (1862-1918).

1863. Johann Strauss fils (1825-1899) est nommé directeur des bals de la cour d'Autriche.

1864. Naissance à Munich (Allemagne) de Richard Strauss (1864-1949).

1865. Naissance à Hämeenlinna (Finlande) de Jean Sibelius (1865-1957). Naissance à Paris de Paul Dukas (1865-1935). Naissance à Norre Lyndelse (Danemark) de Carl Nielsen (1865-1931). Création à Munich de *Tristan et Isolde* de Wagner.

1866. Naissance à Honfleur d'Érik Satie (1866-1925).

1868. Brahms écrit *Un requiem allemand*.

1870. Naissance à Poitiers de Louis Vierne (1870-1937).

1871. La création au Caire d'*Aida*, de Verdi, salue l'inauguration du canal de Suez.

1873. Naissance à Oneg (Russie) de Sergueï Rachmaninov (1873-1943). Naissance à Brand (Bavière) de Max Reger (1873-1916).

1874. Moussorgski écrit son opéra *Boris Godounov* ainsi que les *Tableaux d'une exposition*. Naissance à Vienne d'Arnold Schönberg (1871-1951).

1875. Bedřich Smetana écrit son poème symphonique *Má Vlast* (*Ma Patrie*). Grieg écrit sa musique de scène pour *Peer Gynt* (d'Henrik Ibsen). Naissance à Ciboure (Pyrénées-Atlantiques) de Maurice Ravel (1875-1937). Première représentation de *Carmen*, de Bizet, qui meurt la même année.

1876. Naissance à Cadix (Espagne) de Manuel de Falla (1876-1946). Inauguration du théâtre de Bayreuth, construit par Wagner pour l'exécution de ses propres ouvrages. À quarante-quatre ans, après vingt ans de labeur, Brahms achève sa *Première Symphonie*.

1877. Thomas Edison invente le phonographe.

1879. Création à Moscou de l'opéra de Tchaïkovski *Eugène Onéguine*, d'après Pouchkine.

1881. Naissance à Nagyszentmiklós (Hongrie, aujourd'hui Roumanie) de Béla Bartók (1881-1945). Naissance à Liveni-Virnay (Roumanie) de Georges Enesco (1881-1955).

1882. Naissance à Oranienbaum (Russie) d'Igor Stravinsky (1882-1971). Naissance à Kecskemét (Hongrie) de Zoltán Kodály (1882-1967). Naissance à Tymoszówka (Ukraine) de Karol Szymanowski (1882-1937).

1883. Naissance à Vienne (Autriche) d'Anton Webern (1883-1945). Naissance à Paris d'Edgard Varèse (1883-1965). Mort à Venise de Richard Wagner. Emmanuel Chabrier écrit *España*.

1885. Naissance à Vienne d'Alban Berg (1885-1935).

1886. Naissance à Rouen de Marcel Dupré (1886-1971).

1887. Création à la Scala de Milan d'*Otello* de Verdi, d'après Shakespeare.

1888. Création à Paris du *Requiem* de Fauré. Rimski-Korsakov écrit *Schéhérazade*.

1889. Richard Strauss écrit son poème symphonique *Don Juan*. Mahler écrit sa *Première Symphonie*.

1890. Naissance à Polička (Bohême) de Bohuslav Martinů (1890-1959).

1891. Naissance à Sontsovka (Russie) de Sergueï Prokofiev (1891-1953).

1892. Création à Paris de *Werther* de Massenet. Antonín Dvořák est nommé directeur du tout nouveau Conservatoire national de New York.

1893. Tchaïkovski écrit sa *Symphonie n°6, «Pathétique»* et meurt une semaine après en avoir dirigé la première audition. Mort de Charles Gounod. Antonín Dvořák écrit à New York sa *Neuvième Symphonie, «Du Nouveau Monde»*. Giuseppe Verdi fait créer à la Scala de Milan son dernier opéra, *Falstaff*, d'après *Les Joyeuses Commères de Windsor* de Shakespeare.

1894. Création triomphale, à Paris, du *Prélude à «L'Après-midi d'un faune»* de Debussy, d'après Mallarmé. Mort d'Emmanuel Chabrier.

1897. Naissance à Hanau (Allemagne) de Paul Hindemith.

1897. Mort à Vienne de Johannes Brahms.

1898. Naissance à Brooklyn (États-Unis) de George Gershwin (18981937).

1899. Sibelius écrit son poème symphonique *Finlandia*. Scott Joplin (1868-1917) écrit *Mapple Leaf Rag*. Naissance à Paris de Francis Poulenc (1899-1963).

1900. Naissance à Brooklyn (États-Unis) d'Aaron Copland (19001990). Création à Milan de *Tosca*, de Giacomo Puccini, d'après Victorien Sardou.

1901. Mort à Milan de Giuseppe Verdi.

1902. Création à Paris de *Pelléas et Mélisande* de Debussy. Naissance à Louviers (Eure) de Maurice Duruflé (1902-1886).

1905. Rachmaninov écrit son *Deuxième Concerto pour piano*. Mahler écrit sa *Symphonie n° 4*. Création triomphale, malgré un parfum de scandale, de *Salomé* de Richard Strauss, sur un livret d'Oscar Wilde.

1906. Naissance à Saint-Pétersbourg (Russie) de Dimitri Chostakovitch (1906-1975).

1907. Pour la première fois, de la musique est transmise par TSF.

1908. Naissance à Avignon d'Olivier Messiaen (1908-1992). Isaac Albéniz achève *Iberia*, quatre cahiers de pièces pour piano.

1910. Stravinsky écrit *L'Oiseau de feu* pour les Ballets russes. Première audition de la *Symphonie n° 8* de Mahler (*« Symphonie des mille »*).

1912. Naissance à Los Angeles (États-Unis) de John Cage (1912-1992). Création par les Ballets russes de *Daphnis et Chloé* de Ravel. Création à Berlin du *Pierrot lunaire* de Schoenberg, premier exemple de *Sprechgesang* (« chant parlé »).

1913. Première représentation (qui déchaîne une émeute) du ballet de Stravinsky *Le Sacre du Printemps* par les Ballets russes, à Paris. Naissance à Varsovie de Witold Lutosławski (1913-1994). Naissance à Lowestoft (Grande-Bretagne) de Benjamin Britten (1913-1976).

1916. Naissance à Angers d'Henri Dutilleux.

1918. Mort à Paris de Debussy. Formation à Paris du groupe des Six (Georges Auric, Louis Durey, Arthur Honegger, Darius Milhaud, Francis Poulenc et Germaine Tailleferre), sous la houlette de Jean Cocteau.

1922. Schönberg finit d'élaborer sa *Méthode de composition avec 12 sons*, traité de composition posant les bases du dodécaphonisme. Naissance à Braila (Roumanie) du compositeur français d'origine grecque Iannis Xenakis (1922-2001).

1923. Création houleuse, à New York, d'*Hyperprism* de Varèse, première tentative de spatialiser le son et de le découper en composantes, comme la lumière passant à travers un prisme. Naissance à Dicsőszentmárton (Hongrie, aujourd'hui Roumanie), de György Ligeti.

1924. Gershwin compose sa *Rhapsody in Blue*. Naissance à Venise de Luigi Nono (1924-1990).

1925. Naissance à Oneglia (Italie) de Luciano Berio (1925-2003). Naissance à Montbrison (Loire) de Pierre Boulez.

1926. Chostakovitch écrit sa *Première Symphonie*. Création à Berlin du *Wozzeck* de Berg. Création à Cologne de la pantomime de Bartók *Le Mandarin merveilleux*, au terme de sept ans de lutte contre la censure.

1926. Naissance à Lugoj (Roumanie) du compositeur hongrois György Kurtág.

1928. Création du *Boléro* de Ravel. Création à Berlin de *L'Opéra de quat'sous* de Bertolt Brecht et Kurt Weill (1900-1950). Naissance près de Cologne (Allemagne) de Karlheinz Stockhausen.

1933. Naissance à Cracovie (Pologne) de Krzysztof Penderecki. Naissance à Czernica (Silésie) de Henryk Mikolaj Górecki.

1935. Berg écrit son *Concerto à la mémoire d'un ange* et meurt la même année. Gershwin écrit *Porgy and Bess*. Barber écrit son *Adagio pour cordes*.

1936. Bartók compose sa *Musique pour cordes, percussions et célesta*. Naissance à New York de Steve Reich.

1937. Chostakovitch écrit sa *Symphonie n° 5,* «réponse d'un artiste soviétique à de justes critiques». Mort de Gershwin et de Ravel.

1938. Le gouvernement allemand, sous l'égide de Joseph Goebbels, stigmatise dans l'exposition «Entartete Musik» («Musique dégénérée»), à Düsseldorf, la musique moderne, les compositeurs juifs et le jazz, dénoncé comme une musique à la fois «juive, bolchevique et nègre». De nombreux compositeurs (passés et présents) sont mis à l'index et nombre de musiciens choisissent l'exil.

1939. Hindemith et Stravinsky s'exilent aux États-Unis. Prokofiev écrit la musique du film d'Eisenstein *Alexandre Nevski*.

1940. Bartók s'exile aux États-Unis.

1941. Prisonnier dans un stalag de Silésie, Messiaen compose le *Quatuor pour la fin du temps*.

1945. Mort de Webern et de Bartók.

1946. Mort de Manuel de Falla. Cage commence la composition de ses *Sonates et interludes pour piano préparé*.

1948. Staline charge Jdanov, ministre de la Police – et de la Culture – d'URSS, d'organiser un congrès des musiciens où seront condamnées les tendances «musicales antidémocratiques, étrangères au peuple soviétique et à ses goûts artistiques», c'est-à-dire la musique qui «fait écho à la mode bourgeoise, moderniste et américaine». De nombreux compositeurs sont mis à l'index, notamment Prokofiev et Chostakovitch.

1949. Mort de Richard Strauss.

1950. Messiaen crée son étude *Mode de valeurs et d'intensités*, qui exercera une influence capitale sur la génération des jeunes compositeurs. Premier concert de musique concrète (réalisée à partir de bruits enregistrés), à Paris.

1953. Mort de Prokofiev, le même jour que Staline.

1954. Création à Paris de *Déserts* de Varèse, une des toutes premières partitions utilisant, en plus d'un orchestre traditionnel, de la musique sur bande magnétique.

1955. Pierre Schaeffer et Pierre Henry composent la *Symphonie pour un homme seul*, œuvre phare de la musique concrète. Création à Baden-Baden du *Marteau sans maître* de Boulez, sur des poèmes de René Char.

1956. Dans son *Klavierstück XI*, Karlheinz Stockhausen introduit la notion de hasard (le pianiste doit jouer différentes cellules dans l'ordre où son œil se pose sur elles).

1957. Première représentation de *West Side Story*, de Leonard Bernstein et, dans un tout autre genre, de *Dialogues des carmélites*, de Francis Poulenc.

1961. Création à Venise de *Jeux vénitiens* de Lutosławski, pour petit orchestre, première introduction de l'aléatoire en musique.

1963. Mort de Francis Poulenc.

1967. Mort d'Igor Stravinsky.

1968. Création à New York de la *Sinfonia* pour voix et orchestre de Berio, qui applique en musique la technique du collage.

1971. Création à Donaueschingen (Allemagne) de *Lontano*, pour grand orchestre, de Ligeti.

1978. Création à Stockholm de l'opéra de Ligeti *Le Grand Macabre*.

1983. Création à l'Opéra de Paris de l'opéra de Messiaen *Saint François d'Assise*.

1987. John Adams (né en 1947) écrit son opéra *Nixon in China*.

1990. Mort de Leonard Bernstein, d'Aaron Copland et de Luigi Nono.

1992. Mort d'Olivier Messiaen et de John Cage.

2003. Mort de Luciano Berio.

Annexe C

Glossaire

A : désigne la note *la* dans la notation musicale anglo-saxonne.

A cappella : expression désignant l'interprétation d'une musique par des voix seules, sans accompagnement instrumental.

Accelerando : indication de tempo signifiant que le mouvement doit aller en accélérant (synonyme : *stringendo*).

Accompagnement : partie instrumentale ou vocale ajoutée à une autre, plus importante, de manière à la soutenir et à la mettre en valeur.

Accord : son obtenu en jouant plusieurs notes en même temps.

Accord (d'un instrument) : ajustement des notes émises par un instrument sur une note de référence, généralement le *la*.

Adagio : indication de tempo impliquant une exécution calme. Est parfois utilisé comme titre pour une composition (Mozart, Samuel Barber).

Affettuoso : indication de jeu signifiant « affectueusement ».

Agitato : indication de tempo signifiant « agité ».

Allegretto : diminutif d'*allegro*. Indication de tempo signifiant un mouvement gracieux et léger.

Allegro : indication de tempo signifiant « vivement, avec joie ».

Allemande : danse modérée et solennelle qui ouvre en principe la suite de danses baroque.

Anche : languette de roseau vibrant pour produire le son sur certains instruments à vent (clarinette, saxophone, hautbois, basson). Une anche métallique produit le son de certains jeux d'orgue et d'instruments comme l'orgue à bouche, l'harmonica, l'harmonium et l'accordéon.

Andante: indication de tempo signifiant «avec allant, mais modéré». À mi-chemin entre *adagio* et *allegro*.

Andantino: diminutif d'*andante*. Indication de tempo signifiant «un peu plus animé qu'*andante*».

Anthem: composition chorale courte reposant sur un texte non liturgique en langue anglaise, qui s'épanouit en Angleterre à partir de la fin du XVIe siècle.

Appassionato: indication de tempo signifiant «avec passion». D'où le surnom donné à la *23e Sonate pour piano* de Beethoven: «*Appassionata*».

Arco: terme appliqué au jeu des instruments à cordes, indiquant que l'exécutant doit jouer avec l'archet, par opposition au jeu *pizzicato*.

Aria: 1 – Solo vocal d'une cantate, d'un oratorio ou d'un opéra. Dans la première moitié du XVIIIe siècle, dans le *dramma per musica* italien, l'*aria da capo* connaît une vogue sans précédent: après une section médiane, la section initiale est répétée avec de nombreuses ornementations mettant en valeur la virtuosité des chanteurs, en particulier des castrats. 2 – Dans la musique instrumentale baroque, morceau de caractère chantant, comme l'aria des *Variations Goldberg* ou celle de la *Suite pour orchestre en ré majeur* de J.-S. Bach.

Armature (ou Armure): ensemble des accidents (dièses et bémols) placés à la clef d'un morceau de musique, indiquant la tonalité choisie.

Assai: terme signifiant «très», fréquemment employé dans les indications de tempo, par exemple *allegro assai* («très rapide») ou *moderato assai* («à une vitesse très modérée»).

Atonalité: absence de tonalité. La musique atonale n'a pas d'armature spécifique et aucune note n'y sert de pôle d'attraction. Le terme s'applique à différents styles de musique des XXe et XXIe siècles.

Aubade: composition vocale ou instrumentale destinée à être interprétée à l'aube, généralement pour rendre hommage à une personne aimée ou respectée. Parmi les exemples connus, citons l'*Aubade* pour dix instruments de Poulenc et *Siegfried-Idyll* de Richard Wagner, composée pour être jouée à sa seconde femme, Cosima, le matin de son anniversaire.

B: désigne la note *si* dans la notation musicale anglaise et la note *si* bémol dans la notation musicale allemande.

Badinerie : morceau de caractère léger, dont la *Suite en si mineur* pour flûte, cordes et basse continue de J.-S. Bach offre un exemple célèbre (mouvement final).

Bagatelle : bref morceau instrumental de caractère léger et de forme simple, illustré par Beethoven dans une série de pièces pour piano (avec notamment la célèbre *Lettre à Élise*). Ce titre évocateur a été employé par la suite par de nombreux compositeurs, au nombre desquels Liszt, Bartók et Webern.

Ballade (du bas latin *ballare*, « danser ») : 1 – À l'origine chanson dansée strophique, la ballade devient un genre poétique illustré musicalement par les troubadours (XIIIe siècle) puis par les musiciens de l'Ars nova, tel Machaut, qui en fait un grand genre polyphonique. 2 – Poème narratif ou légendaire de forme libre, apparu en Allemagne à la fin du XVIIe siècle (Schiller, Goethe) et abondamment illustré par les compositeurs de lieder comme Schubert (*Le Roi des Aulnes*, *La Jeune Fille et la Mort*) ou Brahms. 3 – À partir du début du XIXe siècle, forme instrumentale de forme libre, généralement contrastée et de caractère narratif, illustrée au piano par Liszt, Chopin ou Brahms.

Barcarolle : morceau vocal ou instrumental dont l'accompagnement régulier imite le mouvement des vagues sous la barque et évoque le chant de mariniers, en particulier celui des gondoliers de Venise. Cette forme fut illustrée par Chopin, Mendelssohn, Fauré et Offenbach dans l'opéra *Les Contes d'Hoffmann*.

Baroque : période de la musique classique qui va du début du XVIIe siècle au milieu du XVIIIe. Caractérisée par une musique fleurie, chargée d'émotion mais écrite sous une forme très stricte.

Basse continue (ou Continuo) : instruments réalisant la basse *chiffrée* dans la musique baroque. Elle se répartissait habituellement entre deux instruments : un instrument grave monodique (violoncelle, viole de gambe, basson…) jouant la ligne de basse notée par le compositeur, et un instrument polyphonique (orgue, clavecin, luth…) réalisant le chiffrage d'accords noté au dessus de cette basse, c'est-à-dire improvisant un accompagnement harmonique.

Basse obstinée : figure mélodique assez brève, répétée à la partie la plus grave tout au long d'un morceau ; ce procédé est à la base de formes comme la passacaille ou la chaconne.

Bec : 1 – Embouchure en forme de bec de certains instruments à vent (flûte à bec, clarinette, saxophone). 2 – Petit morceau de plume de corbeau ou de cuir fixé à l'extrémité du sautereau de clavecin ou d'épinette pour pincer la corde.

Bécarre: signe annulant l'effet d'un bémol ou d'un dièse.

Bémol: signe placé devant une note et qui l'abaisse d'un demi-ton.

Berceuse: 1 – Chanson populaire lente, au rythme lancinant caractéristique. Brahms en a composé un exemple célèbre. 2 – Pièce instrumentale qui en dérive, illustrée entre autres par Chopin, Schumann (*Scènes d'enfants*), Fauré (*Dolly*), Debussy (*Children's Corner*) ou Stravinsky (*L'Oiseau de feu*).

Biniou: sorte de cornemuse bretonne, généralement associée à la bombarde. Dans le jargon des musiciens, désigne n'importe quel instrument.

Boléro: danse espagnole modérée, à trois temps, qui inspira à Ravel son œuvre la plus célèbre.

Bourrée: 1 – Danse française remontant au XVIe siècle, aux temps vigoureusement marqués; elle apparaît dans la suite de danses baroque. 2 – Disparue vers 1750 de la musique classique, la bourrée renaît au XIXe siècle comme pièce de caractère (*Bourrée fantasque* de Chabrier, *Suite pour piano* de Roussel).

C: désigne la note *do* dans la notation musicale anglo-saxonne.

Cadence: 1 – Passage de virtuosité à la fin d'un mouvement de concerto (principalement du premier mouvement), théoriquement laissée à la fantaisie du soliste. 2 – Formule harmonique utilisée comme conclusion.

Cantate: composition musicale à une ou plusieurs voix, généralement sur un sujet religieux.

Camera: terme italien signifiant «chambre» et désignant des genres profanes par opposition aux genres religieux, par exemple la *sonata da camera*, «sonate de chambre», par opposition à la *sonata da chiesa*, «sonate d'église».

Canon: procédé contrapuntique où une mélodie entonnée par une voix ou un instrument est imitée par d'autres voix ou d'autres instruments entrant à tour de rôle, comme dans la chanson populaire *Frère Jacques*. Le célèbre *Canon de Pachelbel* offre un exemple plus développé de ce procédé.

Cantabile: indication de jeu soulignant le caractère chantant d'un morceau vocal ou instrumental.

Cantate: œuvre vocale avec ou sans chœurs et un accompagnement instrumental, reposant sur des textes sacrés ou profanes.

Caprice ou Capriccio: terme désignant généralement des pièces au caractère improvisé et à l'invention débordante. Les 24 *Caprices pour violon seul* de Paganini sont réputés pour leur difficulté diabolique. Le *Capriccio espagnol* de Rimski-Korsakov, le *Capriccio italien* de Tchaïkovski exploitent une veine très pittoresque.

Chaconne: à l'origine, danse populaire en Espagne au début du XVIIe siècle. C'est devenu une forme lente reposant sur une courte basse obstinée. Très en vogue à l'époque baroque («Chaconne» de la *Partita pour violon seul en ré mineur* de Bach, grandes chaconnes des opéras de Lully), elle a été illustrée par Bartók dans sa *Sonate pour violon seul.*

Chambre (musique de): musique composée pour un ensemble d'instruments réduit et destiné à l'origine à être exécuté dans des salons privés ou des salles de taille réduite.

Chambre (orchestre de): orchestre de taille réduite, destiné à un répertoire spécifique.

Chanson: composition poétique et musicale typiquement française; outre les chansons populaires ou de variété, le terme recouvre les chansons de geste (XIe-XIIIe siècles), les chansons polyphoniques (Renaissance) ou certaines mélodies savantes au parfum populaire ou exotique (*Chansons gaillardes* de Poulenc, *Chansons madécasses* de Ravel).

Chapelle: ensemble de chanteurs ou de musiciens employés par une église ou par une cour, sous l'autorité d'un maître de chapelle. La Chapelle pontificale se réunissait à la chapelle Sixtine; la Chapelle royale de la cour de France fut formée par François Ier.

Choral: chant liturgique de l'Église luthérienne en langue vernaculaire (allemand). Luther en composa ou en arrangea de nombreux lui-même, qui furent par la suite abondamment harmonisés, en particulier par J.-S. Bach.

Classique: période de la musique classique qui a succédé à l'époque baroque, allant du milieu du XVIIIe siècle au début du XIXe siècle, soit approximativement de 1750 à la mort de Beethoven (1827).

Coda: terme italien signifiant «queue» et désignant la partie conclusive d'un mouvement ou d'un morceau de musique.

Coloratura: terme désignant les ornements d'une ligne vocale particulièrement fleurie, et par extension la voix des chanteurs capables de réaliser de telles prouesses.

Con anima: indication de tempo signifiant «avec âme».

Con brio: indication de jeu signifiant «brillamment». Utilisé généralement pour compléter une autre indication. Exemple: *allegro con brio.*

Concerto: composition musicale écrite pour un ou plusieurs solistes accompagnés par une formation orchestrale.

Concerto grosso: genre apparu à la fin du XVIIe siècle, avec Corelli, puis Haendel, Vivaldi et de nombreux autres compositeurs. Un petit groupe de solistes, le *concertino,* y dialogue avec l'orchestre à cordes au complet, le *ripieno.*

Consort: terme désignant, dans l'Angleterre des XVIe et XVIIe siècles, une formation instrumentale de chambre (par exemple le consort de violes, très en vogue autour de 1600).

Contrepoint: écriture polyphonique où plusieurs lignes mélodiques se superposent.

Crescendo: en augmentant le volume sonore.

Cycle: ensemble de pièces, souvent des mélodies ou des lieder, reliées par un thème littéraire ou une parenté musicale. Par exemple: *La Belle Meunière* de Schubert ou *Les Amours du poète* de Schumann. Au XIXe siècle, le compositeur tchèque Smetana écrivit un cycle de poèmes symphoniques, *Ma Patrie,* où figure la célèbre *Moldau.*

D: désigne la note *ré* dans la notation musicale anglo-saxonne.

Da capo: expression placée à la fin d'un mouvement ou d'un morceau, indiquant qu'il faut le reprendre du début jusqu'au signe convenu.

Decrescendo: en diminuant le volume sonore. Synonyme: *diminuendo.*

Degueulando: terme péjoratif désignant l'excès de vibrato ou des *glissando* trop appuyés (voir ces termes).

Développement: dans la forme sonate, section médiane d'un mouvement dans laquelle le compositeur développe et varie les thèmes qu'il a précédemment exposés.

Dièse: signe placé devant une note et qui l'élève d'un demi-ton.

Diminuendo: en diminuant le volume sonore. Synonyme: *decrescendo.*

Dissonant: littéralement: «qui ne sonne pas avec». Un accord est dissonant lorsqu'il est composé de notes qui ne se fondent pas bien entre elles et qui produisent un son discordant, souvent désagréable.

Divertimento: composition le plus souvent instrumentale, de caractère léger et récréatif, consistant généralement en un grand nombre de mouvements. Le genre fut en vogue dans la seconde moitié du XVIIIe siècle.

Dixtuor: 1 – Groupe de dix musiciens. 2 – Forme de composition musicale destinée à être interprétée par cette formation.

Dodécaphonisme: système musical créé par Arnold Schönberg vers 1921 et dans lequel les douze demi-tons de la gamme chromatique ont une valeur équivalente, sans hiérarchie ni liens entre les uns et les autres. C'est une des formes de la musique «atonale».

Dramma per musica: nom donné à l'opéra baroque italien jusque vers 1730. Genre complexe mêlant éléments tragiques et comiques dans un contexte mythologique, avec une débauche de machines, de décors et de costumes, il fut recentré par le poète Métastase sur des sujets historiques et sérieux, prenant progressivement le nom d'*opera seria* tandis que les éléments comiques étaient isolés dans des intermèdes, puis des ouvrages autonomes appelés *opera buffa*.

Duo: morceau de musique pour deux instrumentistes ou deux chanteurs.

Dynamique: différents degrés d'intensité du son, doux ou fort, et changements d'intensité (*crescendo, decrescendo*) dans un morceau de musique.

E: désigne la note *mi* dans la notation musicale anglo-saxonne.

Élégie: pièce vocale ou instrumentale de caractère lyrique et mélancolique (*Élégie* de Fauré).

Étude: exercice instrumental ou vocal à caractère didactique, que des compositeurs comme Chopin, Liszt, Bartók ou Debussy ont élevé à des sommets artistiques, bien au-delà de leur dessein d'origine.

Exposition: dans la forme sonate, première section d'un mouvement dans laquelle le compositeur expose un ou plusieurs thèmes qu'il développera ensuite.

F: désigne la note *fa* dans la notation musicale anglo-saxonne.

Fantaisie : composition musicale dans laquelle l'auteur ne se sent pas obligé de suivre les formes traditionnelles. La sonate dite *« Au clair de lune »* de Beethoven est décrite par le compositeur comme *sonata quasi una fantasia*, « sonate, presque une fantaisie ».

Forlane : danse originaire du Frioul (Italie), en vogue à Venise à la fin du XVIIe siècle, puis dans toute l'Europe. Bach, Rameau et Couperin l'illustrèrent, ainsi que Ravel dans son *Tombeau de Couperin*.

Forte : indication de nuance, signifiant que le passage doit être joué avec beaucoup d'intensité sonore. La lettre *f* est l'abréviation de *forte*, *ff* est celle de *fortissimo*, et l'on rencontre parfois *fff*, voire *ffff* pour indiquer un jeu encore plus intense.

Fortissimo : superlatif de *forte* : « très fort ».

Frettes (ou sillets) : tiges en métal, en bois ou en ivoire, ou cordes tendues sur le manche ou sur la table de certains instruments à cordes pincées (luth, cithare, banjo, guitare…) indiquant où poser les doigts pour obtenir une note donnée.

Fugue : forme musicale assez élaborée, écrite pour trois voix ou plus et développant la technique du canon (voir ce terme). Les différentes voix jouent la même ligne mélodique (le *sujet*) avec un décalage variable. La fugue constitua l'une des formes majeures de l'époque baroque, atteignant son apogée avec J.-S. Bach dans la première moitié du XVIIIe siècle.

Furioso : indication de jeu signifiant « furieusement ».

G : désigne la note *sol* dans la notation musicale anglo-saxonne.

Galop : danse rapide à deux temps d'origine allemande, qui s'imposa au XIXe siècle comme l'une des danses favorites des salles de bal. En France, il engendra le cancan. Offenbach mit l'un et l'autre à l'honneur dans ses opéras bouffes et ses opérettes. Dans *La Veuve joyeuse* de Lehár, le galop de l'acte III traduit la fièvre de Paris.

Gamme : succession de notes placées par degrés dans l'ordre ascendant ou descendant.

Gigue : danse rapide, qui s'est imposée comme finale vif dans la suite de danses baroque.

Giocoso : indication de caractère présent dans des expressions comme *allegro giocoso* («rapide et joyeux»). L'adjectif qualifie également l'opéra *Don Giovanni* de Mozart, présenté par le compositeur comme un *dramma giocoso*.

Glissando : glissement progressif d'une note à une autre.

Grazioso : indication de tempo signifiant «gracieusement».

Grégorien (chant) : voir *Plain-chant*.

H : désigne la note *si* dans la notation musicale allemande.

Habanera (ou Havanaise) : danse cubaine originaire de La Havane, introduite par la suite en Espagne. Bizet en offre un exemple célèbre (l'air de Carmen «L'amour est enfant de Bohême»). Elle a inspiré de nombreux compositeurs espagnols (Falla, Albéniz) et surtout français : Saint-Saëns (*Havanaise* pour violon et orchestre), Ravel («Habanera» de la *Rhapsodie espagnole* et *Vocalise en forme de habanera*) ou Debussy («Les Parfums de la nuit», dans *Iberia*).

Harmonie : art de la combinaison des sons en accords par opposition à la mélodie qu'elle accompagne, qu'elle soutient.

Harmonique (progression) : succession d'accords.

Homophonie : émission simultanée par des voix ou des instruments des mêmes mélodies (rythmes et hauteurs de note identiques), à l'unisson ou à l'octave.

Homorythmie : écriture polyphonique dans laquelle les voix progressent selon les mêmes valeurs rythmiques, mais sur des hauteurs de note différentes.

Impressionnisme : terme utilisé à l'origine pour railler l'œuvre de Monet *Impression au soleil levant*, et qui désigna par la suite le mouvement artistique qui en découla, où l'on peignait l'impression dégagée par un objet plutôt que sa réalité. Le terme s'étendit pour qualifier le caractère flou prêté aux œuvres de Debussy, que l'on accusait (injustement) de porter trop d'attention à la couleur, au détriment de la forme et du rythme.

Impromptu : courte pièce, généralement pour piano. Le genre a été illustré notamment par Schubert et par Chopin.

Improvisation : l'improvisation formait autrefois un pan essentiel du métier de musicien. La plupart des compositeurs, tels Bach, Mozart ou Beethoven, maniaient cet art avec dextérité. Au XIXe siècle, la part de l'improvisation recula au sein des concerts. Dans la musique classique, cette pratique fut confinée à l'orgue liturgique, où elle demeure fondamentale et accompagne certaines parties du rite liturgiqie à la durée variable. Dans la musique baroque, la réalisation de la basse continue est improvisée au clavier, tandis que les instruments mélodiques et les chanteurs doivent également improviser l'ornementation de leur propre partie.

Instrumentation : art de combiner entre eux les instruments.

Interlude : dans la musique de théâtre, musique intercalée entre les actes et les scènes, accompagnant généralement un changement de décor.

Intermezzo : dans l'opéra baroque italien, intermède comique inséré entre les actes d'un opéra sérieux (*opera seria*). À partir du XIXe siècle, interlude musical au sein d'une composition plus vaste, ou pièce autonome, souvent pour piano seul. C'est dans ce second sens qu'il fut employé par Schumann ou Brahms. Le terme apparaît aussi dans la musique scénique, où il prend alors le sens d'*interlude* : musiques de scène (*Le Songe d'une nuit d'été* de Mendelssohn), opéras (*Manon Lescaut* de Puccini, *Cavalleria rusticana* de Mascagni).

Intervalle : distance entre deux notes jouées simultanément ou successivement.

Konzertmeister : terme allemand signifiant « maître de concert » et désignant le violon solo, le poste plus élevé dans la hiérarchie d'un orchestre (celui qui entre en scène en dernier, coordonne l'accord de tous les musiciens et reçoit le salut et les félicitations du chef d'orchestre au nom de tous ses camarades).

Larghetto : diminutif de *largo*. Indication de tempo signifiant « mouvement un peu plus allant que largo ».

Largo : indication de tempo signifiant « mouvement lent et grave ».

Leitmotiv : thème musical assigné à un personnage, à un objet ou à un concept dans les opéras de Wagner.

Legato : jeu lié (sans interruption du son entre les notes), par opposition à *staccato* (voir ce terme).

Lento : indication de tempo signifiant « lentement ».

Lied : forme vocale typique du romantisme allemand, illustrée notamment par Schubert, Schumann et Brahms. Pluriel : *lieder.*

Madrigal : composition musicale datant de la Renaissance et écrite pour au moins trois voix avec des mélodies qui se superposent, généralement sans accompagnement instrumental. Il a été illustré principalement en Italie (Palestrina, Gesualdo, Monteverdi), puis en Angleterre (Byrd).

Maestoso : indication de tempo signifiant « avec majesté ».

Marche : composition musicale écrite selon une mesure à deux temps, au rythme un peu martial.

Mazurka : danse polonaise, abondamment illustrée par Chopin au piano.

Mélodie : composition savante pour voix et accompagnement (le plus souvent piano) dans le répertoire français des XIXᵉ et XXᵉ siècles (Berlioz, Fauré, Debussy, Ravel…) ; le terme s'oppose à celui de *chanson*, qui désigne soit des œuvres vocales antérieures et le plus souvent polyphoniques, soit un répertoire léger. La mélodie correspond à la *romanza* italienne et au *lied* allemand.

Mélodrame : forme théâtrale dans laquelle le texte parlé se mêle intimement à un commentaire musical, comme dans *L'Arlésienne* d'Alphonse Daudet et Georges Bizet, la scène du creusement de la fosse dans l'opéra de Beethoven *Fidelio*, ou *L'Histoire de Babar* de Jean de Brunhoff et Francis Poulenc.

Meno : terme italien signifiant « moins » et accompagnant des indications de nuance ou de tempo, comme dans l'expression *meno mosso* (« moins rapide »).

Menuet : ancienne danse de cour construite selon une mesure à trois temps, introduite à la cour de France par Lully dans la seconde moitié du XVIIᵉ siècle avant de se répandre dans l'Europe entière au siècle suivant. Le menuet apparaît de temps à autre au sein des suites baroques, mais il s'est surtout fixé comme troisième mouvement des symphonies préclassiques et classiques, avant d'être progressivement supplanté par le scherzo.

Mesto : indication de caractère signifiant « triste ».

Mesure : unité de base de la musique, contenant le plus souvent de 2 à 4 temps.

Mezzo forte : indication de jeu signifiant « avec une intensité sonore moyenne ».

Minimalisme : style musical dans lequel de courts fragments apparaissent de façon répétitive avec de subtiles modifications de rythme et d'harmonie.

Modes : différentes échelles de notes utilisables dans un morceau de musique. La musique savante occidentale a reposé jusqu'au XXe siècle sur des modes de sept notes, parmi lesquels les plus employés étaient les gammes majeure et mineure. La musique populaire recourt à de nombreux autres modes. Certains compositeurs du XXe siècle ont fabriqué leurs propres modes, soit de toutes pièces, soit d'après des modes folkloriques européens ou extra-européens, en particulier asiatiques.

Moderato : indication de tempo signifiant « d'un mouvement modéré, sans aller trop vite ».

Molto : terme italien signifiant « beaucoup » et accompagnant certaines indications de mouvement ou de nuance, comme dans *allegro molto* ou *crescendo molto*.

Monodie : chant à une voix dépourvu d'accompagnement, qui forma le fondement de la musique occidentale dans l'Antiquité et au Moyen Âge, jusqu'à l'apparition de la polyphonie.

Mosso : indication de tempo que l'on trouve généralement dans les expressions *più mosso* (« plus animé ») et *meno mosso* (« moins animé »).

Motet : forme vocale polyphonique, avec ou sans accompagnement instrumental, née au milieu du XIIIe siècle et qui a revêtu au fil des ans des aspects fort différents.

Motif : brève idée musicale pouvant générer un thème ou une mélodie.

Moto : terme italien signifiant « mouvement » et utilisé dans les expressions *con moto* (« avec mouvement, rapidement ») et *moto perpetuo*, pièce vive qui donne, comme son nom l'indique, l'impression d'un mouvement perpétuel.

Mouvement : 1 – Indication de vitesse (de *tempo*) dans l'exécution d'une composition musicale. 2 – L'une des parties d'une œuvre. (Exemple : les concertos ont généralement trois mouvements.)

Néoclassique : style musical éclectique employé par certains compositeurs du XXe siècle, caractérisé par le retour à des styles et à des formes empruntés aux époques précédentes (baroque et classique essentiellement), sans renoncer toutefois à certaines dissonances. Stravinsky en offre l'exemple dans son ballet *Pulcinella*, Prokofiev dans sa *Symphonie « classique »* et Bartók dans son *Divertimento pour cordes*.

Nocturne: morceau le plus souvent instrumental, inspiré par la nuit ou destiné à être joué la nuit. Sous sa forme pour piano seul, il a été illustré par le compositeur irlandais John Field au début du XIXᵉ siècle puis par Chopin et Fauré.

Nonet (ou Nonette): 1 – Groupe de neuf musiciens. 2 – Forme de composition musicale destinée à être interprétée par cette formation.

Notation: écriture de la musique. Elle a considérablement varié au fil des siècles, jusqu'à la notation sur une portée de cinq lignes qui constitue aujourd'hui le système de référence. Certains compositeurs contemporains ont imaginé d'autres pratiques lorsque la portée ne suffisait plus à décrire leur musique. (La partition est dans ce cas précédée d'une notice explicative!)

Obligé(e): adjectif qualifiant, aux XVIIᵉ et XVIIIᵉ siècles, une partie instrumentale secondaire, mais qui ne peut être omise et doit être exécutée strictement comme elle est notée. La *Messe en si mineur* de Bach offre un exemple célèbre de violon obligé dans l'air de mezzo-soprano «Laudamus te».

Octuor: 1 – Groupe de neuf musiciens. 2 – Forme de composition musicale destinée à être interprétée par cette formation. Parmi les exemples les plus illustres, citons l'octuor de Schubert, les octuors à cordes de Mendelssohn et d'Enesco, l'octuor à vent de Stravinsky et *Octandre* pour instruments à vent de Varèse.

Opéra: drame chanté né en Italie à la fin du XVIᵉ siècle, et qui s'est répandu par la suite dans toute l'Europe.

Opéra-ballet: genre scénique typiquement français faisant alterner chant et danse, en vogue dans la dernière décennie du XVIIᵉ siècle et la première moitié du XVIIIᵉ, et représenté par exemple par *Les Indes galantes* de Rameau.

Opéra bouffe: terme désignant en France, au XIXᵉ siècle, des œuvres lyriques légères recourant souvent à la parodie. Offenbach en est le principal représentant.

Opera buffa: genre issu, dans l'opéra italien, des *intermezzi* comiques qui entrecoupaient les actes sérieux du *dramma per musica* (voir ce terme). Le premier du genre est *La serva padrona* (*La Servante maîtresse*), de Pergolèse (1733).

Opéra-comique: genre lyrique typiquement français (et pas forcément drôle…) où la musique est entrecoupée de dialogues parlés. *Carmen* de Bizet (dans sa version originale) y appartient.

Opera seria : terme apparu dans la première moitié du XVIIIe siècle pour désigner l'opéra italien sérieux, par opposition à l'*opera buffa* (tous deux étant issu du *dramma per musica*).

Opérette : pièce lyrique de caractère léger, mêlant dialogues parlés, airs chantés et danses à la mode. Le terme apparut au milieu du XIXe siècle pour désigner des œuvres d'Offenbach.

Opus : terme qui, accompagné d'un numéro, désigne l'ordre dans lequel un compositeur a présenté ses œuvres à la publication. Il s'abrège en *op.*

Oratorio : pièce musicale écrite pour un soliste, des chœurs et un orchestre et dont les sujets sont généralement inspirés de la Bible.

Orchestration : art de combiner les instruments de l'orchestre pour réaliser une composition musicale harmonieuse. Ravel a orchestré avec beaucoup d'habileté les *Tableaux d'une exposition* de Moussorgski.

Ostinato : terme désignant une cellule rythmique ou mélodique qui se répète un certain temps.

Ouverture : morceau introductif d'un opéra ou d'une œuvre scénique qui, au contraire du prélude, ne s'enchaîne pas directement au début de l'acte. Le terme d'*ouverture* est parfois utilisé pour désigner des suites de danses pour orchestre, comme chez J.-S. Bach. Au XIXe siècle, l'ouverture a connu parfois un destin solitaire de pièce de concert généralement brillante et pittoresque (ouvertures *Le Corsaire* et *Le Carnaval romain* de Berlioz) ou liée à une occasion particulière (*Ouverture solennelle* et *Ouverture tragique* de Brahms).

Partita : terme équivalent à *suite*, utilisé par exemple par J.-S. Bach pour désigner des suites pour clavier ou pour violon seul.

Passacaille : forme en vogue à l'époque baroque, consistant en variations sur une courte formule mélodique reprise obstinément, généralement à la basse, sous un schéma harmonique immuable. Comme la chaconne, dont elle se rapproche, il s'agit à l'origine d'une danse. J.-S. Bach a composé une célèbre *Passacaille* pour orgue. Brahms recourt à cette forme dans le finale de sa *Symphonie n° 4*. L'op. 1 de Webern est une *Passacaille* pour orchestre.

Patetico : indication de jeu signifiant « de manière pathétique ».

Pavane : danse grave à deux temps qui, couplée à la gaillarde (plus rapide et à trois temps), fut très en vogue au XVIe siècle et au début du XVIIe. Elle a connu un regain de faveur à la fin du XIXe siècle et au début du XXe, auprès notamment de Fauré (*Pavane*), Ravel (*Pavane pour une infante défunte*, « Pavane de la Belle au bois dormant » dans *Ma Mère l'Oye*).

Pentatonique : la gamme pentatonique, ou gamme de cinq notes, est formée par les notes noires du clavier, ou par les cinq notes blanches *do, ré, mi, sol* et *la*. Elle est à la base du folklore de nombreux pays, de la Chine à l'Écosse en passant par la Hongrie, et apparaît à l'occasion dans l'œuvre de compositeurs du xxe siècle comme Bartók, Kodály, Debussy ou Ravel (« Laideronnette, impératrice des Pagodes » dans *Ma Mère l'Oye*).

Phrasé : art de regrouper et d'articuler les notes de manière à faire ressortir la structure des mélodies et la délicatesse de leurs contours.

Pianissimo : diminutif de *piano* : « très doucement ». Abrégé en *pp*. L'addition de lettres *p* indique des degrés de douceur plus élevés encore, comme dans la *Symphonie n° 6* de Tchaïkovski, qui exige un *pppppp* !

Piano : indication de jeu signifiant « doucement ». D'où le nom du piano (à l'origine *pianoforte*, l'instrument capable de nuances au contraire du clavecin). Abrégé en *p*.

Piccolo : terme italien signifiant « petit ». Nom donné à la petite flûte, qui sonne à l'octave supérieure de la flûte ordinaire. L'adjectif s'applique en outre à certains instruments particuliers comme la trompette piccolo ou le violon piccolo, un violon de taille réduite que J.-S. Bach utilise dans son *Premier Concerto brandebourgeois*.

Più : terme italien signifiant « plus », utilisé dans des expressions comme *più forte* (plus fort) ou *più lento* (plus lentement).

Pizzicato : manière de jouer des instruments à cordes à archet en pinçant la corde avec le doigt, comme sur une guitare.

Plain-chant : chant monodique traditionnel de la liturgie catholique, unifié par le pape Grégoire le Grand à la fin du vie siècle. Il repose sur les huit modes d'église et son rythme, non mesuré, suit librement la prosodie. Sa longue histoire a été traversée de réformes et de tentatives de restauration.

Poco : terme italien signifiant « peu », utilisé dans des expressions comme *poco allegro* (« pas très vite ») ou *poco a poco rallentando* (« en ralentissant peu à peu »).

Poème symphonique : genre musical inventé par Franz Liszt vers 1850, la plupart du temps en un seul mouvement, dont le dessein est de traduire en musique des idées extramusicales. Exemples : *Mazeppa* de Liszt, la *Danse macabre* de Camille Saint-Saëns, *Ainsi parlait Zarathoustra* de Richard Strauss ou *Finlandia* de Jean Sibelius.

Polka: danse originaire de Bohême, en vogue dans les salles de bal au XIXᵉ siècle. Elle a été illustrée par Smetana dans son opéra *La Fiancée vendue*, par Johann Strauss fils à de nombreuses reprises et plus récemment par Stravinsky (*Circus-Polka*).

Polonaise: danse polonaise à trois temps déjà illustré par J.-S. Bach et à laquelle Chopin a donné ses lettres de noblesse.

Polyphonie: art d'écrire de la musique à plusieurs voix différentes, par opposition à la monodie et à l'homophonie.

Portée: ensemble de cinq lignes parallèles sur lesquelles on écrit les notes d'une partition. La position de ces notes sur la portée en définit la hauteur. La portée fut imaginée au XIᵉ siècle par Gui d'Arezzo, et ne comportait alors que quatre lignes. L'usage de la portée de quatre lignes s'est maintenu pour la notation du plain-chant (voir ce terme).

Prélude: section ou mouvement venant au début d'une œuvre, en particulier d'un opéra. Il peut s'agir également de pièces indépendantes plus ou moins longues, comme le *Prélude à «L'Après-midi d'un faune»*, de Claude Debussy.

Programme: liste plus ou moins détaillée des œuvres qui vont être interprétées lors d'un concert.

Programme (Musique à): musique reposant sur un sujet narratif ou descriptif extramusical, dont le compositeur indique la clef (le programme) sur la partition, comme c'est le cas avec la *Symphonie «Pastorale»* de Beethoven ou la *Symphonie «Fantastique»* de Berlioz. La forme la plus répandue de musique à programme est le *poème symphonique* (voir ce terme). Parfois, le compositeur tient le programme secret, ou y renonce après avoir composé l'œuvre.

Prestissimo: superlatif de *presto*: «très vite».

Presto: indication de jeu signifiant «rapide».

Psaume: composition sacrée sur des textes extraits du Livre des Psaumes, dans l'Ancien Testament.

Quart de ton: depuis le milieu du XXᵉ siècle, la musique savante utilise à l'occasion des divisions du ton inférieures au demi-ton. Bartók a recouru aux quarts de ton dans la partie soliste de son *Concerto pour violon* et dans sa *Sonate pour violon seul*.

Quatuor : 1 – Groupe de quatre musiciens. 2 – Forme de composition musicale destinée à être interprétée par cette formation. Il peut s'agir de quatuors à cordes (deux violons, alto, violoncelle), de quatuors avec piano (piano, violon, alto, violoncelle) ou d'autres formations.

Quintette : 1 – Groupe de cinq musiciens. 2 – Forme de composition musicale destinée à être interprétée par cette formation. Les formes de quintettes les plus courantes sont le quintette à cordes (avec deux altos ou deux violoncelles), le quintette à vent (flûte, hautbois, clarinette, basson, cor), le quintette de cuivres (cor, deux trompettes, deux trombones) et les quintettes rassemblant un quatuor à cordes et un instrument d'une autre famille (flûte, guitare, clarinette, piano…). Le *Quintette « La Truite »* de Schubert est un quintette atypique (violon, alto, violoncelle, contrebasse et piano).

Rallentando : terme indiquant un ralentissement progressif du tempo.

Récitatif : à l'opéra et dans l'oratorio, style de chant au rythme et à la versification libres, qui tend à reproduire les inflexions de la voix parlée. Le récitatif est accompagné soit d'une basse continue (*recitativo secco* : récitatif sec), soit d'un groupe instrumental plus développé (*recitativo accompagnato* : récitatif accompagné). Lieu de l'action, le récitatif s'oppose à l'*aria* (voir ce terme), lieu du sentiment, caractérisé par des vers rimés et une forme musicale stricte.

Réexposition : troisième section d'une composition musicale respectant la forme sonate, dans laquelle le compositeur reprend le ou les thèmes initiaux.

Registration : art de combiner les jeux à l'orgue.

Renaissance : période de l'histoire musicale couvrant environ deux siècles, de 1400 à 1600.

Requiem : la messe des morts catholique débute par les mots *Requiem æternam dona eis, Domine* (« Seigneur, donne-leur le repos éternel »), ce qui explique qu'on la désigne généralement sous le terme de *requiem*. Les requiem de Mozart, Berlioz, Verdi, Fauré et Duruflé comptent parmi les plus célèbres. Dans son *Requiem allemand*, Brahms a illustré une série de textes luthériens en allemand.

Rhapsodie (ou rapsodie) : terme qui s'est répandu au milieu du XIXe siècle, en particulier grâce aux *Rhapsodies hongroises* de Liszt. Il désigne une composition à l'allure improvisée, de caractère souvent national (ainsi des *Rhapsodies roumaines* d'Enesco ou de la *Rhapsodie espagnole* de Ravel). Poulenc composa une *Rhapsodie nègre* qui fit scandale.

Risoluto : indication de jeu signifiant « résolument ».

Ritardando: terme indiquant un ralentissement progressif du tempo.

Ritenuto: terme indiquant un ralentissement soudain du tempo.

Ritornello: phrase ou section ponctuant régulièrement une œuvre vocale ou instrumentale, aux XVIIᵉ et XVIIIᵉ siècles.

Rondeau: 1 – Genre poétique et musical typique du Moyen Âge français, caractérisé par l'alternance soigneusement réglée d'un refrain et de strophes et illustré en particulier par Charles d'Orléans, Adam de la Halle et Machaut. 2 – Forme instrumentale à couplets et refrain, d'origine française, répandue aux XVIIᵉ et XVIIIᵉ siècles comme pièce indépendante (rondeaux pour clavecin de Couperin ou de Rameau) ou comme mouvement final d'une œuvre (concertos de Mozart) – dans ce dernier cas, il adopte le plus souvent l'orthographe italienne *rondo*.

Rondo: forme reposant sur le retour régulier d'un thème refrain entre des épisodes variés, utilisé souvent comme finale de sonate, de concerto ou de symphonie, à partir de l'époque classique.

Romantique: période musicale (et littéraire) couvrant approximativement le XIXᵉ siècle, généralement caractérisée par l'exacerbation des sentiments.

Roulement: technique spécifique à certains instruments à percussion, dans laquelle l'exécutant frappe son instrument alternativement avec deux maillets ou deux baguettes à grande vitesse.

Rubato: mode de jeu impliquant un léger décalage entre deux voix, par exemple la main droite et la main gauche pour le piano. Alors que la main gauche suit strictement la mesure, la main droite prend quelques libertés en «s'enroulant» autour de cette mesure. Chopin est le compositeur qui y a le plus recouru.

Rythme: paramètre fondamental de la musique, concernant la durée et l'accentuation relatives des notes entre elles.

Sarabande: danse lente à trois temps, que l'on trouve généralement dans la suite instrumentale baroque. La fameuse «Sarabande de Haendel» que l'on entend dans le film *Barry Lindon* provient de l'une de ses suites pour clavecin.

Scherzo: littéralement: «plaisanterie». Composition musicale brillante et de caractère léger, comme les *Scherzos* pour piano de Chopin. Constitue fréquemment le troisième mouvement d'une symphonie ou d'une sonate.

Septuor: 1 – Groupe de sept musiciens. 2 – Forme de composition musicale destinée à être interprétée par cette formation. Parmi les septuors célèbres, citons ceux de Beethoven et Stravinsky.

Sérénade: littéralement: «composition musicale jouée le soir» (par opposition à *aubade* qui, comme son nom l'indique, est jouée en début de journée). Était souvent utilisée comme musique de fond lors d'une réunion ou d'une garden-party.

Sérielle (Musique): l'expression désigne tout d'abord la musique dodécaphonique d'Arnold Schönberg et de ses disciples, reposant sur des séries de douze sons. À partir des années 1950, le sérialisme diverge du dodécaphonisme en appliquant à tous les autres paramètres (durée, intensité, timbre, attaque) le principe de série réservé jusque-là aux hauteurs de notes. Cette école, représentée en particulier par Pierre Boulez et Karlheinz Stockhausen, trouve son origine dans certaines pièces d'Anton Webern et dans le *Mode de valeurs et d'intensité* d'Olivier Messiaen.

Sextuor: 1 – Groupe de six musiciens. 2 – Forme de composition musicale destinée à être interprétée par cette formation. Parmi les sextuors célèbres, citons les deux sextuors à cordes de Brahms, le *Concert* de Chausson, *Souvenir de Florence* de Tchaïkovski, *La Nuit transfigurée* de Schönberg, le *Sextuor avec piano* de Poulenc et *Mládi* (*Jeunesse*) de Janáček.

Silence: temps d'une mesure pendant lequel aucun instrument ne se fait entendre.

Sinfonietta: petite symphonie. Exemple: la *Sinfonietta* de Janáček.

Singspiel: genre théâtral typiquement germanique, faisant alterner dialogues parlés et passages chantés. Exemples: *La Flûte enchantée* de Mozart et *Fidelio* de Beethoven.

Solfège: exercice de pratique musicale consistant à chanter une suite de notes en respectant leur hauteur, leur durée et leur intensité.

Sonate: composition musicale pour un ou deux instruments, formée généralement de plusieurs mouvements. À l'origine, le terme *sonata* désignait en italien la musique instrumentale («sonnée»), par opposition à la musique *cantata* («chantée»).

Sonate (Forme) : mécanisme de composition comportant généralement une exposition, un développement, une réexposition et parfois une coda. Elle s'est développée dans la seconde moitié du XVIIIe siècle jusqu'à devenir l'une des structures fondamentales de la musique instrumentale, formant souvent le premier mouvement des sonates, des œuvres de musique de chambre et des symphonies aux époques classique et romantique.

Sonatine : petite sonate.

Sourdine : objet utilisé pour assourdir le son d'un instrument, soit en contrôlant la vibration au niveau du chevalet (instruments à cordes), soit en étouffant le son grâce à un objet placé dans le pavillon (cuivres).

Sprechgesang : chant parlé. Technique inventée par Arnold Schönberg qui est apparue pour la première fois dans son *Pierrot lunaire*. Elle se pratique en respectant un rythme strict et des hauteurs de son approximatives, dans le timbre de la voix parlée.

Staccato : instruction de jeu qui s'oppose à *legato* (voir ce terme), exigeant de raccourcir légèrement la valeur des notes pour les détacher les unes des autres.

Strette : partie finale de la fugue où les entrées successives du sujet se chevauchent très rapidement.

Suite : morceau instrumental consistant en la succession de plusieurs petites pièces brèves. La suite baroque est généralement constituée de mouvements de danse, en particulier l'allemande, la courante, la sarabande et la gigue (*suite de danses*). Plus tard, le terme a désigné les extraits symphoniques d'une œuvre plus vaste, opéra, ballet ou musique de scène (*suite d'orchestre*).

Sujet : thème sur lequel est bâtie une fugue.

Symphonie : composition musicale destinée à être interprétée par un grand orchestre. Comprend généralement quatre mouvements.

Symphonie concertante : forme intermédiaire entre le concerto et la symphonie, mettant en scène deux ou plusieurs instruments solistes. Elle connut une vogue considérable à Paris dans la seconde moitié du XVIIIe siècle et rayonna par la suite en Allemagne et à Vienne, où Mozart, Haydn et leurs contemporains s'y illustrèrent à leur tour.

Tablature : système de notation à l'usage des instruments à clavier (orgue, clavecin) ou à cordes (luth, guitare) où les notes sont représentées par des chiffres et des lettres disposés de diverses façons.

Tarentelle : danse populaire à 6/8 originaire du sud de l'Italie, au mouvement frénétique. Cette danse a inspiré des compositions pour piano de Chopin, Weber (*Sonate en mi mineur*), Liszt (*Années de pèlerinage*) et Debussy (*Les Collines d'Anacapri*) ; Rossini a composé une célèbre tarentelle pour voix et piano, *La danza*.

Tempo : vitesse d'exécution d'un morceau.

Temps : partie élémentaire d'une mesure. Exemple : la valse est une musique à trois temps. Dans la majorité des cas, correspond à la durée d'une noire.

Ternaire (Forme) : structure musicale tripartite, dans laquelle la troisième partie est la reprise plus ou moins exacte de la première ; les exemples types de forme ternaire sont, dans la musique vocale, l'*aria da capo*, et dans la musique instrumentale le menuet avec trio, ou le scherzo avec trio.

Thème : air ou mélodie revêtant une importance fondamentale dans la structure d'un morceau de musique. Le thème peut être soumis à divers traitements, tels la variation, le développement ou la métamorphose.

Toccata : composition instrumentale, de caractère improvisé et virtuose, que l'on trouve principalement dans la musique pour clavier à partir du XVe siècle. Le genre atteignit son apogée avec J.-S. Bach (par exemple la célèbre *Toccata et Fugue en ré mineur*).

Tombeau : pièce instrumentale typique du XVIIe français (Louis Couperin, Marais, d'Anglebert…) écrite généralement en mémoire d'un compositeur ou d'un poète disparu. Le genre a réapparu au XXe siècle avec notamment Ravel (*Tombeau de Couperin*) et Marcel Dupré (*Tombeau de Titelouze* pour orgue).

Tonalité : gamme de base utilisée pour écrire un morceau de musique, définissant une note principale, la *tonique*, qui sert de pôle d'attraction sur lequel finit ce morceau. La notion de tonalité s'est affirmée à partir du XVIIe siècle, culminant au siècle suivant. Puis le XIXe siècle en a progressivement assoupli les règles et, au XXe siècle, de nombreuses expériences ont été menées pour soustraire la musique aux limites supposées de la tonalité : l'*atonalité* (absence de tonalité), le *dodécaphonisme* (utilisation non hiérarchique des douze demi-tons de la gamme chromatique), la *polytonalité* (superposition de deux ou plusieurs tonalités), les *micro-intervalles* (recours à des intervalles inférieurs au demi-ton), etc. La plupart du temps, seuls les morceaux les plus simples, en particulier les airs populaires, demeurent dans la même tonalité d'un bout à l'autre.

Transcription : adaptation d'une œuvre à d'autres instruments que ceux pour lesquels elle a été conçue.

Transposition : réécriture ou interprétation d'un morceau à une autre hauteur que celle d'origine, par exemple pour s'adapter à la tessiture d'un chanteur. Certains instruments comme la clarinette ou le cor anglais sont dits *transpositeurs* parce qu'ils sonnent plus haut ou plus bas que ce qui est noté.

Tremolo : répétition rapide d'une note ou de deux notes en alternance, produisant un effet de tremblement ou de « flou ». Dire de quelqu'un qu'il a des tremolos dans la voix n'est pas forcément un compliment…

Trille : battement rapide sur deux notes voisines.

Trio : 1 – Groupe de trois musiciens (souvent piano, violon et violoncelle). 2 – Composition musicale écrite pour cette formation. 3 – Partie centrale du menuet ou du scherzo d'une symphonie.

Troppo : terme apparaissant dans les indications de tempo et de jeu pour engager l'interprète à ne pas exagérer un effet, comme dans l'expression *allegro ma non troppo* (« rapide, mais pas trop »).

Tutti : 1 – Terme utilisé dans le domaine de la musique orchestrale pour désigner l'ensemble de l'orchestre par rapport à un soliste de concerto. 2 – Dans une œuvre symphonique ou chorale, passage où sont rassemblées toutes les forces en présence.

Unisson : exécution simultanée de la même note ou de la même mélodie par plusieurs interprètes.

Valse : danse à trois temps à laquelle Chopin a donné ses lettres de noblesse (*17 Valses* pour piano). Plus tard, c'est la dynastie des Strauss (pas Richard, les autres : Johann et ses fils Johann junior, Josef et Eduard) qui a porté cette danse à son apogée par une musique brillante, entraînante et d'un goût sûr : la *Valse de l'Empereur*, *Le Beau Danube bleu* et *Légendes de la forêt viennoise* sont probablement les plus connues de leurs compositions.

Variation : procédé de composition consistant à répéter un thème sous des formes plus ou moins variées. La forme du thème et variations a inspiré de nombreux compositeurs, par exemple Schubert (Quatuor «*La Jeune Fille et la Mort*», Quintette «*La Truite*»), Brahms et Elgar (*Variations Enigma*).

Vibrato : vibration produisant de légères variations de hauteur dans l'émission d'une note. Un léger vibrato donne de la chaleur à une mélodie. Un excès lui confère un caractère de vulgarité stigmatisé par le terme *degueulando*.

Vivace : indication de tempo signifiant « vivement ».

Vocalise : œuvre vocale sans paroles, à caractère d'exercice ou non. La célèbre *Vocalise* de Rachmaninov a fait l'objet de nombreuses transcriptions. Les *Bachianas Brasileiras n°s 5* de Villa-Lobos contiennent une somptueuse vocalise. Un chœur en vocalise s'ajoute parfois à la palette orchestrale pour créer une aura de mystère, comme dans *Le Mandarin merveilleux* (Bartók), « Neptune » (*Les Planètes* de Holst) ou « Sirènes » (*Images* de Debussy).

Voix : terme technique désignant les différentes lignes musicales d'un morceau contrapuntique ou harmonique, même dans le cas de musique instrumentale. Exemple : une fugue à quatre voix.

Index

Disponibles dans la collection Pour les Nuls

Pour être informé en permanence sur notre catalogue et sur les dernières nouveautés publiées dans cette collection, consultez notre site internet www.efirst.com

Pour les Nuls **Business**

ISBN	Code Article	Titre	Auteur
2-87691-644-4	65 3210 5	CV pour les Nuls (Le)	J.-L. Kennedy, A. Dumesnil
2-87691-652-5	65 3261 8	Lettres d'accompagnement pour les Nuls (Les)	J.-L. Kennedy, A. Dumesnil
2-87691-651-7	65 3260 0	Entretiens de Recrutement pour les Nuls (Les)	J.-L. Kennedy, A. Dumesnil
2-87691-670-3	65 3280 8	Vente pour les Nuls (La)	T. Hopkins
2-87691-712-2	65 3439 0	Business Plans pour les Nuls	P. Tifany
2-87691-729-7	65 3486 1	Management pour les Nuls (Le)	B. Nelson
2-87691-770-X	65 3583 5	Le Marketing pour les Nuls	A. Hiam

Pour les Nuls **Pratique**

ISBN	Code Article	Titre	Auteur
2-87691-597-9	65 3059 6	Astrologie pour les Nuls (L')	R. Orion
2-87691-610-X	65 3104 0	Maigrir pour les Nuls	J. Kirby
2-87691-604-5	65 3066 1	Asthme et allergies pour les Nuls	W. E. Berger
2-87691-615-0	65 3116 4	Sexe pour les Nuls (Le)	Dr Ruth
2-87691-616-9	65 3117 2	Relancez votre couple pour les Nuls	Dr Ruth
2-87691-617-7	65 3118 0	Santé au féminin pour les Nuls (La)	Dr P. Maraldo
2-87691-618-5	65 3119 8	Se soigner par les plantes pour les Nuls	C. Hobbs
2-87691-640-1	65 3188 3	Français correct pour les Nuls (Le)	J.-J. Julaud
2-87691-634-7	65 3180 0	Astronomie pour les Nuls (L')	S. Maran
2-87691-637-1	65 3185 9	Vin pour les Nuls (Le)	Y.-P. Cassetari
2-87691-641-X	65 3189 1	Rêves pour les Nuls (Les)	P. Pierce
2-87691-661-4	65 3279 0	Gérez votre stress pour les Nuls	Dr A. Elking
2-87691-657-6	65 3267 5	Zen ! La méditation pour les Nuls	S. Bodian
2-87691-646-0	65 3226 1	Anglais correct pour les Nuls (L')	C. Raimond
2-87691-681-9	65 3348 3	Jardinage pour les Nuls (Le)	M. MacCaskey
2-87691-683-5	65 3364 0	Cuisine pour les Nuls (La)	B. Miller, A. Le Courtois
2-87691-687-8	65 3367 3	Feng Shui pour les Nuls (Le)	D. Kennedy
2-87691-702-5	65 3428 3	Bricolage pour les Nuls (Le)	G. Hamilton
2-87691-705-X	65 3431 7	Tricot pour les Nuls (Le)	P. Allen
2-87691-769-6	65 3582 7	Sagesse et Spiritualité pour les Nuls	S. Janis

Disponibles dans la collection Pour les Nuls

Pour être informé en permanence sur notre catalogue et sur les dernières nouveautés publiées dans cette collection, consultez notre site internet www.efirst.com

Pour les Nuls **Pratique**

ISBN	Code Article	Titre	Auteur
2-87691-748-3	65 3534 8	Cuisine Minceur pour les Nuls (La)	L. Fischer, C. Bach
2-87691-752-1	65 3527 2	Yoga pour les Nuls (Le)	G. Feuerstein
2-87691-767-X	65 3580 1	Méthode Pilates pour les Nuls (La)	H. Herman
2-87691-768-8	65 3581 9	Chat pour les Nuls (Un)	G. Spadafori
2-87691-801-3	65 3682 5	Chien pour les Nuls (Un)	G. Spadafori
2-87691-824-2	65 3728 6	Échecs pour les Nuls (Les)	J. Eade
2-87691-823-4	65 3727 8	Guitare pour les Nuls (La)	M. Phillips, J. Chappell
2-87691-800-5	65 3681 7	Bible pour les Nuls (La)	E. Denimal
2-87691-868-4	65 3853 2	S'arrêter de fumer pour les Nuls	Dr Brizer, Pr Dautzenberg
2-87691-802-1	65 3684 1	Psychologie pour les Nuls (La)	Dr A. Cash
2-87691-869-2	65 3854 0	Diabète pour les Nuls (Le)	Dr A. Rubin, Dr M. André
2-87691-897-8	65 3870 6	Bien s'alimenter pour les Nuls	C. A. Rinzler, C. Bach
2-87691-893-5	65 3866 4	Guérir l'anxiété pour les Nuls	Dr Ch. Eliott, Dr M. André
2-87691-915-X	65 3876 3	Grossesse pour les Nuls (La)	Dr J. Stone
2-87691-943-5	65 3887 0	Vin pour les Nuls (Le)	Ed. Mcarthy, M. Ewing
2-87691-941-9	65 3885 4	Histoire de France pour les Nuls (L')	J.-J. Julaud
2-87691-984-2	65 0953 3	Généalogie pour les Nuls (La)	F. Christian
2-87691-983-4	65 0952 5	Guitare électrique pour les Nuls (La)	J. Chappell
2-87691-973-7	65 0943 4	Anglais pour les Nuls (L')	G. Brenner
2-87691-974-5	65 0944 2	Espagnol pour les Nuls (L')	S. Wald
2-75400-025-9	65 4151 0	Mythologie pour les Nuls (La)	Ch. et A. Blackwell
2-75400-037-2	65 4161 9	Léonard de Vinci pour les Nuls	J. Teisch, T. Barr
2-75400-060-7	65 4170 0	Massages pour les Nuls (Les)	S. Capellini, M. Van Welden
2-75400-059-3	65 4169 2	Voile pour les Nuls (La)	JJ et Peter Isler
2-75400-062-3	65 4172 6	Bouddhisme pour les Nuls (Le)	J. Landaw, S. Bodian
2-75400-061-5	65 4171 8	Littérature française pour les Nuls (La)	J.-J. Julaud
2-75400-078-X	65 4188 2	Golf pour les Nuls (Le)	G. McCord
2-75400-092-5	65 4236 9	Immobilier pour les Nuls (L')	L. Boccarna, C. Sabbah
2-75400-093-3	65 4237 7	Maths pour les Nuls (Les)	J.-L. Boursin

Disponibles dans la collection Pour les Nuls

Pour être informé en permanence sur notre catalogue et sur les dernières nouveautés publiées dans cette collection, consultez notre site internet www.efirst.com

Pour les Nuls **Pratique**

ISBN	Code Article	Titre	Auteur
2-87691-110-7	65 4254 2	Histoire de France illustrée pour les Nuls (L')	J.-J. Julaud
2-75400-102-6	654246 8	Piano pour les Nuls (Le)	B. Neely, M. Rozenbaum
2-75400-118-2	65 425901	Claviers et Synthétiseurs pour les Nuls	C. Martin de Montaigu
2-75400-124-7	65 4265 8	Guitare pour les Nuls (La)	M. Philipps, J. Chappell
2-75400-123-9	65 4264 1	Poker pour les Nuls (Le)	R.D.Harroch, L. Krieger, F. Montmirel
2-75400-152-2	65 1119 0	Eduquer son chien pour les Nuls	J. et W. Volahrd
2-75400-137-9	65 4275 7	Tai Chi Chuan pour les Nuls (Le)	T. Iknoian
2-87691-998-2	65 0960 8	Philosophie pour les Nuls (La)	C. Godin

Disponibles dans la collection Pour les Nuls

Pour être informé en permanence sur notre catalogue et sur les dernières nouveautés publiées dans cette collection, consultez notre site internet www.efirst.com

Pour les Nuls **Poche**

ISBN	Code Article	Titre	Auteur
2-87691-873-0	65 3862 3	Management (Le) – Poche pour les Nuls	Bob Nelson
2-87691-872-2	65 3861 5	Cuisine (La) – Poche pour les Nuls	B. Miller, A. Le Courtois
2-87691-871-4	65 3860 7	Feng Shui (Le) – Poche pour les Nuls	D. Kennedy
2-87691-870-6	65 3859 9	Maigrir – Poche pour les Nuls	J. Kirby
2-87691-923-0	65 3881 3	Anglais correct (L') – Poche pour les Nuls	C. Raimond
2-87691-924-9	65 3882 1	Français correct (Le) – Poche pour les Nuls	J.-J. Julaud
2-87691-950-8	65 3894 6	Vente (La) – Poche pour les Nuls	T. Hopkins
2-87691-949-4	65 3893 8	Bureau Feng Shui (Un) – Poche pour les Nuls	H. Ziegler, J. Lawler
2-75400-001-1	65 0963 2	CV (Le) – Poche pour les Nuls	J.-L. Kennedy, A. Dumesnil
2-75400-000-3	65 0962 4	Zen ! La méditation – Poche pour les Nuls	S. Bodian
2-87691-999-0	65 0961 6	Astrologie (L') – Poche pour les Nuls	R. Orion
2-75400-015-1	65 0975 6	Jardinage (Le) – Poche pour les Nuls	M. Mac Caskey
2-75400-014-3	65 0974 9	Jardin Feng Shui (Le) – Poche pour les Nuls	M. Ziegler et J. Lawler
2-75400-063-1	65 4173 4	Yoga (Le) – Poche pour les Nuls	G. Feuerstein, L. Pane
2-75400-064-X	65 4174 2	Astronomie (L') - Poche pour les Nuls	S. Maran, P. Bordé
2-75400-087-9	65 4231 0	Vin (Le) - Poche pour les Nuls	L. Lieger
2-75400-082-8	6504189 0	Lettres d'accompagnement (Les) - Poche pour les Nuls	A. Dumesnil
2-75400-086-0	65 4230 2	Entretiens de recrutement (Les) - Poche pour les Nuls	A. Dumesnil
2-75400-094-1	65 4238 5	Business Plans (Les) - Poche pour les Nuls	P. Tiffany
2-75400-135-2	65 42740	Tricot (Le) - Poche pour les Nuls	P. Allen

Achevé d'imprimer par Corlet, Imprimeur, S.A. - 14110 Condé-sur-Noireau
N° d'Imprimeur : 92451 - Dépôt légal : mai 2006 - *Imprimé en France*